D1234227

ANTOLOGÍA PERSONAL

Juan Bosch

ANTOLOGÍA PERSONAL

La Editorial
Universidad de Puerto Rico

LA EDITORIAL
UNIVERSIDAD DE PUERTO RICO

 Publicado y distribuido por La Editorial, Universidad de Puerto Rico.
Apartado 23322
San Juan, Puerto Rico 00931-3322
www.laeditorialupr.com

Edición revisada, 2009

Catalogación de la Biblioteca del Congreso
Library of Congress Cataloging "in" Publication Data

The Library of Congress has cataloged the earlier edition as follows:
Bosch, Juan, 1909-
[Selections. 1998]
Antología personal / Juan Bosch; [edición al cuidado de Avelino Stanley].-- 1. ed. p
p. cm.
Includes bibliographical references.
ISBN 978-0-8477-1117-8 (pbk.: alk. paper)
I. Stanley Rondón, Avelino, 1959-. II. Title
PQ7409.B65A6 1998
868-dc21 98-26250
CIP

ISBN: 978-0-8477-1117-8

Diseño de portada: Samuel Rosario
Foto del autor: cortesía del periódico *Claridad*
Diagramación: Carmen Cruz-Quiñones

Impreso en Colombia / Printed in Colombia

CONTENIDO

ANTESALA

Mi niñez ha pesado mucho en mi vida porque fue muy dramática debido a que para mí tenían importancia cosas que no la tenían para otros niños. En mi memoria está incorporado el recuerdo de la pobreza de los campos y la pobreza de los niños. Eso influyó mucho en mi vida. Fue la fuerza que me llevó a desear hacer cosas que otros muchachos de mi edad no desearon. A eso se unió otro hecho. Mi abuelo era un hombre culto. Tenía una biblioteca. Ahí leí yo, de niño, *El Mío Cid*, los *Doce Pares de Francia*, el *Infierno* de Dante, *El Quijote;* leía, además, mucha historia de España. Mi padre también era lector. Nada de eso lo podían hacer otros niños de mi época, de mi entorno.

En cuanto a mi sensibilidad artística, ésta se encaminó por la literatura, especialmente por el cuento. Para ello tuvo que ver el hecho de que mi padre me enseñó a escribir a máquina. Empecé con un periodiquito que yo mismo hacía llamado *El Infantil*, y que luego lo vendía en la escuela a medio centavo. Luego pasé a escribir "cosas" para un periódico de la provincia de Barahona. Recuerdo que escribí un verso que decía:

> Yo quiero ser entre los hombres, hombre.
> Yo quiero ser entre los bravos, bravo.
> Quiero llegar a donde Dios se esconde
> y al mismo Dios arrebatarle el rayo.

En 1932 fue cuando, en realidad, se inició mi carrera de cuentista. Entre otras razones porque ya había una revista en la que se podían publicar piezas literarias. Me refiero a la revista *Bahoruco* que hacía Horacio Blanco Fombona. Ahí comencé a publicar mis cuentos. Entonces, en los escritores de la época, se fue formando la idea de que yo era el cuentista dominicano. Porque los cuentos que yo escribía eran de temas dominicanos. Luego, algunos de ellos como "La mujer", fueron publicados en Cuba, en la revista *Carteles.*

Mi primer libro de cuentos, llamado *Camino Real,* fue publicado en La Vega, en el 1933. Luego escribí *Indios* y posteriormente *La mañosa.*

En el año 1938 me fui a Puerto Rico con mi esposa, que estaba embarazada, y con León Bosch, nuestro primer hijo. Allí me puse a buscar trabajo. Un día fui a la Biblioteca Carnegie y ahí, hablando con una señora, le pregunté que si había algún trabajo que yo pudiera hacer. Ella me preguntó que si yo era puertorriqueño y le dije que no, que era dominicano. Entonces me preguntó mi nombre y cuando le dije que era Juan Bosch, volvió a interrogarme. ¿Ah, pero usted es Juan Bosch, el cuentista dominicano? Y cuando le dije que sí ella me respondió que para mí sí había trabajo. Me llevó a un salón que estaba vacío. Había una persona sentada en un escritorio. Era Adolfo Hostos, el hijo de Eugenio María de Hostos. Él me preguntó que si yo podía trabajar en la transcripción de la obra de Hostos y yo le dije de inmediato que sí, porque yo era un producto de la escuela hostosiana en la República Dominicana. Y me dieron el trabajo.

Durante todo ese año de 1938 estuvimos trabajando en la transcripción de la obra de Hostos que se editaría en Cuba. Como Hostos no era tan conocido fuera de Puerto Rico y de República Dominicana, se me ocurrió que debía hacer algo para difundir su obra. De ahí ese trabajo mío que es en parte biográfico y en parte un relato de la vida de Hostos. Un relato dentro de los lineamientos de la verdad histórica, aunque no con la precisión que habría aparecido si se hubiera tratado de una biografía. Yo lo que quería era dejar en esas páginas el carácter de Hostos y su dedicación a mejorar las condiciones de los pueblos de América a través de la educación. El libro se titula *Hostos el sembrador* porque él era un apóstol que iba sembrando la dignidad, los conocimientos, el pensamiento y el sentimiento latinoamericano por donde quiera que pasaba.

Hostos fue para mí un maestro a través de su obra. Él transformó mi destino. Antes de leer la obra completa de Hostos yo era un proyecto de hombre que no estaba claro, no estaba bien concebido ni expresado. Un proyecto de hombre que quería hacer algo por su pueblo y por los pueblos latinoamericanos. Pero no sabía cómo. Entonces, después de leer la obra completa de Hostos ya yo sabía qué tenía que hacer y cómo hacerlo para servir a mi pueblo y a los pueblos de América Latina.

De mis libros casi no hablo porque no me gusta hablar de mí mismo. Pero, entre mis cuentos, estoy muy satisfecho, por ejemplo, con "Luis pie", "La nochebuena de Encarnación Mendoza", "El indio Manuel Sicuri" y "La bella alma de Don Damián". Otro cuento muy bueno es "Dos pesos de agua". Yo dejé el cuento desde que llegué a la República Dominicana en octubre de 1961. Desde esa fecha hasta hoy sólo he escrito un cuento.

En novela, la mejor novela mía desde el punto de vista de la técnica narrativa es *El oro y la paz.*

De todos los libros que yo he escrito ¿cómo puedo saber cuál es el mejor? Es muy difícil. Pero un libro del cual creo estar satisfecho es *Composición social dominicana.* Es la historia de mi país vista a través de la composición social, la lucha de clases que durante mucho tiempo no fue una lucha de clases entre obreros y capitalistas porque no había obreros ni había capitalistas (mi país ha sido un país muy pobre durante muchos años). Era una lucha de clases entre diversas capas de la pequeña burguesía, a veces una lucha muy cruel. Otro libro del cual estoy conforme es *Breve historia de la oligarquía* y también con el llamado *De Cristóbal Colón a Fidel Castro: el Caribe frontera imperial*, que es la historia de todos los pueblos del Caribe.

El escritor, no importa el género al que se dedique, si escribe con responsabilidad para su pueblo, no para él, no para sentirse halagado, sino para orientar a su pueblo, se convierte en un elemento altamente positivo, en una fuerza directora de la sociedad. El que trae a la vida el don de comunicarse por medio de la palabra con los demás seres humanos tiene una alta función que realizar, que ejecutar, y está en la obligación de desarrollar esa capacidad. Porque no se puede malgastar esa capacidad, no se puede dedicar a cosas que no sean nobles, fecundas, hermosas.

Juan Bosch

CUENTOS

LA MUJER

La carretera está muerta. Nadie ni nada la resucitará. Larga, infinitamente larga, ni en la piel gris se le ve vida. El sol la mató; el sol de acero, de tan candente al rojo, un rojo que se hizo blanco, y sigue ahí, sobre el lomo de la carretera.

Debe hacer muchos siglos de su muerte. La desenterraron hombres con picos y palas. Cantaban y picaban; algunos había, sin embargo, que ni cantaban ni picaban. Fue muy largo todo aquello. Se veía que venían de lejos: sudaban, hedían. De tarde el acero blanco se volvía rojo; entonces en los ojos de los hombres que desenterraban la carretera se agitaba una hoguera pequeñita, detrás de las pupilas.

La muerta atravesaba sabanas y lomas y los vientos traían polvo sobre ella. Después aquel polvo murió también y se posó en la piel gris.

A los lados hay arbustos espinosos. Muchas veces la vista se enferma de tanta amplitud. Pero las planicies están peladas. Pajonales, a distancia. Tal vez aves rapaces coronen cactos. Y los cactos están allá, más lejos, embutidos en el acero blanco.

También hay bohíos, casi todos bajos y hechos con barro. Algunos están pintados de blanco y no se ven bajo el sol. Sólo se destaca el techo grueso,

---

Los cuentos, los fragmentos de las novelas y las leyendas fueron tomados de: *Obras completas.* Tomos I y II (Santo Domingo, R. D.: Editora Corripio, 1989).

seco, ansioso de quemarse día a día. Las canas dieron esas techumbres por las que nunca rueda agua.

La carretera muerta, totalmente muerta, está ahí, desenterrada, gris. La mujer se veía, primero, como un punto negro, después, como una piedra que hubieran dejado sobre la momia larga. Estaba allí tirada sin que la brisa le moviera los harapos. No la quemaba el sol; tan sólo sentía dolor por los gritos del niño. El niño era de bronce, pequeñín, los ojos llenos de luz, y se agarraba a la madre tratando de tirar de ella con sus manecitas. Pronto iba la carretera a quemar el cuerpo, las rodillas por lo menos, de aquella criatura desnuda y gritona.

La casa estaba allí cerca, pero no podía verse.

A medida que se avanzaba crecía aquello que parecía una piedra tirada en medio de la gran carretera muerta. Crecía, y Quico se dijo: Un becerro, sin duda, estropeado por auto.

Tendió la vista: la planicie, la sabana. Una colina lejana, con pajonales, como si fuera esa colina sólo un montoncito de arena apilada por los vientos. El cauce de un río; las fauces secas de la tierra que tuvo agua mil años antes de hoy. Se resquebrajaba la planicie dorada bajo el pesado acero transparente. Y los cactos, los cactos coronados de aves rapaces.

Más cerca ya, Quico vio que era persona. Oyó distintamente los gritos del niño.

* * *

El marido le había pegado. Por la única habitación del bohío, caliente como horno, la persiguió, tirándola de los cabellos y machacándole la cabeza a puñetazos.

–¡Hija de mala madre! ¡Hija de mala madre! ¡Te voy a matar como a una perra, desvergonzada!

–Pero si nadie pasó, Chepe: nadie pasó –quería ella explicar.

–¿Que no? ¡Ahora verás!

Y volvía a golpearla.

El niño se agarraba a las piernas de su papá; no sabía hablar aún y pretendía evitarlo. Él veía a la mujer sangrando por la nariz. La sangre no le daba miedo, no, solamente deseos de llorar, de gritar mucho. De seguro mamá moriría si seguía sangrando.

Todo fue porque la mujer no vendió la leche de cabra, como él se lo mandara; al volver de las lomas, cuatro días después, no halló el dinero. Ella contó que se había cortado la leche; la verdad es que la bebió el niño. Prefirió no tener unas monedas a que la criatura sufriera hambre tanto tiempo.

Le dijo después que se marchara.

–¡Te mataré si vuelves a esta casa!

La mujer estaba tirada en el piso de tierra; sangraba mucho y nada oía. Chepe, frenético, la arrastró hasta la carretera. Y se quedó allí, como muerta, sobre el lomo de la gran momia.

* * *

Quico tenía agua para dos días más de camino, pero casi toda la gastó en rociar la frente de la mujer. La llevó hasta el bohío, dándole el brazo, y pensó en romper su camisa listada para limpiarla de sangre.

Chepe entró por el patio.

–¡Te dije que no quería verte más aquí, condenada!

Parece que no había visto al extraño. Aquel acero blanco, transparente, le había vuelto fiera, de seguro. El pelo era estopa y las córneas estaban rojas.

Quico le llamó la atención; pero él, medio loco, amenazó de nuevo a su víctima. Iba a pegarle ya. Entonces fue cuando se entabló la lucha entre los dos hombres.

El niño pequeñín, pequeñín comenzó a gritar otra vez; ahora se envolvía en la falda de su mamá.

La lucha era silenciosa. No decían palabra. Sólo se oían los gritos del muchacho y las pisadas violentas.

La mujer vio cómo Quico ahogaba a Chepe: tenía los dedos engarfiados en el pescuezo de su marido. Éste comenzó por cerrar los ojos; abría la boca y le subía la sangre al rostro.

Ella no supo qué sucedió, pero cerca, junto a la puerta, estaba la piedra; una piedra como lava, rugosa, casi negra, pesada. Sintió que le nacía una fuerza brutal. La alzó. Sonó seco el golpe. Quico soltó el pescuezo del otro, luego dobló las rodillas, después abrió los brazos con amplitud y cayó de espaldas, sin quejarse, sin hacer un esfuerzo.

La tierra del piso absorbía aquella sangre tan roja, tan abundante. Chepe veía la luz brillar en ella.

La mujer tenía las manos crispadas sobre la cara, todo el pelo suelto y los ojos pugnando por saltar. Corrió. Sentía flojedad en las coyunturas.

Quería ver si alguien venía. Pero sobre la gran carretera muerta, totalmente muerta, sólo estaba el sol que la mató.

Allá, al final de la planicie, la colina de arenas que amontonaron los vientos. Y cactos, embutidos en el acero.

DOS PESOS DE AGUA

La vieja Remigia sujeta el aparejo, alza la pequeña cara y dice:

–Dele ese rial[1] fuerte a las ánimas pa' que llueva, Felipa.

Felipa fuma y calla. Al cabo de tanto oír lamentar la sequía levanta los ojos y recorre el cielo con ellos. Claro, amplio y alto, el cielo se muestra sin una mancha. Es de una limpieza desesperante.

–Y no se ve ni una señal de nube –comenta.

Baja entonces la mirada. Los terrenos pardos se agrietan a la distancia. Allá, al pie de la loma, un bohío. La gente que viva en él, y en los otros, y en los más remotos, estará pensando como ella y como la vieja Remigia. ¡Nada de lluvia en una sarta bien larga de meses! Los hombres prenden fuego a los pinos de las lomas; el resplandor de los candelazos chamusca las escasas hojas de los maizales; algunas chispas vuelan como pájaros, dejando estelas luminosas, caen y florecen en incendios enormes: todo para que ascienda el humo a los cielos, para que llueva... Y nada. Nada.

–Nos vamos a acabar, Remigia –dice.

La vieja comenta:

–Pa' lo que nos falta.

La sequía había empezado matando la primera cosecha; cuando se hubo hecho larga y le sacó todo el jugo a la tierra, les cayó encima a los arroyos; poco a poco los cauces le fueron quedando anchos al agua, las piedras

[1] N. del E.: Rial por Real, antigua moneda de plata.

surgieron cubiertas de lamas y los pececillos emigraron corriente abajo. Infinidad de caños acabaron por agotarse, otros por tornarse lagunas, otros lodazales. Sedientos y desesperados, muchos hombres abandonaron los conucos, aparejaron caballos y se fueron con las familias en busca de lugares menos áridos.

La vieja Remigia se resistía a salir. Algún día caería el agua; alguna tarde se cargaría el cielo de nubes; alguna noche rompería el canto del aguacero sobre el ardido techo de yaguas.

* * *

Desde que se quedó con el nieto, después que se llevaron al hijo en una parihuela, la vieja Remigia se hizo huraña y guardadora. Pieza a pieza fue juntando sus centavos en una higüera con ceniza. Los centavos eran de cobre. Trabajaba en el conuquito, detrás de la casa; sembraba maíz y frijoles. El maíz lo usaba en engordar los pollos y los cerdos; los frijoles servían para la comida. Cada dos o tres meses reunía los pollos más gordos y se iba a venderlos. Cuando veía un cerdo mantecoso, lo mataba; ella misma detallaba la carne y de las capas extraía la grasa; con ésta y con los chicharrones se iba también al pueblo. Cerraba el bohío, le encargaba a un vecino que le cuidara lo suyo, montaba al nieto en el potro bayo y lo seguía a pie. En la noche estaba de vuelta.

Iba tejiendo su vida así, con el nieto colgado del corazón.

–Pa' ti trabajo, muchacho –le decía–. No quiero que pases calores, ni que te vayas a malograr como tu taita.

El niño la miraba. Nunca se le oía hablar, y aunque apenas alzaba una vara del suelo, madrugaba con su machete bajo el brazo y el sol le salía sobre la espalda, limpiando el conuco.

La vieja Remigia tenía sus esperanzas. Veía crecer el maíz, veía florecer los frijoles; oía el gruñido de sus puercos en la pocilga cercana; contaba las gallinas al anochecer, cuando subían a los palos. Entre días descolgaba la higüera y sacaba los cobres. Había muchos, llegó también a haber monedas de plata de todos tamaños.

Con temblores en la mano, Remigia acariciaba su dinero y soñaba. Veía al muchacho en tiempo de casarse, bien montado en brioso caballo alazano, o se lo figuraba tras un mostrador, despachando botellas de ron, varas de lienzo, libras de azúcar. Sonreía, tornaba a guardar su dinero, guindaba la higüera y se acercaba al nieto, que dormía tranquilo.

Todo iba bien. Pero sin saberse cuándo ni cómo se presentó aquella sequía. Pasó un mes sin llover, pasaron dos, pasaron tres. Los hombres que cruzaban por delante de su bohío la saludaban diciendo:

–Tiempo bravo, Remigia.

Ella aprobaba en silencio. Acaso comentaba:

–Prendiendo velas a las ánimas pasa esto.

Pero no llovía. Se consumieron muchas velas y se consumió también el maíz en sus tallos. Se oían crujir los palos; se veían enflaquecer los caños de agua; en la pocilga empezó a endurecerse la tierra. A veces se cargaba el cielo de nubes; allá arriba se apelotonaban manchas grises; bajaban de las lomas vientos húmedos, que alzaban montones de polvo.

–Esta noche sí llueve, Remigia –aseguraban los hombres que cruzaban.

–¡Por fin! Va a ser hoy –decía una mujer.

–Ya está casi cayendo –confiaba un negro.

La vieja Remigia se acostaba y rezaba: ofrecía más velas a las ánimas y esperaba. A veces le parecía sentir el roncar de la lluvia que descendía de las altas lomas. Se dormía esperanzada; pero el cielo amanecía limpio como ropa de matrimonio.

Comenzó la desesperación. La gente estaba ya transida y la propia tierra quemaba como si despidiera llamas. Todos los arroyos cercanos habían desaparecido; toda la vegetación de las lomas había sido quemada. No se conseguía comida para los cerdos; los asnos se alejaban en busca de mayas; las reses se perdían en los recodos, lamiendo raíces de árboles; los muchachos iban a distancias de medio día a buscar latas de agua; las gallinas se perdían en los montes, en procura de insectos y semillas.

–Se acaba esto, Remigia. Se acaba –lamentaban las viejas.

Un día, con la fresca del amanecer, pasó Rosendo con la mujer, los dos hijos, la vaca, el perro y un mulo flaco cargado de trastos.

–Yo no aguanto, Remigia; a este lugar le han hecho mal de ojo.

Remigia entró en el bohío, buscó dos monedas de cobre y volvió.

–Tenga; préndale esto de velas a las ánimas en mi nombre –recomendó.

Rosendo cogió los cobres, los miró, alzó la cabeza y se cansó de ver cielo azul.

–Cuando quiera, váyase a Tavera. Nosotros vamos a parar un rancho allá, y dende agora es suyo.

–Yo me quedo, Rosendo. Esto no puede durar.

Rosendo volvió el rostro. Su mujer y sus hijos se perdían ya en la distancia. El sol parecía incendiar las lomas remotas.

* * *

El muchacho se había puesto tan oscuro como un negro. Un día se le acercó:

–Mamá, uno de los puerquitos parece muerto.

Remigia se fue a la pocilga. Anhelantes, resecas las trompas, flacos como alambres, los cerdos gruñían y chillaban. Estaban apelotonados, y cuando Remigia los espantó vio restos de un animal. Comprendió: el muerto había alimentado a los vivos. Entonces decidió ir ella misma en busca de agua para que sus animales resistieran.

Echaba por delante el potro bayo; salía de madrugada y retornaba a medio día. Incansable, tenaz, silenciosa, Remigia se mantenía sin una queja. Ya sentía menos peso en la higüera; pero había que seguir sacrificando algo para que las ánimas tuvieran piedad. El camino hasta el arroyo más cercano era largo; ella lo hacía a pie, para no cansar la bestia. El potro bayo tenía las ancas cortantes, el pescuezo flaco, y a veces se le oían chocar los huesos.

El éxodo continuaba. Cada día se cerraba un nuevo bohío. Ya la tierra parda se resquebrajaba; ya sólo los espinosos cambronales se sostenían verdes. En cada viaje el agua del arroyo era más escasa. A la semana había tanto lodo como agua; a las dos semanas el cauce era como un viejo camino pedregoso, donde refulgía el sol. La bestia, desesperada, buscaba donde ramonear y batía el rabo para espantar las moscas.

Remigia no había perdido la fe. Esperaba las señales de lluvia en el alto cielo.

–¡Ánimas del Purgatorio! –clamaba de rodillas–. ¡Ánimas del Purgatorio! ¡Nos vamos a morir achicharrados si ustedes no nos ayudan!

Días después el potro bayo amaneció tristón e incapaz de levantarse; esa misma tarde el nieto se tendió en el catre, ardiendo en fiebre. Remigia se echó afuera. Anduvo y anduvo, llamando en los distantes bohíos, levantando los espíritus.

–Vamos a hacerle un rosario a San Isidro –decía.

–Vamos a hacerle un rosario a San Isidro –repetía.

Salieron una madrugada de domingo. Ella llevaba el niño en brazos. La cabeza del muchacho, cargada de calenturas, pendía como un bulto del hombro de su abuela. Quince o veinte mujeres, hombres y niños desarrapados, curtidos por el sol, entonaban cánticos tristes, recorriendo los pelados caminos. Llevaban una imagen de la Altagracia; le encendían velas; se arrodillaban y elevaban ruegos a Dios. Un viejo flaco, barbudo, de ojos ardientes y acerados, con el pecho desnudo, iba delante golpeándose el esternón con la mano descarnada, mirando a lo alto y clamando:

¡San Isidro Labrador!
¡San Isidro Labrador!
Trae el agua y quita el sol,
¡San Isidro Labrador!

Sonaba ronca la voz del viejo. Detrás, las mujeres plañían y alzaban los brazos.

* * *

Ya se habían ido todos. Pasó Rosendo, pasó Toribio con una hija medio loca; pasó Felipe; pasaron otros y otros. Ella les dio a todos para velas. Pasaron los últimos, una gente a quienes no conocía; llevaban un viejo enfermo y no podían con su tristeza; ella les dio para velas.

Se podía tender la vista sin tropiezos y ver desde la puerta del bohío el calcinado paisaje con las lomas peladas al final; se podían ver los cauces secos de los arroyos.

Ya nadie esperaba lluvia. Antes de irse los viejos juraban que Dios había castigado el lugar y los jóvenes que tenía mal de ojo.

Remigia esperaba. Recogía escasas gotas de agua. Sabía que había que empezar de nuevo, porque ya casi nada quedaba en la higüera, y el conuco estaba pelado como un camino real. Polvo y sol; sol y polvo. La maldición de Dios, por la maldad de los hombres, se había realizado allí; pero la maldición de Dios no podía acabar con la fe de Remigia.

* * *

En su rincón del Purgatorio, las ánimas, metidas de cintura abajo entre las llamas voraces, repasaban cuentas. Vivían consumidas por el fuego, purificándose; y, como burla sangrienta, tenían potestad para desatar la lluvia y llevar el agua a la tierra. Una de ellas, barbuda, dijo:

–¡Caramba! ¡La vieja Remigia, de Paso Hondo, ha quemado ya dos pesos de velas pidiendo agua!

Las compañeras saltaron vociferando:

–¡Dos pesos, dos pesos!

Alguna preguntó:

–¿Por qué no se le ha atendido, como es costumbre?

–¡Hay que atenderla! –rugió una de ojos impetuosos.

–¡Hay que atenderla! –gritaron las otras.

Se corrían la voz, se repetían el mandato:

–¡Hay que mandar agua a Paso Hondo! ¡Dos pesos de agua!

–¡Dos pesos de agua a Paso Hondo!

–¡Dos pesos de agua a Paso Hondo!

Todas estaban impresionadas, casi fuera de sí, porque nunca llegó una entrega de agua a tal cantidad; ni siquiera a la mitad, ni aun a la tercera parte. Servían una noche de lluvia por dos centavos de velas, y cierta vez enviaron un diluvio entero por veinte centavos.

–¡Dos pesos de agua a Paso Hondo! –rugían.

Y todas las ánimas del Purgatorio se escandalizaban pensando en el agua que había que derramar por tanto dinero, mientras ellas ardían metidas en el fuego eterno, esperando que la suprema gracia de Dios las llamara a su lado.

* * *

Abajo, en Paso Hondo, se nubló el cielo. Muy de mañana Remigia miró hacia oriente y vio una nube negra y fina, tan negra como una cinta de luto y tan fina como la rabiza de un fuete. Una hora después inmensas lomas de nubes grises se apelotonaron, empujándose, avanzando, ascendiendo. Dos horas más tarde estaba oscuro como si fuera de noche.

Llena de miedo, con el temor de que se deshiciera tanta ventura, Remigia callaba y miraba. El nieto seguía en el catre, calenturiento. Estaba flaco, igual que un sonajero de huesos. Los ojos parecían salirle de cuevas.

Arriba estalló un trueno. Remigia corrió a la puerta. Avanzando como caballería rabiosa, un frente de lluvia venía de las lomas sobre el bohío. Ella sonrió de manera inconsciente; se sujetó las mejillas, abrió desmesuradamente los ojos. ¡Ya estaba lloviendo!

Rauda, pesada, cantando broncas canciones, la lluvia llegó hasta el camino real, resonó en el techo de yaguas, saltó el bohío, empezó a caer en el conuco. Sintiéndose arder, Remigia corrió a la puerta del patio y vio descender, apretados, los hilos gruesos de agua; vio la tierra adormecerse y despedir un vaho espeso. Se tiró afuera, radiosa.

–¡Yo sabía, yo lo sabía, yo lo sabía! –gritaba a voz en cuello.

–¡Lloviendo, lloviendo! –clamaba con los brazos tendidos hacia el cielo–. ¡Yo sabía!

De pronto penetró en la casa, tomó al niño, lo apretó contra su pecho, lo alzó, lo mostró a la lluvia.

–¡Bebe, muchacho; bebe, hijo mío! ¡Mira, agua; mira, agua!

Y sacudía al nieto, lo estrujaba; parecía querer meterle dentro el espíritu fresco y disperso del agua.

* * *

Mientras afuera bramaba el temporal, soñaba adentro Remigia.

–Ahora –se decía–, en cuanto la tierra se ablande, siembro batata, arroz tresmesino, frijoles y maíz. Todavía me quedan unos cuartitos con qué comprar semillas. El muchacho se va a sanar. ¡Lástima que la gente se haya ido! Quisiera verle la cara a Toribio, a ver qué pensaría de este aguacero. Tantas rogaciones, y sólo me van a aprovechar a mí. Quizá vengan agora, cuando sepan que ya pasó el mal de ojo.

El nieto dormía tranquilo. En Paso Hondo, por los secos cauces de los arroyos y de los ríos, empezaba a rodar agua sucia; todavía era escasa y se estancaba en las piedras. De las lomas bajaba roja, cargada de barro; de los cielos descendía pesada y rauda. El techo de yaguas se desmigajaba con los golpes múltiples del aguacero. Remigia se adormecía y veía su conuco lleno de plantas verdes, lozanas, batidas por la brisa fresca; veía los rincones llenos de dorado maíz de frijoles sangrientos, de batatas henchidas. El sueño le tornaba pesada la cabeza y afuera seguía bramando la lluvia incansable.

* * *

Pasó una semana; pasaron diez días, quince... Zumbaba el aguacero sin una hora de tregua. Se acabaron el arroz y la manteca; se acabó la sal. Bajo el agua tomó Remigia el camino de Las Cruces para comprar comida. Salió de mañana y retornó a media noche. Los ríos, los caños de agua y hasta las lagunas se adueñaban del mundo, borraban los caminos, se metían lentamente entre los conucos.

Una tarde pasó un hombre. Montaba mulo pesado.

–¡Ey, don! –llamó Remigia.

El hombre metió la cabeza del animal por la puerta.

–Bájese pa' que se caliente –invitó ella.

La montura quedó a la intemperie.

–El cielo se ta cayendo en agua –explicó él al rato. –Yo como usté dejaba este sitio tan bajito y me diba pa' las lomas.

–¿Yo dirme? No, hijo. Horita pasa este tiempo.

–Vea –se extendió el visitante–, esto es una niega.[2] Yo las he visto tremendas, con el agua llevándose animales, bohíos, matas y gente. Horita se crecen todos los caños que yo he dejado atrás, contimás que ta lloviendo duro en las cabezadas.

–Jum... Peor que esto fue la seca, don. Todo el mundo le salió huyendo, y yo la aguanté.

–La seca no mata, pero el agua ahoga, doña. Todo eso –y señaló lo que él había dejado a la puerta– ta anegado. Como tres horas tuve esta mañana sin salir de una agua que me le daba en la barriga al mulo.

El hombre hablaba con voz pausada, y sus ojos grises, atemorizados, vigilaban el incesante caer de la lluvia.

Al anochecer se fue. Mucho le rogó Remigia que no cogiera el camino con la oscuridad.

–Dispués es peor, doña. Van esos ríos y se botan...

Remigia se fue a atender al nieto, que se quejaba débilmente.

* * *

Tuvo razón el hombre. ¡Qué noche, Dios! Se oía un rugir sordo e inquietante; se oían retumbar los truenos; penetraban los reflejos de los relámpagos por las múltiples rendijas.

El agua sucia entró por los quicios y empezó a esparcirse en el suelo. Bravo era el viento en la distancia, y a ratos parecía arrancar árboles. Remigia abrió la puerta. Un relámpago lejano alumbró el sitio de Paso Hondo. ¡Agua y agua! Agua aquí, allá, más lejos, entre los troncos escasos, en los lugares pelados. Debía descender de las lomas y en el camino real formaba un río torrentoso.

–¿Será una nieja? –se preguntó Remigia, dudando por vez primera.

Pero cerró la puerta y entró. Ella tenía fe; una fe inagotable, más que lo había sido la sequía, más que lo sería la lluvia. Por dentro, su bohío estaba tan mojado como por fuera. El muchacho se encogía en el catre, rehuyendo las goteras.

---

[2] N. del E.: Niega o nieja. Anegación.

A media noche la despertó un golpe en una esquina de la vivienda. Se fue a levantar, pero sintió agua hasta casi las rodillas. Bramaba afuera el viento. El agua batía contra los setos del bohío. Entonces Remigia se lanzó del catre, como loca, y corrió a la puerta.

¡Qué noche, Dios; qué noche horrible! Llegaba el agua en golpes; llegaba y todo lo cundía, todo lo ahogaba. Restalló otro relámpago, y el trueno desgajó pedazos de oscuro cielo.

Remigia sintió miedo.

–¡Virgen Santísima! –clamó–. ¡Virgen Santísima, ayúdame!

Pero no era negocio de la Virgen, ni de Dios, sino de las Ánimas, que allá arriba gritaban:

–¡Ya va medio peso de agua! ¡Ya va medio peso!

* * *

Cuando sintió el bohío torcerse por los torrentes, Remigia desistió de esperar y levantó al nieto. Se lo pegó al pecho; lo apretó, febril; luchó con el agua que le impedía caminar; empujó, como pudo, la puerta y se echó afuera. A la cintura llevaba el agua; y caminaba, caminaba. No sabía adónde iba. El terrible viento le destrenzaba el cabello, los relámpagos verdeaban en la distancia. El agua crecía, crecía. Levantó más al nieto. Después tropezó y tornó a pararse. Seguía sujetando al niño y gritando:

–¡Virgen Santísima, Virgen Santísima!

Se llevaba el viento su voz, y la esparcía sobre la gran llanura líquida.

–¡Virgen Santísima, Virgen Santísima!

Su falda flotaba. Ella rodaba, rodaba. Sintió que algo le sujetaba el cabello, que le amarraban la cabeza. Pensó:

–En cuanto esto pase siembro batata.

Veía el maíz metido bajo el agua sucia. Hincaba las uñas en el pecho del nieto.

–¡Virgen Santísima!

Seguía ululando el viento, y el trueno rompía los cielos.

Se le quedó el cabello enredado en un tronco espinoso. El agua corría hacia abajo, hacia abajo, arrastrando bohíos y troncos. Las Ánimas gritaban, enloquecidas:

–¡Todavía falta; todavía falta! ¡Son dos pesos, dos pesos de agua! ¡Son dos pesos de agua!

LUCERO

José Veras miró a su compadre mansamente, hizo resbalar los ojos y chasqueó los labios; se le acercó, dobló la cabeza y, como temeroso de que lo oyeran, dijo:

–Lo ojiaron, compadre.

El otro tuvo miedo de que Jóse Veras rompiera a llorar; había algo muy doloroso en su voz.

Pero José Veras volvió rápidamente el rostro y clavó en la loma una mirada más dura y asesina que una bala.

* * *

Es posible que por los caminos reales del Cibao no pase otro animal como aquél. Andaba, y nadie veía sus pezuñas menudas en tierra: las llevaba siempre ocultas en el oro del polvo. Su cola ondulaba como río, sin salir de cauce, y era elegante aun llevándola amarrada en trenzas con una cinta azul. Su pescuezo brillante estaba siempre arqueado. Su piel... Lucero: ¡Cómo brillaba tu piel al sol!

Tenía en la frente, como clavada en su pelo negruzco, una mancha blanca. Poco más abajo, y a los lados, los ojos le reventaban llenos de luz.

Es posible que por los caminos reales del Cibao no pase otro animal como aquél.

* * *

José Veras estaba sentado a la puerta del bohío. Acababa de secar la saliva con el roce de su ancho pie.

–Vea –dijo–. Yo tengo nada más cuatro cosas, manque sea pobrecito: Lucero, mi revólver, mi gallo y mi mujer.

Echó el cuerpo sobre las piernas, se frotó las manos y prosiguió:

–Y si me fueran a quitar lo mío, nada más quisiera que me dejaran a Lucero.

Filo Soto recostó su silla en el marco de la puerta, tiró un brazo tras el asiento y murmuró:

–Hasta yo, si fuera mío...

Y se quedó viendo el camino.

Esperaban. La tierra estaba más parda que nunca. Allá lejos azuleaban las lomas.

–Asunte, José –recomendó Filo–; asigún veo, va a tener mal viaje. Aguaite como está la loma.

José levantó sin prisa la cabeza y corroboró:

–Este tiempo puñetero... Agua y agua y agua.

–Dios quiera que ese muchacho haiga amarrado a Lucero. Horita oscurece y cualquiera no sale de noche.

Casi antes de que terminara, una voz llamó, de adentro.

–Compadre...

–Voy –contestó José.

A su espalda, en la penumbra de la puerta, asomó una cara trigueña y arrugada.

–No se apure –observó–. Era pa' decirle que atraque con el caballo.

–Aquí estamos esperando ese condenado muchacho compadre.

El otro caminó sin hacer ruido, sacó la cabeza para ver el camino y tropezó con Filo Soto.

–Buena tarde, Filo.

–Buena, don Justo. ¿Cómo sigue la enferma?

–Igual –dijo.

Y a seguidas:

–Mi compadre sale horitica pa' el pueblo.

Filo movió la cabeza, como quien dice que sí. Después observó:

–Estará toda la noche andando.

–Pero voy bien montado –terminó José Veras.

* * *

Ese barro rojo no era barro: es mil manos juntas, pequeñitas y fuertes, que se aferran a las patas del animal y lo dejan exhausto. Y la lluvia en la noche no es lluvia: es arenilla pegajosa lanzada contra la cara y los mulos.

No se ve una raíz; no se sabe dónde está el hoyo. El camino es tierra recién amasada tirada sobre la loma. Nada más.

José Veras pensó muchas cosas y luchó mucho consigo mismo, pero sobre todo eso estaba lo otro: Lucero.

Lucero iba a malograrse una pata; Lucero podía desbarrancarse de momento. Cierto que él iba encima, pero... él, ¿qué era él?

Sentía al animal buscar a tientas el lugar donde plantar el casco con seguridad. A veces removía la cabeza y resoplaba. José agarraba los estribos y levantaba los pies, temeroso de que un tocón le destrozara un dedo.

Ahí mismo, a ambos lados del camino, la lluvia caía pesadamente y con lentitud. Alguien dejaba caer piedras desde muy alto.

A José le molestaba andar tan despaciosamente pero tenía miedo de apurar el animal. No. Además... ¡Bueno! Hubiera sido mejor que la mujer hubiese muerto ayer mismo u hoy; daba igual. El caso era no haber tenido necesidad de hacer este viaje perro...

Pero ya era demasiado mortificarse. Lo mejor sería buscar bohío donde parar. José Veras no estaba dispuesto a que Lucero se malograra, aunque se le muriera la mujer a Justo Mata.

* * *

Estaban sentados, algunos en sillas, otros en un banco largo, los restantes en el suelo. José Veras sentía la tela secarse sobre su cuerpo y le hacía bien el calorcillo. Las llamas se levantaban y enrojecían los rincones de la cocina.

El hombre que le abrió la puerta, oscuro y medio desnudo, dijo a la vez que le miraba los ojos:

–Que Dios le guarde el caballo, amigo.

Y el viejo de la barbilla blanca aprobó:

–Y dígalo.

José sentía un agradecimiento verdadero subirle del pecho y calentarle más que la fogata. Dijo, entre sonrisas:

–Yo estoy en creer que él fue el que me trujo, porque yo no veía ni an mi mano.

Entonces el viejo chupó su cachimbo, miró de reojo la marmita donde se calentaba el agua, y murmuró:

–Vea... Usté es hombre arrestado. Yo no me tiro este camino solo y de noche.

El más joven, que estaba allá en el rincón, entre sombras y a la punta del banco, corroboró:

–¡Jesús! ¡Ni an por paga!

El viejo miró la puerta. Sus brazos rodeaban sus rodillas y la mano parecía pegada al cachimbo para siempre. Se pasó la izquierda por los ojos, como si tuviera sueño, y explicó, a la sonrisa dudosa de José Veras:

–Usté no ha podido darse cuenta, porque la noche está bien cerrada, pero vea: un chin más abajo de la subida que usté cogió pa' llegar aquí hay tres cruces. Por alante de esas tres cruces –aseguró señalando el probable lugar– no pasa naiden de todo este pedazo de noche.

Ahora ya no había sonrisa en José. Él había visto la intensa palidez que tenían los demás, había sentido el frío silencio que se pegaba a los hombres. Sus ojos estaban más brillantes que de costumbre. Recordaba. Sí: muy probable. Él creyó haber adivinado, en la oscuridad, tres cruces. ¡Concho! ¡Verdad! ¡Si Lucero se había quedado largo rato parado frente a ellas, con las orejas erectas y temblando, tal vez si de miedo!

José Veras no pudo resistir. Casi gritaba.

–¡Dígame lo que pasa! –rogó.

Pero el viejo no contestó. Aquel silencio frío seguía pegándose a los hombres, pegándose más que el barro rojo de mil manecitas fuertes.

Se oía claramente el glu glu del agua que hervía ya.

El viejo se volvió, miró a uno de aquellos hombres y ordenó:

–Mayía, atienda al agua. Háganos un cafecito, que el amigo está muy entripado y no es bueno que se acueste asina.

José vio la cara de aquel que se levantó a ver el agua. Se le conocía el miedo: parecía hurgar con los ojos, a un mismo tiempo, en todos los lugares de la cocina.

–Lo que pasa –dijo el viejo inesperadamente– es que ahí sale el difunto Frosito, al que mataron en los tiempos de Perico Lazala. Asigún me contaba el viejo Félix, fueron unos criminales del Sur, dizque pa' robarle el caballo.

–¡Yo no lo vide! –aseguró violentamente José.

–Ni falta que hace, amigo –cortó el viejo–. Por aquí lo hemos visto nada más dos o tres, y no hemos quedado con ganas de verlo. Créalo.

José se sentía muy delgado, muy capaz de ser roto por cualquier débil cosa: una ramita, por ejemplo. El viejo estaba sentado ahí, en el suelo, mirando la puerta y con la mano clavada, como si fuera para eternamente, en el cachimbo. Pero el viejo volvió su mirada clara, casi azul, sobre José y dejó oír estas palabras, dichas con serenidad y claridad.

–Dos veces lo vide y dos veces me ha ojiado el animal; pero un hijo de mi compadre Chemo que diba a pie murió ojiado por él. Asina que le agradezco haberse conformado con el caballo, porque si no...

–Pero... ¿y eso?

José hizo la pregunta nervioso. No comprendía si se estaban burlando de él. No se sentía. Todas las cosas eran claras como agua de río limpio. Estos hombres, estos hombres... ¿No sería acaso una pesadilla?

–Vea...

El viejo le miraba fijamente ahora. Había empezado a hablar. Desde atrás del fogón, los ojos del muchacho que atendía al café pendían del viejo.

–Ojea a los que van sin montura porque cree que son los criminales, y a los que van a caballo porque dizque cree que todos los que pasan son el de él.

El hombre moreno que le abrió la puerta musitó:

–Jesús Ave María Purísima...

José Veras no sentía ya la ropa secarse sobre su cuerpo.

* * *

Serían las diez. Comenzaba a subir una cuesta de tierra que no era roja ni negra ni amarilla. Lucero levantaba las patas pesadamente y José Veras se daba cuenta de ello. Tenía la boca amarga y cerrada a disgusto. Los ojos buscaban cuidadosamente cada piedra, cada tocón del camino, para apartar el animal. Le molestaba el sol, no por él, sino por Lucero.

Y allá, a media cuesta, Lucero se detuvo, trató de volver la cabeza, bajó el pescuezo de pronto y cayó golpeando el camino con sus rodillas lustrosas y finas.

José pretendió hacer algo. Quitó de pronto la silla al animal, le tiró de las orejas, quiso abrirle la boca.

Los ojos luminosos de Lucero le miraban desde una lejanía indecible, muy tristes.

José lo vio después, con sus patas temblorosas, blanqueando la mirada, estirarse y resoplar con trabajo.

No quería llorar, pero le asomaban las lágrimas a los ojos. Esperó. Esperó. Cargó luego con la silla y se fue. Al atardecer llamó a la puerta, miró fijamente al hombre moreno que le había abierto la noche anterior, y dijo:

–Guárdeme esta silla aquí, amigo. Entréguesela a cualquiera que vaya pa' los lados de casa.

El hombre moreno le vio irse. Pero no pensó que Jóse Veras iba a esperar la noche sentado al lado de las tres cruces y que a la hora de las ánimas iba a atronar el monte con su vozarrón:

–¡Yo estoy aquí, carajo! ¡Salme, muerto! ¡Salme, Frosito, pa' que me hagas mal de ojo a mí también! ¡Sal, pendejo...!

* * *

Era media tarde. Su compadre le vio casi al llegar. Venía a pie. Nada comprendió y sólo atinó a preguntar:

–Adiós... ¿y Lucero?

–Lo ojiaron, compadre –dijo una voz rota.

Tuvo miedo de que Jóse Veras rompiera a llorar: había demasiado dolor en su voz.

Pero José Veras se irguió, volvió rápidamente el rostro y clavó en la loma una mirada más dura y asesina que una bala.

EL CUCHILLO

Afuera se come la luz el paisaje; aquí dentro está el hombre y la soledad le come el pecho.

Por las lomas va subiendo el hacha y clarea el monte; se empinan, todavía, algunos troncos sobre el agua; pero el hacha sobra en la tierra llana y sobra también el sol.

El hombre está solo aquí dentro; es como si no mirara su mirada. Sin embargo, igual que el frijol recién nacido apunta la esperanza, y los ojos se le van.

* * *

Cuando el becerro está enfermo, con gusanos, se le sigue la huella y se hace la cruz; si el gusano está en el pecho no basta la cruz.

En el monte es otro el hombre: los caminos reales hacen daño. El bohío está a la vera del camino real como si tuviera miedo al monte. El perro ya no ladra cuando el hombre entra: alza la mirada, el hocico pegado en tierra, mueve lentamente el rabo. El hombre sabe que ahora nadie le espera: desde la puerta hasta el patio, un silencio hosco. Sólo habla la luz, de noche, cuando hay "quemas" en la loma.

En la tierra parda de la vereda borra el viento las huellas porque no llueve; pero la huella que se hizo en lodo endurece al sol y queda ahí, pétrea y áspera. Por eso es bueno el monte: el pie no halla relieves; se trabaja, no se suda y se canta. La voz se mece de rama en rama, de rama en rama; la tierra es fresca y hay sombra siempre.

El hombre no debiera ir al bohío para no recordarla y para no ver los ojos húmedos del perro que ya no saluda, como si temiera hacer daño.

Nada; no dejó un solo objeto suyo: ni la raíz del cachimbo, ni el peine, ni el pañuelo viejo de madres que se amarraba a la cabeza.

El hombre es ahora otro: nunca creyó que la mujer pudiera irse así, para siempre. Él pensó que la mujer debía vivir y morir en el bohío de su marido.

Más allá del mes supo con quién: Saro. Ignoraba dónde estaban pero probablemente no era cerca.

* * *

Pero de eso han pasado ya más de quince menguantes y de quince crecientes. Olvidó uno las veces que bajó hinchado el río; las que llenó y secó el maíz; las que se esponjó la tierra a la luna llena. Por tiempos se ahogaba el bohío en la lluvia y en semanas enteras se achicharraba al sol.

El hombre tenía lista su carga. Las tardes anteriores estuvo caminando por los bohíos lejanos, los más cercanos sin embargo, en busca de encargos. La comadre Eulogia le pidió un "túnico" y un acordeón de boca para el muchacho; don Negro, "fuerte azul" de pantalones.

A la luz verde de la menguante, poco antes del amanecer cargó la bestia. Allá, atrás y distante, la mancha oscura y recia de la loma...

Ladró el perro, con la cabeza alta, como quien tira mordiscos al cielo manchado de estrellas; el hombre hizo restallar el fuete y dijo:

–¡Vamos, animal!

Y la loma, el bohío, el camino, el perro, y la sombra que la menguante alargaba sobre el polvo pardo: todo se fue alejando, alejando. Hasta que la subida deshizo el hombre, la bestia, el fuete...

* * *

Así iba el hombre bajo el sol: meciéndose sobre la carga de frijoles, encorvados y altivos los ojos, apretados los labios y los dientes. La mañana se iba haciendo dura encima de su cabeza. Tenía una sed rabiosa que le secaba la boca y le hacía estirar el pescuezo en busca del bohío acogedor.

Tuvo una impresión rara, como de cosa que se nos alza en el pecho y nos ahoga. No quiso saltar del animal, sino que lo acercó a la puerta. El bohío parecía recién hecho y limpio. Saludó, fatigado. Aquella cosa en el pecho le hacía daño: era como si se le escondiera la voz. Pidió agua. Vio el brazo de la mujer y adivinó el otro ocupado en sostener el niño que gemía. Entonces, cuando bajó la cabeza para dar las gracias, la vio. Aquello no duró más de un segundo. Oyó a la mujer gritar y la vio cubrirse la cara con la mano que un momento antes sostuviera el jarro de hojalata. Le pareció que enloquecía, él, él mismo, que debía tirarse y ahogarla. Pero el caballo echó a andar. Ahí estaba el camino largo, silencioso, soleado.

* * *

El comprador le engañó con un cajón de frijoles, pero él no quiso protestar ni dejarlo entender. Tenía un pensamiento, no por vago menos tenaz: Saro. Porque era indudable que Saro estaba en el bohío, o en el conuco; que no debía hallarse distante. Compró el "fuerte azul" del viejo negro, el "túnico" y el acordeón de su comadre Eulogia. Quiso irse cuando el comprador le puso en las manos el dinero sobrante; pero estaba allí, en el parador, una cosa que le sujetaba, le clavaba: el cuchillo nuevecito, de mango oscuro redondo con adornos en latón. Gravemente, como quien ha estado mucho tiempo sin hablar, preguntó:

–¿Cuánto vale ese cuchillo?

El comprador le miró la mano tosca, en la que se dormía todavía el dinero sobrante.

–Lo que tiene ahí –dijo.

El hombre pensaba que Saro le había hecho mucho daño: estaba, allá lejos, el bohío vacío, perdido en aquel silencio hosco y asfixiante; el perro era un compañero que daba más dolor; tenía que trabajar mucho durante el día para dormir después solo, en brava soledad.

–Páselo –dijo.

* * *

El camino parecía una soga larga enredada en las patas del caballo. El hombre no pensaba: iba sereno, con serenidad amarga; pero sabía bien qué haría. Después... ¡Qué contra! ¡Para los hombres de verdad se había hecho la cárcel!

Pero el hombre sintió un vértigo cuando vio el bohío: quería no fallar. Ojeó los alrededores: a ambos lados del camino estaba el monte acogedor, donde meterse para siempre. El camino, sin él seguiría igual: largo, silencioso, cansado.

–¡Saludooo! –roncó a la puerta.

Entonces el niño lloró adentro y le molestó al hombre oírlo llorar...

–Lo voy a dejar huérfano –pensó.

Pero cuando Saro se asomó a la puerta él estaba sereno.

–Vea –dijo sin saber cómo–. En ese paquete hay un túnico pa' su mujer y un acordeón pa' el muchacho. Eran de mi comadre Ulogia, pero...

Los ojos de Saro se quedaron inmóviles, azorados.

El hombre, desenredando ya con las patas del caballo la soga larga del camino, sentía en la espalda una brisa cálida y lenta que le empujaba. Acarició al rato, con la mano tosca, el mango del cuchillo y pensó:

–Me servirá pa' trabajar...

SAN ANDRÉS

Toda la tarde anterior la pasó Guarín hablando de lo mismo: el gallo gallino.

–Yo quisiera echarlo con el canelito de Toño –le decía a Yoyo. –Dende que asomó por el cascarón sabía yo que se diba a dar legítimo ese gallino. Figúrese, encastado por mí.

Se quedó un rato pensativo y dijo, mientras miraba la puerta:

–Lo malo está en que gane la pinta negra. Yo no le juego a la pinta ganadora, compai Yoyo.

Y al otro día, desde el amanecer, empezó a prepararse. Se vistió como lo pedía la solemnidad: saco de casimir negro, pantalón de dril, polainas resecas, zapatos amarillos, camisa blanca y sombrero "panza de burro". El potro reluciente a fuerza de aceite de coco y de aguacate, tenía nerviosidad de muchacha que espera novio. Guarín se terció el colt, signo de su autoridad como alcalde pedáneo, y montó de un salto, sin poner pie en estribo. Ya así, pensó poner su gallo en una funda, pero le pareció después que el trayecto era muy corto.

–¡Eloísa! –llamó–. Páseme el pollo y no se olvide de la vela del difunto.

Clavó. Las patas del animal parecieron deshacer un dibujo del camino.

–¡Tráigame dulces, taita! –gritó Nandito al tiempo de despedirse el sol en el recodo de las ancas del potro.

El día era digno de noviembre. Una brisa fresca y suave bajaba de las lomas y doblaba la Yerba Páez. De allá arriba bajaban unas manchas blancas. Las muchachas, de seguro, que venían a la fiesta.

En el alambre de una cerca un pollo jabao batió las alas, como satisfecho, y cantó con claridad y fuerza.

–Buena seña –se dijo Guarín optimista cuando vio su gallo erizar las plumas del pescuezo para contestar al jabao.

Ahora le hacía falta el compadre Andrés Segura. Venía, hasta cinco antes, todos los años a su lado, sonreído y feliz. Nadie gozaba estas peleas como el difunto. Se armó de pleito, una Nochebuena, y lo abalearon.

–Compadre –recomendaba en su último día–, sólo le pido que me prenda una vela todos los San Andrés; si no, le salgo y le hago perder su gallo.

Él pretendía consolarle:

–No se apure, compadre. Yo tengo tres plomos en el cuerpo y estoy buenesiningo y sano. Total, esto es una caballaíta. Pa' el otro santo suyo está usté en la gallera, como en todos.

Pero Guarín sabía que estaba hablando mentira: era un balazo noble el que tenía su compadre. Amaneciendo el día veinticinco dobló un poco la cabeza, se esforzó en sonreír, palideció, perfiló la nariz y se fue al otro mundo.

Todos los años, en San Andrés, se quemaban velas en su casa por el descanso de su compadre.

* * *

Estaba ganando la pinta clara. El primero fue un jabao de su cuñado Fernando, que mató en la segunda picada. Y siguió la clara arriba. A menos que no cambiara en la tarde... Porque Guarín acostumbraba pelear sus gallos a última hora, para coronar bien el día.

Como a las cinco consiguió casarlo. Le presentaron un girito que salía con el suyo hasta en la medida de las espuelas; ni que pesarlos hubo. Su rival era un desconocido. Claro que pudo haber conseguido otro desde temprano, pero él no se tiraba con ningún buen amigo. Y eso, que Fello le mandó un canelo por trasmano.

–Lo que es dende hoy en delante, a mi compai Fello le ando con cuidado, Rogelio. Dizque tirándose conmigo. ¿Usté ha visto?

Soltaron los gallos, por fin. En la primera picada el de Guarín levantó bien. Se conoció que acabaría matando. La voz del dueño se alzó sobre el griterío que llenaba, desde la gallera, todo el poblado.

–¡Doy vente a cinco a mi gallo! ¡Vente a cinco!

–Pago –contestó tranquilamente el del giro.

El gallino picó y cortó al vuelo, en el pescuezo.

–¡Doy trenta a cinco! –vociferó Guarín entusiasmado.

–Pago –volvió a decir el otro.

Medio atontado por el golpe, el girito se detuvo y aguantó nuevo tiro de su rival; más de súbito emprendió carrera, tratando de cansar al matón.

La valla del gallino alborotó de un modo inaudito. En lo mejor de esta explosión de entusiasmo, el gallo perdido se detuvo, clavó su pico en el pescuezo del perseguidor y lanzó un espolazo que, atravesando un ojo del otro, le vació interiormente el opuesto. Enloquecido el gallino dio vueltas tirando picotazos al aire. Tuvo como una heroica lucidez: batió las alas, cantó con voz débil y cayó sobre el lado derecho, sacudido por temblores.

Guarín, sin decir palabra bajó a la arena, envolvió su gallo en una mirada de dolor y comenzó a pagar las apuestas. Luego se echó al brazo su pupilo muerto y salió de la gallera con la garganta seca.

No sabía cómo caminaba ni se explicó por qué había entrado a la pulpería. Ya en ella pidió, sin alzar la vista:

–Póngame uno de a rial oro, don Antonio.

Lo tomó de un solo golpe, pegó en el mostrador con el fondo del vaso y tornó a pedir:

–Écheme otro de la mesma medida.

Bebiendo estaba cuando llegó Fello.

–Arrepare en esto, Guarín, –recomendó–: el hombre del giro vino nada más que a ganarle, porque naiden lo ha visto dende la pelea.

–No converse caballa –escupió él–. Acompáñeme a un trago.

Y dirigiéndose al pulpero:

–¡Ponga dos de a medio oro, don Antonio!

* * *

En el estrecho espacio que dejaba el mostrador, Guarín pretendía caminar, pero tambaleaba. En lo alto, hacia el oeste, el crepúsculo venía a lomos de burro cansado. Los hombres y las mujeres estaban regados por el pobladito y de rato en rato salían grupos a los que acompañaban ladridos.

Guarín estaba solo en la pulpería; el gallino, frío, dejaba caer el pescuezo por el brazo de su dueño, que no quería deshacerse de él. Hablaba, mas las palabras se le enredaban en la lengua.

–Don Antonio, póngame dos tragos dobles –dijo trabajosamente.

Y como el pulpero trajera un vaso, explicó:

–No, viejo; no. Yo quiero dos tragos en dos vasos.

Don Antonio le miró asombrado. ¿Para quién era el otro servicio?

–Bueno –asintió–. Como usté quiera, Guarín; pero sepa que no bebo.

–No es pa' usté, compai –replicó–. No es pa' usté. Ese otro se lo va a beber el difunto Andrés Segura, que hoy es día de su santo.

Guarín no terminaba de decir esto cuando apareció en la puerta, hacia su espalda, el desconocido dueño del giro que ganó la pelea. Entró sin hacer ruido, echó mano al vaso y se bebió el ron de un sorbo; puso su diestra sobre el hombro de Guarín, muerto de asombro, y dijo:

–Dios se lo pagará, compadre; la culpa fue de su mujer, que no prendió la vela.

Al bajar la puerta, desapareció. Guarín se tiró afuera sin comprender lo que sucedía. Llegó hasta la esquina, mudo y sintiendo que la cabeza se le iba, pero en ninguna parte vio sombra de persona. Mas cuando quiso volver a la pulpería, el gallino muerto se estremeció, levantó el pescuezo y rompió los tímpanos de Guarín con un canto sonoro.

LOS AMOS

Cuando ya Cristino no servía ni para ordeñar una vaca, don Pío lo llamó y le dijo que iba a hacerle un regalo.

–Le voy a dar medio peso para el camino. Usté está muy mal y no puede seguir trabajando. Si se mejora, vuelva.

Cristino extendió una mano amarilla, que le temblaba.

–Mucha gracia, don. Quisiera coger el camino ya, pero tengo calentura.

–Puede quedarse aquí esta noche, si quiere, y hasta hacerse una tisana de cabrita. Eso es bueno.

Cristino se había quitado el sombrero, y el pelo abundante, largo y negro le caía sobre el pescuezo. La barba escasa parecía ensuciarle el rostro, de pómulos salientes.

–Ta bien, don Pío –dijo–; que Dió se lo pague.

Bajó lentamente los escalones, mientras se cubría de nuevo la cabeza con el viejo sombrero de fieltro negro. Al llegar al último escalón se detuvo un rato y se puso a mirar las vacas y los críos.

–Qué animao ta el becerrito –comentó en voz baja.

Se trataba de uno que él había curado días antes. Había tenido gusanos en el ombligo y ahora correteaba y saltaba alegremente.

Don Pío salió a la galería y también se detuvo a ver las reses. Don Pío era bajo, rechoncho, de ojos pequeños y rápidos. Cristino tenía tres años trabajando con él. Le pagaba un peso semanal por el ordeño, que se hacía de madrugada, las atenciones de la casa y el cuido de los terneros. Le había salido trabajador y tranquilo aquel hombre, pero había enfermado y don Pío no quería mantener gente enferma en su casa.

Don Pío tendió la vista. A la distancia estaban los matorrales que cubrían el paso del arroyo, y sobre los matorrales, las nubes de mosquitos. Don Pío había mandado poner tela metálica en todas las puertas y ventanas de la casa, pero el rancho de los peones no tenía puertas ni ventanas; no tenía ni siquiera setos. Cristino se movió allá abajo, en el primer escalón, y don Pío quiso hacerle una última recomendación.

–Cuando llegue a su casa póngase en cura, Cristino.

–Ah, sí, cómo no, don. Mucha gracia –oyó responder.

El sol hervía en cada diminuta hoja de la sabana. Desde las lomas de Terrero hasta las de San Francisco, perdidas hacia el norte, todo fulgía bajo el sol. Al borde de los potreros, bien lejos, había dos vacas. Apenas se las distinguía, pero Cristino conocía una por una todas las reses.

–Vea, don –dijo– aquella pinta que se aguaita allá debe haber parío anoche o por la mañana, porque no le veo barriga.

Don Pío caminó arriba.

–¿Usté cree, Cristino? Yo no la veo bien.

–Arrímese pa' aquel lao y la verá.

Cristino tenía frío y la cabeza empezaba a dolerle, pero siguió con la vista al animal.

–Dése una caminata y me la arrea, Cristino –oyó decir a don Pío.

–Yo fuera a buscarla, pero me toy sintiendo mal.

–¿La calentura?

–Unjú, me ta subiendo.

–Eso no hace. Ya usté está acostumbrado, Cristino. Vaya y tráigamela.

Cristino se sujetaba el pecho con los dos brazos descarnados. Sentía que el frío iba dominándolo. Levantaba la frente. Todo aquel sol, el becerrito...

–¿Va a traérmela? –insistió la voz.

Con todo ese sol y las piernas temblándole, y los pies descalzos llenos de polvo.

–¿Va a buscármela, Cristino?

Tenía que responder, pero la lengua le pesaba. Se apretaba más los brazos sobre el pecho. Vestía una camisa de listado sucia y de tela tan delgada que no le abrigaba.

Resonaron pisadas arriba y Cristino pensó que don Pío iba a bajar. Eso asustó a Cristino.

–Ello sí, don –dijo–; voy a dir. Deje que se me pase el frío.

–Con el sol se le quita. Hágame el favor, Cristino. Mire que esa vaca se me va y puedo perder el becerro.

Cristino seguía temblando, pero comenzó a ponerse de pie.

–Sí; ya voy, don –dijo.

–Cogió ahora por la vuelta del arroyo –explicó desde la galería don Pío.

Paso a paso, con los brazos sobre el pecho, encorvado para no perder calor, el peón empezó a cruzar la sabana. Don Pío le veía de espaldas. Una mujer se deslizó por la galería y se puso junto a don Pío.

–¡Qué día tan bonito, Pío! –comentó con voz cantarina.

El hombre no contestó. Señaló hacia Cristino, que se alejaba con paso torpe como si fuera tropezando.

–No quería ir a buscarme la vaca pinta, que parió anoche. Y ahorita mismo le di medio peso para el camino.

Calló medio minuto y miró a la mujer, que parecía demandar una explicación.

–Malagradecidos que son, Herminia –dijo–. De nada vale tratarlos bien.

Ella asintió con la mirada.

–Te lo he dicho mil veces, Pío –comentó.

Y ambos se quedaron mirando a Cristino, que ya era apenas una mancha sobre el verde de la sabana.

EN UN BOHÍO

La mujer no se atrevía a pensar. Cuando creía oír pisadas de bestias se lanzaba a la puerta, con los ojos ansiosos; después volvía al cuarto y se quedaba allí un rato largo, sumida en una especie de letargo.

El bohío era una miseria. Ya estaba negro de tan viejo, y adentro se vivía entre tierra y hollín. Se volvería inhabitable desde que empezaran las lluvias; ella lo sabía, y sabía también que no podía dejarlo, porque fuera de esa choza no tenía una yagua donde ampararse.

Otra vez rumor de voces. Corrió a la puerta temerosa de que nadie pasara. Esperó un rato; esperó más, un poco más; ¡nada! Sólo el camino amarillo y pedregoso. Era el viento ahí enfrente, el condenado viento de la loma, que hacía gemir los pinos de la subida y los pomares de abajo; o tal vez el río, que corría en el fondo del precipicio, detrás del bohío.

Uno de los enfermitos llamó, y ella entró a verlo, deshecha, con ganas de llorar pero sin lágrimas para hacerlo.

–Mama, ¿no era taita? ¿No era taita, mama?

Ella no se atrevía a contestar. Tocaba la frente del niño y la sentía arder.

–No –negó–, tu taita viene dispués.

El niño cerró los ojos y se puso de lado. Aun en la oscuridad del aposento se le veía la piel lívida.

–Yo lo vide, mama. Taba ahí y me trujo un pantalón nuevo.

La mujer no podía seguir oyendo. Iba a derrumbarse, como los troncos viejos que se pudren por dentro y caen un día, de golpe. Era el delirio de la fiebre lo que hacía hablar así a su hijo, y ella no tenía con qué comprarle una medicina.

El niño pareció dormitar y la madre se levantó para ver al otro. Lo halló tranquilo. Era huesos nada más y silbaba al respirar, pero no se movía ni se quejaba; sólo la miraba con sus grandes ojos. Desde que nació había sido callado.

El cuartucho hedía a tela podrida. La madre –flaca, con las sienes hundidas, un paño sucio en la cabeza y un viejo traje de listado– no podía apreciar ese olor, porque se hallaba acostumbrada; pero algo le decía que sus hijos no podrían curarse en tal lugar. Pensaba que cuando su marido volviera, si era que algún día salía de la cárcel, hallaría sólo cruces sembradas frente a los horcones del bohío, y de éste, ni tablas ni techo. Sin comprender por qué, se ponía en el lugar de Teo, y sufría.

Le dolía imaginar que Teo llegara y nadie saliera a recibirlo. Cuando él estuvo en el bohío por última vez –justamente dos días antes de entregarse– todavía el pequeño conuco se veía limpio, y el maíz, los frijoles y el tabaco se agitaban a la brisa de la loma. Pero Teo se entregó, porque le dijeron que podía probar la propia defensa y que no duraría en la cárcel; ella no pudo seguir trabajando porque enfermó, y los muchachos –la hembrita y los dos niños–, tan pequeños, no pudieron mantener limpio el conuco ni ir al monte para tumbar los palos que se necesitaban para arreglar los lienzos de palizada que se pudrían. Después llegó el temporal, aquel condenado temporal, y el agua estuvo cayendo, cayendo, cayendo día y noche, sin sosiego alguno, una semana, dos, tres, hasta que los torrentes dejaron sólo piedras y barro en el camino y se llevaron pedazos enteros de la palizada y llenaron el conuco de guijarros y el piso de tierra del bohío crió lamas y las yaguas empezaron a pudrirse.

Pero mejor era no recordar esas cosas. Ahora esperaba. Había mandado a la hembrita a Naranjal, allá abajo, a una hora de camino; la había mandado con media docena de huevos que pudo recoger en nidales del monte para que los cambiara por arroz y sal. La niña había salido temprano y no volvía. Y la madre ojeaba el camino, llena de ansiedad.

Sintió pisadas. Esta vez no se engañaba; alguien, montando caballo, se acercaba. Salió al alero del bohío, con los músculos del cuello tensos y los ojos duros. Miró hacia la subida. Sentía que le faltaba el aire, lo que la obligaba a distender las ventanas de la nariz. De pronto vio un sombrero de cana que ascendía y coligió que un hombre subía la loma. Su primer impulso fue el de entrar; pero algo la sostuvo allí, como clavada. Debajo del sombrero apareció un rostro difuso, después los hombros, el pecho y finalmente el caballo. La mujer vio al hombre acercarse y todavía no pensaba en nada. Cuando el hombre estuvo a pocos pasos, ella le miró los ojos y sintió, más que comprendió, que aquel desconocido estaba deseando algo.

Había una serie de imágenes vagas pero amargas en la cabeza de la mujer; su hija, los huevos, los niños enfermos, Teo. Todo eso se borró de golpe a la voz del hombre.

–Saludo –había dicho él.

Sin saber cómo lo hacía, ella extendió la mano y suplicó:

–Déme algo, alguito.

El hombre la midió con los ojos, sin bajar del caballo. Era una mujer flaca y sucia, que tenía mirada de loca, que sin duda estaba sola y que sin duda, también, deseaba a un hombre.

–Déme alguito –insistía ella.

Y de súbito en esa cabeza atormentada penetró la idea de que ese hombre volvía de La Vega, y si había ido a vender algo tendría dinero. Tal vez llevaba comida, medicinas. Además, comprendió que era un hombre y que la veía como a mujer.

–Bájese –dijo ella, muerta de vergüenza.

El hombre se tiró del caballo.

–Yo no más tengo medio peso –aventuró él.

Serena ya, dueña de sí, ella dijo:

–Ta bien, dentre.

El hombre perdió su recelo y pareció sentir una súbita alegría.

Agarró la jáquima del caballo y se puso a amarrarla al pie del bohío. La mujer entró, y de pronto, ya vencido el peor momento, sintió que se moría, que no podía andar, que Teo llegaba, que los niños no estaban enfermos. Tenía ganas de llorar y de estar muerta.

El hombre entró preguntando:

–¿Aquí?

Ella cerró los ojos e indicó que hiciera silencio. Con una angustia que no le cabía en el alma, se acercó a la puerta del aposento; asomó la cabeza y vio a los niños dormitar. Entonces dio la cara al extraño y advirtió que hedía a sudor de caballo. El hombre vio que los ojos de la mujer brillaban duramente, como los de los muertos.

–Unjú, aquí –afirmó ella.

El hombre se le acercó, respirando sonoramente, y justamente en ese momento ella sintió sollozos afuera. Se volvió. Su mirada debía cortar como una navaja. Salió a toda prisa, hecha un haz de nervios. La niña estaba allí, arrimada al alero, llorando, con los ojos hinchados. Era pequeña, quemada, huesos y pellejo nada más.

–¿Qué te pasó, Minina? –preguntó la madre.

La niña sollozaba y no quería hablar. La madre perdió la paciencia.

–En el río –dijo la pequeña–; pasando el río... Se mojó el papel y na' más quedó esto.

En el puñito tenía todo el arroz que había logrado salvar. Seguía llorando, con la cabeza metida en el pecho, recortada contra las tablas del bohío.

La madre sintió que ya no podía más. Entró, y sus ojos no acertaban a fijarse en nada. Había olvidado por completo al hombre, y cuando lo vio tuvo que hacer un esfuerzo para darse cuenta de la situación.

–Vino la muchacha, mi muchacha... Váyase –dijo.

Se sentía muy cansada y se arrimó a la puerta. Con los ojos turbios vio al hombre pasarle por el lado, desamarrar la jáquima y subir al caballo; después lo siguió mientras él se alejaba. Ardía el sol sobre el caminante y enfrente mugía la brisa. Ella pensaba: "Medio peso, medio peso perdido".

–Mamá –llamó el niño adentro–. ¿No era taita? ¿No tuvo aquí taita?

Pasándole la mano por la frente, que ardía como hierro al sol, ella se quedó respondiendo:

–No, jijo. Tu taita viene dispués, más tarde.

LUIS PIE

A eso de las siete la fiebre aturdía al haitiano Luis Pie. Además de que sentía la pierna endurecida, golpes internos le sacudían la ingle. Medio ciego por el dolor de cabeza y la debilidad, Luis Pie se sentó en el suelo, sobre las secas hojas de la caña, rayó un fósforo y trató de ver la herida. Allí estaba, en el dedo grueso de su pie derecho. Se trataba de una herida que no alcanzaba la pulgada, pero estaba llena de lodo. Se había cortado el dedo la tarde anterior al pisar un pedazo de hierro viejo mientras tumbaba caña en la colonia Josefita.

Un golpe de aire apagó el fósforo, y el haitiano encendió otro. Quería estar seguro de que el mal le había entrado por la herida y no que se debía a obra de algún desconocido que deseaba hacerle daño. Escudriñó la pequeña cortada, con sus ojos cargados por la fiebre, y no supo qué responderse; después quiso levantarse y andar, pero el dolor había aumentado a tal grado que no podía mover la pierna.

Esto ocurría el sábado, al iniciarse la noche. Luis Pie pegó la frente al suelo, buscando el fresco de la tierra, y cuando la alzó de nuevo le pareció que había transcurrido mucho tiempo. Hubiera querido quedarse allí descansando; mas de pronto el instinto le hizo sacudir la cabeza.

–Ah... Pití Mishé ta eperán a mué –dijo con amargura.

Necesariamente debía salir al camino, donde tal vez alguien le ayudaría a seguir hacia el batey; podría pasar una carreta o un peón montado que fuera a la fiesta de esa noche.

Arrastrándose a duras penas, a veces pegando el pecho a la tierra, Luis Pie emprendió el camino. Pero de pronto alzó la cabeza: hacia su espalda sonaba algo como un auto. El haitiano meditó un minuto. Su rostro brillante y sus ojos inteligentes se mostraban angustiados. ¿Habría perdido el rumbo debido al dolor o la oscuridad lo confundía? Temía no llegar al camino en toda la noche, y en ese caso los tres hijitos le esperarían junto a la hoguera que Miguel, el mayor, encendía de noche para que el padre pudiera prepararles con rapidez harina de maíz o les salcochara plátanos, a su retorno del trabajo. Si él se perdía, los niños le esperarían hasta que el sueño los aturdiera y se quedarían dormidos allí, junto a la hoguera consumida.

Luis Pie sentía a menudo un miedo terrible de que sus hijos no comieran o de que Miguel, que era enfermizo, se le muriera un día, como se le murió la mujer. Para que no les faltara comida Luis Pie cargó con ellos desde Haití, caminando sin cesar, primero a través de las lomas, en el cruce de la frontera dominicana, luego a lo largo de todo el Cibao, después recorriendo las soleadas carreteras del Este, hasta verse en la región de los centrales de azúcar.

–¡Oh, Bonyé! –gimió Luis Pie, con la frente sobre el brazo y la pierna sacudida por temblores–, pití Mishé va a ta eperán to la noche a son per.

Y entonces sintió ganas de llorar, a lo que se negó porque temía entregarse a la debilidad. Lo que debía hacer era buscar el rumbo y avanzar. Cuando volvió a levantar la cabeza ya no se oía el ruido del motor.

–No, no ta sien pallá; ta sien pacá –afirmó resuelto. Y siguió arrastrándose, andando a veces a gatas.

Pero sí había pasado a distancia un motor. Luis Pie llegó de su tierra meses antes y se puso a trabajar, primero en la colonia Carolina, después en la Josefita; e ignoraba que detrás estaba otra colonia, la Gloria, con su trocha medio kilómetro más lejos, y que don Valentín Quintero, el dueño de la Gloria, tenía un viejo Ford en el cual iba al batey a emborracharse y a pegarles a las mujeres que llegaban hasta allí, por la zafra, en busca de unos pesos. Don Valentín acababa de pasar por aquella trocha en su estrepitoso Ford; y como iba muy alegre, pensando en la fiesta de esa noche, no tomó en cuenta, cuando encendió el tabaco, que el auto pasaba junto al cañaveral. Golpeando en la espalda al chofer, don Valentín dijo:

–Esa Lucía es una sinvergüenza, sí señor, ¡pero qué hembra!

Y en ese momento lanzó el fósforo, que cayó encendido entre las cañas. Disparando ruidosamente el Ford se perdió en dirección del batey para llegar allá antes de que Luis Pie hubiera avanzado trescientos metros.

Tal vez esa distancia había logrado arrastrarse el haitiano. Trataba de llegar a la orilla del corte de la caña, porque sabía que el corte empieza siempre junto a una trocha; iba con la esperanza de salir a la trocha cuando notó el resplandor. Al principio no comprendió; jamás había visto él un incendio en el cañaveral. Pero de pronto oyó chasquidos y una llamarada gigantesca se levantó inesperadamente hacia el cielo, iluminando el lugar con un tono rojizo. Luis Pie se quedó inmóvil del asombro. Se puso de rodillas y se preguntaba qué era aquello. Mas el fuego se extendía con demasiada rapidez para que Luis Pie no supiera de qué se trataba. Echándose sobre las cañas, como si tuvieran vida, las llamas avanzaban ávidamente envueltas en un humo negro que iba cubriendo todo el lugar; los tallos disparaban sin cesar y por momentos el fuego se producía en explosiones y ascendía a golpes hasta perderse en la altura. El haitiano temió que iba a quedar cercado. Quiso huir. Se levantó y pretendió correr a saltos sobre una sola pierna. Pero le pareció que nada podría salvarle.

–¡Bonyé, Bonyé! –empezó a aullar, fuera de sí; y luego, más alto aún:

–¡Bonyéeeee!

Gritó de tal manera y llegó a tanto su terror, que por un instante perdió la voz y el conocimiento. Sin embargo siguió moviéndose, tratando de escapar, pero sin saber en verdad qué hacía. Quienquiera que fuera, el enemigo que le había echado el mal se valió de fuerzas poderosas. Luis Pie lo reconoció así y se preparó a lo peor.

Pegado a la tierra, con sus ojos desorbitados por el pavor, veía crecer el fuego cuando le pareció oír tropel de caballos, voces de mando y tiros. Rápidamente levantó la cabeza. La esperanza le embriagó.

–¡Bonyé, Bonyé –clamó casi llorando–, ayuda a mué, gran Bonyé; tú salva a mué de murí quemá!

¡Iba a salvarlo el buen Dios de los desgraciados! Su instinto le hizo agudizar todos los sentidos. Aplicó el oído para saber en qué dirección estaban sus presuntos salvadores; buscó con los ojos la presencia de esos dominicanos generosos que iban a sacarlo del infierno de llamas en que se hallaba. Dando la mayor amplitud posible a su voz gritó estentóreamente:

–¡Dominiquén bon, aqui ta mué, Lui Pie! ¡Salva a mué, dominiquén bon!

Entonces oyó que alguien vociferaba desde el otro lado del cañaveral. La voz decía:

–¡Por aquí, por aquí! ¡Corran, que está cogío! ¡Corran, que se puede ir!

Olvidándose de su fiebre y de su pierna, Luis Pie se incorporó y corrió. Iba cojeando, dando saltos, hasta que tropezó y cayó de bruces. Volvió a pararse al tiempo que miraba hacia el cielo y mascullaba:

–Oh, Bonyé, gran Bonyé que ta ayudán a mué...

En ese mismo instante la alegría le cortó el habla, pues a su frente, irrumpiendo por entre las cañas, acababa de aparecer un hombre a caballo, un salvador.

–¡Aquí está, corran! –demandó el hombre dirigiéndose a los que le seguían.

Inmediatamente aparecieron diez o doce, muchos de ellos a pie y la mayoría armada de mochas. Todos gritaban insultos y se lanzaban sobre Luis Pie.

–¡Hay que matarlo ahí mismo, y que se achicharre con la candela ese maldito haitiano! –se oyó vociferar.

Puesto de rodillas, Luis Pie, que apenas entendía el idioma, rogaba enternecido:

–¡Ah, dominiquén bon, salva a mué, salva a mué pa llevá manyé a mon pití!

Una mocha cayó de plano en su cabeza, y el acero resonó largamente.

–¿Qué ta pasán? –preguntó Luis Pie lleno de miedo.

–¡No, no! –ordenaba alguien que corría–. ¡Denle golpes, pero no lo maten! ¡Hay que dejarlo vivo para que diga quiénes son sus cómplices! ¡Le han pegado fuego también a la Gloria!

El que así gritaba era don Valentín Quintero, y él fue el primero en dar el ejemplo. Le pegó al haitiano en la nariz, haciendo saltar la sangre. Después siguieron otros, mientras Luis Pie, gimiendo, alzaba los brazos y pedía perdón por un daño que no había hecho. Le encontraron en los bolsillos una caja con cuatro o cinco fósforos.

–¡Canalla, bandolero; confiesa que prendiste candela!

–Uí, uí –afirmaba el haitiano. Pero como no sabía explicarse en español no podía decir que había encendido dos fósforos para verse la herida y que el viento los había apagado.

¿Qué había ocurrido? Luis Pie no lo comprendía. Su poderoso enemigo acabaría con él; le había echado encima a todos los terribles dioses de Haití, y Luis Pie, que temía a esas fuerzas ocultas, ¡no iba a luchar contra ellas porque sabía que era inútil!

–¡Levántate, perro! –ordenó un soldado.

Con gran asombro suyo, el haitiano se sintió capaz de levantarse. La primera arremetida de la infección había pasado, pero él lo ignoraba. Todavía cojeaba bastante cuando dos soldados lo echaron por delante y lo sacaron al camino; después, a golpes y empujones, debió seguir sin detenerse, aunque a veces le era imposible sufrir el dolor en la ingle.

Tardó una hora en llegar al batey, donde la gente se agolpó para verlo pasar. Iba echando sangre por la cabeza, con la ropa desgarrada y una pierna a rastras. Se le veía que no podía ya más, que estaba exhausto y a punto de caer desfallecido.

El grupo se acercaba a un miserable bohío de yaguas paradas, en el que apenas cabía un hombre y en cuya puerta, destacados por una hoguera que iluminaba adentro la vivienda, estaban tres niños desnudos que contemplaban la escena sin moverse y sin decir una palabra.

Aunque la luz era escasa todo el mundo vio a Luis Pie cuando su rostro pasó de aquella impresión de vencido a la de atención; todo el mundo vio el resplandor del interés en sus ojos. Era tal el momento que nadie habló. Y de pronto la voz de Luis Pie, una voz llena de angustia y de ternura, se alzó en medio del silencio, diciendo:

–¡Pití Mishé, mon pití Mishé! ¿Tú no ta enferme, mon pití? ¿Tú ta bien?

El mayor de los niños, que tendría seis años y que presenciaba la escena llorando amargamente, dijo entre llanto, sin mover un músculo, hablando bien alto:

–¡Sí, per; yo ta bien; to nosotro ta bien, mon per!

Y se quedó inmóvil, mientras las lágrimas le corrían por las mejillas.

Luis Pie, asombrado de que sus hijos no se hallaran bajo el poder de las tenebrosas fuerzas que le perseguían no pudo contener sus palabras.

–¡Oh, Bonyé, tú sé gran! –clamó volviendo al cielo una honda mirada de gratitud.

Después abatió la cabeza, pegó la barbilla al pecho para que no lo vieran llorar, y empezó a caminar de nuevo, arrastrando su pierna enferma.

La gente que se agrupaba alrededor de Luis Pie era ya mucha y pareció dudar entre seguirlo o detenerse para ver a los niños; pero como no tardó en comprender que el espectáculo que ofrecía Luis Pie era más atrayente, decidió ir tras él. Sólo una muchacha negra de acaso doce años se demoró frente a la casucha. Pareció que iba a dirigirse hacia los niños; pero al fin echó a correr tras la turba, que iba doblando una esquina. Luis Pie había vuelto el rostro, sin duda para ver una vez más a sus hijos, y uno de los soldados pareció llenarse de ira.

–¡Ya ta bueno de hablar con la familia! –rugía el soldado.

La muchacha llegó al grupo justamente cuando el militar levantaba el puño para pegarle a Luis Pie, y como estaba asustada cerró los ojos para no ver la escena. Durante un segundo esperó el ruido.

Pero el chasquido del golpe no llegó a sonar. Pues, aunque deseaba pegar, el soldado se contuvo. Tenía la mano demasiado adolorida por el uso que le había dado esa noche, y, además, comprendió que por duro que le pegara Luis Pie no se daría cuenta de ello.

No podía darse cuenta, porque iba caminando como un borracho, mirando hacia el cielo y hasta ligeramente sonreído.

LA NOCHEBUENA DE ENCARNACIÓN MENDOZA

Con su sensible ojo de prófugo Encarnación Mendoza había distinguido el perfil de un árbol a veinte pasos, razón por la cual pensó que la noche iba a decaer. Anduvo acertado en su cálculo; donde empezó a equivocarse fue al sacar conclusiones de esa observación. Pues como el día se acercaba era de rigor buscar escondite, y él se preguntaba si debía internarse en los cerros que tenía a su derecha o en el cañaveral que le quedaba a la izquierda. Para su desgracia, escogió el cañaveral. Hora y media más tarde el sol del día 24 alumbraba los campos y calentaba ligeramente a Encarnación Mendoza, que yacía bocarriba tendido sobre hojas de caña.

A las siete de la mañana los hechos parecían estar sucediéndose tal como había pensado el fugitivo; nadie había pasado por las trochas cercanas. Por otra parte la brisa era fresca y tal vez llovería, como casi todos los años en Nochebuena. Y aunque no lloviera, los hombres no saldrían de la bodega, donde estarían desde temprano consumiendo ron, hablando a gritos y tratando de alegrarse como lo mandaba la costumbre. En cambio, de haber tirado hacia los cerros no podría sentirse tan seguro. Él conocía bien el lugar; las familias que vivían en las hondonadas producían leña, yuca y algún maíz. Si cualquiera de los hombres que habitaban los bohíos de por allí bajaba aquel día para vender bastimentos en la bodega del batey y acertaba a verlo, estaba perdido. En leguas a la redonda no había quien se atreviera a silenciar el encuentro. Jamás sería perdonado el que encubriera a Encarnación

Mendoza: y aunque no se hablaba del asunto todos los vecinos de la comarca sabían que aquel que le viera debía dar cuenta inmediata al puesto de guardia más cercano.

Empezaba a sentirse tranquilo Encarnación Mendoza, porque tenía la seguridad de que había escogido el mejor lugar para esconderse durante el día, cuando comenzó el destino a jugar en su contra.

Pues a esa hora la madre de Mundito pensaba igual que el prófugo: nadie pasaría por las trochas en la mañana, y si Mundito apuraba el paso haría el viaje a la bodega antes de que comenzaran a transitar los caminos los habituales borrachos del día de Nochebuena. La madre de Mundito tenía unos cuantos centavos que había ido guardando de lo poco que cobraba lavando ropa y revendiendo gallinas en el cruce de la carretera, que le quedaba al poniente, a casi medio día de marcha. Con esos centavos podía mandar a Mundito a la bodega para que comprara harina, bacalao y algo de manteca. Aunque lo hiciera pobremente, quería celebrar la Nochebuena con sus seis pequeños hijos, siquiera fuera comiendo frituras de bacalao.

El caserío donde ellos vivían –del lado de los cerros, en el camino que dividía los cañaverales de las tierras incultas– tendría catorce o quince malas viviendas, la mayor parte techadas de yaguas. Al salir de la suya, con el encargo de ir a la bodega, Mundito se detuvo un momento en medio del barro seco por donde en los días de zafra transitaban las carretas cargadas de caña. Era largo el trayecto hasta la bodega. El cielo se veía claro, radiante de luz que se esparcía sobre el horizonte de cogollos de caña; era grata la brisa y dulcemente triste el silencio. ¿Por qué ir solo, aburriéndose de caminar por trochas siempre iguales? Durante diez segundos Mundito pensó entrar al bohío vecino, donde seis semanas antes una perra negra había parido seis cachorros. Los dueños del animal habían regalado cinco, pero quedaba uno "para amamantar a la madre", y en él había puesto Mundito todo el interés que la falta de ternura había acumulado en su pequeña alma. Con sus nueve años cargados de precoz sabiduría, el niño era consciente de que si llevaba el cachorrillo tendría que cargarlo casi todo el tiempo, porque no podría hacer tanta distancia por sí solo. Mundito sentía que esa idea casi le autorizaba a disponer del perrito. De súbito, sin pensarlo más, corrió hacia la casucha gritando:

–¡Doña Ofelia, emprésteme a Azabache, que lo voy a llevar allí!

Oyéranle o no, ya él había pedido autorización, y eso bastaba. Entró como un torbellino, tomó el animalejo en brazos y salió corriendo, a toda marcha, hasta que se perdió a lo lejos. Y así empezó el destino a jugar en los planes de Encarnación Mendoza.

Porque ocurrió que cuando, poco antes de las nueve, el niño Mundito pasaba frente al tablón de caña donde estaba escondido el fugitivo, cansado, o simplemente movido por esa especie de indiferencia por lo actual y curiosidad por lo inmediato que es privilegio de los animales pequeños, Azabache se metió en el cañaveral. Encarnación Mendoza oyó la voz del niño ordenando al perrito que se detuviera. Durante un segundo temió que el muchacho fuera la avanzada de algún grupo. Estaba clara la mañana. Con su agudo ojo de prófugo, él podía ver hasta donde se lo permitía el barullo de tallos y hojas. Allí, al alcance de su mirada, no estaba el niño. Encarnación Mendoza no tenía pelo de tonto. Rápidamente calculó que si lo hallaban atisbando era hombre perdido; lo mejor sería hacerse el dormido, dando la espalda al lado por donde sentía el ruido. Para mayor seguridad, se cubrió la cara con el sombrero.

El negro cachorrillo correteó, jugando con las hojas de caña, pretendiendo saltar, torpe de movimientos, y cuando vio al fugitivo echado empezó a soltar diminutos y graciosos ladridos. Llamándolo a voces y gateando para avanzar, Mundito iba acercándose cuando de pronto quedó paralizado: había visto al hombre. Pero para él no era simplemente un hombre sino algo imponente y terrible; era un cadáver. De otra manera no se explicaba su presencia allí y mucho menos su postura. El terror le dejó frío. En el primer momento pensó huir, y hacerlo en silencio para que el cadáver no se diera cuenta. Pero le parecía un crimen dejar a Azabache abandonado, expuesto al peligro de que el muerto se molestara con sus ladridos y lo reventara apretándolo con las manos. Incapaz de irse sin el animalito e incapaz de quedarse allí, el niño sentía que desfallecía. Sin intervención de su voluntad levantó una mano, fijó la mirada en el difunto, temblando mientras el perrillo reculaba y lanzaba sus pequeños ladridos. Mundito estaba seguro de que el cadáver iba a levantarse de momento. En su miedo, pretendió adelantarse al muerto: pegó un salto sobre el cachorrillo, al cual agarró con nerviosa violencia por el pescuezo, y a seguidas, cabeceando contra las cañas, cortándose el rostro y las manos, impulsado por el terror, ahogándose, echó a correr hacia la bodega. Al llegar allí, a punto de desfallecer por el esfuerzo y el pavor, gritó señalando hacia el lejano lugar de su aventura:

–¡En la colonia Adela hay un hombre muerto!

A lo que un vozarrón áspero respondió gritando:

–¿Qué tá diciendo ese muchacho?

Y como era la voz del sargento Rey, jefe de puesto del Central, obtuvo el mayor interés de parte de los presentes así como los datos que solicitó del muchacho.

El día de Nochebuena no podía contarse con el juez de La Romana para hacer el levantamiento del cadáver, pues debía andar por la Capital disfrutando sus vacaciones de fin de año. Pero el sargento era expeditivo; quince minutos después de haber oído a Mundito el sargento Rey iba con dos números y diez o doce curiosos hacia el sitio donde yacía el presunto cadáver. Eso no había entrado en los planes de Encarnación Mendoza.

El propósito de Encarnación Mendoza era pasar la Nochebuena con su mujer y sus hijos. Escondiéndose de día y caminando de noche había recorrido leguas y leguas, desde las primeras estribaciones de la Cordillera, en la provincia del Seybo, rehuyendo todo encuentro y esquivando bohíos, corrales y cortes de árboles o quemas de tierras. En toda la región se sabía que él había dado muerte al cabo Pomares, y nadie ignoraba que era hombre condenado donde se le encontrara. No debía dejarse ver de persona alguna, excepto de Nina y de sus hijos. Y los vería sólo una hora o dos, durante la Nochebuena. Tenía ya seis meses huyendo, pues fue el día de San Juan cuando ocurrieron los hechos que le costaron la vida al cabo Pomares.

Necesariamente debía ver a su mujer y a sus hijos. Era un impulso bestial el que le empujaba a ir, una fuerza ciega a la cual no podía resistir. Con todo y ser tan limpio de sentimientos, Encarnación Mendoza comprendía que con el deseo de abrazar a su mujer y de contarles un cuento a los niños iba confundida una sombra de celos. Pero además necesitaba ver la casucha, la luz de la lámpara iluminando la habitación donde se reunían cuando él volvía del trabajo y los muchachos le rodeaban para que él los hiciera reír con sus ocurrencias. El cuerpo le pedía ver hasta el sucio camino, que se hacía lodazal en los tiempos de lluvia. Tenía que ir o se moriría de una pena tremenda.

Encarnación Mendoza estaba acostumbrado a hacer lo que deseaba; nunca deseaba nada malo y se respetaba a sí mismo. Por respeto a sí mismo sucedió lo del día de San Juan, cuando el cabo Pomares le faltó pegándole en la cara, a él, que por no ofender no bebía y que no tenía más afán que su familia. Sucediera lo que sucediera, y aunque el mismo Diablo hiciera oposición, Encarnación Mendoza pasaría la Nochebuena en su bohío. Sólo imaginar que Nina y los muchachos estarían tristes, sin un peso para celebrar la fiesta, tal vez llorando por él, le partía el alma y le hacía maldecir de dolor.

Pero el plan se había enredado algo. Era cosa de ponerse a pensar si el muchacho hablaría o se quedaría callado. Se había ido corriendo, a lo que pudo colegir Encarnación por la rapidez de los pasos, y tal vez pensó que se trataba de un peón dormido. Acaso hubiera sido prudente alejarse de allí, meterse en otro tablón de caña. Sin embargo valía la pena pensarlo dos veces, porque si tenía la fatalidad de que alguien pasara por la trocha de ida o de vuelta, y le veía cruzando el camino y le reconocía, era hombre perdido. No debía precipitarse; ahí, por de pronto, estaba seguro. A las nueve de la noche podría salir, caminar con cautela orillando los cerros, y estaría en su casa a las once, tal vez a las once y un cuarto. Sabía lo que iba a hacer; llamaría por la ventana de la habitación en voz baja y le diría a Nina que abriera, que era él, su marido. Ya le parecía estar viendo a Nina con su negro pelo caído sobre las mejillas, los ojos oscuros y brillantes, la boca carnosa, la barbilla saliente. Ese momento de la llegada era la razón de ser de su vida; no podía arriesgarse a ser cogido antes. Cambiar de tablón en pleno día era correr riesgo. Lo mejor sería descansar, dormir...

Despertó al tropel de pasos y a la voz del niño que decía:

–Taba ahí, sargento.

–¿Pero en cuál tablón; en ése o en el de allá?

–En ése –aseguró el niño.

"En ése" podía significar que el muchacho estaba señalando hacia el que ocupaba Encarnación, hacia uno vecino o hacia el de enfrente. Porque a juzgar por las voces el niño y el sargento se hallaban en la trocha, tal vez en un punto intermedio entre varios tablones de caña. Dependía de hacia dónde estaba señalando el niño cuando decía "ése". La situación era realmente grave, porque de lo que no había duda era de que ya había gente localizando al fugitivo. El momento, pues, no era de dudar, sino de actuar. Rápido en la decisión, Encarnación Mendoza comenzó a gatear con suma cautela, cuidándose de que el ruido que pudiera hacer se confundiera con el de las hojas del cañaveral batidas por la brisa. Había que salir de allí pronto, sin perder un minuto. Oyó la áspera voz del sargento:

–¡Métase por ahí, Nemesio, que yo voy por aquí! ¡Usté, Solito, quédese por aquí!

Se oían murmullos y comentarios. Mientras se alejaba, agachado, con paso felino, Encarnación podía colegir que había varios hombres en el grupo que le buscaba. Sin duda las cosas estaban poniéndose feas.

Feas para él y feas para el muchacho, quienquiera que fuese. Porque cuando el sargento Rey y el número Nemesio Arroyo recorrieron el tablón de caña en que se habían metido, maltratando los tallos más tiernos y cortándose las manos y los brazos, y no vieron cadáver alguno, empezaron a creer que era broma lo del hombre muerto en la colonia Adela.

–¿Tú ta seguro que fue aquí, muchacho? –preguntó el sargento.

–Sí, aquí era –afirmó Mundito, bastante asustado ya.

–Son cosa de muchacho, sargento; ahí no hay nadie –terció el número Arroyo.

El sargento clavó en el niño una mirada fija, escalofriante, que lo llenó de pavor.

–Mire, yo venía por aquí con Azabache –empezó a explicar Mundito– y lo diba corriendo asina –lo cual dijo al tiempo que ponía el perrito en el suelo–, y él cogió y se metió ahí.

Pero el número Solito Ruiz interrumpió la escenificación de Mundito preguntando:

–¿Cómo era el muerto?

–Yo no le vide la cara –dijo el niño, temblando de miedo–; solamente le vide la ropa. Tenía un sombrero en la cara. Taba asina, de lao...

–¿De qué color era el pantalón? –inquirió el sargento.

–Azul, y la camisa como amarilla, y tenía un sombrero negro encima de la cara...

Pero el pobre Mundito apenas podía hablar; se hallaba aterrorizado, con ganas de llorar. A su infantil idea de las cosas, el muerto se había ido de allí sólo para vengarse de su denuncia y hacerlo quedar como un mentiroso. Seguramente en la noche le saldría en la casa y lo perseguiría toda la vida.

De todas maneras, supiéralo o no Mundito, en ese tablón de cañas no darían con el cadáver. Encarnación Mendoza había cruzado con sorprendente celeridad hacia otro tablón, y después hacia otro más; y ya iba atravesando la trocha para meterse en un tercero cuando el niño, despachado por el sargento, pasaba corriendo con el perrillo bajo el brazo. Su miedo lo paró en seco al ver el torso y una pierna del difunto que entraban en el cañaveral. No podía ser otro, dado que la ropa era la que había visto por la mañana.

–¡Ta aquí, sargento; ta aquí! –gritó señalando hacia el punto por donde se había perdido el fugitivo–. ¡Dentró ahí!

Y como tenía mucho miedo siguió su carrera hacia su casa, ahogándose, lleno de lástima consigo mismo por el lío en que se había metido. El sargento, y con él los soldados y curiosos que le acompañaban, se había vuelto al oír la voz del chiquillo.

–Cosa de muchacho –dijo calmosamente Nemesio Arroyo.

Pero el sargento, viejo en su oficio, era suspicaz:

–Vea, algo hay. ¡Rodiemo ese tablón di una ve! –gritó.

Y así empezó la cacería, sin que los cazadores supieran qué pieza perseguían.

Era poco más de media mañana. Repartidos en grupos, cada militar iba seguido de tres o cuatro peones, buscando aquí y allá, corriendo por las trochas, todos un poco bebidos y todos excitados. Lentamente, las pequeñas nubes azul oscuro que descansaban al ras del horizonte empezaron a crecer y a ascender cielo arriba. Encarnación Mendoza sabía ya que estaba más o menos cercado. Sólo que a diferencia de sus perseguidores –que ignoraban a quién buscaban–, él pensaba que el registro del cañaveral obedecía al propósito de echarle mano y cobrarle lo ocurrido el día de San Juan.

Sin saber a ciencia cierta dónde estaban los soldados, el fugitivo se atenía a su instinto y a su voluntad de escapar; y se corría de un tablón a otro, esquivando el encuentro con los soldados. Estaba ya a tanta distancia de ellos que si se hubiera quedado tranquilo hubiese podido esperar hasta el oscurecer sin peligro de ser localizado. Pero no se hallaba seguro y seguía pasando de tablón a tablón. Al cruzar una trocha fue visto de lejos, y una voz proclamó a todo pulmón:

–¡Allá va, sargento, allá va; y se parece a Encarnación Mendoza!

¡Encarnación Mendoza! De golpe todo el mundo quedó paralizado. ¡Encarnación Mendoza!

–¡Vengan! –demandó el sargento a gritos; y a seguidas echó a correr, el revólver en la mano, hacia donde señalaba el peón que había visto al prófugo.

Era ya cerca de mediodía, y aunque los crecientes nubarrones convertían en sofocante y caluroso el ambiente, los cazadores del hombre apenas lo notaban; corrían y corrían, pegando voces, zigzagueando, disparando sobre las cañas. Encarnación se dejó ver sobre una trocha distante, sólo un momento, huyendo con la velocidad de una sombra fugaz, y no dio tiempo al número Solito Ruiz para apuntarle su fusil.

–¡Que vaya uno al batey y diga de mi parte que me manden do número! –ordenó a gritos el sargento.

Nerviosos, excitados, respirando sonoramente y tratando de mirar hacia todos los ángulos a un tiempo, los perseguidores corrían de un lado a otro dándose voces entre sí, recomendándose prudencia cuando alguno amagaba meterse entre las cañas.

Pasó el mediodía. Llegaron no dos, sino tres números y como nueve o diez peones más; se dispersaron en grupos y la cacería se extendió a varios tablones. A la distancia se veían pasar de pronto un soldado y cuatro o cinco peones, lo cual entorpecía los movimientos pues era arriesgado tirar si gente amiga estaba al otro extremo. Del batey iban saliendo hombres y hasta alguna mujer; y en la bodega no quedó sino el dependiente, preguntando a todo hijo de Dios que cruzaba si "ya lo habían cogido".

Encarnación Mendoza no era hombre fácil. Pero a eso de las tres, en el camino que dividía el cañaveral de los cerros, esto es, a más de dos horas del batey, un tiro certero le rompió la columna vertebral al tiempo que cruzaba para internarse en la maleza. Se revolcaba en la tierra, manando sangre, cuando recibió catorce tiros más, pues los soldados iban disparándole a medida que se acercaban. Y justamente entonces empezaban a caer las primeras gotas de la lluvia que había comenzado a insinuarse a media mañana.

Estaba muerto Encarnación Mendoza. Conservaba las líneas del rostro, aunque tenía los dientes destrozados por un balazo de máuser. Era día de Nochebuena y él había salido de la Cordillera a pasar la Nochebuena en su casa, no en el batey, vivo o muerto. Comenzaba a llover, si bien por entonces no con fuerza. Y el sargento estaba pensando algo. Si él sacaba el cadáver a la carretera, que estaba hacia el poniente, podía llevarlo ese mismo día a Macorís y entregarle ese regalo de Pascuas al capitán; si lo llevaba al batey tendría que coger allí un tren del ingenio para ir a la Romana, y como el tren podría tardar mucho en salir llegaría a la ciudad tarde en la noche, tal vez demasiado tarde para trasladarse a Macorís. En la carretera las cosas son distintas; pasan con frecuencia vehículos, él podría detener un automóvil, hacer bajar la gente y meter el cadáver o subirlo sobre la carga de un camión.

–¡Búsquese un caballo ya memo que vamo a sacar ese vagabundo a la carretera! –dijo dirigiéndose al que tenía más cerca.

No apareció caballo sino burro; y eso, pasadas ya las cuatro, cuando el aguacero pesado hacía sonar sin descanso los sembrados de caña. El sargento no quería perder tiempo. Varios peones, estorbándose los unos a los otros, colocaron el cadáver atravesado sobre el asno y lo amarraron como pudieron. Seguido por dos soldados y tres curiosos a los que escogió para que arrearan el burro, el sargento ordenó la marcha bajo la lluvia.

No resultó fácil el camino. Tres veces, antes de llegar al primer caserío, el muerto resbaló y quedó colgado bajo el vientre del asno. Éste resoplaba y hacía esfuerzos para trotar entre el barro, que ya empezaba a formarse. Cubiertos sólo con sus sombreros de reglamento al principio, los soldados echaron mano a pedazos de yaguas, a hojas grandes arrancadas a los árboles, o se guarecían en el cañaveral de rato en rato, cuando la lluvia arreciaba más. La lúgubre comitiva anduvo sin cesar, la mayor parte del tiempo en silencio aunque de momento la voz de un soldado comentaba:

–Vea ese sinvergüenza.

O simplemente aludía al cabo Pomares, cuya sangre había sido al fin vengada.

Oscureció del todo, sin duda más temprano que de costumbre por efectos de la lluvia; y con la oscuridad el camino se hizo más difícil, razón por la cual la marcha se tornó lenta. Serían más de las siete, y apenas llovía entonces, cuando uno de los peones dijo:

–Allá se ve una lucecita.

–Sí, del caserío –explicó el sargento; y al instante urdió un plan del que se sintió enormemente satisfecho.

Pues al sargento no le bastaba la muerte de Encarnación Mendoza. El sargento quería algo más. Así, cuando un cuarto de hora después se vio frente a la primera casucha del lugar, ordenó con su áspera voz:

–Desamarren ese muerto y tírenlo ahí adentro, que no podemo seguir mojándono.

Decía esto cuando la lluvia era tan escasa que parecía a punto de cesar; y al hablar observaba a los hombres que se afanaban en la tarea de librar al cadáver de las cuerdas. Cuando el cuerpo estuvo suelto llamó a la puerta de la casucha justo a tiempo para que la mujer que salió a abrir recibiera sobre los pies, tirado como el de un perro, el cuerpo de Encarnación Mendoza. El muerto estaba empapado en agua, sangre y lodo, y tenía los dientes destrozados por un tiro, lo que le daba a su rostro antes sereno y bondadoso la apariencia de estar haciendo una mueca horrible.

La mujer miró aquella masa inerte; sus ojos cobraron de golpe la inexpresiva fijeza de la locura; y llevándose una mano a la boca comenzó a retroceder lentamente hasta que a tres pasos paró y corrió desolada sobre el cadáver al tiempo que gritaba:

–¡Hay mi'shijo; se han quedao güérfano... han matao a Encarnación!

Espantados, atropellándose, los niños salieron de la habitación lanzándose a las faldas de la madre.

Entonces se oyó una voz infantil en la que se confundían llanto y horror:

–¡Mama, mi mama...! ¡Ese fue el muerto que yo vide hoy en el cañaveral!

LA MANCHA INDELEBLE

Todos los que habían cruzado la puerta antes que yo habían entregado sus cabezas, y yo las veía colocadas en una larga hilera de vitrinas que estaban adosadas a la pared de enfrente. Seguramente en esas vitrinas no entraba aire contaminado, pues las cabezas se conservaban en forma admirable, casi como si estuvieran vivas, aunque les faltaba el flujo de la sangre bajo la piel. Debo confesar que el espectáculo me produjo un miedo súbito e intenso. Durante cierto tiempo me sentí paralizado por el terror.

Pero era el caso que aun incapacitado para pensar y para actuar, yo estaba allí: había pasado el umbral y tenía que entregar mi cabeza. Nadie podría evitarme esa macabra experiencia. La situación era en verdad aterradora.

Parecía que no había distancia entre la vida que había dejado atrás, del otro lado de la puerta, y la que iba a iniciar en ese momento. Físicamente, la distancia sería de tres metros, tal vez de cuatro. Sin embargo lo que veía indicaba que la separación entre lo que fui y lo que sería no podía medirse en términos humanos.

–Entregue su cabeza –dijo una voz suave.

–¿La mía? –pregunté, con tanto miedo que a duras penas me oía a mí mismo.

–Claro... ¿Cuál va a ser?

A pesar de que no era autoritaria, la voz llenaba todo el salón y resonaba entre las paredes, que se cubrían con lujosos tapices. Yo no podía saber de dónde salía. Tenía la impresión de que todo lo que veía estaba hablando a un tiempo: el piso de mármol negro y blanco, la alfombra roja que iba de la escalinata a la gran mesa del recibidor, y la alfombra similar que cruzaba a todo lo largo por el centro; las grandes columnas de mayólica, las cornisas de cubos dorados, las dos enormes lámparas colgantes de cristal de Bohemia. Sólo sabía a ciencia cierta que ninguna de las innumerables cabezas de las vitrinas había emitido el menor sonido.

Tal vez con el deseo inconsciente de ganar tiempo, pregunté:

–¿Y cómo me la quito?

–Sujétela fuertemente con las dos manos, apoyando los pulgares en las curvas de la quijada; tire hacia arriba y verá con qué facilidad sale. Colóquela después sobre la mesa.

Si se hubiera tratado de una pesadilla me habría explicado la orden y mi situación. Pero no era una pesadilla. Eso estaba sucediéndome en pleno estado de lucidez, mientras me hallaba de pie y solitario en medio de un lujoso salón. No se veía una silla, y como temblaba de arriba abajo debido al frío mortal que se había desatado en mis venas, necesitaba sentarme o agarrarme a algo. Al fin apoyé las dos manos en la mesa.

–¿No ha oído o no ha comprendido? –dijo la voz.

Ya dije que la voz no era autoritaria sino suave. Tal vez por eso me parecía tan terrible. Resulta aterrador oír la orden de quitarse la cabeza dicha con tono normal, más bien tranquilo. Estaba seguro de que el dueño de esa voz había repetido la orden tantas veces que ya no le daba la menor importancia a lo que decía.

Al fin logré hablar.

–Sí, he oído y he comprendido –dije–. Pero no puedo despojarme de mi cabeza así como así. Deme algún tiempo para pensarlo. Comprenda que ella está llena de mis ideas, de mis recuerdos. Es el resumen de mi propia vida. Además, si me quedo sin ella, ¿con qué voy a pensar?

La parrafada no me salió de golpe. Me ahogaba. Dos veces tuve que parar para tomar aire. Callé, y me pareció que la voz emitía un ligero gruñido, como de risa burlona.

–Aquí no tiene que pensar. Pensaremos por usted. En cuanto a sus recuerdos, no va a necesitarlos más: va a empezar una vida nueva.

–¿Vida sin relación conmigo mismo, sin mis ideas, sin emociones propias? –pregunté.

Instintivamente miré hacia la puerta por donde había entrado. Estaba cerrada. Volví los ojos a los dos extremos del gran salón. Había también puertas en esos extremos, pero ninguna estaba abierta.

El espacio era largo y de techo alto, lo cual me hizo sentirme tan desamparado como un niño perdido en una gran ciudad. No había la menor señal de vida. Sólo yo me hallaba en ese salón imponente.

Peor aún: estábamos la voz y yo. Pero la voz no era humana; no podía relacionarse con un ser de carne y hueso. Me hallaba bajo la impresión de que miles de ojos malignos, también sin vida, estaban mirándome desde las paredes, y de que millones de seres minúsculos e invisibles acechaban mi pensamiento.

–Por favor, no nos haga perder tiempo, que hay otros en turno –dijo la voz.

No es fácil explicar lo que esas palabras significaron para mí. Sentí que alguien iba a entrar, que ya no estaría más tiempo solo, y volví la cara hacia la puerta. No me había equivocado; una mano sujetaba el borde de la gran hoja de madera brillante y la empujaba hacia adentro, y un pie se posaba en el umbral. Por la abertura de la puerta se advertía que afuera había poca luz. Sin duda era la hora indecisa entre el día que muere y la noche que todavía no ha cerrado.

En medio de mi terror actué como un autómata. Me lancé impetuosamente hacia la puerta, empujé al que entraba y salté a la calle. Me di cuenta de que alguna gente se alarmó al verme correr; tal vez pensaron que había robado o había sido sorprendido en el momento de robar. Comprendía que llevaba el rostro pálido y los ojos desorbitados, y de haber habido por allí un policía, me hubiera perseguido. De todas maneras, no me importaba. Mi necesidad de huir era imperiosa, y huía como loco.

Durante una semana no me atreví a salir de casa. Oía día y noche la voz y veía en todas partes los millares de ojos sin vida y los centenares de cabezas sin cuerpo. Pero en la octava noche, aliviado de mi miedo, me arriesgué a ir a la esquina, a un cafetucho de mala muerte, visitado siempre por gente extraña. Al lado de la mesa que ocupé había otra vacía. A poco, dos hombres se sentaron a ella. Uno tenía los ojos sombríos; me miró con intensidad y luego dijo al otro:

–Ese fue el que huyó después que ya estaba...

Yo tomaba en ese momento una taza de café. Me temblaron las manos con tanta violencia que un poco de la bebida se me derramó en la camisa.

Ahora estoy en casa, tratando de lavar la camisa. He usado jabón, cepillo y un producto químico especial para el caso que hallé en el baño. La mancha no se va. Está ahí, indeleble. Al contrario, me parece que a cada esfuerzo por borrarla se destaca más.

Mi mal es que no tengo otra camisa ni manera de adquirir una nueva. Mientras me esfuerzo en hacer desaparecer la mancha oigo sin cesar las últimas palabras del hombre de los ojos sombríos:

–...después que ya estaba inscrito...

El miedo me hace sudar frío. Y yo sé que no podré librarme de este miedo, que lo sentiré ante cualquier desconocido. Pues en verdad ignoro si los dos hombres eran miembros o eran enemigos del Partido.

UN NIÑO

A poco más de media hora, cuando se deja la ciudad, la carretera empieza a jadear por unos cerros pardos, de vegetación raquítica, que aparecen llenos de piedras filosas. En las hondonadas hay manchas de arbustos y al fondo del paisaje se diluyen las cumbres azules de la Cordillera. Es triste el ambiente. Se ve arder el aire y sólo de hora en hora pasa algún ser vivo, una res descarnada, una mujer o un viejo.

El lugar se llama Matahambre. Por lo menos, eso dijo el conductor, y dijo también que había sido fortuna suya o de los pasajeros el hecho de reventarse la goma allí, frente a la única vivienda. El bohío estaba justamente en el más alto de aquellos chatos cerros. Pintado desde hacía mucho tiempo con cal, hacía daño a la vista y se iba de lado, doblegándose sobre el oeste.

Sí, es triste el sitio. Sentados a la escasa sombra del bohío los pasajeros veían al chofer trabajar y fumaban con desgano. Uno de ellos corrió la vista hacia las remotas manchas verdes que se esparcían por los declives de los cerros.

–Allá –señaló– está la ciudad. Cuando cae la noche desde aquí se advierte el resplandor de las luces eléctricas.

En efecto, allá debía estar la ciudad. Podían verse masas blancas vibrando al sol y atrás, como un fondo, la vaga línea donde el mar y el cielo se juntaban. Pasó un automóvil con horrible estrépito y levantando nubes de polvo. El conductor del averiado vehículo sudaba y se mordía los labios.

De los tres viajeros, jóvenes todos, uno, pálido y delicado, arrugó la cara.

–No veo la hora de llegar –dijo–. Odio esta soledad.

El de líneas más severas se echó de espaldas en la tierra.

–¿Por qué? –preguntó.

Quedaba el otro, de ojos aturdidos. Fumaba un cigarrillo americano.

–¿Y lo preguntas? Pareces tonto. ¿Crees que alguien pueda no odiar esto, tan solo, tan abatido, sin alegría, sin música, sin mujeres?

–No –explicó el pálido–; no es por eso por lo que no podría aguantar un día aquí. ¿Sabes? Allá, en la ciudad, hay civilización, cines, autos, radio, luz eléctrica, comodidad. Además, está mi novia.

Nadie dijo nada más. Seguía el conductor quemándose al sol, golpeando en la goma, y parecía que todo el paisaje se hallaba a disgusto con la presencia de los cuatro hombres y el auto averiado. Nadie podía vivir en aquel sitio dejado de la mano de Dios. Con las viejas puertas cerradas, el bohío medio caído era algo muerto, igual que una piedra.

Pero sonó una tos, una tos débil. El de ojos aturdidos preguntó, incrédulo:

–¿Habrá gente ahí?

El que estaba tirado de espaldas en la tierra se levantó. Tenía el rostro severo y triste a un tiempo. No dijo nada, sino que anduvo alrededor del bohío y abrió una puerta. La choza estaba dividida en dos habitaciones. El piso de tierra, disparejo y cuarteado, daba la impresión de miseria aguda. Había suciedad, papeles, telarañas y una mugrosa mesa en un rincón, con un viejo sombrero de fibras encima. El lugar era claro a pedazos: el sol entraba por los agujeros del techo, y sin embargo había humedad. Aquel aire no podía respirarse. El hombre anduvo más. En la única portezuela de la otra habitación se detuvo y vio un bulto en un rincón. Sobre sacos viejos cubierto hasta los hombros, un niño temblaba. Era negro, con la piel fina, los dientes blancos, los ojos grandes, y su escasa carne dejaba adivinar los huesos. Miró atentamente al hombre y se movió de lado, sobre los codos, como si hubiera querido levantarse.

–¿Qué se le ofrece? –preguntó con dulzura.

–No, nada –explicó el visitante–; que oí toser y vine a ver quién era.

El niño sonrió.

–Ah –dijo.

Durante un minuto el hombre estuvo recorriendo el sitio con los ojos. No se veía nada que no fuera miserable.

–¿Estás enfermo? –inquirió al rato.

El niño movió la cabeza. Después explicó:

–Calentura. Por aquí hay mucha.

El hombre tocó su bracito. Ardía, y le dejó la mano caliente.

–¿Y tu mamá?

–No tengo. Se murió cuando yo era chiquito.

–¿Pero tienes papá?

–Sí. Anda por el conuco.

El niño se arrebujó en su saco de pita. Había en su cara una dulzura contagiosa, una simpatía muy viva. Al hombre le gustaba ese niño.

Se oían los golpes que daba el conductor afuera.

–¿Qué pasó? –preguntó la criatura.

–Una goma que se reventó, pero están arreglándola. Así hay que arreglarte a ti también. Hay que curarte. ¿Qué te parece si te llevo a la Capital para que te sanes? ¿Dónde está tu papá? ¿Lejos?

–Unjú... Viene de noche y se va amaneciendo.

–¿Y tú pasas el día aquí solito? ¿Quién te da la comida?

–Él, cuando viene. Sancocha yuca o batata.

Al hombre se le hacía difícil respirar. Algo amargo y pesado le estaba recorriendo el fondo del pecho. Pensó en la noche: llegaría con sus sombras, y ese niño enfermo, con fiebre, tal vez señalado ya por la muerte, estaría ahí solo, esperando al padre, sin hablar palabra, sin oír música, sin ver gentes. Acaso un día cuando el padre llegara lo encontraría cadáver. ¿Cómo resistía esa criatura la vida? Y su amigo, que había afirmado momentos antes que no soportaba ni un día de soledad...

–Te vas conmigo –dijo–. Hay que curarte.

El niño movió la cabeza para decir que no.

–¿Cómo que no? Le dejaremos un papelito a tu papá, diciéndoselo, y dos pesos para que vaya a verte. ¿No sabe leer tu papá?

El niño no entendía. ¿Qué sería eso de leer? Miraba con tristeza. El hombre estaba cada vez más confundido, como quien se ahoga.

–Te vas a curar pronto, tú verás. Te va a gustar mucho la ciudad. Mira, hay parques, cines, luz, y un río, y el mar con vapores. Te gustará.

El niño hizo amago de sonreír.

–Unq unq, yo la vide ya y no vuelvo. Horita me curo y me alevanto.

Al hombre le parecía imposible que alguien prefiriera esa soledad. Pero los niños no saben lo que quieren.

Afuera estaban sus amigos, deseando salir ya, hallarse en la ciudad, vivir plenamente. Anduvo y se acercó más al niño. Lo cogió por las axilas, y quemaban.

–Mira –empezó– ...allá...

Estaba levantando al enfermito y le sorprendió sentirlo tan liviano, como si fuera un muñeco de paja. El niño le miró con ojos de terror, que se abrían más, mucho más de lo posible. Entonces cayó al suelo el saco de pita que lo cubría. El hombre se heló, materialmente se heló. Iba a decir algo y se le hizo un nudo en la garganta. No hubiera podido decir qué sentía ni por qué sus dedos se clavaron en el pecho y en la espalda del niño con tanta violencia.

–¿Y eso, cómo fue eso? –atinó a preguntar.

–Allá –explicó la criatura mientras señalaba con un gesto hacia la distante ciudad–. Allá... un auto.

Justamente en ese momento sonó la bocina. Alguien llamaba al hombre y él puso al niño de nuevo en el suelo, sobre los sacos que le servían de cama, y salió como un autómata, aturdido. No supo cuándo se metió en el automóvil ni cuándo comenzó a rodar. Su amigo el pálido iba charlando:

–¿Te das cuenta? Es la civilización, compañero... Cine, luz, periódicos, autos...

Todavía podía verse el viejo bohío refulgiendo al sol. El hombre volvió el rostro.

–La civilización es dolor también; no lo olvides –dijo.

Y se miraba las manos, en las que le parecía tener todavía aquel niño trunco, aquel triste niño con sus míseros muñoncitos en lugar de piernas.

EL SOCIO

Justamente a una misma hora, tres hombres que estaban a distancia pensaban igual cosa.

En su rancho del Sabanal Negro Manzueta maquinaba vengarse de don Anselmo y calculaba cómo hacerlo sin que el Socio se diera cuenta de lo que planeaba; en la cárcel del pueblo Dionisio Rojas cavilaba cómo matarlo tan pronto saliera de allí y de qué manera se las arreglaría para que el Socio no saliera en defensa de aquel odiado hombre; en su bohío de la Gina, sentado en un catre, el viejo Adán Matías apretaba el puño lleno de ira porque no hallaba el medio de matar a don Anselmo sin que el condenado Socio se enterara y pretendiera evitarlo.

Boca arriba en su barbacoa, el Negro Manzueta fumaba su cachimbo y meditaba. No veía cómo recobrar sus tierras. Los agrimensores llegaron con polainas y pantalones amarillos, con sombreros de fieltro y espejuelos; cargaban palos de colores y un aparato pequeño sobre tres patas; estuvieron chapeando, y aunque él sospechó que en nada bueno andaban, se quedó tranquilo para no tener líos con la autoridad. Además, ¿qué miedo iba a tener? Esas tierras eran suyas; el viejo Manzueta las había comprado a peso de título, las heredó el hijo del viejo –su taita–, y luego él.

Don Anselmo estuvo un día a ver el trabajo de los agrimensores y llegó hasta el rancho.

–Andamos aclarando esto de los lindes, Manzueta –dijo.

Y el Negro Manzueta no respondió palabra. Estaba contento de que lo visitara don Anselmo, el dueño de medio mundo de tierras. Estuvo observándole la mulita inquieta como mariposa.

–¿Esa fue la que trajo en camión de San Juan? –preguntó.

Don Anselmo no debió oírlo; miraba gravemente el trabajo.

–Bájese pa' que tome café, don –invitó el Negro.

El visitante no quiso bajarse porque andaba apurado. Apurado... Lo que pasaba era que le remordía la conciencia. Le quitó sus tierras, así como si tal cosa. Los agrimensores hablaron hasta decir "ya", y el Negro Manzueta se negó a entender explicaciones. Él sólo sabía que desde la quebrada del Hacho para arriba todo era suyo, y lo demás no le importaba.

Tuvo que importarle, sin embargo. Un día llegaron los peones –ocho, armados de colines, y el capataz de revólver– y tiraron la palizada a la brava. Bueno... Para algo un hombre es un hombre, y fuera de esas tierras que le habían quitado el Negro Manzueta no tenía casi qué perder. Pegado de su cachimbo, cavilando, veía entrar las sombras en su mísero rancho. En la puerta, flaco y torvo, el perro cazaba moscas; afuera la brisa hacía sonar las hojas de los plátanos. Una tórtola cantó, sin duda en el roble de la vereda.

–Hay que arreglar primero lo del Socio –se decía Manzueta mientras, rehuyendo las durezas de los varejones, daba vueltas en la barbacoa.

Vueltas estaba dando también en su camastro Dionisio Rojas. El pueblo se hallaba a decenas de kilómetros del Sabanal, hacia el sur, y la cárcel quedaba en una orilla del pueblo. A dos días de su libertad, Dionisio Rojas no dejaba de pensar en la maldad que le habían hecho. No se trataba de la res, y él lo sabía bien como lo sabía don Anselmo; se trataba de la vereda que pasaba por su conuco. Don Anselmo tenía necesidad de esa vereda porque le acortaba la distancia de sus tierras a la carretera. Su hermano estaba dispuesto a entrar en arreglos, pero él no, y por eso inventaron lo de la res. ¿Cómo lo hicieron, que ni los perros se dieron cuenta? Dionisio llegó a pensar si su hermano no había estado en la combinación. Dijeron que la res se había perdido, llegaron al bohío y se pusieron a investigar. Hallaron la cabeza y las patas enterradas en el patio, y más adentro, en pleno conuco, el cuero. ¿Por qué los perros no desenterraron esas cosas para comérselas? Dionisio no lograba averiguarlo. Era para morirse de tristeza. ¡Lo habían hecho pasar por ladrón, a él, Dionisio Rojas, un hombre criado tan en la ley, un hombre de su trabajo! Don Anselmo tenía que pagar su "acumulo".

La tarde caía velozmente y desde su camastro podía el preso ver el río, que rodeaba la cárcel por el oeste. En chorro impetuoso, las sombras iban metiéndose en las aguas, ennegreciéndolas.

Así ennegrecían esas mismas sombras las aguas del arroyo en la Gina. El lugar –tres docenas de bohíos desperdigados bajo los palos de lana o en los riscos del arroyo– estaba al oeste del pueblo, a un día de camino en buen caballo. Allí, sobre el catre, pasándose la mano por la cabeza, casi arrancándose los pelos, estaba el viejo Adán Matías. Era bajito, flaco y rojo. Su bigote cano temblaba cada vez que él batía la quijada. Por momentos se ponía de pie, recorría el cuartucho a grandes pasos y volvía a sentarse. Su hija Lucinda se asomaba a la puerta.

–Tranquilícese, taita. Después con calma se arregla eso.

Pero también Lucinda estaba triste y lloraba a escondidas. El viejo, que lo sabía, se llenaba de cólera.

–Ella tiene la culpa, taita –pretendía alegar Lucinda.

–¿Culpa ella, una criaturita sin edá pa saber lo malo?

Cuanto más se le hablaba peor se ponía el viejo. Iba y volvía por el cuartucho, se sentaba, se paraba, agarraba el machete. Al fin pareció haber resuelto algo.

–¡Lucinda! –llamó a la hora en que la noche se cerraba sobre el monte–. ¿Usté cree en eso del Socio?

Con los ojos hinchados de llorar, la hija habló desde la puerta:

–¿Y cómo no voy a creer, taita? Si no fuera asina, ¿cómo le diban a salir bien las cosas a ese hombre?

El viejo no le quitaba la mirada de arriba.

–¡Po conmigo se le acaba el retozo a él y al Socio! –tronó; y volvió a sentarse, a pasarse la mano por la cabeza, a batir la quijada.

Aunque hiciera preguntas, también Adán Matías creía como su hija, y nadie ponía en duda lo que se decía de don Anselmo. Quince años antes ni Anselmo lo llamaban, sino Chemo. Era feo y antipático, con su perfil rapaz, de nariz corva y mentón duro, con su frente pequeña y sus ojos de hierro. Andaba siempre de prisa, con un gran tabaco en una esquina de la boca y levantándose los pantalones a cada paso. A los que dependían de él no les hablaba sino que les daba órdenes. Consiguió unas tierras en La Rosa, a precio de nada, y sin que se supiera cómo ni cuándo empezó a echar palizadas hacia afuera. Fue por esos días cuando hizo su trato con el Socio. Eso ocurrió en la Loma del Puerco, y aunque el acuerdo se llevó a cabo en secreto, al poco tiempo todo el mundo conocía el trato. La sospecha comenzó cuando en el sitio observaron que don Anselmo no perdía cosecho ni por sequía ni por lluvia, que los hombres más hombres no le pedían cuenta por llevarles las hijas, que la viruela respetaba sus gallinas y el dandi no les daba a sus puercos, que sus gallos ganaban las peleas peor casadas, que las vacas le parían hembras todos los años, que a ninguno de sus caballos le daba la jaba o la cucaracha. Pero con todo, la verdad absoluta no podía saberse porque don Anselmo tenía su malicia para hacer las cosas.

Y el don sabía darse el gusto. Levantó en La Rosa una casa enorme, de dos pisos y con galería amplia. Abajo se fueron arrimando bohíos de peones y encargados, y entre las muchachas de esa gente iba él escogiendo.

–Dentro de dos años me guardan ésta –decía.

Usaba automóvil y tenía luz eléctrica, nevera y fonógrafo. Vivía a sus anchas. Todo le salía bien. Igual que si fueran hombres, las palizadas se mantenían anda que anda, siempre hacia afuera, ampliando la propiedad. Una tropa de peones se encargaba de sembrar los postes y tirar el alambre, y durante el año entero aquella tropa vivía ocupada. Llegó el día en que sin salir de las tierras de don Anselmo podía irse de Hincha a Rincón flanqueando la cordillera y sin tener que repechar una loma. Entre las cercas había leguas de potreros, plátanos y cacaotales, extensiones enormes de maíz y de piñas.

Hubo años en que el don agotó la cosecha de muchachas de La Rosa, y entonces se iba a otros lugares y las pagaba en lo que le pidieran. Las admitía de cualquier color, siempre que fueran tiernas; pero las prefería trigueñas, como la nieta de Adán Matías.

Le gustaban trigueñas como le gustaba la tierra con aguadas, igual a la del Negro Manzueta. Y estaba acostumbrado a que todo el mundo cediera ante él, por las buenas –con su dinero– o por las malas, como tuvo que ceder Dionisio Rojas.

Y al hablar del Negro Manzueta conviene decir que se había despertado muy contento.

–¡El gusto que me voy a dar! –dijo en alta voz al echarse de la barbacoa.

Con las costillas casi fuera del cuerpo y las ancas puntudas, el perro aguardaba órdenes.

–¡Ajila por ái, Tiburón, que hoy arreglamos eso de la palizá! –gritó Manzueta.

Salió al claro y se entretuvo en ver cómo de los árboles cercanos se levantaban bandadas de ciguas y cómo el sol vidriaba las pencas de las palmas; después se puso a recoger charamicos, y al rato, ya sudado, se dio una palmada en la frente.

–¡Anda la porra! –dijo asombrado–... Si la cuaba arresulta mejor.

Diciendo y haciendo. Se metió en el bohío, cogió un hacha y un machete y seguido por el perro tomó el camino de la loma. Llegó pasado el mediodía. El sol era candela. El Negro Manzueta subió sin fatigarse y allá arriba empezó a darle hacha a un pino mediano. Estuvo hasta media tarde sacando astillas de cuaba, después gastó media hora buscando bejucos, amarró las astillas y bajó, con ellas al hombro y el perro pegado al pie.

Sin darle descanso al cuerpo y muy contento por lo que iba a hacer, Manzueta se entregó a una curiosa faena; al lado de cada poste fue colocando una astilla, y a veces dos, clavadas en la tierra. Al caer la noche había andado no sabía cuánto; luego empezó el camino al revés, dándoles candela a las astillas. Así, a la hora en que allá en el pueblo el sacristán tocaba las ánimas, en El Sabanal podía verse una hilera de postes ardiendo y a Manzueta corriendo de poste en poste, con una tea en la mano.

Aquella móvil y alegre línea de fuego subía cerros, bajaba hondonadas, atravesaba pajonales. Todo el monte se iluminaba con la demoníaca siembra de Manzueta. El perro ladraba mientras, crepitando y crispándose, se chamuscaban las hojas de los árboles cercanos.

Nadie veía aquello; nadie, por tanto, sabría nunca la verdad. Las llamas iluminaban la sonrisa del Negro Manzueta; los ladridos de Tiburón atronaban, contestados a la distancia por otros; el alambre caía a trechos, enrojecido por las llamas, y la cerca levantada por los peones de don Anselmo no tardaría en irse al suelo. Mientras tanto el fuego seguía extendiéndose, creciendo cada vez más, y los platanales y los ranchos de tabaco se dañarían o arderían. El Negro Manzueta se hallaba contento.

–¡Que venga a salvarlo el Socio! –gritaba lleno de orgullo al tiempo que seguía sembrando fuego.

Pero el Socio sí fue. Sopló de pronto un viento inesperado que subía del arroyo, y arrancó chispas a las llamaradas. El Negro Manzueta vio las chispas volar en dirección de su conuco y pensó en sus plátanos y en su rancho. Mas se rehizo pronto y volvió a sentirse alegre.

Sin duda también el viento estaba contento. Sopló más fuerte, mucho más, y de súbito la candela se extendió sobre un pajonal; caminó como viva, a toda marcha, hacia el conuco de Manzueta; anduvo de prisa, y en pocos segundos hizo una trocha roja, cárdena, coronada de humo negro. Manzueta la vio y subió a su rancho. El perro ladraba. El hombre vio la llama henchirse de pronto, alzarse y caer de golpe, llevada por la brisa, sobre las yaguas de la vivienda. El Negro corrió más.

–¡Ah, candela maldita! –rugía.

Con el machete en la mano, revolviéndose airado, cruzó y se metió en el rancho. Estaba como ciego de cólera. Golpeaba con el arma. ¡Allá iba la candela metiéndose entre el tabaco! Golpeó más y más. Fue entonces, sin duda, cuando sin saber qué hacía dio con el machete en el varejón de arriba. Inesperadamente se derrumbó el techo, y las yaguas encendidas y los maderos echando llamas le cayeron encima sin que él pudiera defenderse. Saltó y quiso huir cuando notó que la camisa le llameaba. Debió tropezar con algo, y cayó. El perro gritaba y él hubiera querido que se callara. El ardor en la cara y en el vientre era insoportable. ¡Y la candela metiéndose en el conuco! Ahí, en tal momento, pegado a la tierra, impotente, el Negro Manzueta creyó ver el origen de aquella desgracia. Alzó la cabeza, aterrorizado y frío de miedo.

–¡Él, él! –barbotó.

La idea sacudió al hombre de arriba abajo. Su miedo se hizo súbitamente tan grande que le impedía moverse. Suplicante, casi llorando, logró decir:

–¡Fue él! ¡En el nombre de la Virgen, fue el Socio!

Voraz e implacable, el fuego consumió en poco tiempo la propiedad de Manzueta; pero afuera, en las tierras de don Anselmo, nada habría de pasar. Mientras las llamas se entretenían con lo del Negro, arriba, en el cielo, se presentaron nubes inesperadas que encapotaron la noche y a poco empezó a caer un chaparrón violento que hacía chirriar los postes carbonizados al apagar los troncos encendidos.

Por la mañana encontraron al Negro Manzueta lejos de su rancho. Había ido arrastrándose hasta el camino de La Jagua, seguido por el perro, que se adelantaba en carreras múltiples y veloces y ladraba sin cesar.

Mirando al hombre, una vieja chiquita, flaca y de rasgos duros dijo:

–¿No ven? Eso ha sío el Socio.

Con ojos de asustado, un negro manco que tenía una cicatriz en la frente murmuró:

–Sí, fue el Socio.

–¡Fue el Socio, el Socio! –aseguró la voz de centenares y centenares de personas, mientras en toda la región se comentaba el suceso.

Exactamente a la hora en que entraban al pueblo al quemado Negro Manzueta, ponían en libertad a Dionisio Rojas. Con un paquetito de ropa al hombro, sin un centavo encima, Dionisio se detuvo a mirar la inmensidad del cielo.

–Bueno, al fin llegó mi hora –dijo. Y echó a andar.

Dando pie, se halló en el lugar a medianoche. Había luna. La tierra negra, desnuda y bien barrida hacía resaltar el color blanco de la vivienda. Dionisio contempló con cierta amargura el paisaje familiar y se puso a pensar.

¿Dormirían su hermano y su cuñada? Los perros alborotaron, pero al reconocerlo se tiraron contra el suelo, blandiendo los rabos.

Viendo el bohío, la rabia endureció todo el cuerpo de Dionisio. En seis meses ni su hermano ni su cuñada fueron a verle. ¡Daban ganas de escupirlos a los dos! ¿Llamar? ¡No! Se fue a dormir en la enramada, sobre unas esterillas viejas.

Despertó bien temprano y se dirigió al portón. Vio el conuco desperezarse a la brisa del amanecer, vio las calandrias cruzar en dirección del monte, vio las gallinas bajar de los palos. Nada le alegraba. De pronto oyó ruido a su espalda y se volvió. El hermano estaba en la penumbra del bohío, mirándole con ojos duros. Dionisio se tiró de las trancas, donde se había sentado, y caminó hacia el bohío. El otro ni se movió.

–Como que se azora de verme –dijo Dionisio.

–Ello sí. No sé a qué viene.

Sujeto a la puerta, su hermano parecía su enemigo. Oyó a la mujer exclamar desde adentro:

–¿Adió...? ¿Y es Dionisio?

Él hubiera preferido no hablar, pero tenía que hacerlo.

–Vengo porque ésta es mi casa y porque quiero averiguar lo de la verea –dijo.

–La vendí; vendí la tierra de la verea –explicó secamente el otro.

Dionisio sintió que la cólera le hacía crujir los huesos. Con un brazo apartó a su hermano y entró en el bohío. Allá, por lo hondo, pensó que su hermano estaba flaco; flaco y descolorido. Dionisio buscaba con la mirada dónde sentarse.

–Vea –dijo–, usté no podía hacer eso. La herencia no ta dividía.

–Pero me dio la gana –rezongó el otro–. Me dio la gana, contimás que si taita tuviera vivo lo desheredaba a usté.

Dionisio casi no podía seguir oyendo. ¡Virgen Purísima, las cosas que estaba aguantando desde hacía meses! Pero hizo esfuerzos por mantenerse sereno.

–Asunte –dijo–, don Anselmo me ha deshonrao. Me deshonró pa' cogerse la tierra de la verea, y usté, que es mi hermano, se la dio; pero don Anselmo no pasa de hoy vivo. Lo que me ta doliendo es que usté crea lo que dijo de mí ese ladrón.

–Usté dijo la palabra –escupió el hermano–. Usté la dijo. Si quiere hacemos el reparto ya mesmo, pero aquí, en mi casa, no dentra más.

Con la garganta seca y casi ciego de ira, Dionisio se levantó.

–¡Me ta insultando, Demetrio! –gritó.

El otro le señaló la puerta.

–Su sitio ta ajuera –dijo.

–¡Me ta insultando! –tornó él a gritar, fuera de sí.

Y como Demetrio seguía mirándole con tanta dureza y señalando el camino, Dionisio perdió el último resto de serenidad y se fue sobre el hermano. Levantó la mano y pegó. Su hermano era bravo, y en el fondo de su alma, aún en aquel momento, Dionisio se sentía orgulloso de que fuera así. Pero cuando sintió que el otro le golpeaba en la boca hasta sacarle sangre perdió la noción de que era su hermano y sólo le quedó en el cuerpo una cólera sorda. Quiso prenderse con los dientes de un hombro del hermano y hasta pensó apretarle el cuello hasta ahogarlo. Como no veía ni sentía no se dio cuenta de que Demetrio le estaba echando una zancadilla. Oía a la mujer gritar. A toda velocidad, el bohío se clareaba por las rendijas y los perros ladraban y gemían. Su hermano le clavó un codo en la frente y lo fue doblando poco a poco. Dionisio perdía el equilibrio. De súbito, con un movimiento centelleante, el otro lo soltó y lo empujó. Lanzado como una bala, Dionisio cayó sobre una silla y sintió que la espalda le estallaba. Con la mano sobre la boca, la mujer gritó más fuerte. Dionisio quiso levantarse y no pudo. Las cosas empezaban a borrársele, a írsele de la vista, y una palidez semejante a la de la muerte se extendía a toda carrera por su rostro.

–¡Lo mataste, Demetrio! –oyó decir a la cuñada.

Con gran trabajo, Dionisio pudo articular dos palabras:

–Es–pi–na–zo–ro–to...

A seguidas se desmayó. A la gente del contorno que se apareció allí en el acto, su cuñada le explicaba que Dionisio había vuelto con ánimos de matar a don Anselmo, pero que se enredó en discusión con su hermano...

–...y ya ven el resultado –terminaba ella.

Tras oírla y meditar un momento, Jacinto Flores comentó, atreviéndose apenas a levantar la voz:

–¿Y en este lío no andará metío el Socio?

Anastasio Rosado abrió los ojos, muy asustado.

–Jum... Pa mí que asina es.

–¡Sí, fue el Socio, como en lo del Negro Manzueta! –exclamó una mujer.

–¡El Socio, fue el Socio! –repitió, de bohío en bohío, la voz del campo.

De bohío en bohío esa voz corrió como el viento hasta llegar a La Gina. Ahogándose de miedo, Lucinda entró en el aposento de su padre.

–¿Usté lo ve, taita; usté ve que lo del Socio no es juego?

El viejo Adán Matías lanzó un bufido y clavó la mirada en su hija.

–¿Y qué me importa a mí, concho? ¡Lo que tenga otro hombre lo puedo tener yo!

La hija se escabulló y estaba en la cocina encomendándoles a los santos la vida de su padre, cuando entró éste.

–¿Me dijo usté que fue en la Loma del Puerco donde se vio con el Socio?

–Ello sí, taita; asina me lo dijeron.

–Bueno, ta bueno. ¡Pero no me hable lloriqueando! Alevante la cabeza y dígame: ¿fue la vieja Terencia, dijo usté, la que arregló el asunto?

–Sí, taita la vieja Terencia, pero ella dique se murió cuando la virgüela.

–Mejor que se haiga muerto pa' que sean menos los sinvergüenzas. Pero alguno de su familia debe saber del asunto, ¿no le parece?

–Dicen que dique una hija; yo no puedo asegurarlo.

–Bueno, si no puede asegurarlo, no hable. Acabe ese sancocho y cállese. Me tiene jarto usté con su lloriqueo.

El viejo Adán Matías volvió a meterse en el cuarto, a dar paseos y a querer tumbarse el pelo a manotazos. Flaco, rojo, incansable, la hija lo veía ir y volver y sentía tristeza. El viejo se tomó su caldo soplando, pero todavía no había acabado cuando se puso de pie, entró en su habitación y salió con su machete mediacinta en la cintura. Al verle los ojos, Lucinda se asustó.

–¿Qué va usté a hacer, taita?

–Usté espéreme y no pregunte –ordenó él.

Estuvo en el patio bregando con un caballo, lo aparejó, y diciendo a la hija que si no volvía antes del amanecer no se apurara, encaminó a la bestia por detrás de la casa y le sacó todo el paso de que ella era capaz.

A la caída de la tarde estaba el viejo Adán Matías frente a la Loma del Puerco. Preguntó en un bohío y le señalaron la vereda que lo llevaría a la casa que buscaba. Llegó oscurecido ya. Al cabo de dos horas de estar repechando loma, al caballo se le sentía el corazón a flor de pecho. A través de la puerta del único bohío que había por allí, Adán vio un hombre, media docena de muchachos y una mujer. El hombre se levantó, salió y se pegó a la bestia.

–¿Vive aquí la hija de una tal Terencia? –le preguntó Adán Matías.

–Ello sí. ¿Quiere verla?

De años, oscura, de piel grasienta, con los sucios cabellos echados sobre las mejillas, con los ojos torcidos hacia abajo y la boca desdeñosa y la nariz larga y un túnico lleno de tierra, a la hija de Terencia sólo le faltaba la escoba entre las piernas para ser una bruja. Al principio la mujer rehuyó explicar lo que sabía, pero el viejo andaba dispuesto a todo y no se quedó corto al ofrecer. Se habían metido en un cuartucho alumbrado por una vela y llevaban más de media hora hablando en voz baja cuando ella aceptó.

–Bueno, mama me dejó el secreto.

Ella vio cómo le brillaban los ojos al viejo y cómo batió la quijada, pero tal vez no se dio cuenta de todo lo que eso significaba para él. Sin embargo empezó a responder las preguntas de Adán.

–No, ni yo ni naide sabe la fecha. Él sólo se deja ver del que tenga negocio con él. El único que lo conoce bien es don Anselmo, pero ni aún mama lo vido nunca.

–Ta bien –cortó Adán–. No se entretenga tanto, y siga.

–Bueno, como le diba diciendo: se prende el azufre, pero no en crú, y usté dice la oración; cuando termina coge y pega tres gritos llamándolo, pero han de ser gritos de hombre, porque él no dentra en negocio con gente que se ablande dispué; asina que como él ta en acecho, tiene que andar con cuidao, porque si le tiembla la vo, ni an se asoma. Y to eso, tal como le digo, sólo al pie del amacey, el que ta arriba mismito, y al punto de la medianoche, ni pa' tras ni pa' lante.

–Bueno –dijo Adán–, lo que ta malo es lo del azufre. Tendré que dir al pueblo a buscarlo. Por lo de los gritos no se apure, que a mí no me tiembla na.

Con las manos cruzadas por delante de las rodillas, sentado sobre sus talones, veía el rostro de la mujer envuelto en reflejos mientras la luz de la vela que ardía entre ambos se retorcía a los golpes del viento que entraba por las rendijas. La mujer y el viejo estuvieron un rato callados; después Adán Matías se levantó, puso algunas monedas en la mano de la mujer, salió del cuarto, saludó al hombre y se fue. Al choque de las patas de su caballo rodaban piedras por los flancos de la loma. Casi amaneciendo, la hija, que no había dormido, sintió las pisadas de la bestia. Se le aplacó el corazón, que no había dejado de saltarle en el pecho toda la noche. El viejo entró, hizo como que no oía las preguntas de Lucinda, se metió en el catre y a poco empezó a roncar.

–¡Qué bueno que ta durmiendo, dipué de tanto tiempo desvelao! –comentó ella.

Y también ella se durmió.

Pero el sueño no fue largo, porque antes de las ocho Adán Matías estaba aparejando de nuevo el caballo para ir al pueblo en busca de azufre. Y a esa misma hora, don Anselmo recibía a un amigo de la ciudad. Los dos hombres cambiaron frases de amistad, se echaron los cuerpos en los brazos y sobre los pechos, se palmotearon las espaldas y se metieron juntos por la sala y las habitaciones de la hermosa vivienda.

–Anselmo –comentó el visitante–, esto es un encanto. Aquí me paso yo quince días de maravilla.

Se detuvieron frente a unas litografías que colgaban de una pared y vieron la radio y el fonógrafo, bastante viejo, con su colección de discos.

–Esto lo tengo para ustedes, los del pueblo –explicó don Anselmo–, porque yo me aburro con esa música; pero Atilio se empeñó en que le comprara el aparato con los discos, y lo complací.

Salieron al jardín; vieron la pequeña planta eléctrica, el garaje, y después don Anselmo se puso a señalar los muchachos que pasaban y a decir cuáles eran suyos.

–Ése, y aquél que va allí. Fíjate en ese otro, el blanquito; mi misma cara, ¿verdad?

–Pero es un ejército, Anselmo. ¿Y cómo mantienes tantos hijos?

–Yo no, los mantienen las –mamás. Viven aquí y cogen lo que quieren.

–Diablos... y ahora, ¿cómo está el harén ahora?

Rascándose el pescuezo, con el tabaco metido en una esquina de la boca, don Anselmo explicó:

–Ahora no anda muy bien. Tengo una muchachita que me traje de La Gina, trigueña de ojos claros. ¡Bonita y mansa la muchacha!

De pronto los ojos de don Anselmo cobraron un tono apagado. Al parecer estaban fijos en un limonero que florecía al fondo del patio.

–Ya estoy envejeciendo –dijo con lentitud– y eso me hace sufrir. Me gusta tanto la vida que preferiría morirme ahora.

–No hables tonterías, Anselmo –desdeñó el amigo.

Anselmo le cogió un brazo.

–Mira, hasta hoy he tenido cuanto he deseado. No quiero envejecer.

El otro no supo qué contestar. Desde los lejanos sembradíos llegaba una suave brisa doblando hojas. Con ella viajaban trinos de pájaros y voces de hombres que cantaban.

–Todo lo que has deseado –comentó, al rato, el visitante–... La gente dice que tú tienes un arreglo con, con...

Don Anselmo sonreía con cierta amargura.

–Dilo –pidió–; puedes decirlo, que no me molesta.

–Bueno, ya tú sabes –terminó el otro.

A su lado, cogido a su brazo, don Anselmo dijo:

–Yo voy a enseñarte ahora cuál es mi socio; lo vas a ver.

Entre curioso y asustado, deseando decir que no y sin atreverse a hacerlo, su amigo lo miraba extrañamente mientras subían las escaleras. Se encaminaron al dormitorio. Allí había una caja de hierro. Don Anselmo la abrió y mostró a su amigo una pila de billetes de banco y una funda con monedas de oro.

–Ése es mi socio –dijo con serenidad.

Todavía estaba el índice de don Anselmo señalando el dinero cuando sonó el bufido. Fue una especie de bufido de cólera. El visitante lo oyó y le pareció que había salido de los labios de su amigo, pero al volverse para mirarlo se impresionó enormemente; con los ojos desorbitados, pálidos y tembloroso, el dueño de la casa miraba a través de la ventana y su rostro se veía desfigurado por una mueca de terror.

Unas horas más tarde –a las doce en punto de la noche–, el viejo Adán Matías quemó el azufre, rezó la oración y pegó los tres gritos. Su voz resonó en todo el sitio, y no había en ella la más ligera huella de miedo. A la luz del azufre quemado brillaban los ojos de Adán Matías y parecían más crespos sus canos bigotes.

Aún no se había apagado el eco del último grito cuando se oyó un tronar impetuoso bárbaro, como si la loma hubiera estado derrumbándose o como si un ciclón llegara descuajando árboles. El viejo no sintió ni frío. De súbito vio una luz verdosa reventar ante él, comenzó a envolverle un humo azul y brillante, y por entre el humo azul y brillante, advirtió un rabo que se agitaba con violencia. "Bueno, ya ta aquí", pensó Adán Matías; y se dispuso a hacer su trabajo con la mayor serenidad.

El recién llegado habló con voz estentórea. Dijo que había ido a oírle, pero que no podía perder tiempo.

–Así que diga rápidamente lo que quiere.

Adán Matías se molestó. No estaba acostumbrado a esas maneras y ya era muy viejo para cambiar.

–Si anda tan apurao puede dirse. A mí no me saca naiden de mi paso ni tolero que se me grite –rezongó.

Su oyente pareció asombrado. Era la primera vez que le hablaban en tal forma. Dijo algo en tono más bajo, suavizándose. Medio calmado, Adán Matías se sentó en una piedra, invitó a su interlocutor a que hiciera lo mismo y empezó a explicar qué deseaba.

La negra noche temblaba, llena de grillos y de brisa. Arriba resonaban las hojas del amacey y algunos cocuyos rayaban el monte. Las palabras de Adán Matías eran claras y precisas:

–Dicen que usté le ayuda a cambio de su alma. Bueno, pues yo le ofrezco la mía, la de mi hija y la de la muchacha, y lo único que le pido es que le quite su apoyo a ese condenao.

–No –oyó decir–, la de su hija y la de su nieta no; nadie puede negociar con almas ajenas; sólo puede hacerlo con la suya. En cuanto al apoyo, se lo iba a retirar de todas maneras, porque esta mañana, sin respetar mi presencia, negó su sociedad conmigo.

–Lo raro ta en que no lo negara antes. ¿No ve que es un sinvergüenza?

–En presencia mía –levantó la voz–... No estaba obligado a decir la verdad, pero...

–Pero tampoco tenía que hablar embuste –agregó Adán.

–Así es. No tenía que hablar mentiras.

–Bueno –atajó Adán, molesto por estar oyendo quejas que nada tenían que ver con lo que él buscaba–, ya lo sabe; cuento con que le niegue su apoyo.

–Sí. Mañana puede ir. Yo estaré allí para ayudarle. Así aprovecho y me llevo el alma.

Durante medio minuto, los dos estuvieron callados. Sentado en la piedra, Adán Matías se agarraba las rodillas con ambas manos. De pronto oyó preguntar:

–¿Y usted? ¿Cuándo me da la suya?

–Jum –comentó él–, usté como que anda apurao. Cumpla conmigo, que yo no le engaño. ¿No ve que ya soy viejo?

–Trato hecho –aseguró la voz.

–Bueno, trato hecho.

Inmediatamente la Loma del Puerco volvió a resonar. ¡Qué ruido, señor! De seguro iban cayéndose los troncos y los pedregones. Adán Matías se levantó, alzó una mano, abrió la boca y gritó con todas sus fuerzas:

–¡Y cuidao con jugarme sucio, que de mí no se ríe naiden!

Acabando de decirlo saltó evitando las piedras, palmoteo el pescuezo de su caballo, montó de un salto y echó la bestia cuesta abajo.

–A ver si llegamos a La Rosa con la fresca de la mañana –le dijo en alta voz al animal.

Como si hubiera entendido, éste apuró el paso.

Con la fresca de la mañana llegó a las orillas de La Rosa, pero la casa le quedaba distante todavía. Había pasado ya la hora del ordeño, porque a lo lejos, camino de los potreros, se veían unos muchachos arreando vacas. Contemplando la diversidad de siembras y el buen cuidado de cada una, el viejo Adán Matías pensaba con tristeza en su conuquito de la Gina.

Pasaban de las ocho cuando llegó a la casa. En el patio trajinaban algunos peones y se oían cantos de mujeres que pilaban café, y por entre los cantos el golpe de los mazos en los pilones.

Adán Matías notó de entrada la ayuda ofrecida porque nadie salió a preguntarle qué buscaba. Se tiró del caballo y echó escaleras arriba. Antes de llegar a la puerta del alto probó su machete para saber si salía con ligereza de la vaina. Sí salía. Todo empezaba bien. Un poco fatigado, se detuvo a estudiar el sitio. Entró en una habitación bien amueblada que debía ser la sala y al fondo se veía el comedor, y a la mesa, dos hombres. ¿Cuál de ellos sería don Anselmo? Ambos se reían. Seguro que el condenado estaba haciendo cuentos. Adán Matías se detuvo en el vano de la puerta.

–Las tierras –decía uno de ellos– las fui consiguiendo poco a poco. Compraba frutos a la flor, con la propiedad de garantía. Lo demás era fácil. Con dinero se arregla todo, créelo.

Adán Matías tosió. El que hablaba alzó la cara.

–¿Qué desea, amigo? –preguntó, sin duda asombrado de que alguien hubiera entrado hasta allí sin su permiso.

El viejo se acercó con paso seguro.

–¿Quién es aquí don Anselmo? –inquirió.

El hombre tenía en ese momento un cuchillo untado de mantequilla en una mano y un pan en la otra, y se quedó como alelado, sin mover ninguna de las dos manos. Ignoraba debido a qué, pero sentía algo raro. Quiso saber por qué aquel viejo le preguntaba por don Anselmo.

–Tengo que verlo –explicó el viejo Adán Matías– Yo soy el agüelo de la Chinita.

–Ah... ¿De la Chinita?

Y de pronto, llevado quién sabe de qué impulso, don Anselmo señaló a su amigo, que estaba sentado frente a él.

–Este es don Anselmo –dijo.

Adán Matías pensó: "Ahora sí se arregló esto". Y con paso firme se arrimó al supuesto don Anselmo.

–Ah –empezó–. Yo quería verlo, amigo, porque ese asunto de la Chinita...

Pero le pareció que ya había hablado mucho. Haciéndose el distraído, no había despegado la mano del cabo del machete, y de pronto, con velocidad de relámpago, alzó la vaina y sacó el hierro. Al ver aquello, el hombre a quien Adán Matías tomaba por don Anselmo trató de esquivar el golpe, se enredó en la silla y cayó de bruces en el piso. Silbando en el aire, el machete había cruzado por encima de su cabeza y tropezó, chasqueando, con el pescuezo del verdadero don Anselmo. Al golpe, como de una fuente, saltó la sangre. Durante unos segundos Adán Matías pareció perplejo.

–¡Cónfiro –dijo en alta voz–, me han jugao sucio!

Mientras don Anselmo trataba de escapar a cuatro pies, el amigo se metía bajo la mesa, y ahí, lleno de cólera, fue a buscarlo el viejo.

–¡No soy yo, no soy yo! –gritaba el desdichado–. ¡Es él, él es don Anselmo!

Confundido y verdaderamente disgustado, Adán Matías pensó que el Socio le había jugado sucio; pero su confusión duró muy poco porque inmediatamente tomó una resolución: "Por si acaso, los arreglo a los dos", pensó.

Iba a hacerlo ya, y en eso vio a una vieja que se asomaba por la puerta del aposento. Al ver la escena, la vieja se llevó las manos al pelo y empezó a gritar:

–¡Han herío a Anselmo; corran, que matan a Anselmo!

Con la ancha falda revuelta y moviéndose como una loca, la vieja fue a tirarse sobre el herido.

–Ah, conque éste es el don –exclamó Adán Matías, entre colérico y sardónico.

Y sin pensarlo más se lanzó hacia el herido y le dejó caer el machete en la nuca. Vio la cabeza doblarse de golpe y vio también al Socio, que entró por la ventana con un saco de pita abierto como quien llega a buscar una carga de yuca.

Visto que todo había terminado bien, Adán Matías se volvió y huyó, blandiendo el arma, seguido por la vieja, por el otro hombre y por incontables ladridos. A través de todas las puertas comenzó a salir gente. Al llegar a la galería brincó y cayó al pie de su caballo. Adán veía peones que corrían con machetes y palos y docenas de mujeres y de niños que se atropellaban en dirección hacia la casa, y mientras tanto, él iba rompiendo las costillas de su caballo a talonazos.

–¡Cójanlo, cójanlo, cójanlo! –gritaban a su espalda cien voces.

Apuró cuanto pudo y tomó un callejón. Vio la yerba de los potreros agitada por la gente que corría hacia la casa. El viento le zumbaba en los oídos y él vigilaba la vuelta distante del camino. Por allá iba a doblar, por allá, por allá. ¿Y si no se moría el mentado don Anselmo? Jum... Si no se moría... Por allá iba doblar, por allá. Se oían los pasos de sus perseguidores. Por allá...

Adán Matías oyó por encima de él un bufido extraño, un bufido endemoniadamente alegre, y alzó la cabeza. Hendiendo el aire, con su frente de chivo y su rabo peludo, el Socio iba cruzando por el cielo. Una risa fina y maléfica le cortaba el rostro, y llevaba al hombro el saco de pita.

–¡Aquí lo llevo! –gritó señalando el saco.

Adán Matías sintió un contento que ni el mejor ron le había dado nunca. ¡Eso sí era cumplir los compromisos!

–¡Ande con cuidao! –recomendó a toda voz–. ¡Asujételo bien, que ése es capaz de dírsele todavía!

Ya el Socio era del tamaño de un gato allá arriba. Adán Matías casi no podía oírlo cuando respondió:

–¡No tenga miedo, que yo soy como usté: a mí no hay quien me juegue sucio!

Adán Matías detuvo el caballo y revolvió una mano.

–¡Que le vaya bien, amigo! –gritó a todo pulmón.

Al verle hablar al aire, los dos perseguidores que le andaban más cerca se miraron entre sí.

–Como que ta loco el viejo ése –dijo uno, con la voz ahogada por la carrera que iba dando.

Y el otro, sin dejar de correr, aseguró:

–Sí, ése ta loco; segurito que ta loco.

Y por loco lo tuvieron cuando se dejó echar mano sin hacer resistencia. Había detenido el caballo; seguía mirando hacia el cielo con el rostro iluminado por una ligera sonrisa, y pensaba, complacido, que aunque el mundo había cambiado mucho, toda vía quedaba alguien capaz de cumplir sus compromisos. Y como estaba seguro de que los hijos de don Anselmo le darían muerte ese mismo día, él, Adán Matías, cristiano viejo, no se alarmaba al pensar que tardaría muy poco en entregarle su alma al Diablo.

Trato es trato, y el Diablo se había portado lealmente. "Como un hombre serio", se decía Adán Matías al tiempo de entregarse.

NOVELAS

LA MAÑOSA

(FRAGMENTO)

Palabras del autor para la tercera edición

La Mañosa fue escrita en el año 1935, pero su tema se remonta a una época anterior. Por una de esas contradicciones inherentes a la naturaleza de las tiranías, dejó de leerse en Santo Domingo durante un cuarto de siglo a pesar de que un libro sobre los desórdenes armados que se llamaban en nuestro país revoluciones no debía considerarse peligroso para el régimen, sino todo lo contrario.

Sin embargo, *La Mañosa* no fue escrita para poner de relieve una situación política, correspondiera o no al presente o al pasado de nuestra convulsa sociedad. *La Mañosa* fue escrita con un propósito estrictamente literario. *La Mañosa* obedeció al plan de elaborar una novela en la que no hubiera un personaje central ni caracteres de carne y hueso que pudieran atraer la atención del lector y "robarse" el libro. En *La Mañosa* no debía haber ni siquiera un tema desenvuelto con los requerimientos normales de intriga, la habitual lucha del "bueno" y del "malo" que tanto atrae a los lectores, la presencia de la mujer cuyo amor es el premio ofrecido al "bueno" como recompensa por sus trabajos y por el heroísmo con que se enfrenta al malvado de la trama. En *La Mañosa,* según el plan que me hice, debía haber un "personaje" central, y sería la guerra civil; y todos los seres vivos que desfilaran por las páginas del libro, sin exceptuar la mula que le daría nombre, deberían ser, en un sentido o en otro, víctimas de ese personaje central. El mismo jefe del movimiento armado, Fello Macurio, sería otra víctima de la fuerza que había desatado, puesto que su imagen de combatiente leal a ciertos principios debería quedar destruida al final.

Sólo en ese sentido *La Mañosa* sería política, puesto que las continuas revueltas armadas causaron tantos males al país que contribuyeron a impedir su desarrollo. En una forma o en otra, todos los dominicanos sufrieron las consecuencias de esas contiendas personalistas planteadas y resueltas a balazos.

Frente a un plan literario como el que he resumido en lo que va dicho, quedaba por resolver un aspecto importante; el de la forma. Si lo que me proponía era presentar los efectos de nuestras mal llamadas revoluciones en todos los sectores de la sociedad dominicana ¿cómo hacerlo? La solución era describir esos efectos, no la "revolución" en sí misma. Eso es lo que explica el escenario de la novela, la casa en el camino real, por dónde debían pasar los hombres y las mujeres que circulan por las páginas de la obra; la situación de esa casa familiar en un campo, donde necesariamente tenía que ser el centro de atracción de los vecinos.

La Mañosa no es una novela autobiográfica, pero hay en ella muchos detalles autobiográficos: los nombres del padre, de la madre, de los dos niños y de José Veras son auténticos; José Veras fue cómo se dice en el libro; la casa existió en el Pino, y en esa casa fue curado José Veras de la herida de machete que le infirieron en el cuello dos hermanos que le persiguieron por fechorías antiguas de José; papá tuvo negocio de recuas y su mula de silla fue robada por un cuatrero de los lados de Bonao. Con esos datos se agota lo que hay de autobiográfico en la novela.

La Mañosa fue un título simbólico. La mula de silla de papá se llamó La Melada. En la obra se llama La Mañosa porque nuestras llamadas revoluciones de aquellos tiempos eran una maña nacional, la versión tumultuosa, populachera y sangrienta de lo que después de 1930 serían los ya clásicos golpes de estado latinoamericanos.

La novela es un género que en su aspecto formal comenzó a evolucionar en Europa después de la primera guerra mundial y ha seguido evolucionando tanto que ya hoy ha abandonado del todo los viejos moldes que le dieron los maestros del siglo XIX. *La Mañosa* fue un esfuerzo juvenil en ese camino de novedades; un camino que dejé abandonado cuando los infortunios dominicanos me forzaron a dedicar mi limitada capacidad de escritor a la lucha política.

Esto quería decir en la oportunidad que me ofrece una tercera edición de *La Mañosa.*

J.B.
Santo Domingo
12 de agosto de 1966

Palabras para la edición especial

El 12 de agosto de 1966 escribí unas palabras que iban a figurar al frente de la tercera edición de *La Mañosa,* y el 31 de agosto de 1968 le daba fin en Benidorm, España, a la primera versión de *Composición social dominicana.* Entre las dos fechas había sólo dos años, pero en esos dos años todo el conjunto de mis ideas había tomado un rumbo nuevo.

En agosto de 1966 me dolía de las interminables guerras civiles que había padecido el país, y *La Mañosa*, escrita algo más de treinta años antes de esa fecha, era la expresión novelada de ese dolor; pero para ese mes de agosto de 1966 ignoraba la causa de esas guerras civiles tanto como la ignoraba cuando escribí la novela; y en agosto de 1968 estaba diciendo, en *Composición social dominicana,* que la causa de nuestras guerras intestinas era la lucha de clases, una lucha de clases que carecía de orientación ideológica y que además se llevaba a cabo entre capas diferentes de una numerosa pequeña burguesía que peleaban a muerte porque la guerra civil fue, durante muchísimo tiempo, el canal de ascenso social más seguro que conocía el país. Por la vía de la guerra civil cualquier bajo pequeño burgués pobre o muy pobre, del campo o de los pueblos que llamábamos ciudades, podía llegar a general casi de un salto, y del generalato se pasaba a una posición de privilegio, aunque se tratara, en la mayoría de los casos, de privilegios muy limitados. El general Fello Macario, que tuvo otro nombre, desde luego, nacido en un campo de Bonao de una familia bajo pequeño burguesa pobrísima, se hizo general con dos o tres asaltos audaces, y como tenía presencia y autoridad natural pasó a comandante de armas y a gobernador, pero apenas aprendió a firmar; ahora bien, al morir era dueño de una finca. Por la vía de las guerras civiles había ascendido socialmente desde bajo pequeño burgués muy pobre a propietario rural acomodado. Había luchado para llegar a ese nivel; se había jugado la vida no una sino varias veces, aparentemente por seguir ciertos principios políticos encarnados en su caudillo, y en realidad lo había hecho para obtener lo que alcanzó y para retenerlo.

¿Qué fue lo que le dio a la larga historia de las guerras civiles dominicanas ese aspecto de cadena de violencias sin sentido que todavía hoy es usada para presentarnos a los ojos del pueblo como sanguinarios sin remedio; eso que llevó a uno de los personajes de *La Mañosa* a decir: "A mi mula le pude quitar las mañas; pero a los hombres nadie se las quita"?

Fue la sensación de inutilidad de nuestras mal llamadas revoluciones. Gracias a ellas hubo hombres que ascendieron socialmente, pero fueron tan contados que no cuajaron en una burguesía, y sin una burguesía que lo dirigiera el país no tenía salida histórica. Esto es lo que explica el desaliento que dejaban las guerras civiles en las capas superiores de la pequeña burguesía, que no veían posibilidad de pasar a la burguesía; eso es lo que explica el desaliento del final de *La Mañosa.*

Yo no sabía lo que acabo de decir cuando escribí la novela en el año 1935 ni cuando escribí en el 1966 las palabras para su tercera edición; vine a saberlo cuando el conocimiento de lo que es la lucha de clases iluminó para mí la historia del país y me llevó a escribir *Composición social dominicana.*

Ojalá que igual que yo, y por las mismas razones, puedan explicárselo los lectores de esta edición especial de *La Mañosa.*

Santo Domingo
24 de abril de 1974

I

Esto nos lo contó el viejo Dimas, cierta noche agujereada de estrellas:

–Yo andaba con uno de mis muchachos buscando caoba; ya teníamos buen trecho caminando cuando topamos la culebra...

Estábamos en la cocina. Las llamas del fogón se alzaban y removían incansablemente. Pepito y yo atendíamos a Dimas, mientras papá hacía chistes sobre la lentitud con que mamá preparaba el café.

El viejo Dimas explicaba:

–Dende la madrugada habíamos cogido el camino, porque yo sabía que la caoba no se orillaba mucho.

Se detuvo, miró la tierra dorada del piso y prosiguió:

–Dicen que si uno ve un animal de ésos y no lo mata, el animal lo maldice. Asigún cuentan son obra del *Enemigo Malo.*

Mamá, que iba vaciando el café en el colador, exclamó, con la mirada clavada en Dimas:

–¡Jesús! Ave María Purísima...

Allí, sobre el hombro de madre, estaba la cara de papá, y una sonrisilla maliciosa rompió a bailar entre sus labios.

Eran mansas como vacas viejas aquellas noches estrelladas del Pino. A veces iba Simeón; tarde, después de ver a la novia, se detenía en la puerta Mero; una que otra noche no iban ni el uno ni el otro; pero jamás faltaba Dimas. Si llovía entraba el agua en la cocina y se tertuliaba en la casa; bebían café, hablaban de la cosecha, de los malos tiempos, de la muerte de algún compadre. De mes en mes reventaba la luna por encima de la Encrucijada. Una luz verde y pálida nadaba entonces sobre los potreros, subía las lomas distantes de Cortadera y Pedregal, engrasaba las hojas de los árboles que orillaban el Yaquecillo y pintaba de azul las tablas de la vieja casa.

Aquella noche estaba dorado el cielo. Unas nubes berrendas salían por detrás de las lomas y se tragaban las estrellas. Dimas contaba:

–Asina que vide ese animal tan tremendo, tan negro, desenvainé el machete y le tiré dos veces; pero la maldita tenía el cuero duro y nada más le partí el espinazo sin cortarla. Verdá es que el machete no estaba bien afilado, por mucho que el muchacho estuvo dándole en una piedrecita vieja que hay en casa. Bueno, se fue el bicho, yo creía que a morirse lejos, y como yo no lo diba a seguir entre tanto matojo, le dije al muchacho: "Sigue, hijo, que horitica se mete la noche". "Taita –me respondió–, pa' mí que esa culebra no está bien muerta". "Ni te apures... Esa condenada ha dío a morirse por ahí...". ¿Morirse...? Bueno.

La cocina estaba llenándose con el olor del café que humeaba. Las llamas se ahogaban bajo la marmita, se sacudían, se alzaban y caían. En todas las paredes bailaban esas llamas diminutas y bailaban también en la frente, en las cejas y en las manos del viejo Dimas.

–Bueno... –el viejo parecía estar rezando–. Yo apuraba el paso porque estábamos a boquita e noche y no quería que nos cogiera en el monte. Asina que, ya cansados, alcanzamos el rancho del viejo Matías. "Vamos a dormir en la cumbrera, muchacho". "Taita, no tenemos ni una yagua, y ahí nada más hay varejones podridos".

El rancho del viejo Matías no era rancho ni pertenecía a nadie. Atrás, muy atrás, cuando aún estaba joven, el padre de Dimas Matías había construido aquella vivienda, bien metida en la loma. Vivía cazando, persiguiendo reses cimarronas. Pero los animales fueron abandonando lentamente el sitio, seguidos por manadas de perros jíbaros, y un día el hombre se vio forzado a dejar el rancho. Tomó los firmes de la cordillera, siempre tras las huellas de las reses, barbudo, silencioso y recio; bajaba de año en año, en busca de pólvora o a vender pieles. Después descubrió que el Bonao le quedaba más cerca, y ya no volvió. Se sabía de él en el lugar por las noticias que traían las escasas recuas; poco a poco se destiñó su figura y con el tiempo desaparecieron cuantos le habían conocido.

Matías se fue; pero su rancho quedó. A la cuenta de días, el viento vagabundo le perdió el respeto y empezó a arrancarle yaguas reblandecidas por las lluvias; comenzaron después a caérsele tablas; al principio en pedazos, más tarde enteras. Iban y venían por los espeques los hilos de comején; gateaban los bejucos por los palos. Cuando los monteros descubrieron que allí se podía pernoctar, le limpiaron el frente, trozaron los arbustos que se entrometían por las rendijas, le amarraron pedazos de yaguas. Sin embargo, se monteaba poco: el mismo Matías había empujado las reses hacia el Sur, hacia el monte tupido, cerrado, bruto.

"El rancho del viejo Matías", decía la gente. Pero ya no era rancho ni tenía dueño. No era rancho, por lo menos, la noche que llegaron Dimas y su muchacho. Gateando por los espeques ganaron el techo, donde las varas desnudas, ennegrecidas por las lluvias, se derrengaban bajo el pie cauteloso. Pudieron arreglar algo como una cama, casi en la cumbrera. Lo hacían tanteando, porque entre ellos y las escasas estrellas estaba la tramazón del monte.

A media noche despertó Dimas. Había oído, entre sueños, un golpe seco. A poco, otra vez, tac. Alzó la cabeza.

–Despierta, hijo –recomendó.

Aquel golpe sonó de nuevo, y de nuevo, y de nuevo. Parecía medido el tiempo entre uno y otro.

–Alguno de esos varejones rompiéndose –aventuró el muchacho.

–¿Rompiéndose?

Dimas no era hombre de engañarse. Conocía todos los ruidos del bosque. Nunca había oído aquél. Era como algo que caía. A veces los árboles rozan entre sí, cuando hay viento; pero no sucedía eso, o por lo menos, el ruido era distinto.

La voz de Dimas tenía alzadas y caídas. Bajo las cejas tupidas los ojos se le hacían diminutos. No nos miraba, sino que parecía estar acechando algo que pasaba más allá de alguna pequeña rendija.

–¡Hola! –dijo padre.

Entonces Dimas alzó la mirada. En la puerta estaba Simeón, alto, simple, rojo.

* * *

En un banco corto y pulido por el uso, frente al fogón, tomó asiento el alcalde. Era hombre bueno, manso. Tenía entre los dientes un roñoso cachimbo de madera. Cruzó los brazos por encima del vientre y saludó echando humo con cada palabra.

Pepito y yo le veíamos con odio, casi: allí estaba meciéndose entre nuestros oídos la historia de Dimas. Simeón la había roto en lo mejor.

–Horitica –habló el recién llegado– me dijeron que andan tiznados[1] por aquí.

Impasible, quieto e indiferente como una piedra, ni soltaba el cachimbo para hablar ni se tragaba el humo. Restregándose ambas manos, lo sostuvo un instante entre los dedos para lanzar al rincón un escupitajo negro.

Dimas se acariciaba la blanca barba y miraba al alcalde; padre, lleno de recelos, comenzó a ojearlo. Suspensa sobre todos, ardía la mirada de mi madre.

Papá rompió el silencio:

–Dudo que sean tiznados.

Simeón cruzó una pierna sobre la otra.

–En lo mismo estoy yo. Nadie sabe atrás de qué andan...

Elevó al techo su mirada clara. En el cobrizo bigote alentaba la llama.

–De todos modos, Pepe, no conviene descuidarse.

Mamá había hablado. Toda la cara de mi madre era filosa. En ese momento se le llenaba con el rejuego de la luz.

–Ni tiznados ni nada.

Dimas había puesto los codos en las rodillas y tenía el cuerpo echado casi sobre las piernas. Las palabras le hacían temblar la barba.

–Ni tiznados ni nada. Están diciendo que de noche tirotean el pueblo.

Papá empezó a encender un cigarro. Disimulaba su impaciencia. Él, como todos, sabía que de un día a otro estallaba la revuelta. Con la cara metida entre las manos, envuelto en el humillo y en la lumbre de fósforo, medio dijo:

---

[1] N. del E.: Maleantes que se tiznaban el rostro para no ser reconocidos.

–Vagabunderías, Dimas.

Y después, sacudiendo el palillo encendido:

–Mejor siga con su cuento; me estaba interesando.

Simeón pareció apretarse el vientre. Tenía los ojos entrecerrados y sobre la nariz y el bigote se alzaba el humo espeso de su cachimbo.

–Me tenían escambroso esos golpecitos. "Muchacho, haz candela". Pero el muchacho no quería. "Eso es algún palo taita". Estaba bregando con él, cuando... ¡tac! Ya yo sentía frío en la espalda "¡Hum! –dije–. Por aquí debe estar penando un muerto".

No era muerto; no. Cuando el hijo rayó el fósforo, vieron, casi pegado a los pies de Dimas, un brillo como de carne recién cortada.

Algo grueso, rojizo, pegajoso y pesado se movía entre los varejones. El viejo observó detenidamente aquello que parecía estar colgando de mitad abajo. Sin duda alguna, lo que fuera retrocedía. Después... Dimas sintió que la mano de su hijo le apretaba el hombro, le desgarraba la camisa. En los dedos de la otra le temblaba la lucecilla, que se disolvía en la oscuridad. Ahí mismo, ahí enfrente, echándoles encima el calor sofocante de su mirada, un par de ojillos crueles relampagueaban llenos de duros reflejos. Parecían filos de machetes o de puñal. Dimas sintió la sangre subirle a la cabeza y hacérsela crecer, como cuando se emborrachaba. De pronto volvió la cara: el hijo tenía la boca retorcida.

–Taita, taita, taita –resollaba.

Recuerdo todavía la palabra con que esa noche comentó Dimas la actitud de su hijo:

–Muchacho pendejo... A quién habrá salido.

Prosiguió después su historieta:

–Ese animal caminó atrás de nosotros, sabaneándonos como a gallinas. Si no hubiera tenido el espinazo roto, nos ahorca. Pero como tenía que enderezarse para saltar los varejones, al llegar al pedazo roto, se le caía. Esos eran los golpes que yo asuntaba.

De pronto Dimas se agarró la barba blanca.

–Para mí esa culebra no era culebra, porque nosotros anduvimos largo y en camino cerrado. Yo creo que era el Enemigo Malo... ¡Tenía los ojos muy encandilados!

Yo levanté los desnudos piececitos, los puse en la silla y con las manos frías y enrojecidas, los sujeté fuertemente.

Trepado en su banco, Simeón sonreía con malicia por entre el humo de su cachimbo.

–Vea compadre –dijo–, con esas pájaras se pasan sustos grandes. Dígale a mi compadre Pepe que le cuente lo que nos pasó aquí mismo.

Su mano zurda indicaba la casa; con la otra se echaba sobre las cejas el sudado sombrero de fieltro.

Papá se puso de pie. Su sombra se quebró y subió por la pared de tablas de palma.

–No me gusta contar eso, porque me pone nervioso recordarlo. Pasé una noche endiablada.

Tomó asiento de nuevo y se quedó con la mirada sucia, como quien piensa en cosas amargas. Después rompió a decir.

Padre hablaba en voz alta, Simeón, oyéndole, cerraba los ojos y parecía dormir. Contaba papá su experiencia de la primera noche pasada en la casa.

Viajando con la recua había visto repetidas veces el caserón vacío; le gustó el tamaño y el sitio le resultaba conveniente. Un día salió dispuesto a conocerla mejor. Ya en El Pino solicitó informes del alcalde. ¡Buen amigo le salió aquel hombre simple, alto y rojo! La propiedad era de cierto rico viejo que vivía en el pueblo. Padre estuvo recorriendo los potreros, viendo las palizadas, las aguadas, los árboles frutales: todo lo observó y midió. Atardecido salieron al camino real, y con la noche cayéndole encima tomó el camino de la vuelta. Durmió en el pueblo. Al otro día, recién salido el sol, buscó al viejo. Era persona complicada y papá explicó que le encontró junto al fogón, en pantuflas y tocado con gorra de lana. Le estuvo sacando muchas vueltas al negocio; pero de repente se sintió cansado y le dijo a papá:

–Cójasela por lo que le dé la gana. Tráigame el dinero cuando le parezca.

–Entonces voy donde el notario –argumentó papá.

–Si usté quiere, vaya; a mí no me hace falta. A usté se le ve la honradez por encima de la ropa.

Papá se esponjaba de orgullo cuando contaba aquello. Siguió el relato, tras algunas consideraciones sobre su seriedad.

Con una recua que pasaba le envió recado a mamá para que fuera preparando los "corotos"[2]. Él tornó al Pino. Su primer cuidado fue buscar al alcalde de nuevo. Al abrir el caserón lo encontraron lleno de tusas, aparejos viejos, y una gruesa carnada de polvo que apagaba las pisadas. Simeón buscó unas cuantas mujeres para que lo limpiaran, y en el primer día apenas

[2] N. de. E.: Trastos, enseres.

pudieron arreglar la habitación mayor, la misma que después serviría de almacén.

Escasa ya la lumbre del sol, listos para salir, sintieron ruido en el interior.

–¿Qué suena ahí? –inquirió padre.

Era como el canto de un gallo; pero un canto ronco, extraño, impresionante.

El alcalde pretendió ver; pero se devolvió de la puerta, porque estaba demasiado oscuro. Padre le dijo que buscara un trozo de cuaba, y Simeón salió. Pero papá, hombre desesperado, no quiso aguardar y se metió en la habitación. Lo primero que sintió fue que había puesto el pie en algo blando y resbaloso. Pensó rápidamente que había pisado alguna gallina; pero a seguidas sintió que aquello se le envolvía en las piernas y le apretaba. Una desagradable sensación de frío le mordía el vientre. Aquel nudo se hacía estrecho; creía que iba a caer. De pronto sintió que otro nudo se le estaba formando más arriba de la rodilla. ¡Dios! ¿Qué diablo era aquello?

–¡Simeón! ¡Simeón! –gritó.

Tuvo que agarrarse a las tablas. Recordó que tenía fósforos. Rayó uno, presa de sus nervios. Simeón entraba ya. El hacho se revolvía como copa de árbol en día de viento. Al reflejo de la luz vio padre el animal y le vio los ojillos, fijos y criminales. De pronto aquello dejó caer la cabeza contra el piso. ¡Concho, concho! ¡Y qué culebra! ¡Larga, negra, negra y gruesa como un tronco!

–¡Maldita! ¡Maldita!

Simeón lanzaba palabrotas mientras sacudía el machete, que al choque de la luz se veía también rojo, como otro bicho.

El animal buscó un rincón y ya estaba metiendo la cabeza por allí cuando el alcalde la alcanzó con el filo del arma. Al sentirse golpeada se volvió a su perseguidor. Allí en el suelo estaba el hacho, apagándose casi, mientras papá seguía la lucha a ojos, como persona ajena a todo. De pronto comprendió, echó a correr y sujetó la tea. Sintiéndose acorralada, la culebra abrió la boca para repeler de algún modo el ataque. Simeón se impresionó.

–¡Corra, don Pepe; corra, que me bajea!

Una rabia sorda le encendió la sangre y empezó a lanzar machetazos. Parecía loco: tirando golpes, los dos brazos abiertos, las piernas torcidas, mecido el tronco, ya en sombras, ya en luz, enrojecido y oscuro, Simeón daba la impresión de un fantasma que hubiera roto en un baile dislocado de borracho.

Al otro día revisaron toda la casa, hasta los aleros; limpiaron el Yaquecillo y quemaron los pendones, para matarles los nidos a las compañeras.

Silenciábamos todos. Pepito, preocupado, preguntó:

–¿Estaba en nuestro cuarto esa culebra, papá?

Pero padre apenas le oyó. Estaba tendiendo la mano para coger la taza de café que le servía madre.

A través de la ventana se mecía una estrella desflecada, medio escondida en el humo que huía por encima de Simeón.

II

Papá era sujeto de pasiones más que de pensamientos. Rojo, de frente alta, nariz gruesa y labios duros, hubiera parecido criollo a no ser por los ojos. Menudos y azules, de mirada hiriente y honda, los ojos de padre se imponían solos. Tenía el bigote y los cabellos rubios. La palabra se le enredaba entre los dientes, y a veces necesitaba uno verle, además de oírle, para entender lo que decía.

Las ideas se le traducían en tormentos. Todo cuanto pensaba lo veía; y nunca buceaba en un hecho, sino que se dirigía de éste a las consecuencias. Si le decían: "Tal mulo se quebró una pata", veía el animal renqueando, dolorido, silencioso y derrengado. Sufría enormemente, más, de seguro, que la propia bestia. Pensaba: "Se morirá; habrá que matarlo". Veía el mulo en el instante de la agonía; y sentía la muerte de su carne, ese arrugamiento largo que sufre el cuerpo cuando se le pega un tiro. Si era de noche no dormía, porque le perseguía la mirada desolada del animal.

Madre no distaba mucho de papá, si bien era más fuerte en sus sentimientos: había que odiar esto o amar aquello, con eso le bastaba. No podía, como padre, ver lo que pensaba. Apegada a lo viejo, la mujer, según ella, debía hablar poco, trabajar sin descanso y vivir de puertas adentro.

Mamá era de estatura aventajada. Tenía el cabello gris, anudado siempre en pequeño moño sobre la nuca. La quijada cuadrada le llenaba la cara de rudeza; así como los ojos pardos, casi negros, y la boca ancha, y la frente plana, aunque alta. Era escasa de cejas y abundante de canas. Tenía complexión robusta; pero la color desteñida y vacía. Sabíamos que no era saludable; pero lo disimulaba a maravilla, porque trabajaba de sol a sol.

A veces mamá se endulzaba y nos entretenía contándonos historias o dibujando malos muñecos en papel de estraza. Sucedía esto pocas veces: le placía más rezar, lo que hacía con sincero fervor.

Padre parecía más cariñoso, sobre todo cuando volvía de algún viaje largo. Sabía cientos de juegos, miles de cuentos, y cantaba motivos de su tierra con una voz bella, gruesa, dulce, acariciadora. De mañana nos llamaba a su cama y nos hacía relatos maravillosos de los mulos que hablaban, del río que se iba volando, de las golondrinas que le contaban lo que hacíamos Pepito y yo. Todo esto lo sazonaba con cosquillas, con mordiscos y apretujones que nos hacían reventar de risa. Nada en casa tan alegre, tan jubiloso como los amaneceres. Los aprovechábamos bien, porque al romper el día se hacía papá serio, y empezaba a pensar en sus negocios, a trajinar, a dar voces. ¡Oh! ¡Cómo hería la voz de papá cuando no sé hacían las cosas según ordenaba! Durante todo el día no descansaba, correteaba de un sitio a otro, del potrero a la casa, de la casa al camino. Y así hasta caer la noche. En la mesa hablaba poco y le gustaba que callaran los demás. Sólo al anochecer volvía a ser el padre cariñoso.

Recuerdo que gustaba, metida ya la oscuridad, de tirarse en el piso y levantar brazos y piernas.

–¡Vengan! –nos decía.

Madre regañaba; hablaba de la ropa sucia, de trabajo, de niñadas y tonterías; pero nosotros no la oíamos, ni la oía papá, que nos tomaba por la cintura y nos sostenía en vilo, dándonos empellones hasta que caíamos revueltos en el suelo.

Yo quería entrañablemente a mi padre, porque, a ser sincero tenía por mí marcada predilección. Decía que yo haría carrera y sufría lo indecible cuando enfermaba. De los dulces, trajes y zapatos, sombreritos o juguetes que traía de sus viajes, lo mejor era para mí. Nunca hería a Pepito, porque mi hermano tenía predilección por cosas distintas: por ejemplo, reventaba de gozo si papá le traía cornetas, sables o tambores, cosas de que yo detestaba; mis grandes placeres me los producían una pizarra, un lápiz, un libro con láminas...

¡Oh, la vida aquella, tranquila, fresca y satisfecha como una tinaja! ¡Todo el campo haciéndose ondulado, ancho y luminoso frente a nosotros; el sustento traído y llevado en aparejos de mulos y serones claros; la salud en risas, el día en trabajos y la noche en cuentos...!

Antes habíamos sufrido largo; si no era algo más que sufrir aquello de vivir en perenne huida, amasando la oscuridad y el lodo de los caminos reales, ya sobre la Frontera, ya cruzándola, volviendo y saliendo. Dos veces estuvimos refugiados en las lomas, mientras la tierra se quemaba al cruce de soldados. Extranjero padre y extranjera madre, ignoraban que en estas tierras mozas de América hay que vivir cavando un hoyo y pregonar a voces que es la propia sepultura. Altivos y trabajadores, el éxito les sonreía en toda empresa. Llegaba la revolución en triunfos, les pedía más de lo que tenían, se negaban a dar, y los perseguía; entraba vencedor el gobierno y terminaba en lo mismo.

Cansados, transidos, caímos en Río Verde, donde mi abuelo había echado raíces y florecía como árbol de tierra criolla. Hombre de pocas palabras y de muchos hechos, de trabajo largo, de arrogante figura; alto, oscuro, imponente, mi abuelo se hizo en pocos años el alma del lugar. A su amparo empezó para nosotros la paz anhelada, o, lo que es lo mismo, podía papá echarse por esos caminos de Dios en busca del sustento, mientras nosotros permanecíamos en casa. Padre levantó recua y con ella llegaba a los confines del país. Se iba cargado de andullos, de tabaco, de cacao, y retornaba con lienzos, jabón, azúcar... Muy de tarde en tarde se hablaba de revueltas; pero en general se vivía dulcemente, sin que nos sacudieran malas noticias ni persecuciones.

A Río Verde llegó padre un día con una mulita nueva, incapaz todavía para la brega de la recua. Era un animalito vivo, inquieto, casi todo cabeza, que movía nerviosamente las orejas y el rabo cuando le molestaba algún ruido. El vecindario entero desfiló por casa para verla.

–Es de San Juan –explicaba padre a las preguntas de los hombres.

Con esto lo decía todo. Le retozaba el orgullo en los ojos y en los labios cuando la veía, cuando le acariciaba el anca, mientras la mulita temblaba de miedo bajo su mano.

Era oscura como la hoja seca del cacao; pero recién llegada estaba todavía lanuda, y aquella lana tenía un color rojizo que la hacía feúcha aunque graciosa. Padre decía que procedía de un hato de renombre y que había dado por ella sesenta pesos "así tan chiquita como la veían".

Como se crió entre nosotros, soportó pacientemente el primer contacto con la realidad: la aparejaron, la ensillaron luego. Estaba ya grandecita, y a la lana había sucedido una piel parda, brillante, que reflejaba limpiamente la luz. La silla fue para ella como una caricia más; pero... ¡cómo pateó, se resistió, tiró mordiscos y corcoveó cuando la quisieron enfrenar! La asustaba el tintineo de los hierros y correteaba enloquecida entre las flores, que le desgarraban las patas con las espinas, entre las pilas de cacao, cuyos granos saltaban como chispas. Se tiraba sobre las mayas que orillaban el camino y espumeaba por la boca, mientras los ojos parecían salírsele a saltos.

–¡Ah, mañosa! –gritaba padre.– ¡Ah, mañosa!

Abuelo reía estrepitosamente desde la galería; madre se sujetaba las sienes, arrimada a la ventana; Pepito se asustaba, se recogía entre una enorme mecedora donde estaba sentado. Papa volvió a medio día, sudado, rojo y fatigado.

No sé cuántos días duró la lucha entre el hombre y la bestezuela. Sólo que cuando se acostumbró al freno ya tenía nombre: la Mañosa. Y que fue para nosotros como el de alguien de la familia.

Para el tiempo en que llegamos al Pino la Mañosa era ya imprescindible. En ella hacía padre los viajes de negocios y los viajes veloces al pueblo, en busca de medicinas, de ropas o de cartas. Mero, que había dejado Río Verde para seguirnos, la quería entrañablemente. Anduvo enamorado por el Pino Arriba, lo que lo alejaba de las tertulias en la cocina; pero confesaba que entre comprarle creolina al animal o esencia a la novia, prefería lo primero si el dinero no le alcanzaba para las dos cosas.

El vaso[3] de potrero más cercano a la casa era el suyo. Yerba lozana, joven, tierna: era bocado digno de bestia consentida.

* * *

Se derretía la tarde en los caminos reales, casi a los pies de Mero y él no lo notaba. Reparaba los aparejos sentado en el quicio de la puerta, ultimando los detalles del viaje.

En el oscuro almacén estaba el viejo Dimas cosiendo los serones, mientras uno de sus hijos tejía sogas de majagua. El viejo escupía y se limpiaba la barba con el dorso de la mano.

Mero hablaba, pero seguía con la cabeza gacha, mordisqueando la cuerda con que reparaba los aparejos:

–Digo yo que como la Mañosa no hay otra, viejo Dimas.

El interlocutor decía:

–Pero de este viaje viene con las ancas afuera. ¿Usté no ha visto las señales del tiempo? Asunte esto: dende que tuve juicio vengo haciendo las

[3] N. del E.: Cada porción de un potrero.

cabañuelas, y lo que es este octubre... ¡Cristiano! Ni quiera usté saber el agua que le espera por esos caminos viejos. Yo como don Pepe, hasta dejara el viaje.

La cara de mi padre asomó por la puerta del comedor, mientras su voz alta y tranquila respondía:

–En noviembre tenemos más agua, Dimas, y cuando hay que comer no se espera para mañana.

–Asina es, don Pepe; yo no lo discuto; pero si hay que dir, yo no llevara la Mañosa. Un animalito como ése no es para meterlo en caminos tan endiablados.

Mero regó los ojos al decir:

–Su mejor recomendación es ésa, viejo Dimas. Nuevecitica taba ella cuando nos tiramos a la Frontera. ¡Y eso sí era sol tupio y bravo! Usté no más topaba espina y espina. ¡Concho! Ni an sé yo cómo vive la gente en esa línea mentada.

Padre aprobaba con la cabeza, los labios llenos de sonrisas. Mero se entusiasmaba y manoteaba.

–Solamente pechamos una recua, y eso fue ya dentrando a Dajabón. Anduvimos en el Guarico, como quien dice. A mí me dolían los huesos de la espalda, y la Mañosa fresquecita, como si hubiera estado en potrero.

Papá explicaba:

–Sí, sí, aquél fue un viaje duro y largo.

–Ello... –Dimas detenía la palabra– hay monturas legítimas, donde Pepe. En Almacén compré yo una vez un caballo alazano que con el paso con que cogía un camino lo terminaba. Ese no conocía sesteo.

Los hombres de campo se entusiasman hablando de cosas queridas. Mero alzó la voz:

–Asina es esa Mañosa, viejo Dimas. De día y de noche, en mar y en tierra llana, no hay apuros con ella.

Padre remachaba:

–¿Mi mula? Por todos los cuartos del mundo no la doy. Y no es sólo porque me desempeñe, sino porque le tengo cariño, como si fuera persona.

–¿Cariño? Asunte: a mi mujer le he dicho que no quiero perros en casa, porque a la hora de morirse me dan más pena que si fueran cristianos. La gente dice que son ángeles... Yo estoy en creerlo.

Dimas siguió cosiendo serones. Por la sombra del almacén trajinaba su hijo, y en los caminos reales, sobre el techo de la casa, entre las hojas de los árboles, el sol se iba haciendo espeso con la llegada de la noche.

Pero ni padre, ni Mero, ni Dimas ni su hijo lo notaban.

* * *

Al otro día vino Simeón a recortar la mula. Simeón era la autoridad del lugar; sin embargo, sentía placer en servir a papá como cualquier peón. Quizás se debía ello a que papá le regalaba los zapatos que ya él no usaba, uno que otro pedazo de andullo y hasta los pardos, viejos y estrechos pantalones de paño que el alcalde lucía con desmedido orgullo.

Mero tenía que sujetar por la jáquima la mula mientras Simeón le hurgaba entre las orejas con las tijeras, cortándole los crecidos pelos, emparejándole la escasa crin o embelleciéndole el rabo. La Mañosa se mecía constantemente de atrás alante, de un lado a otro, nerviosa como muchacha. Tenía figura de estampa, limpia, brillante, pequeña, rellena. Era oscura como la madera a medio quemar; tenía la mirada inteligente y cariñosa; las patas finas y seguras; las pezuñas menudas, redondas, negras y duras. Todo en ella era vistoso y simpático. Simeón se esmeraba en hacerla más linda, más digna del amor que le profesábamos en casa.

Mero la acariciaba, le hablaba como a persona. La Mañosa acechaba con ojos de susto la sombra de una mula que se removía en el camino, bajo sus patas.

* * *

Yo estaba en el comedor, desmenuzando restos del desayuno, Un rayo de sol caía sobre el blanco mantel y el aire sano parecía mecerlo. Simeón entró en silencio. Papá venía del patio cuando vio al alcalde.

–Ya tiene la mula nuevecita –dijo él satisfecho.

Tomó asiento en una silla vieja; sacó el roñoso cachimbo de un bolsillo, tabaco del otro y un sucio palo de fósforo de entre el sombrero.

–Quiero recordarle, don Pepe –decía a la vez que encendía– que ande con cuidado en este viaje.

Padre puso la cara gruesa, la mirada muerta.

–¿Cuidado?

Entonces Simeón se levantó, se echó el sombrero sobre la nuca, abrazó a papá de lado, estrechamente, y como quien sabe lo que habla, susurró:

–Hay malas noticias.

Padre preguntó, haciéndose el desinteresado:

–¿Usté cree?

–¿Que si lo creo? Bueno...

Simeón se hacía el importante. Sobre los bigotes rojos se le desteñían los ojos mansos.

–Don Pepe, póngame caso. Ya se está juntando la gente de Monsito Peña.

Papá tomó una silla:

–Óigame, compadre, no es bueno llevarse de las apariencias.

Ya iba el alcalde a contestar algo definitivo cuando Morillo sopló un saludo. Era hombre bajetón, anegrado y bruto de cara. Estaba henchido de malicia.

–¿Cuándo es el viaje?

Venía preguntando, tontamente al parecer, pero papá era hombre arisco como lagarto: Le clavó aquellos ojos azules, tenaces y desconfiados:

–Estamos preparándolo, amigo; nadie sabe cuándo saldremos...

Simeón miraba a papá de reojo, bajo el ala del sombrero. El humo de su cachimbo cruzaba el rayo de sol que se iba retirando poco a poco de la mesa.

Morillo dijo:

–Yo tengo necesidad de mandar una recuita de tabaco al pueblo, y quisiera hacerlo con los muchachos de Dimas; pero asigún entiendo los asuntos están al voltiarse.

–¿Usté cree?

Simeón había hecho la pregunta como si nunca hubiera oído hablar de tal cosa.

–Yo no creo nada, compadre; se conversan muchos embustes... Pero por si acaso, pasado mañana tengo ese tabaquito andando.

–Bueno... –Simeón se miraba los pies–. Cada cual hace lo que le conviene.

Papá se incorporó. Afuera estaba Mero adulando a la Mañosa.

De madrugada se llenó la casa con los gritos de padre, las voces de Mero y los relinchos de las bestias. De los potreros emergía un olor fragante, que se confundía en el patio con el que exhalaba el estiércol reciente.

Los mulos se movían sin cesar. Eran sólo montones de sombras y luces verdes. Uno pretendió morder a otro, y papá corrió dando gritos, le sujetó por la jáquima y la emprendió a bofetones con el agresor.

Pepito hablaba bajito y reía. Por allí andaba Mero, manoteando entre los serones, silbando merengues, mientras arriba, hacia el este la luna atravesaba velozmente una inmensa nube morada.

Papá cruzó en dirección a la cocina. Parecía alegre, aunque apenas le podíamos distinguir la cara; pero le vimos acercarse a la Mañosa y palmotear sus redondas ancas. El animal estaba sujeto al portón, cabeci-gacha, reposada, serena. La luna hacía esfuerzos por aclarar su color de hierro mohoso.

Con una taza de café en la mano salió papá al patio, conversó con Mero y se acercó a la cocina.

–Me voy, Ángela –dijo.

Cargó conmigo, entró al viejo comedor, me puso de pie sobre la silla y, alumbrándose con la lámpara, penetró en su habitación. Cuando salió estaba tocado con sombrero de fieltro y armado de revólver. La luz rascaba el cobre de las cápsulas, arrancándoles brillo. Mi padre se puso en cuclillas, nos llamó a Pepito y a mí y nos sostuvo largo rato con las caras pegadas a sus mejillas.

–Pórtense como hombrecitos, que les voy a traer muchos regalos –aseguró sonriendo.

Después se incorporó. Madre miró a papá con ojos desolados. Cuando él la besó y abrazó, se hicieron un montón confuso, que entre los reflejos de la luz parecía surgir de un incendio.

–¡Adiós! –repitió él, deshaciéndose de mamá.

Nos fuimos a la ventana para verle montar. Lo hizo de un salto con asombrosa agilidad; removió una mano, volviéndonos el frente y clavó la mula. Llevaba la rienda entre los dedos diestros.

Nosotros salimos al patio justamente al tiempo que el último mulo atravesaba el portal. Iba sobre él Mero. Gritaba con voz honda y hacía restallar el fuete que resonaba en la casa con fragor de tiro.

A la orilla del camino, mientras la luna rodaba, llevada por el viento, pegados Pepito y yo a la falda de mamá veíamos la recua alejarse al trote. Padre nos decía adiós, erguido en la Mañosa. Pero en la Encrucijada había árboles que se agrupaban en sombras. Y la Encrucijada se arremolinó sobre el saco negro de papá, robándoselo a nuestro cariño.

III

Nuestra casa estaba pegada al camino. Era grande, de madera, techada de zinc, y el sol le había dado ese color de suela tostada que tenía.

Antes de llegar a ella había que cruzar el Yaquecillo y poco más adelante, el Jagüey. El Jagüey era misterioso, porque cuando llovía era río, y cuando no, se lo tragaba la arena quemada del cauce, para reaparecer bastante lejos, en la vuelta que daba por nuestros potreros. El Yaquecillo es hoy una charca, poblada de cañas lozanas, en la que se crían mosquitos y sanguijuelas.

El lado norte de la casa daba al camino. Tenía ese frente cuatro puertas anchas y altas; las dos que estaban más cerca del Yaquecillo no se abrían. En la pared que recibía el primer sol había tan sólo una puerta y una ventana; la puerta correspondía a la habitación esquinera que servía de almacén y pulpería en la cual, medio hundidos en la penumbra, se amontonaban siempre serones de andullos, cargas de maíz, sacos de frijoles; un mostradorcillo mal parado se apoyaba en la esquina, pegado a la puerta que daba al este. La ventana correspondía al comedor que estaba justamente detrás del almacén–pulpería; y el sol tibio que se metía por la ventana, antes de la tarde, se echaba a dormir sobre la mesa, igual que muchacho mal educado.

En el lado sur, casi pegada a la esquina sureste, se vaciaba una puerta, desde la que salía la naciente calzada de piedras que conducía a la cocina. Ésta se alzaba frente a ella, y era un humilde ranchito de yaguas con aspecto de cosa provisional. En las noches claras era, a pesar de su pobreza, el lugar más prestigiado de toda la casa.

El comedor tenía también una ventana abierta a la contemplación perenne del cielo. Le seguían dos puertas más, que se enfilaban en el mismo lado y que eran salidas al patio de la habitación paterna. El cuarto que ocupábamos Pepito y yo tenía vistas al sur por una puerta y una ventana, y una claraboya alta de persianas que daba al oeste. Esa claraboya estaba cubierta con retazos de telas, porque miraba al Yaquecillo, que ya en esa época empezaba a arrastrarse penosamente por entre lodo y yerbajos, y mamá decía que por ella se metían los mosquitos.

El frente norte de la casa parecía tostado; el sur era pálido, manchado de verde. Sucedía esto porque en él se restregaba la lluvia larga de los inviernos.

Nuestro patio estaba encerrado entre una palizada de alambres de púas que empezaba en la esquina noroeste y se cortaba a poco para dejar subir el cuadro del portón, que consistía en dos espeques gruesos y cuadrados de guayacán, puestos a cerca de tres varas uno del otro. Encima tenía un techito de zinc, gracioso por lo pequeño, que parecía techo de casa de muñecas. Después del segundo espeque seguía el alambre de púas, para doblar en ángulo recto a los veinte pasos y enfilarse hasta tropezar con el primer "vaso", la parte del potrero que cercaba el patio por el sur y la cual reservaba papá para echar en ella a la Mañosa, cuando retornaba de viajes largos.

El patio, en la parte este, como era camino obligado del portón al potrero, estaba dorado de menudo y seco polvo, huérfano de grama; pero la yerba se amontonaba en la caseta de desperdicios, que estaba al borde del potrero.

En el ángulo suroeste había un naranjal oscuro, de árboles nervudos y pequeños, con las cortezas blanqueadas de hongos. En esas cortezas grabábamos Pepito y yo las letras que papá nos enseñaba las primas noches.

Vista de lejos, nuestra casa parecía una eminencia mohosa, con corona de plata, porque el zinc brillaba a todos los soles. No había caminante que no se detuviera un segundo a saludarnos o que, si era desconocido, no hiciera más lento el paso de su montura al cruzar el trozo de camino que se echaba frente a casa como perro sato.

Desde la puerta veíamos el tupido monte que orillaba el Yaquecillo: pomares, palmas reales, guayabales, algunos robles florecidos; a la izquierda se hacía alta sólida la tierra en las lomas de Cortadera y Pedregal; a la derecha, siempre pegado al camino como potranca a yegua, se iba el monte haciendo pequeño, pequeño, cada vez más, hasta arremolinarse en la fronda que cubría la primera curva.

En esa fronda se ahogaba papá cuando se iba; y al lugar, que llamábamos la Encrucijada porque allí cruzaba la vereda de Jagüey. Adentro, íbamos a esperarle cuando pensábamos que ya era tiempo de volver. Pero si la lluvia roncaba sobre el Pino, teníamos que conformarnos con esperar en la puerta.

Sucedía a menudo que papá llegaba de noche. Cuando eso había, nos tirábamos nerviosamente de nuestro catre y correteábamos como locos entre las sombras rojas de la casa, dando gritos de contento y buscando con nuestros bracitos inexpertos el torso recio y caluroso de papá.

IV

A fines de octubre la lluvia era cosa perenne sobre la tierra. Todos los horizontes se gastaban en el gris de los aguaceros. Ya cada gota se me antojaba un cordón largo tendido desde el cielo hasta mis ojos.

Una gallina había sacado, pero los pollitos se fueron muriendo de frío poco a poco. De manera que para Pepito y para mí, el único entretenimiento posible fue, durante muchos días, corretear por la casa y jugar a escondidas tras los serones.

Mamá parecía haberse vaciado de espinas; los pómulos le hacían esquinas en la cara y rezaba a menudo. A la verdad, me gustaba rezar. Encontraba un placer delicioso en estar de rodillas, las manos juntas sobre el pecho, todo el cuerpo lleno de luminosa dulzura, seguro de que Dios estaba oyendo mis palabras. Una gran bondad invadía y sentía la carne liviana, casi en trance de volar.

Orábamos en la habitación de mamá, que en el primer nudo negro de la noche se llenaba de sombras. Se veían colgando de los rincones, pegados al techo. Haciendo esquina, una tablilla soportaba una desteñida imagen de San Antonio de Padua, calvo y humilde, con el rostro envuelto en inexplicable ternura, la cabeza ladeada y un rollizo niño a su lado.

San Antonio, según mamá, hacía incontados milagros. Le encendíamos una hedionda vela de cera negra, se la poníamos enfrente, y aquella lengua de luz que se gastaba en humo denso, llenaba de resplandores rosados los más lejanos trozos de pared. El santo parecía llenarse de rubor, y la llamita le lamía la calva con enfermizo placer.

A menudo me sorprendía a mí mismo alejado de la oración, de los santos, de la tierra: me mecía en una especie de vacío total embriagado levemente por aquella lucecita temblorosa que daba tumbos a cada empujón del viento húmedo y rendijero, que parecía quemar las mejillas de Pepito y alumbraba los ojos oscuros de mamá.

Era tal el silencio que a veces nos rodeaba, que las cuentas del rosario, golpeando entre los dedos de mamá, sonaban como piedras lanzadas en madera. Madre abría los labios y los juntaba tan de prisa que podíamos seguir su movimiento; pero ni un murmullo salía de ellos; era la oración sepulta y sincera, en la que los labios intervenían tan sólo por la costumbre de modular la palabra.

Al terminar ensayábamos un suspiro. Pepito y yo nos limpiábamos las rodillas, endurecidas ya, y mamá se estrujaba con la diestra la cenizosa cara, mientras sujetaba el rosario con la otra. Entonces empezaba con voz susurrante alguna vieja historia, de las muchas que aprendió del abuelo.

Salíamos después de la habitación para registrar las puertas, los rincones distantes y debajo de las camas y catres. Hablábamos un poco de papá; deducíamos dónde estaría, ella refiriéndose a todo el camino, yo desde el Bonao hasta el Pino, que era el único trecho que conocía, y Pepito de Jima a casa. Después nos acostábamos. Hasta cerca de los primeros plomos del sueño seguía yo arropado por aquella sensación de liviandad y de silencio que me producía el rezo.

* * *

Cuando papá no estaba en casa y el ala de madre tenía que cubrirnos sin ayuda, se le limaban a mamá aquellos filos cortantes que tenía en la cara y en los ojos. Se hacía dulce, amable, silenciosa. Irradiaba un suave calor en la mesa, en la cocina; en todos aquellos sitios que la conocían agresiva. Le gustaba echar maíz a las gallinas, de madrugada, y hacer historias encantadoras. Por los días del último viaje de papá se mantenía arrebujada en una frazada gris medio deshilachada y fuera de uso, porque la lluvia sembraba el frío en la tierra y al amanecer venía el viento cargado de agua, empujado desde los cerros azules que levantaban nuestro potrero.

Las mujeres del lugar nos visitaban con más frecuencia; lentas y tímidas, se metían en la cocina y allí hablaban de cosas vagas.

Pepito y yo teníamos las cortas horas de sol en nuestros pies; correteábamos por el camino, nos íbamos a Jagüey, apedreábamos los nidos. Un día, a la hora de la comida, nos dijo mamá que no debíamos salir de la casa o del patio. Por la mañana había estado bastante gente entrando y saliendo. Dejaban caer palabras espesas e inaudibles; comentaban algo entre lentitudes y gestos importantes. Todo aquello lo veíamos Pepito y yo, pero cada uno se esforzaba en no oír y en no comentar.

Tras su recomendación, madre se quedó mirando el cielo sucio. Después lamentó:

–Y Pepe tan lejos...

Pepito alargó el pescuezo y preguntó de improviso:

–¿La revolución, mamá?

–Sí, hijo; están matándose otra vez; pero no se puede hablar de ello.

Madre calló, y un silencio embarazoso se dejó caer muerto sobre la blanca y sencilla mesa.

En la noche fue Dimas a casa. Era hombre bajito y fuerte; encanecido, peludo y de mucha barba. Tenía un vago aire patriarcal y cuanto hablaba interesaba. Nos gustaba por sus cuentos, llenos todos de un recio sabor de aventura, pintorescos y detallados.

Se sentó en la peor de nuestras sillas, escupió a un lado, extrajo el cachimbo y lo fue llenando lentamente de tabaco. Después me llamó, con una voz peculiar de hombre sufrido, y me dijo que le buscara lumbre.

Cuando mamá llegó se destocó haciendo una reverencia rural que trascendía nobleza y sinceridad. A seguidas subió los pies descalzos en los travesaños de la silla, y preguntó:

–¿Cuándo cree usté que vendrá don Pepe?

Mamá dijo que no sabía y se sujetó ambas sienes con fuerza, lo que indicaba que estaba preocupada. Inesperadamente, Dimas explicó:

–En el pueblo rompió la cosa ya, doña. Yo creo que para allá –y señaló la dirección en que estaba padre– debe estar la cosa fea.

A mamá se le estiró la cara de tristeza.

–Me lo dijeron desde esta mañana, y eso me tiene mortificada, Dimas.

–¿Por don Pepe? No se apure, doña, a ese nadie le hace un daño.

–Es verdad, pero...

Dimas chupó su cachimbo y se quedó mirándola, mirándola con estúpida fijeza. A poco se puso de pie y se arrimó a la puerta.

–La noche está cerrada –dijo.

Mamá contestó moviendo la cabeza. Un airecillo hacía remolinos junto a la lámpara.

–Será que va a llover –apuntó madre al rato.

Dimas confirmó:

–Esos aguaceros no tienen fin, doña.

Callaron ambos. Un silencio absoluto comenzó a estirarse entre ellos. Pepito y yo esperábamos no sabíamos qué para pedirle a Dimas que contara algo; pero el viejo se incorporó de pronto, caminó hasta un rincón, y con la misma actitud y el mismo tono de voz que si hubiera estado hablándole a otra persona y no a mamá, dijo:

–Los muchachos taban en el pueblo con una recuita de Morillo y el gobierno los reclutó ayer.

Madre se movió igual que si la hubiera picado un bicho.

–¿Cómo? –preguntó azorada.

Se veía que quería hacer otro comentario más vivo, que aquella noticia la había herido; pero la actitud conforme de Dimas mataba el comentario antes de que naciera.

–Sí –remachó él acercándose a nosotros– Dios quiera que salgan bien de ese lío.

Yo sentía su olor de tierra, de sudor, de esterilla de mulo. Él se volvió:

–Vea, doña, a los santos les ruego que vuelvan vivos, porque yo toy muy orgulloso de esos muchachos... Ni juegan, ni beben ni jaraganean.

Madre comentó, apenada:

–Sí, Dimas; récele a San Antonio para que se los devuelva.

El viejo tornó a acercarse a la puerta.

–Ojalá que don Pepe viniera pronto, para que usté se tranquilice –dijo quitándole importancia a su dolor.

Madre se acercó también; sacó la cabeza y miró hacia el este esperando.

–Ojalá... –aprobó.

El viejo mascó su dolor, se quedó a solas con él, silencioso, huraño. Al rato dijo adiós y se perdió en la oscuridad, camino de su bohío.

* * *

Pocos días más tarde fue a visitarnos la vieja Carmita. Llegó muy de mañana, trajeada con ancha bata de prusiana morada, no traía paño en la cabeza y sus cabellos grises resplandecían al sol.

La vieja Carmita vivía en Jagüey Adentro. Era alta, delgada, con la cara fina y salida de huesos. Nunca alzó la voz; nunca dejaron sus ojos de ser dos luces tranquilas en medio de aquel rostro oscuro y afilado.

Saludó en voz baja, desde el portal; entró moviéndose suavemente; ya en la puerta de la cocina, apoyó un brazo en el marco y clavó el otro en su cintura.

–Doña... –dijo en tono suplicante.

Pero no quiso seguir hablando, como si temiera desatar aquella tristeza que le hacía nudos en los pómulos. Después se acercó a mí, al tiempo que murmuraba:

–Dios te guarde, hijo.

Mamá la observaba, la acechaba. Aquella mirada cargada de perspicacia que tenía madre no se enredaba en palabras ni simulaciones.

–¿Ha sucedido algo por allá, Carmita? –preguntó.

–No, nadita –sopló ella.

Pero largo rato después, cuando habían parecido vidriarse sus ojos y cuando nadie esperaba sus palabras, dijo:

–Los muchachos, que cogieron el monte.

Mamá no pudo reprimir un movimiento brusco del entrecejo. Miró en vuelo a la mujer, que se entretenía en desensortijar mis cabellos.

–¿Dice usté que cogieron el monte?

La mujer movió la cabeza de arriba abajo. No podíamos precisar qué sentía; parecía indiferente, si bien seguía ostentando aquellos nudos de tristeza en los pómulos.

–Las malas compañías –explicó de pronto–. Se fueron cuatro o cinco.

–¿Y qué pretenden hacer? –objetó madre.

–Bueno, doña... Ellos sabrán.

La voz se le apagaba, y se notaba que le molestaba hablar de tal cosa. Dejó quietos mis cabellos y tomó asiento en el banco. Empezó a tachonarse la falda con los dedos, buscando distracción; pero a poco alzó la cabeza y nos miró con amplitud. Irradiaba extraordinaria serenidad.

El humo de la leña se iba haciendo estrecho junto a cada rendija.

–Doña, los tiempos son malos –explicó ella– y debemos ser conformes. Ya yo perdí un hijo que se fue con el gobierno años atrás.

Mamá no cabía en su dolor.

–¿Y no sospechan lo que sufre una madre? –empezó a preguntar.

–Peor es que salgan ladrones o pendejos, doña –objetó ella.

Calló y se acercó a la puerta. Yo miré el cielo: en aquella mañana tan clara y tan alta sólo cabían palabras de resignación.

Cuando hubo salido me lancé al patio en busca de Pepito; quería contarle la nueva que Carmita nos trajera. Mi hermano no respondió a mis voces. Bajé por las barrancas del Yaquecillo, afanoso porque mi hermano sabía dar explicaciones a mis dudas, aunque inventara mentiras. Estaba seguro de que iba a gustarle la noticia. No estaba en el Yaquecillo. El arroyo se arrastraba entre cieno y los mosquitos zumbaban sobre el agua muerta. Me cansé de vocear, él no podía estar distante, pero no respondía. Saltando piedras, chapuzándome unas veces y rabiando siempre, tomé la dirección del agua y anduve por el cauce vacío. Poco a poco me fui internando en el estrecho paisaje, donde los helechos crecían con intenso verdor y se alzaban enormes cañas de castilla. Hacia el sur distinguí los cuernos de una res que había bajado a engañar su sed; dos ciguas saltaban y piaban a escasas varas del camino que pasaba por el arroyo sin saltarlo y sin perderse en él, sino reblandeciéndose un poco.

Olvidé en lo que andaba y me tiré de espalda en un recodo de arenillas doradas. Un poco más hacia el norte se metía en el arroyo la yerba del potrero, después de haber descendido por la barranca. Desde donde yo estaba podía tocar con las manos las lilas que se abrían bajo el día.

El sol era llama brava sobre la tierra cuando desperté. A mis ojos adormecidos, todo había cobrado aspecto de cosa recién chamuscada. La voz de Pepito me perseguía con llamadas desesperantes. Me incorporé. De la parda arenilla emergía un calor insufrible y yo sentía los huesos vivos y sufridos bajo la carne. Los jejenes me habían llenado las piernas de ronchas y los mosquitos se habían cebado en mis brazos y en mi rostro.

Cuatro días después, al anochecer, un fuego cruel empezó a calcinarme las entrañas. Me dolían la espalda y las articulaciones.

Simeón fue a verme, una mañana, y dijo que había que darme tisanas de cuaba y mucha quinina. Lamentó no poder ir al pueblo para traerla él mismo.

Mamá estaba sentada a mis pies, en el mismo catre, y el alcalde en una silla, acariciándose el bigote áspero y rojo. Mamá le preguntó por qué no podía ir al pueblo, y en aquella pregunta unía dos intereses, el de mi salud y el de saber la verdad.

Simeón quiso rehuir la respuesta y dijo:

–El gobernador me mandó buscar; pero yo no voy, doña...

Madre comprendió y resueltamente inquirió:

–¿Entonces es verdad todo?

–¿Todo?

Simeón había mirado de refilón, como persona a quien le molesta una duda.

–Todo eso –señalando al oriente– está prendido, dende el Bonao para acá.

–¿Pero se está peleando ya, Simeón?

–Y duro, doña. Anoche asaltaron el Cotuí.

–¿El Cotuí? –sopló mamá llena de sobresalto.

–Sí –atajó él–; pero no se apure por don Pepe, que todo el mundo lo conoce y lo respeta.

Mamá se quedó pensativa. Le llameaban los ojos, y con una mano, maquinalmente, se acariciaba la pierna que la fiebre quemaba. Simeón miraba hacia la ventana con aires de persona que rumiaba un pensamiento importante.

EL ORO Y LA PAZ

(FRAGMENTO)

I

Al quinto día de su llegada a Tipuani, precisamente en el momento en que se preocupaba con la presencia de sus indios –que vagaban de un sitio a otro llamando la atención de la gente–, Pedro Yasic oyó los motores de un avión. Preguntó, intrigado, y supo que se trataba de un viejo Junker bimotor que llegaba todos los jueves para transportar el oro del Banco Minero a La Paz; además, llevaba correspondencia, medicinas, cierto tipo de carga valiosa, funcionarios del Gobierno y del Banco. Mirando en todas direcciones, Yasic vio el terreno ondulante, desigual, los pedregales que se extendían aquí y allá, a ambos lados del río, la tierra convertida, gracias a la codicia de los lavadores de oro, en grandes hoyos semejantes a cráteres sin profundidad. No podía explicarse dónde aterrizaba el Junker.

–¿Pero dónde está la pista? –preguntó.

Valenzuela le explicó que estaba en la orilla del río, junto al cerro, que había sido hecha acarreando tierra con cestos y apisonándola con troncos gruesos de madera.

El avión hacía círculos, situándose para aterrizar. Yasic y Valenzuela se encaminaron a la pista. Cuando llegaron, la nave entraba a tomar tierra. Pedro Yasic se quedó asombrado.

–¡Pero si necesita una inclinación de catorce grados, por lo menos! –dijo en alta voz, impresionado por la hazaña que era ese aterrizaje en una pista que no sobrepasaba los trescientos metros.

José Valenzuela se volvió a su amigo para mirarle. Yasic se sintió molesto. Él, tan cuidadoso, había perdido su guardia. Estaba seguro de que Valenzuela iba a preguntarle: "¿Usted es aviador?"; y entonces él tendría que responderle: "Bueno, aprendí a volar en Chile". Pero no podría explicarle por qué causa aprendió, porque si le decía: "Para ir a pelear en Yugoslavia, en los días de la guerra", podría suceder que Valenzuela le dijera: "Aquí vivió un paisano de Puerto Monte que se llamaba Pedro Ibáñez y según nos contó tenía allá un sobrino, hijo de un yugoslavo que se llamaba Pedro como él".

La primera pregunta no se produjo, sin embargo, y por tanto no hubo la segunda. Cuando el tío le agarraba la mano, ya para morir, catorce o quince días antes (No, once hoy; hace hoy once días justos que murió el tío y todavía no le he dado la noticia a mamá), repetía con angustia: "Que no lo sepan, Pedro; que nadie sepa en Tipuani que eres sobrino mío... Que no lo sepan, Pedro". Y con sus dedos débiles de moribundo le tocaba y le tocaba la palma de la mano como si quisiera decirle con el tacto lo mismo que le decía con palabras.

El avión tomaba pista y bajaba los alerones. Cuando el piloto abrió la puerta y se tiró a tierra, llevando en una mano un paquete que debía ser de papeles, Valenzuela se dirigió a Yasic.

–Es España. Otras veces viene Bill –dijo.

Yasic pensó que España debía ser boliviano, a pesar de su tipo rubio, y Bill inglés o norteamericano, a juzgar por el nombre. La diferencia de nacionalidad no tenía importancia; lo que podía tenerla, y grande, era saber si en los viajes de vuelta a La Paz iba un piloto solo o si llevaba copiloto, si al llevarse el oro viajaba en el avión alguna escolta policial. A Yasic le hubiera gustado saber cuánto ganaba cada piloto. Pues muy bien podía suceder que España o Bill o el demonio, si le tocaba al demonio volar ese viejo Junker, recibiera por vuelo menos de lo que Yasic pudiera ofrecerle. Ahí podía estar la solución.

–Volvamos al cerro –dijo.

Una bandada de chiquillos, seguida de algunos perros, se encaminaba hacia la pista. El sol era fuerte.

"El avión es la solución. Si lo dejan solo, sin guardias, puedo robármelo. El tal España bajó solo. No venía nadie con él."

–Oiga, Valenzuela –dijo de pronto–, ese piloto es muy bueno. Debido a las aproximaciones, esta pista me parece la peor del mundo y creo que debe ser más difícil despegar que aterrizar.

Para Valenzuela ese lenguaje era incomprensible, de manera que no dio ninguna respuesta. Pero quería ser complaciente con su amigo.

–Dicen que Bill es mejor. Yo conozco a España. Si quiere se lo presento. Va de aquí al Banco, como hace siempre y después a la cantina.

"Si voy contigo a la cantina te emborracharás y te pondrás a decir que yo soy aviador", pensó Yasic. Caminaba con la cabeza baja, como si estuviera abstraído. "Pero de todas maneras vas a decirlo aunque yo no esté."

–El sol está fuerte, Valenzuela. Yo no resisto. Usté sí, porque es del norte, pero nosotros, los del sur, no estamos acostumbrados a este sol.

–Figúrese, Sara nació en pleno mes de enero, y yo creo que ése fue el año más caluroso en Antofagasta.

–Ah, ¿es de Antofagasta?

–Sí. La mamá era de Valparaíso y se murió al dar a luz. Sara es huérfana de madre desde que nació. La crié yo.

Era un tema que le agradaba a José Valenzuela. Le gustaba decir, cuando venía al caso, que él había criado a su hija. No decía, sin embargo, que había tenido abuela y dos tías que no conocieron a la niña porque la abuela –la madre de Valenzuela– se había quedado en Valparaíso amancebada con otro hombre cuando Valenzuela el viejo –el padre de José– fue dado por desaparecido después de haber hecho un viaje a Punta Arenas del que jamás volvió.

–La crié yo, y cuando vinimos aquí me acompañó a los caños para vender telas y collares y baratijas a los indios de la selva. Conoce la vida, no crea, y es muy buena hija.

Yasic seguía caminando con la cabeza baja y oía a Valenzuela como se oye el runrún de un insecto que da vueltas alrededor de uno. "¿Estará haciéndole propaganda a la hija?". Valenzuela proseguía:

–Si alguna vez volvemos a Chile será para vivir en el norte, porque ni Sara ni yo estamos acostumbrados al frío. Usted sí, porque es de Puerto Monte.

–Sí, yo sí –dijo Yasic con el tono de quien desea que la conversación termine cuanto antes.

Pero Valenzuela no estaba dispuesto a dejarla languidecer. No era precisamente hablador, sino que a veces necesitaba desahogarse.

–Yo digo así, "si alguna vez volvemos". Es hablar por hablar, porque yo sé que nunca voy a volver. Tal vez a Sara no le haga tanta falta, pero yo soy más chileno que la estrella de la bandera y me duele pensar que voy a morirme sin ver otra vez mi patria.

Pedro Yasic, que no había levantado la cabeza, pensó: "Ya saltó el patriotismo".

–¿A usted no le hace falta Chile? –preguntó Valenzuela.

–A mí no. Considere que salí hace muy poco.

–¿Ah sí? Pues yo creía que tenía algún tiempo en Bolivia.

–No, muy poco; unos días nada más.

–Bueno, todavía no le ha llegado el tiempo de la nostalgia.

–Ni me va a llegar –respondió Yasic con doble intención.

–Claro, porque usted pensará estar poco aquí. Pero yo tengo fuera de Chile muchos años.

Yasic comenzaba a sentirse molesto. Le molestaban el sol, la voz de Valenzuela, las confidencias. Quería ir a la cantina para conocer al piloto España; tenía que ver a los indios antes de medio día.

–Voy a la cantina –dijo de pronto.

–Sí, allá vamos –explicó Valenzuela.

Frente al mostrador estaba el piloto hablando con un hombre de años, gordezuelo, alegre, de ojillos claros vivaces. Por el acento dedujo que era Alexander Forbes. No podía ser otro. "Es un viejo alegre y bueno", le había dicho el Cónsul de Chile en La Paz. El idiota del Cónsul, ¡qué bien lo había engañado con la historia de la propiedad! Le había hablado del viejo Forbes al salir del cementerio de La Paz. La Paz se veía en todas direcciones, llenando un gigantesco hoyo de tierras pardas. Luego, en las calles, Yasic vio millares de indias ataviadas con trajes de colores intensos y tocadas con pequeños sombreros de fieltro negro tipo Derby; había también muchos indios con sus ropas regionales y vestidos de negro a la europea, aunque descalzos: y todos, mujeres y hombres, vendían algo que exponían en las aceras: carnes secas, granos, frutas. En las faldas de los cerros, hacia el Altiplano, se veían manchas de eucaliptos de copas negruzcas y troncos claros. Era en pleno junio, pero había sol, y al entrar en ciertas calles se veía la mole nevada del Illimani como desbordándose sobre la ciudad. El invierno era duro, a juzgar por el frío de medio día. "E pobre tío debe estar helado en ese nicho. Tengo que escribirle a mamá diciéndole que su hermano murió. ¿A quién me dirijo primero ahora; al piloto o al viejo? Mejor al piloto. El viejo debe haber conocido al tío."

Yasic inició la aproximación al piloto en la forma más natural.

–Usted es el aviador que llegó hoy, ¿no? Quiero felicitarle por su aterrizaje. Fue perfecto.

–Gracias. Mi nombre es España, Jorge España.

–El mío es Pedro Yasic.

–El mío, Alexander Forbes, del Mariapo, amigo –terció alegremente el viejo.

Cuando se alejó de la cantina, media hora después, Pedro Yasic se sentía tranquilo. No se había hablado de nada que pudiera despertar la menor sospecha. El viejo Forbes le había mirado intensamente y luego había dicho: "Caramba, me recuerda a alguien"; lo cual hizo temer a Yasic. Pero si Forbes había conocido al tío, no lo relacionó con él. Por último, Yasic se iba sabiendo todo lo que podía interesarle sobre el avión y los pilotos, y además míster Forbes le había invitado a visitarle en su casa del Mariapo tres días después, es decir, el domingo. Abandonó, pues, la cantina con tranquilidad y dejó allí a Valenzuela, a quien dos lavadores de oro habían invitado a beber. Una hora después, estaba hablando con los indios.

Eran tres indios llevados del Altiplano, que desfiguraban el español al hablarlo, sonreían sin motivo aparente y simulaban comprender sólo una parte de lo que se les decía. Sus ropas de clima frío les hacían sudar en el calor de la zona selvática, y el sudor despedía un olor agrio. Oían atentamente, respondían a todo que sí y no comprendían por qué su patrón les daba comida y no los hacía trabajar. Eso era completamente novedoso en sus vidas.

Pedro Yasic les entregó chalona –carnero deshidratado en las nieves–, maíz y papas que ellos recibieron con demostraciones de alegría, y les preguntó con quién habían hablado; si le habían dicho a alguien quién era su patrón, si sabían por qué él los había llevado a Tipuani. Era el método que había adoptado desde el primer momento: repetirles hasta el cansancio que no debían charlar sobre él, que nadie debía saber por qué estaban ahí.

–No patrón –decía el más viejo.

–No patrón –repetían a coro los otros dos.

–Pues bien, ahora fíjense en lo que voy a decirles. Voy a darles dinero para que compren herramientas. Vamos a comenzar a trabajar pronto y hay que comprar las herramientas. ¿Saben lo que es una piocha, un hierro para hacer hoyo?

–Sí patrón, para hacer hoyos.

–¿Saben lo que es una pala para sacar la tierra?

–Sí patrón, para sacar la tierra.

–¿Saben lo que es un cuchillo, lo que es un machete?

–Sí patrón, cuchillo, machete.

Iba a preguntarles si sabían lo que era una batea de lavar oro y un cedazo, pero se contuvo. No convenía que los vieran comprando esos artefactos. En la casa de Valenzuela había batea y cedazo. De alguna manera se las arreglaría él para usarlos sin despertar las sospechas de Valenzuela o de su hija.

–Bien, pues ahora mismo se van a comprar dos piochas, tú una y tú otra. No vayan juntos. Primero vas tú, después tú.

–Sí patrón, él primero, yo después. Éste no va.

–Sí, éste va, pero comprará una pala, un machete y un cuchillo.

El de más edad habló con el tercero en su lengua. Yasic no entendía esa lengua, pero comprendió que el indio le repetía al otro el encargo: una pala, un machete y un cuchillo. Tal vez, además, le estaba diciendo que por fin ya podían estar tranquilos, pues iban a trabajar.

–Cuando compren todo se van a hacer su comida y a dormir. Ustedes siguen durmiendo en la casa del indio amigo de ustedes, ¿no?

–En la casa del amigo, patrón.

–¿Y no le han dicho nada a él? ¿Él no les ha preguntado por qué están aquí?

–En lengua de indios no se hacen preguntas, patrón.

–Bien. Pues se van a dormir allá. No tomen cachaza[1] hoy, ni una gota de cachaza. Si toman cachaza no tendrán trabajo conmigo y se quedarán aquí en Tipuani sin un peso para volver a La Paz.

–No cachaza, patrón.

–Mañana tendrán cachaza. Yo mismo les llevaré una botella mañana.

–Mañana cachaza, patrón.

–Ahora compran las herramientas y se van a comer y a dormir. Pero mañana se levantan antes de que salga el sol, ¿entienden? Y se van derecho por esta orilla del río –y Yasic señalaba hacia la ribera derecha– hasta una piedra grande, más grande que yo, que está a dos horas de aquí. Es una piedra grande a dos horas de camino, ¿han oído?

–Oído patrón. Una piedra grande allá –y el indio señaló hacia la dirección que Pedro había marcado con su mano.

–Sí, allá. Me esperan ahí, al lado de la piedra, con las piochas, la pala, el machete, el cuchillo.

–Esperamos allá, patrón.

–Bueno, adiós.

---

[1] N. del E.: Aguardiente de melaza de caña.

Se fueron, y Pedro se dirigió a comprar algo más de chalona, de maíz y de papas, una botella de cachaza y una olla de barro, por si era necesario quedarse todo el día en la orilla del río y comer allí.

Se acercaba la hora de actuar. Le esperaba un trabajo tenaz y cuidadoso. "El menor error, y me lleva el demonio. Si voy dejando las cosas para mañana se me acaba el dinero. ¿Cómo haré para aprender a usar la batea sin que Valenzuela se dé cuenta?". Iba a paso lento hacia la casucha, sin que él mismo supiera cómo daba con el camino entre los callejones del cerro.

Sara estaba adentro y cantaba. Pedro no quiso interrumpirla. A él no le interesaba la música en forma especial, y mucho menos el canto, pero Sara tenía una voz aguda y tierna, y además, cantaba una vieja cueca chilena que Pedro había oído en sus años juveniles. Como la sombra de un pájaro sobre las aguas de un río que se mueve sin cesar a la luz de la mañana, la cueca fue haciendo brotar en su imaginación el recuerdo de Puerto Monte, los botes de pescadores que retornaban al amanecer, el gigantesco mar verdegrís, una niebla ligera, los días de lluvia vistos desde los muelles, la época en que se escapó para irse a Yugoslavia sin darles a los padres la menor idea de lo que iba a hacer. "Tengo que escribirle a mamá diciéndole que su hermano murió." Entró. Al oír pasos, Sara dejó de cantar.

Preguntó:

–¿Eres tú, papá?

–No, soy yo, Pedro –explicó él.

Ella apareció entonces en la puerta de su habitación –que compartía con el padre–; estaba limpiamente vestida y sonreía.

–¿Dónde dejó a papá?

–En la cantina, con unos amigos.

–Habrá comido algo allá, porque es tarde. ¿Comió usted?

–Sí –mintió Yasic.

Sara volvió a entrar. Sin duda él había llegado cuando ella estaba arreglando algo en su cuartucho, y de seguro iba a terminar su quehacer; pero Yasic no quería perder tiempo.

–Mire, Sara, tengo un capricho –dijo–. Quisiera aprender a usar la batea.

Desde la otra habitación, Sara comentó:

–Pero no me diga que va a dedicarse a lavar oro.

–¿Quién, yo? No me haga reír. Ése es un negocio malo y yo no hago negocios malos. Pero imagínese la sorpresa de mis amigos de Santiago cuando yo les explique cómo se lava oro en batea.

Ella volvió a asomarse. Le miraba con seriedad.

–¿Piensa volver pronto a Chile?

–Claro. Tal vez el mes que viene.

Sara bajó la cabeza y tornó a desaparecer en su habitación. Tardó rato en hablar, y al hacerlo su voz tenía otro tono.

–¿Cuándo quiere aprender?

–Hoy mismo, si usted me enseña.

–Bueno, espere que termine lo que estoy haciendo.

La lección fue en la propia habitación que ocupaba Pedro, un cuartucho minúsculo, el único que tenía puerta a la calle. Sara cogió tierra de la calleja, la echó en la batea y luego vació en ella un jarro de agua, de manera que la batea quedó a medio llenar; después comenzó a moverla en semicírculos y al mismo tiempo de alante hacia atrás.

–¿Ve? Se hace así. Ahora coja usted la batea y haga igual.

En cuclillas, Pedro trató de hacer lo mismo que la muchacha. Pero a los cinco minutos Sara tuvo que cogerle las muñecas para enseñarlo a dominar los movimientos, a mantener el ritmo y la serenidad en el eje horizontal del movimiento. Al sentirse cerca del hombre, a Sara comenzó a hacérsele la respiración fatigosa y sonora. Pedro se dio cuenta de lo que sucedía y trató de no mirar a la joven. Sabía lo que Sara estaba sintiendo, sabía también todo lo que podía pasar si él se daba por enterado, y no quería complicaciones en su vida.

También Sara se sentía embarazada y molesta. Soltó las manos del hombre y exclamó:

–Mire que usted es torpe. Le he dicho que así...

Estaba roja, con los ojos brillantes. Se había agachado para ayudar a Pedro y los nacimientos de los senos le desbordaban del vestido.

En eso se oyeron pasos que se acercaban, luego una mano que golpeaba en la casucha, a pesar de que la puerta estaba abierta, y una voz que decía:

–¡Sara, Valenzuela está llorando!

Sara se incorporó de un salto. Su rostro cambió tanto que parecía el de otra mujer. Rápidamente, con visible ansiedad, salió a la puerta.

–¡Ay, mi pobre papá está llorando! ¿Dónde está?

–Frente a la casa de don Gregorio.

Y sin tomar en cuenta ni a Pedro Yasic ni al que le daba la noticia la muchacha salió corriendo, loca de amor filial y de sufrimiento, y mientras corría la brisa le batía la falda.

II

La primera señal apareció –tal como había dicho el moribundo– a tres horas de marcha después de pasar la gran piedra gris. Era una colina cortada por el río, desde cuyas orillas podía verse un lado amarillento, y estaba a mil quinientos metros de Tipuani. La vegetación entre ella y el río era escasa; el suelo, a trechos cenagoso y a trechos pedregoso.

Aunque la descripción había sido tan ajustada que no podía haber error, al ver la colina Pedro Yasic se sintió tan nervioso como si no creyera en lo que estaba viendo. Hasta ese momento había vivido, desde que enterró al tío en La Paz, en un permanente vaivén de sentimientos: unas veces se decía que en la hora de su muerte el viejo pudo haber soñado todo lo que habló; otras veces recordaba la extrema minuciosidad con que daba los detalles de su secreto y pensaba que ninguno de esos detalles podía ser inventado. Ahora la situación era distinta. Ahora estaba ahí, en el terreno, dispuesto a comprobar todo lo que había oído; y la primera comprobación indicaba que el muerto no había inventado.

Pero Yasic se puso a estudiar el lugar. Sin duda que la extensión baja que se veía a lado y lado del río fue en otra época cauce del Tipuani. Podían verse, aquí y allá, las piedras que formaron el lecho quién sabe cuántos miles de años antes; esas piedras sobresalían ahora algunas pulgadas de la tierra, mostrando sus lomos grises entre la yerba rasante. Lo que le resultaba extraño a Yasic era que antes que su tío nadie hubiera notado la relación entre ellas y el Tipuani. Por entre la respiración fatigosa y sonora del moribundo, el tío lo había dicho varias veces –todo lo que dijo fue así, repetido sin cesar–: "Está tan a la vista, Pedro, que nadie lo había visto". Y el tío parecía haber tenido razón.

Yasic ordenó a los indios caminar hacia el río. Era peligroso andar por entre los yerbajos y las piedras sin protección, porque en la zona abundaban las culebras venenosas. Pedro llevaba botas de cuero hasta media pierna, como las de paracaidistas, pero los indios sólo usaban sandalias y los pantalones les llegaban nada más hasta las rodillas, de manera que tenían las piernas desnudas. Sin embargo nada ocurrió.

A quinientos metros del río Yasic ordenó parar. Allí había un claro de arena y pedruscos que a ojos de buen cubero tendría unos cinco mil metros cuadrados. Exactamente ahí debía hacer la primera prueba, según las instrucciones del difunto.

En ese momento veía con toda nitidez la cara del tío en aquella penumbra de su habitación en La Paz, la cabeza sin fuerzas caída sobre la almohada, el poco pelo blanco, los ojos entrecerrados; y aquella voz casi de otro mundo repitiendo: "En ese claro debes hollar; ahí, no en otro sitio. ¿Me oyes? En ese claro. Si te equivocas, lo perdemos todo, Pedro; lo perdemos todo". "Lo perdemos todo" como si a él fuera a tocarle algo.

Los tres indios podían estar mirándole, observándole, estudiándole; pero jamás sospecharían la tormenta que había en su alma. Ahí estaba él, en apariencia más tranquilo que nunca, de pie bajo el sol, mirando indistintamente hacia la colina, hacia el río o hacia la Cordillera, cuyas moles nevadas se adivinaban hacia el oeste, perdidas entre nubes. "Bueno, hay que empezar", pensó.

–¡Aquí! –ordenó de pronto, con voz dura.

Los indios corrieron a su lado.

–Hagan un hoyo aquí, grande, que quepan dos hombres.

Los indios se pusieron a trabajar con seriedad, pero sin prisa. Al principio las piedras estorbaban y debían sacarlas a mano, una a una. La tierra era gris, debido a la mezcla de arena, pero no tardó en aparecer tierra más negra con menos piedras y casi ninguna arena; y al fin, en el espesor de un pie, tierra sin arena y con algunas piedras pequeñas. En toda la profundidad calaba el agua, de manera que la tierra era pegajosa. Pedro Yasic vigilaba el trabajo, unas veces de pie y otras en cuclillas; cogía tierra y piedras y las estudiaba. A simple vista se veía que las piedras pequeñas habían sido pulidas por un largo rodamiento o por alguna corriente de agua, y eran más lisas cuanto más hondo estaban y más pequeñas se hacían.

El trabajo no era fácil, dado el diámetro del hoyo, razón por la cual marchaba con lentitud. Serían las once cuando comenzó a aparecer una arenisca muy ligera y luego rastros de barro amarillento. Yasic comenzó a preocuparse. Si aparecía una capa de arcilla, había perdido su tiempo y debía comenzar una nueva prueba en otro sitio o volver a estudiar el hoyo con cuidado porque tal vez hubiera pasado sin darse cuenta de la capa que guardaba el metal.

Fue necesario darle más diámetro al hoyo para palear con cierta libertad. Los indios trabajaban con regularidad, sin detenerse y sin apresurarse. Cada quince o veinte minutos, Yasic los hacía alternarse: el que estaba arriba con la pala esperando que el del pico hollara, bajaba a palear mientras el del hoyo subía y entregaba la piocha al que estaba libre.

Inesperadamente, a poco de pasado medio día, desaparecieron los rastros de arcilla y por entre la arena, más gruesa cada vez, se veían piedras de mayor tamaño que las últimas. Pedro Yasic había estado esperando precisamente eso, y sin embargo se asustó.

–¡Paren! –gritó.

Los tres indios le miraron con asombro. En ese momento había dos arriba y uno en el hoyo, y sin duda ellos también esperaban algo puesto que miraban a Yasic en forma extraña.

–Hagan comida –dijo Pedro con voz natural.

Los indios cambiaron miradas misteriosas, casi sonrientes. Pedro los observaba. Le parecía rara la conducta de esos indios. No había en ellos nada definido, pero él notaba que algo los unía contra él, algo sutil e indescriptible. Ellos seguían sonriendo, y –cosa extrema– no mostraban los dientes y ni siquiera movían los labios; tal vez sonreían con los ojos, con el alma, como si se burlaran o como si tuvieran un plan que ni aun con palabras podía explicarse.

Llenos de tierra, sudorosos, esparciendo su agrio olor, los indios se movían preparando fuego para hacer comida. Pedro los oía hablar en su lengua y adivinaba que se referían a él. ¿Estaban haciendo comentarios serios o jocosos? ¿Estaban haciendo chistes a costa suya o de alguno de los amigos que habían dejado en La Paz o en sus aldeas de origen? ¿Qué ocurría? ¿Y si estaban tramando algo, una agresión?

Yasic se hallaba confundido. Él conocía a los hombres; les veía el alma de un golpe y casi desde que comenzaba a tratar a uno de ellos sabía cuál era su punto débil y cuál su punto fuerte, sabía quién era bueno y quién era malo, quién de fiar y quién no. Esos indios habían tenido desde que los conoció caras nobles: miraban de frente, hablaban con naturalidad, no se mostraban serviles. ¿Qué les sucedía, pues?

De súbito, tomó una resolución.

–Cuando terminen de comer se van, ¿entienden?

–Sí patrón, ellos entienden –dijo el mayor.

–¿Y tú, no entiendes tú?

–Sí, patrón, yo entiendo.

Entonces el que hablaba se volvió a sus compañeros y les dijo algo en quechua. Los otros oyeron con gravedad y después hablaron sin atropellarse. Volvió a hablar el mayor y volvieron los compañeros a responderle. Al fin el primero se dirigió a Yasic.

–Patrón, no se vaya. Mucho oro aquí.

Pedro se asustó. ¿Qué había pasado? ¿Había uno de esos indios visto alguna pepita, algún rastro de oro en el hoyo? De ser así, ¿quién podía evitar que esa misma tarde, de vuelta al cerro, se embriagaran y contaran al amigo en cuya choza vivían que su patrón, él, Pedro Yasic, estaba en Tipuani buscando oro y que había hallado un lugar rico en el metal? Y si sucedía así, ¿quién se quedaría sin saber la noticia en pocas horas?

El momento era duro para Yasic. Pero como los tenores de amplio registro que dominan su voz en todas las circunstancias Yasic dominaba sus emociones como un maestro. Mirando al indio con piedad, le sonrió en forma benevolente.

–No –dijo en voz natural, más bien baja–. Están equivocados. No hay oro aquí. Yo sé mucho de oro. Si hubiese oro ¿creen que dejaría el hoyo sin terminar?

–No, patrón –admitió el indio.

–No quiero que sigamos cavando porque perdemos tiempo.

–Sí, patrón, perdemos tiempo.

–Tengo que estudiar mejor este sitio para que otra vez no nos equivoquemos y vayamos al seguro, ¿entienden?

–Sí, patrón, ellos entienden, yo entiendo.

Yasic decidió que era mejor no seguir por ese camino. Los dos indios que habían permanecido callados mientras el mayor hablaba doblaban la cabeza a cada frase, en señal de que aceptaban lo que decía Pedro. Pero él sabía que si lo aceptaban, no lo creían. No estaba convenciéndoles ni los convencería jamás. Ellos decían que sí, pero le miraban con ojos burlones. Pedro Yasic se sentía incómodo. "Tengo que variar de táctica", se dijo. Miraba de frente a los indios y estudiaba una salida airosa. Había que hacer una concesión, la menor posible, si quería que le fueran leales; pues si ellos se iban de ahí con la idea de que él pretendía engañarlos, se sentirían en libertad para ser ellos quienes engañaran primero.

–Lo que les pasa a ustedes es que han visto aquí señales de que hay oro –dijo.

–Sí, patrón, señales.

Volvieron los indios a mirarse entre sí, pero sonriendo, distinto. Se les veía aliviados de algún peso.

–Así es –afirmó Yasic–. Hay señales. Creo que estamos cerca del oro. Cuando volvamos picaremos más hacia allá –y señaló el oeste.

–Hay oro allá, patrón –dijo el indio más viejo.

Sus rostros habían vuelto a ser claros y francos. Sonreían y cambiaban frases en su lengua. Sin duda estaban diciéndose unos a otros que Pedro Yasic era hombre sabio y serio, que no pensaba engañarles haciéndoles trabajar como si en vez de personas conscientes fueran bestias que no sabían lo que hacían. Yasic no entendía las palabras, pero se daba cuenta de lo que hablaban. Lo adivinaba. Insistió:

–Iremos allá, pero no hoy. Si vamos hoy se hace tarde.

–Sí, patrón, tarde.

–Vámonos, entonces. Dejen las herramientas en el hoyo. Uno de ustedes que vaya a cortar ramas para tapar el hoyo.

La comida estaba lista ya. Se trataba de maíz, papas y chalona hervidos, y nada más. Dos indios se dedicaron a comer mientras el tercero cortaba ramas. Media hora más tarde estaban listos para irse.

–Ahora –dijo Yasic– se van ustedes alante y no hablen con nadie; no le digan a nadie lo que hemos hecho. Yo me voy después.

–Sí, patrón, nosotros primeros, el patrón después.

–Y me esperan mañana para darles comida y cachaza.

–El patrón dijo que traía cachaza.

–Hoy no puede ser. Si toman cachaza hoy, van a hablar y a contar lo que hemos hecho.

–No, patrón, nosotros no decir nada, patrón.

Yasic tenía allí la botella de cachaza; la había llevado con él, pero quería que los indios se la pidieran hasta que pareciera que él la entregaba bajo presión. Había resuelto discutirles la botella para que al fin ellos creyeran que él les hacía una concesión de gran valor, y de esa manera no se irían pensando que él les daba la cachaza a cambio de que no hablaran.

Se fueron al fin los indios, alegres como niños premiados con un juguete de alto precio, y Pedro Yasic buscó una sombra protectora que lo guareciera del sol. Allí estuvo esperando hasta que pasó media hora, pasaron cuarenta minutos, pasó todo el tiempo que consideró necesario para estar seguro de que los indios no le verían.

La hora decisiva había llegado; había llegado el momento de comprobar sin testigos si el viejo tío había dicho o no la verdad. Su rostro se endureció, su mirada se tornó aguda y penetrante, las manos le ardían y el corazón parecía querer salírsele del pecho. Sabía que si se tocaba la cara la sentiría caliente como si hubiera tenido fiebre. Al fin, se puso de pie y avanzó hacia el hoyo.

Metido en él, ayudándose con la pala, esforzándose en no dejar que la ansiedad le estorbara, pero abandonado a la inquietud –puesto que estaba solo y no tenía que disimular–, Pedro Yasic comenzó a remover las piedras del fondo. Eran piedras pequeñas; la mayor no pasaba del tamaño de medio puño. Se veían húmedas y tenían color gris negro. Iba desprendiéndolas de su lecho y lanzándolas fuera del hoyo. En el vasto silencio que parecía caer como metal sobre toda aquella extensión, las piedras hacían un ruido sordo al caer en la tierra y la arena amontonada en la boca del hoyo, pero alguna rodaba y dejaba tras sí un sonido metálico.

En pocos minutos Yasic descubrió una capa de arena casi negra rica en piedrecillas del tamaño de un grano de maíz. "Aquí debe ser", pensó. Entonces cogió la pala y paleó hacia afuera, cuidándose –nunca hubiera podido decir debido a qué– de que la arena mojada quedara bien colocada al borde del hoyo. Cuando dio cuatro paleadas, salió.

Debían ser poco más de las dos de la tarde. Si trabajaba con buen ritmo y con suerte, podía estar en la casa al atardecer y nadie se daría cuenta de la importancia que había tenido su salida. Diría que había estado dando vueltas por los alrededores y que no había sentido hambre.

Cuidadosamente, llenó la batea, volvió a meter las piochas, la pala y el machete en el hoyo, tapó éste con las ramas –cuyas hojas iban mareándose ya–, y se puso de pie para observar las cercanías. Sabía que no había gente por allí, porque la aridez de la zona no la hacía propicia para la siembra de viandas ni para la cría de reses, pero no estaba de más asegurarse. Esperó un rato, cogió la batea y tomó el camino del río. Exactamente frente a él había algunos arbustos que cubrirían su presencia de quien pudiera pasar por la orilla donde se hallaba, y del lado opuesto, unos cuantos árboles frondosos daban sombra al río.

Al llegar al agua, Pedro Yasic buscó unas cuantas piedras en las cuales afirmar los pies; luego se puso en cuclillas y fue metiendo la batea en el río y moviéndola con ritmo acompasado, de derecha a izquierda y de izquierda a derecha, una vez y otra vez, y al mismo tiempo la movía hacia alante y hacia atrás, tal como le había enseñado Sara Valenzuela la tarde anterior. Los movimientos eran suaves y sin embargo seguros. El agua iba penetrando en la batea y en cada uno de los vaivenes de alante hacia atrás se llevaba la tierra que estaba sobre la arena. Más liviana que la arena, la tierra tendía a subir.

Pero también tendían a subir las piedrecillas, lo cual se explica porque aunque tenían más volumen aparente, en realidad pesaban menos que el mismo volumen de arena. Yasic iba tomando con las puntas de los dedos esas piedrecillas y las tiraba al agua.

Pasaron cinco minutos, seis minutos, siete minutos. De manera casi imperceptible, el contenido de la batea iba disminuyendo. El agua penetraba en pequeñas cantidades, golpeando la batea con un ritmo que a Pedro le parecía natural y no obra del movimiento con que él impulsaba el recipiente. De rato en rato, además de ese leve golpear se oía la caída de una pequeña rama seca o el vuelo de aves que pasaban por encima.

El lugar era fresco y exhalaba una paz tan absoluta que todo lo que rodeaba a Yasic parecía hallarse en trance de sueño. Pero él no lo notaba.

Pues Pedro Yasic sólo tenía atención para su trabajo. Puede decirse, sin exagerar, que estaba poniendo en ese trabajo su vida entera, toda la atención, todo el cuidado, toda la vigilancia de que era capaz. No quería hacerse ilusiones y no quería adelantarse a los hechos. Actuaba, pero no soñaba; y actuaba con una intensidad difícil de describir. Con la vista fija en la batea, usaba la imaginación como una balanza para pesar cada pequeña cantidad de tierra que escapaba hacia el río a cada movimiento de la batea. Por momentos era más el agua que entraba y menos la arena que había en el fondo. Dentro de la batea el agua se ponía turbia. Cinco minutos más, y la arena no alcanzaba a llenar un tercio del recipiente.

De golpe, Pedro Yasic creyó ver un resplandor rojizo pegado a la pared interior de la batea. ¿De qué se trataba? ¿Era ese brillo el del oro pulverizado, de un polvo tan fino que el tacto no podía apreciarlo? Hasta ahí, todo había sido hecho según las instrucciones recibidas, primero las de su tío acerca del lugar, después las de Sara sobre cómo manejar la batea. Pero él nunca había visto lavar oro y no sabía distinguir el polvo de oro de un metal parecido.

Pedro Yasic dudó de nuevo. El viejo miedo al fracaso se adueñó de él en forma absoluta, y sacó la batea del agua. Pero al instante se sintió incómodo y reaccionó ordenándose a sí mismo ignorar ese brillo rojizo. No quería soñar. Se prohibía soñar. Soñar era una debilidad imperdonable. Eso que él veía no era oro ni nada parecido. De súbito le volvió aquel calor interior que parecía obedecer a sus órdenes, un calor que le venía de las entrañas y lo hacía colérico. En un segundo, era el Pedro Yasic duro y resuelto; y siguió su tarea como si se tratara de un trabajo común que no tenía importancia en su vida.

Ya no quedaban en la batea ni piedras pequeñas ni arena gruesa. Ahora, la arena fina y la tierra habían ido a parar al fondo cónico en que terminan las bateas de lavar oro. En ese fondo podía haber dos pulgadas de ambas materias confundidas; y el oro, si lo había, debía hallarse en la parte de abajo, puesto que siendo más pesado que la arena y la tierra, el continuo movimiento y el arrastre del agua lo iban llevando al fondo.

Pero para que el oro se hubiera amontonado en ese fondo era necesario que el manejo de la batea fuera correcto, ¿y lo había sido? ¿Podía Pedro Yasic asegurarlo?

El creía que sí, pero a la vez dudaba del resultado. Si allí no había oro, podía deberse a que no hubiera oro en el lugar o a que él no movió bien la batea. Algún punto de su alma se había negado a obedecer la orden de mantenerse ajeno a su ansiedad, y el resultado podía ser angustioso. En el momento final, Yasic no se atrevió a limpiar el fondo de la batea de la arena y la tierra que tenía. Temía que al hacerlo no hubiera nada de oro en el fondo.

Pero tampoco dejó de actuar. Durante un minuto mantuvo la batea ladeada para que saliera la última gota de agua; después la puso en la orilla del río, donde le diera el sol, y por fin se apartó y se quedó vigilándola con una fijeza sobrenatural como si se tratara de un animal peligroso que podía atacarle en forma inesperada.

¿Había o no había oro en ese fondo de la batea? Y de haberlo, ¿era mucho, sería suficiente para satisfacer su ambición y justificar los riesgos que estaba dispuesto a correr? El secreto de su tío, ¿tenía el valor que le había dado el anciano?

Ahí estaban Pedro Yasic y la respuesta que acabaría con sus dudas, uno junto a la otra, a sólo dos metros de distancia. Si en la batea había oro en la cantidad que había creído el tío, el porvenir era suyo; serían suyos la riqueza y el poder. Tendría que jugarse la vida para llevarse el oro. Lo sabía; sabía que se hallaba en una trampa y que tendría que salir de ella o morir. Pero estaba dispuesto a morir luchando.

A dos pasos estaba la batea secándose al sol. Pedro Yasic la miraba; clavaba en ella una mirada dura, la mirada penetrante y ardiente que muy poca gente le había conocido; la mirada verdaderamente suya, en la que no había disimulos. Viendo ese objeto tan cerca, Pedro Yasic sentía que la sangre le bullía. Algo le impedía actuar, algo que estaba dentro de él, no afuera, y eso le enardecía.

Tenía miedo de coger la batea, apartar la arena con tierra y no hallar allí oro.

De pie, los brazos cruzados sobre el pecho, Pedro Yasic pretendía dominarse y se decía a sí mismo: “Debo esperar. No está seca todavía”. Sin embargo, nadie le había dicho que ese fondo de arena y tierra tenía que secarse. Él, y sólo él, había resuelto hacerlo, tal vez sin darse cuenta de que al hacerlo esperaba ganar tiempo para calmar su ansiedad. Pero lo cierto es que no pudo contenerse. Esa ansiedad estalló al fin, arrolló su dominio interior, y Pedro avanzó sobre la batea; la tomó en las manos y comenzó a revolver la arenilla del fondo.

En ese momento, al otro lado del río, frente a él, en los árboles que daban sombra al Tipuani, reventó una algarabía de pájaros.

LEYENDAS

(TRES LEYENDAS INDÍGENAS)

LA CIGUAPA

Guasiba: tu paso onduloso, tus piernas duras y cobrizas, tus manos oscuras, tus brazos llenos, tu pecho alzado, tus hombros rectos y sólidos, tu cuello recio; Guasiba: tu piel brillante varda como la yagua seca, tu boca en relieve, tus dientes apretados, tu nariz curva y audaz, tus cejas negras y lisas, tu frente estrecha, tu pelo negro que robaba luz, tus ojos pequeños, bravos y precisos; Guasiba; el óvalo largo de tu cara, la curva violenta de tu barbilla, tus pómulos altos, tus orejas redondeadas como el guanicán: ¿sabes dónde están ahora, Guasiba? Se fue comiendo todo eso la tierra húmeda y voraz, la negra tierra que orilla el Guaiguí. Yo sé dónde, Guasiba: bajo una piedra grande. Mucho tiempo ha estado cantando a tu vera el río que desciende al sao, mucho, bello Macorix. Durante todo él no se ha cansado la tierra de morderte. Tú debes haberlo visto desde Coaibai, Macorix, Guasiba.

* * *

En los haitises y en los saos de tierra adentro sopla el mara; por Higüey, venido de Adamanay, el huracán. El huracán, antes de que las lomas se llamaran Macorix, trajo otra gente: firmes los hombros, fieros en el mirar, audaces; la frente se les alargaba en una pluma de guaraguao.

Anaó, Anaó la callada, Anaó flor de montañas, fue despierta a la creación una mañana, orillas del Jaiguá. El caribe que la hizo suya tenía raras figuras pintadas con bija sobre el pecho duro.

Fue después de haber salido nueve veces Nonun cuando el bohío de Anaó tuvo visita: de nariz curva y corta como el caribe, ojos negros y bravos como el caribe, pequeñito todo lo más posible Guasiba llenó la barbacoa en el bohío de Anaó.

* * *

Guasiba: niñito tú, ya eras odiado. Te veían mal porque tu padre era de una raza conquistadora; porque tenías en los ojos un brillo imponente; porque Anaó, tu madre, la flor más preciada en todos los saos y en todos los haitises que bañan el Jaiguá, el Cuaba, el Jima, el Xenobí y el Bija, no quiso, después de tu nacimiento, llevar su carne en ofrenda al bohío de otro taíno. El padre Yuna, Guasiba, tan lento, tan majestuoso, tan hermoso, pasaba por Jaguá nada más que para sentir los ojos de tu madre Anaó retratados en sus aguas; las anas sentían envidia de ella, de su sonrisa lenta y brillante, de su olor sano y grato; la cana gallarda no tenía tanta realeza como el talle de Anaó tu madre, Guasiba. El caimoní[1] que come sol y sangre, asomado al río, no era tan rojo como los labios de Anaó. ¿Comprendes ahora por qué te odiaban los taínos, Corazón de Piedra?

Aquí en Maguá no: vivo tú, te quisimos; muerto hoy, te recordamos con agrado.

En toda la llanura de Maguá no encontrarás a Mabuya, Guasiba.

* * *

Con una voz fina y alegre, tan alegre como el trino del yaúbabayael, cantaba sus areítos Anaó, la taína de Jaguá.

"En tierras de Maguá –decía su canto– vive la ciguapa bella y olorosa, la ciguapa de cabellos negros y brillantes, la ciguapa que camina de noche y tiene los pies al revés".

"De noche sale –seguía el areíto–. De noche, cuando los cocuyos iluminan el bosque. Es bajita y se cubre con sus cabellos. Vive en los árboles, en el jobo, en el guanábano bienoliente".

La voz fina y alegre de Anaó se oía todo el día. Cantaba si buscaba digo, si guayaba la yuca para hacer el casabi, si buscaba cipey para alisar el piso del bohío. Siempre cantaba la taína Anaó.

---

[1] N. del E.: *Wallenia laurifolia* (Jacq). Familia de las milsináceas. Árbol que produce una frutilla roja o violácea de excelente sabor.

Infinidad de veces se iluminó el Jubobaba; años tras años el yaúbabayael sintió envidia de Anaó; día tras día oyó Guasiba el areíto de la ciguapa. Y ya fuerte, cuando iba por los bosques en caza de ciguas o al conuco para buscar el maisí y la yuca, o al río para traer el agua, Guasiba perdía horas ojeando los árboles tras el bulto de la ciguapa que de día dormía y de noche recorría los caminos.

* * *

Yocanitex, el viejo bouhití, juraba haber visto una ciguapa por tierras arijunas.

"Nada –decía– tan blanco como su sonrisa, nada tan oloroso como su cuerpo, nada tan erguido como sus senos."

Y terminaba:

"Yocari Vagua Maocoroti, el bueno y el grande rey de los dioses, dará en premio una tierra nueva e inmensa al que le dé hijos de una ciguapa".

Guasiba, hombre ya, oía y callaba. Se veía camino de Maguá; soñaba de noche con la ciguapa. Ninguna mujer parecía bella a los ojos de Guasiba.

Por aquellos días, cuando Nonun lloraba sobre la tierra, noche a noche, con lágrimas que traspasaban el bosque y se posaban en la hoja seca, se iba a conversar con las cibas menudas de la playa o con la raíz más crecida del mamey. Tanto anduvo solo, tanto pensó, que pareció cambiado. Muchos amaneceres le encontró Guey, la bien cortada cara entre las manos, los codos en las rodillas, la mirada sobre las aguas fugitivas de Jaiguá.

Un día los pies de Guasiba empezaron a pisar otro polvo: hacia acá vino, hacia nuestra hermosa Maguá.

* * *

Macorix Guasiba: bien que se alegraron tus ojos y bien que se ablandó tu tristeza en estas tierras de Maguá.

Maguá es como una sabana grande hasta lo increíble, adornada con esbeltas canas y claros ríos, adornada con toda clase de árboles; Guey y Nonun se riegan por toda la tierra de Maguá sin tropezar lomas; crecen en ella el apazote y el digo para perfumar al viajero. Nuestra tierra te dio guayabas, anonas, pitahayas, yabrumas. ¡Y de más cosas que te hubiera dado Maguá, de más nos hubiéramos sentido contentos, Corazón de Piedra!

Tu piel era más oscura que la mía; a pesar de estar como dormidos tus ojos anunciaban más fuerza y decisión: los músculos de tus piernas eran duros como la madera del capax. Ahora lo recuerdo, Guasiba, ahora.

Anoche Nonum estaba limpia y sola en el turey. Anoche se reunieron los hombres y los niños en el batey para que yo les contara tu historia, Macorix. Guarina, la reina Guarina, con su collar de caona al cuello y la cabeza adornada con anas, vino también a oír tu historia. Ellos quieren que yo los lleve a Guaiguí, que levante la ciba grande que pesa sobre tu cuerpo. Tú debes haberlo oído desde Coaibai, en el País de Soraya.

* * *

Toda la tierra que nos dio Guaguyona conoce tu historia, de Higüey Jaraguá, de Jubobaba a Bainoa, de Guaniba a Samaná.

En las noches oscuras, si llueve y los pequeños tienen miedo, la madre habla así al hijo:

"En Guaiguí está, bajo una gran piedra, el Macorix Guasiba. Vino de tierras lejanas, a través de todo el Maguá, en busca de la olorosa y bella ciguapa".

Todo Maguá piensa en ti; todo Maguá te recuerda. Ya no hay río ni bosque que no haya oído de ti.

"La ciguapa camina de noche –cuenta la madre al hijo– y el Macorix bello y tranquilo caminaba de noche tras ella."

Todo Maguá piensa en ti. Yo he puesto alas de guaraguao a tu historia, Guasiba.

* * *

Oídme ahora: yo cuento así:

Guasiba llegó enfermo, con fuego en la piel y los ojos hinchados, al pie de Guaiguí. Guaiguí está allí cerca, hacia donde Guey duerme todos los días. Allá llegó él, encendido, antes de que los cocuyos alumbraran. Yo puedo señalar el lugar donde él durmió esa noche, pero no me atrevo a ir porque estoy viejo y cansado. Fue sí al tronco de una cuaba, el más hermoso de todos los que coronan el Guaiguí. Del Guaiguí baja cantando el río de igual nombre. Allí, orilla del río, durmió Guasiba. Un amacey echaba hojas sobre las aguas y perfumaba el aire. Guasiba olía el amacey y sentía sueño.

Dos días y dos noches así estuvo, porque el calor del sol no le dio contento, sino cansancio.

Ha pasado ya buen tiempo. El gran Yocari Vagua Maocoroti me enseñó a hablar con los graciosos pájaros. Nadie aprendió antes de mí el lenguaje de las higuacas. Una higuaca fue la que me dijo la historia de Macorix Guasiba, la historia de sus dos últimos días.

Oídla: ella contó así:

Los ojos negros de la ciguapa más bella y más arisca de Maguá vieron, la segunda noche, la sombra del indio. Ella sabía tras qué andaba el Macorix.

Estuvo largo y largo rato contemplándole. Después bajó del amacey, cariñosa y distinta. Al inclinarse sobre el cuerpo del enfermo un gigantesco cocuyo le iluminó el negro cabello. Apenas se alzó un punto de brillo en los ojos de Guasiba.

La ciguapa arisca estaba tierna y admiraba la barbilla atrevida y los músculos duros, más duros que el capax, del Macorix. Pero de los labios encendidos de Guasiba sólo una palabra salía: Anaó.

Mucha agua del río había pasado frente a ellos cuando la ciguapa vivió la verdad: frío como la ciba en la noche, frío hasta dar miedo se hizo el cuerpo del enfermo. Se habían cerrado sus ojos y los labios tenían color de maisí tierno.

Todo esto vio la ciguapa; todo esto vio y lloró.

Los guaraguaos comen carne y quizá vinieran en busca de la de Guasiba. Su opía podía, además, quedar vagando por los caminos tras los vivos, para asustarles de noche.

Con sus propias manos, pequeñas, oscuras y ágiles, cavó la ciguapa el hoyo, orilla del Guaiguí. Guey al levantarse en la mañana, encontró cambiada de sitio la ciba grande, la más grande cerca del arroyo.

Aquel día sintieron las mujeres de Maguá, todas las que viven a lo largo de Guaiguí, después que éste cambia su nombre por Camú, que las aguas con que llenaban los canaris eran saladas. La higuaca me contó que les dieron ese sabor las lágrimas de la más bella y arisca ciguapa que viviera en Maguá.

* * *

Macorix Guasiba la tierra negra y voraz, la tierra húmeda y alta de Guaiguí se ha estado comiendo tu cuerpo recio, tus ojos tristes y bravos a la vez. Quizá Anaó tu madre te espere todavía en su bohío.

Yo digo tu historia en el batey, cuando Nonun alumbra.

Bello y silencioso, el amor te dio vida y muerte. Aún así como estoy, cansado y viejo, siento alegría y orgullo si te recuerdo. Estaba muy joven cuando atravesaste mi tierra, casi tan joven como tú. Pero guardo en la memoria tu cuerpo musculoso, tu paso elástico y tu pelo negro.

En el país de Soraya está Coaybay; descansa en él.

Aquí, donde moramos los hombres, tienes un canto eterno: el del río Guaiguí, que murmura tu nombre.

ATARIBA

No pueden señalarse los años que han transcurrido desde que el último pie humano amasó las tierras del cacique Maucia Tivuel; no es fácil decir cuántos niños han envejecido desde entonces. Pero la historia pasa de ancianos a jóvenes, como las aguas de un río a otro, y a pesar de haberse secado muchos soles, no se ha perdido una palabra de ella.

El viejo Guaoniba, que tiene la piel oscura y llena de arrugas, habla con lengua arrastrada, difícil, débil. Apenas ve el viejo Guaoniba. Le tiemblan las manos resecas, le tiemblan los labios, la cabeza. Pero debe dejar caer la leyenda desde su boca desdentada hasta los serenos oídos de su hijo; y así lo hace.

El hijo del viejo Guaoniba es alto, duro, y está quemado por demasiados días de vida. Sus ojos brillantes acechan la mirada del padre, que tiene la vista sucia y los párpados cargados de diminutas arrugas.

Afuera está Nonun volando. Cruza el turey regando sobre la tierra su vieja luz. El hijo del anciano Guaoniba sale un momento a la puerta para ver en el redondo fuego la cara de la india Atariba.

Sobre las altas jabillas bailan las estrellas. Bailan también las hojas de los árboles.

Guaoniba empieza lentamente a vaciar en los oídos de su hijo la añeja leyenda.

* * *

"Antes de que Maucia Tivuel viniera de remotas tierras en son de conquista, el país era del cacique Niguayona, que heredó de sus abuelos el don de la paz y fue padre de las flores de caona que adornan el turey cuando no llueve. Sus dominios están ahora en manos del conquistador, a quien Yocarí Vagua Maocoroti ha regalado la vida eterna, si sabe cuidar de Jubobaba.

"El país de Maucia Tivuel está hacia Oriente, por donde vienen los macorixes y por donde vinieron nuestros padres. Nunca has de tratar de pisar esas tierras, y procurarás que no caminen hacia ellas tus hijos, ni los hijos de tus hijos, pues no has de ignorar que Yiocavugama, el cemí bienamado, dijo que en esa dirección está la desgracia de nuestra raza. Una vieja maldición asegura que nuestro pueblo no debe volver las pisadas hacia allá. El abismo de la muerte nos tragaría; pero sería una muerte sin límites, puesto que nunca entraríamos en la mansión de Maquetaurie Guayaba, dueño y señor de Soraya, en donde descansan nuestros recordados padres."

El anciano Guaoniba silencia. Está esperando que estas advertencias desciendan hasta el último rincón del corazón de su hijo, quien ha de sucederle en el cuidado de su casa y en quien él debe depositar la suma de experiencia que haya heredado de sus antepasados y recibido de los hombres en su largo caminar por estas tierras de vivos.

"Has de saber –continúa tras un largo silencio que se ha tragado sus anteriores palabras– que cuando Niguayona vino a la carne eran las noches tan oscuras como son ahora en el centro de los bosques. Ni una estrella se encendía en lo alto; no había nacido Nonun y cuando Guey se escondía, la tierra temblaba de miedo, negra más que las miradas de las cuevas.

"Niguayona fue, con el tiempo, joven bien puesto, recio y dulce como siempre lo fue un indio. Los bouhitis hablaron con los dioses y éstos auguraron luz y gloria para Niguayona, en cuyas manos había de caer, algún día, el gobierno de las tierras de sus mayores y el cuidado por la dicha de los suyos. Pero lo que vas a oír sucedió cuando todavía Niguayona era pequeño y no tenía fuerzas para manejar la coa y la macana.

"La niña Atariba, cuyos cabellos negros y largos brillaban siempre como si el fuego los besara continuamente; la niña Atariba, que tenía la mirada honda como los charcos de los ríos; la niña Atariba, que ahogaba las palabras entre dientes blancos y labios rosados, estaba enfermita desde días olvidados. Vinieron los bouhitis, y nada pudieron sobre su quebranto; hablaron los dioses, y ningún remedio señalaron; hizo el cacique la cohoba, y se negaron los cemíes a curarla.

"Niguayona quería a Atariba; la quería como a hermanita, casi con el mismo amor que tú tienes a tus hijos y que yo te tengo. Estando ella en salud y alegre, caminaban por las orillas del río y recogían anas para adornarse. Enferma la niña, Niguayona iba solo y solo venía, lleno de una tristeza grande, como la de los pájaros que van a morir.

"Una mañana, cerca del río, Niguayona sintió que algo se le posaba en el hombro; volvió la cara asustado y vio una higuaca.

–En dirección de Jubobaba encontrarás caimoní. Con él curará Atariba –dijo el ave.

"La higuaca movió noblemente las alas, saltó entre las ramas de una jabilla y se perdió en las hojas.

"Niguayona tomó el camino del poblado. Corría mucho, mucho más que las jutías; más que el mara.

* * *

"Toda la gente del lugar acompañó a Niaguayona hasta cerca del bosque. El cacique iba con él, y también iban los bouhitis. Sus padres lloraban porque Niguayona era muy niño y todavía no conocía la soledad de la selva. Pero Niguayona entró en ella sonreído, dijo adiós a todo el mundo, y empezó a caminar en dirección de la salida de Guey hacia Oriente, hacia Jubobaba.

"Iba a buscar el caimoní para curar a Atariba, y como el poblado entero tuvo noticias de lo que la higuaca había dicho, el poblado entero quiso despedirle para darle fuerzas. Cuando Niguayona se diluyó en la negrura del bosque, los bouhitis imploraron a los dioses por su temprano retorno.

"Niguayona anduvo todo el día y a la caída de la noche durmió sobre hojas secas. Nadie le hubiera visto, porque las hojas tenían el color de su piel. A la vuelta de Guey anudó su caminata con la anterior; y así estuvo hasta la caída de la tarde. Tenía hambre y sentía las piernas como cibas. La segunda noche durmió en el tronco de una baitoa. Antes suplicó:

–Yocari Vagua Maocoroti, Supremo Rey de los Dioses, haz que encuentre caimoní pronto, antes de que muera Atariba.

"Despertó cuando el día azuleaba, débil y con los ojos llenos de fuego. Anduvo, anduvo. A media mañana encontró un árbol de anonas.

–¡Oh! –dijo–. He aquí una anona.

"Era verdaderamente raro, ya que sólo una había y ya que no eran aquellos los días en que la fruta asciende desde el corazón del árbol hasta las puntas de los cogollos. Era grande, amarilla como la caona, y parecía madura.

–La tumbaré –pensó Niguayona– y si no encuentro caimoní la llevaré a Atariba, que tal vez con ella cure.

"Gateó por el tronco, gateó por las ramas y volvió al suelo con la fruta en sus manos.

* * *

"Antes de que naciera la tercera noche, Niguayona debió cortar su camino: un río grande, más que el padre Yuna, más que el padre Yaqui, más que el padre Higuamo, que tú no conoces, y más que el padre Ozama, que tampoco conoces; un río inmensamente grande, bañaba la tierra allí, frente a Niguayona.

"El niño veía a los pájaros alegres y delicados que venían atormentados por el sueño; el niño veía que la luz se escondía bajo las raíces de los árboles. Niguayona se entristeció, pensando en Atariba, y las lágrimas le salieron de los ojos, al principio con lentitud, después en torrentes, como las aguas que salen de los cerros.

"Los pájaros que venían atormentados por el sueño revolotearon sobre Niguayona y se le acercaron.

–La noche llega; yo no podré seguir en busca del caimoní y la niña Atariba morirá –explicó él a la muda solicitud de las aves.

"Pero Niguayona quedó frío de asombro al oír una voz que proseguía a la suya:

–Yo subiré al cielo para alumbrarte de noche, Niguayona.

"Era la anona. El niño no entendía aquello.

–¿Cómo? –preguntó.

"Pero la fruta, sin contestarle, empezó a levantarse majestuosamente sobre la tierra; se iba, se iba. Ya estaba más alta que los árboles; y seguía ascendiendo. Cuanto más subía, más grande parecía. Una claridad azul y agradable iba cayendo sobre el bosque. La anona parecía ya una torta de cazabe. Su luz era más intensa y más dulce mientras más lejos parecía estar.

"Niguayona lloraba de alegría.

–¡Oh, padre río, padre río! –dijo–: déjame pasar, que debo encontrar caimoní para la niña Atariba.

–¡No! –dijo el río con un vozarrón que asustaba–. Con esta luz podemos encontrarle en mis orillas. Súbete en mi lomo; yo te llevaré.

"El niño pensó que estaba soñando. Pero subió en el lomo del río y vio cómo los árboles de las orillas se quedaban atrás, atrás, atrás. Iba sobre las aguas, como una hojita seca, y cruzaba chorreras, charcos hondos, recodos y revueltas. Siempre estaba a su lado la anona, como si hubiera caído en el río sin dejar de estar en el turey.

"A mucho andar habló el río.

–Voy a detenerme aquí para que busques caimoní –dijo.

"Niguayona se impresionaba con aquella voz tan potente, que llenaba de rumores todo el bosque, hacía mover las hojas de los árboles y despertaba a los buenos pajaritos. Pero correteó sobre el río, medio loco de contento. Buscó entre arbustos, entre troncos; entre raíces. Encontró al fin la fruta. Su contento era tan grande que desramó el arbolito para arrancarle los racimos del rojo caimoní.

–Padre río: los dioses te bendigan. Yo vuelvo a curar a Atariba.

–¡No! –rugió el río–. Ven sobre mí, que te dejaré cerca del poblado.

"De nuevo subió al lomo de las aguas el indiecito Niguayona. El padre río iba de rodeo en rodeo, camino del lugar."

* * *

"El cacique y los sacerdotes, que habían visto el turey iluminado por esa hoguera apacible, redonda, grande, hacían la cohoba y suplicaban a los dioses, porque creían que un gran castigo les amenazaba. Suponían todos que sucedía así por haber dejado a Niguayona caminar solo en busca del caimoní. Los cemíes estaban ofendidos: ellos habían predicho grandes glorias para el niño.

"Pero en medio de sus penitencias, cuando ayunaban todos y gemían implorando el perdón de Yocari Vagua Maocoroti, llegó Niguayona radiante de alegría, cargado de caimoníes. Traía en la boca la rara historia de su andanza y la gracia de la anona."

* * *

"Atariba sanó. Supieron después, por la misma higuaca que aconsejó a Niguayona, que el caimoní está hecho con sangre de Dioses.

"Niguayona fue, con el tiempo, joven bien puesto, recio y dulce como siempre lo fue un indio. Tuvo en sus manos el gobierno de las tierras de sus mayores y cuidó por la dicha de los suyos.

"Nonun se enamoró del turey. Es como un pájaro inmenso, de invisibles alas, con plumas de fuego perenne."

* * *

El anciano Guaoniba calló. Su mano reseca tomó la mano del hijo y se dirigió a la puerta. Con el índice de la otra, tembloroso y lleno de lentas palabras, señaló a Nonun.

–Esa cara de mujer que ves en ella –dijo a su heredero– es la de Atariba. Ese lucero grande que la sigue, es Niguayona.

Y después, señalando la vastedad del cielo, la inmensidad de estrellas añadió:

–Y todas esas anas de caonas que los rodean, son sus hijos.

Sobre las altas jabillas bailaban las diminutas hogueras que Guaoniba indicaba. También bailaban las hojas de los árboles.[1]

[1] N. del A.: Esta leyenda fue arreglada para niños y publicada con el seudónimo de "Juan Niní", bajo el título "Cómo nació la Luna".

EL DESTINO DE LA TIERRA

Habla Maniobainoa, el viejo bouhiti. Está en cuclillas, con las manos en las sienes. Es oscuro, alto y magro de carnes. Tiene los ojos pardos, pero en esta noche de luna están encendidos y claros como las aguas de los arroyos.

Unos cuantos hombres jóvenes le están escuchando, silenciosos como los cielos sin nubes, atentos y tranquilos igual que figuras de barro.

El batey es grande y limpio; está rodeado de bohíos pequeños y la luna se tira en él como si ya no quisiera caminar más.

–Ustedes vinieron del sur, hacia donde se apilan las estrellas y madura la tierra que el mar respeta –dice el viejo Maniobainoa–; por donde el sol pesa y fatiga como si cada uno lo tuviera en la cabeza. Vienen del sur, donde crecen tan altos los árboles que soliviantan el cielo con sus ramas. Ustedes vienen del sur...

De lejos, de lejos, desde más allá de los bosques, viene la voz de una mujer que canta areítos.

–Pero yo he visto envejecer muchas estrellas sobre mí, y caerse a mi vera muchas vidas, y llegar y venir gente, y removerse la tierra como si ya no quisiera que la pisáramos más.

El bouhiti Maniobainoa silencia. Su voz no tiene prisas; su voz es lenta y dulce.

Todo el mundo quiere y respeta a este anciano hechicero, cuyas palabras de consuelo han caído en cada corazón. Nadie como él para hacer la cohoba: es el escogido de los cemíes para indicar los caminos del mañana.

Yocari Vagua Maocoroti le ha concedido la vida por infinitos años. Los hombres le escuchan porque por él hablan los tiempos pasados, la experiencia de muchos abuelos que tomaron la dirección de Soraya, la dulzura de todos los que amaron, la bondad de cuántos niños murieron antes de llegar a endurecer.

Y el viejo Maniobainoa habla:

–De cuantos viven, sólo yo conozco la historia de la tierra. Vengo de Cacibayagua; es decir, de Cacibayagua salió mi padre, después que se hubo ido Guaguyona. He aquí la historia que mi padre contaba:

"Tres eran ellos, los que anduvieron en contra de la estrella fija, a través del camino del sol. Se guiaban por la zanja blanca que viene del norte al sur, donde las estrellas pululan y brillan, blanquean y se mueven como peces. Anduvieron por sabanas inmensas, en las que la luz del día quemaba las plantas inocentes. Pero lograron pisar la última tierra desolada y llegar a los primeros árboles. Como venía la noche, convinieron en dormir. Frente a ellos estaban los árboles altos y cargados de sombras.

"Esa noche soñó mi padre que tres canoas venían por el mar. Ellos estaban distantes del agua, puesto que habían salido de sus orillas, mientras los demás quedaban allá. Pero padre soñó con el mar y con tres canoas. Tres flores venían en ellas: la amarilla de la palma en la primera, la roja del mamey en la segunda y en la tercera, que estaba distante todavía, perdida en la línea donde se juntan turey y las aguas, venía la blanca flor de la guanábana.

"Cuando mi padre despertó se sintió morir, porque no estaban allí el bosque, ni sus amigos, ni la sabana. Era el mar, el mar que se movía yendo y viniendo, alejándose y volviendo. No era el día aún. Entonces mi padre puso una mano en la frente, soltó los ojos sobre las aguas y vio su sueño: tres canoas venían; la una con la flor amarilla de la palma, la otra con la roja del mamey, la última con la blanca de la guanábana. La primera tocó tierra y la flor cayó en la playa. Inmediatamente empezó a marchitar. La otra tocó tierra y su carga se tiró sobre la anterior. La última llegó. Un golpe de agua la levantó tan encima de las otras, que no parecía sino que iba a volar. Entonces vino pesadamente al suelo, deshizo las flores de palma y de mamey y se quedó allí, igual que un hombre que haya andado mucho y se tendiera a orillas del camino a esperar la hora de llevarle su tributo a Maquetaurie Guayaba".

Los jóvenes que escuchan se miran entre sí, inquietos aunque callados. Arriba sigue su loca carrera la luna desnuda.

"Mi padre dio un alarido tan angustioso –prosigue el bouhiti– que el mar, la playa, las canoas y las flores, se precipitaron por un rugiente abismo que abrió en la tierra aquel grito. Entonces mi padre despertó, se restregó los ojos y quedó inmóvil: allí estaban sus compañeros, en el principio del bosque, al final de la sabana. Mucha luz se derramaba ya sobre ellos.

–He visto –dijo mi padre– algo que nunca hubiera imaginado. Y relató a los amigos aquella rara visión.

–¿Cómo? –dijeron ellos–. ¿Quieres hacernos creer que los dioses te han dado poder para ver lo que no existe? El sueño es la muerte corta. Nadie puede subir a Soraya durante el sueño, puesto que Soraya está demasiado lejos y son necesarios demasiados días de camino.

–No estaba allá –explicó él–; pero he visto lo que digo, tal como ahora os veo y os toco.

"Pero no quiso hablar más. Señaló la sombra metida en el bosque y se metió en él buscando atravesarlo. Un airecillo húmedo nacía entre las raíces, daba vueltas sencillas en los troncos y llenaba de suaves caricias el sitio.

"¡Oh! ¡Y cómo y cuánto anduvieron ellos! ¡Cómo y cuánto! Siempre contra la estrella fija, siempre bajo la zanja donde las estrellas bullen, se mueven y retozan. Siempre..."

El anciano Maniobainoa mece las manos para espantar unos insectos que le cantan cerca de los oídos. La luna le chorrea por las arrugas, que se le hacen hondas y duras.

Sí. Está ya viejo, muy viejo el bouhiti Maniobainoa.

"Me encaminaré a Soraya sin dejar descendencia; pero cuento la historia de mi casta porque quiero que ella perdure hasta más allá de la llegada de la última flor, la blanca de la guanábana. Ruego a todos escucharme, que ya no me quedarán muchos días para hablar y he dejado esta relación para cerrar con ella mi vida, antes de marcharme hacia donde los míos me esperan..."

Un silencio hondo y respetuoso se hace grande frente a Maniobainoa. Hasta la voz de la mujer que cantaba areítos muy lejos se ha quedado en suspenso sobre el oscuro monte.

"Antes de mojarse los pies en el último río, ya entrando en Maguá, mi padre vio un árbol mecerse.

–¿Qué pretendes? ¿Quién eres? –preguntó.

"Una voz dulce, como las sombras de la tarde, respondió:

–Yo soy el cemí Guaricol. Córtame, hazme en forma de iguana y ponme bohío.

–¿Bohío? –preguntó mi padre desorientado.

–Sí, bohío. Escogerás cuatro árboles jóvenes, los desramarás; en ellos pondrás hojas, para cubrirme de las lluvias; debajo de las hojas me colocarás sobre alta piedra.

"Nunca había oído padre hablar de bohíos, ni de cemíes, puesto que era recién salido de Cacibayagua, donde Yocari Vagua Maocoroti había encerrado a los primeros hombres. Pero mi padre temía el poder de lo desconocido. Había visto a los Mirobalanos volverse árboles por no respetar al sol, y otro convertido en yauba-bayael, y a otro en piedra. Y junto con sus compañeros empezó a construir el bohío.

"Unidos vivieron el cemí y los hombres. Ellos buscaban frutas para su sustento y para el sustento del ídolo; ellos aprendieron a fabricar el fuego por los consejos de él.

"Pero un día..."

* * *

"Mi padre notaba desde hacía tiempo una gran pena en los ojos de sus amigos, una sombra que era como la que cierra los labios de quienes se sienten morir.

–Guaricol, cemí bien amado: la pena de no tener mujeres les borra la vista a mis compañeros. Las perdimos en Cacibayagua, cuando huyó Guaguyona con ellas...

–Esta noche, cuando en el corazón del bosque se haya dormido la oscuridad, tendréis mujeres –dijo el ídolo.

"Y a esa hora tomó dos estrellas del turey, racimos de caimoníes, parte de la misma noche y cipey de las barrancas. Cuando padre despertó sorprendió al cemí formando la primera mujer. Con las estrellas le hizo los ojos, con caimoníes la boca, con la noche cabellos, con cipey la carne.

"Tres días estuvo la mujer al sol, al agua y al rocío, bajo la inocencia del cielo. Al tercero habló así el cemí:

–Antes de marcharme quiero dejarte mi sabiduría, mi poder a uno de tus compañeros, al otro mi mansedumbre. De ti surgirán todos los bouhitis, del otro los caciques, del otro las familias. Una sola mujer habrá ahora; pero con los años serán infinitas y poblarán de belleza la tierra.

"Y dicho eso, el cemí abrió un hoyo en el vientre de la nueva compañera y al entrar en ella la animó con su vida."

Sobre el grupo que escucha y el anciano que habla, se detienen silenciosas y pálidas las altas estrellas.

"Multiplicóse la sangre de mi padre; él dio hijas que fueron de sus amigos; ellos a su vez dieron hijos que buscaron los confines del horizonte.

"Cierta vez, nacido ya yo, anciano mi sabio padre más de lo que lo soy ahora, tuvo en sueños la misma visión de las tres canoas. Sólo con el final de la vida le había de venir la comprensión.

–Maniobainoa –me dijo–. Han querido hablar por mí los tiempos que no han llegado, los que parten hacia acá de parajes desconocidos. Tres razas vendrán, la una amarilla, la otra rojiza, la última blanca. La segunda hará daño a la primera, pero la tercera acabará con todas.

"La voz de mi padre estaba ya más gastada que los lechos de los grandes y vertiginosos ríos. También su vida se gastaba: por los más remotos lugares su raza iba y venía como el aire."

El anciano Maniobainoa entrecierra los ojos, se toca la frente y prosigue:

–Han venido ustedes, la flor de la palma. Por las sabanas de Higüey suena el lambí de los macorixes, la flor del mamey. Poco taita para que nos llegue la blanca de la guanábana.

Pero los jóvenes que escuchan a Maniobainoa sonríen con desdén: ellos están aquí hace luengos años; todavía se cansará la luna de volar y aquí estarán sus hijos y los que nazcan de ellos.

–He vivido tanto –dice el bouhiti– que a veces me pesa esta distinción de Yocari Vagua Maocoroti. Los primeros que vinieron me encontraron tan anciano como estoy ahora. Antes de ustedes, estaba igual. Han nacido muchos que han muerto consumidos por los años, y yo sin variar. Pero ahora quiero descansar en Soraya.

En el limpio turey corre la luna arrastrando estrellas.

–Pero diré esta noche mis últimas palabras.

Maniobainoa extiende un brazo. Es negro, arrugado, enjuto. Le tiembla al final la mano llena de huesos, sobre la que baila la luna azul.

–La tierra que acogió a mi padre y dio la carne de mi madre no puede ser indiferente a la suerte de su raza. Pido a ella que se beba la sangre que derrame la flor de la guanábana, pero que la devuelva hacia los cielos agria y emborrache por infinitos viajes de sol a los hombres que la pueblen. Que nunca más, nunca más retorne a Maguá, ni a Higüey, ni a Jaraguá, ni a Marién, ni a parte alguna esta dulce paz que hay ahora en todos los ojos, en todas las sonrisas. Que no retorne ni para la raza que venga, ni para otra, ni para nadie. Que nunca más retorne, nunca más, nunca más...

Y al incorporarse el anciano Maniobainoa, cuyas últimas palabras han buscado refugio en el bosque, arde como llama su terrible mirada y su sombra alta, que se va desvaneciendo poco a poco, parece llegar hasta el turey y arropar a la luna y a las estrellas asustadas.

Los hombres que le oían, temblorosos, no ven a Maniobaino, sino a una gruesa nube negra que derrama terror sobre los bosques y el batey.

Por las costas de Higüey, entre alaridos de conquista, suena el lambí Macorix; pero ya están acercándose las extrañas canoas en que vienen blancas flores.

Ha hablado Maniobainoa, el último de los bienamados de Yocarí Vagua Maocoroti. Los hombres comprenden que el hechicero, que ha subido al cielo consumido por sus propias palabras, ha dejado su amarga maldición sembrada en la tierra. Y que ya no habrá paz en ella, ni para la flor del mamey ni para la flor de la guanábana. Nunca más la habrá. Nunca más...

DICCIONARIO DE PALABRAS INDÍGENAS USADAS EN ESTAS LEYENDAS

Adamanay	la isla Saona
Ana	flor
Anaó	flor de montaña
areíto	canción
arijuna	extranjero
burén	molde de barro cocido donde se hace el casabe
canarí	vasija para el agua
caona	oro
ciba	piedra
cipey	barro
coa	palo puntiagudo, usado en labores agrícolas
cobo	caracol
cuaba	pino
guanicán	molusco
guaraguao	ave de rapiña
Guey	el sol
higuaca	perico y quizá cotorra
iguana	reptil (lagarto) de gran tamaño
jurican	huracán, ciclón
jutía	roedor (selonodonte)
lambí	caracol usado en la guerra como fotuto
Mabuya	el Mal Espíritu
macana	arma de madera
maisí	maíz
mara	brisa
Nonun	la luna
sao	sabana pequeña
turey	el cielo

TEORÍA SOBRE EL CUENTO

CARACTERÍSTICAS DEL CUENTO

La luna nona y otros cuentos nos lleva a suponer dos cosas: que el relato que da título al libro de Novas Calvo es un cuento y que todos los que lo siguen lo son también. Creo que en esto no habrá discrepancias. Pues bien, impugno ese título. Ni "La luna nona" ni los otros cuentos son, a mi entender, cuentos. No los clasifico desde ahora porque no me acomodo a esa definición de novelas cortas o cuentos largos con que, de cierto tiempo a esta parte, se designan los relatos que no tienen la longitud corriente en una novela ni el corto tamaño habitual en el cuento. Me ceñiré, por el momento, a explicar por qué razón, a juicio mío, no son cuentos esas admirables páginas de Lino Novas Calvo. Y para expresarme con la mayor claridad de que puedo hacer uso, tendré que detenerme en una empresa bastante ardua: la de tratar de definir qué es el cuento y en qué se diferencia éste de la novela.

Es la primera vez que este trabajo aparece recogido en un libro. Cuando apareció publicado en la revista *Mirador literario*, La Habana, Cuba, julio de 1944, páginas 6-9, le precedía la presente nota: "El gran cuentista dominicano, radicado desde hace tiempo en nuestra patria, dio en la institución hispano-cubana la conferencia que reproducimos a continuación. El tema, así como su autor, es por demás interesante para que *Mirador literario* incluyera en sus páginas este trabajo llamado a provocar revuelo en medio de los intelectuales de nuestro idioma". El autor no supo más de él hasta principios de la década de los noventa, que fue localizado por el crítico literario dominicano Guillermo Piña Contreras.

Se ha dicho, y la experiencia parece demostrarlo, que es imposible definir el cuento. Con el permiso de ustedes, voy a tratar de hacerlo mediante un rodeo, puesto que la definición, ataque frontal, como diría Luis Gómez Wangüemer, parece tarea irrealizable. Vamos a acercar el tema estudiando sus características.

¿Cuáles son las características del cuento? ¿El tamaño? No. Un cuento puede ser bastante largo como en el caso de "Bola de sebo", del maestro francés del cuento Guy de Maupassant, o excesivamente corto como "A la deriva" de Horacio Quiroga. El tamaño parece tener carácter decisivo en este género misterioso y apasionante. Pero sólo lo parece. No es lo determinante en la factura del cuento. "Cranqueville", de Anatole France, no puede ser más largo y no puede ser más cuento.

Así, el hecho de que el más corto de los relatos de Lino Novas Calvo, en el libro que comentamos, tenga menos de diecisiete páginas, nada tiene que ver con mi apreciación, pues podrían tener todos treinta páginas y aún más y ser, sin embargo, cuentos. Podrían tener cinco y no serlos. Una de las condiciones esenciales en el cuento es la persistencia en el tema central. Pero ella sola no hace el cuento. El tema central, ¿qué es en ese género que situó a Maupassant, a Chéjov, a Sherwood Anderson, entre los grandes de la literatura universal? Porque hay un tema central en toda obra de creación literaria, en todo género de relato. Incluso, en el poemático, cuando es una historia embellecida por el ritmo del verso, como ocurre en la epopeya, por ejemplo. ¿Es igual el tema en el cuento que en la novela? Horacio Quiroga decía, y él tenía autoridad para hablar del asunto, que el cuento es una flecha dirigida rectamente hacia un blanco. Con esta gráfica imagen Quiroga dejó dicho qué especie de tema central era el del cuento y cómo debía ser manejado. Es el hecho en sí descarnado, tomado desde el inicio mismo del relato en toda su amplitud, sin dejar un solo detalle abandonado, agarrando así con garra de animal de presa el suceso por su parte vital que puede ser la que menos lo parezca, no soltarlo ni permitirle la menor libertad hasta extraerle la consecuencia última que el autor haya fijado. Por ninguna razón debe abandonarse ese tema para salirle luego al paso, cosa que hacen unos pretendidos cuentistas que creen que el cuento es una novela en síntesis y que en él está permitido crear situaciones parecidas a fórmulas químicas llamadas a explotar cuando llegue el momento de reunir los diversos ingredientes. Eso no es la "flecha que va recta y velozmente al blanco", la flecha que va completa sin dejar nada tras de sí ni discurrir por espacio soltando pedazos de sí misma.

El cuento, acertó a decir Suárez Solís una vez que se le ocurrió ponerse a escribir sobre este servidor de ustedes, es un universo cerrado, complejo, diminuto, pero universo. Eso es cierto y como universo, el cuento lleva en sí y debe llevar constantemente todas sus partes: tema y atmósfera, agua y seres. No me es dable decir ahora en una charla que ha sido rápidamente compuesta entre el tronido de la rotativa, de manera más amplia o más corta pero más explícita, cuanto pienso de lo que es el tema central, que en el cuento se expresa con una unidad sui géneris.

Me resulta más fácil hacerlo que decirlo. Pero quiero llamar la atención a mis oyentes sobre esta circunstancia: esa peculiar unidad de tema, común también en la novela y en el poema, como en el cuadro y en la estatua y en la sinfonía, no basta para que ella forme un cuento. "La noche de Ramón Yendia", de Lino Novás Calvo, por ejemplo, caso en que se toma un personaje y no se le suelta más, ni directa ni indirectamente, hasta dejarlo cadáver, tiene unidad de tema y expresión, y no es cuento. Porque lo característico en esa unidad de tema y de expresión en el cuento es que a todo lo largo tiene que conservar las medidas de su universo, las medidas de espacio y tiempo sin alternación. La tierra en que vivimos dejaría de ser nuestro mundo habitual si de pronto la medida de espacio o la medida de tiempo fuera rota por el hombre, o por las montañas o por la luz. Si hay reducción, es general o el universo en que habitamos se desquicia totalmente. Pues bien, eso pasa en el cuento. Así como un ser humano –como el que ha descubierto el Censo Electoral en Cienfuegos– puede vivir ciento cincuenta años, un cuento puede tener sesenta páginas.

Pero de la misma manera en que un ser humano no puede envejecer y cumplir toda su vida nueve meses después de nacido –porque su módulo tempo-espacial sería absurdo en relación con el que rige toda la vida terrestre–, un cuento no puede tener medidas fraccionadas y distintas. Lo cual tampoco quiere decir que lo que sucede en un cuento deba ocurrir en un tiempo preciso, por ejemplo, en una hora. No hablo de lo que se relata, sino del relato en sí; no me refiero a lo que se contiene, sino a la manera de contenerlo. Esa admirable pieza llamada "El refugio", de Maupassant, ocurre en muchos meses; pero el lector no siente el transcurso del tiempo en "El refugio", porque el tiempo no es el tema central del cuento; el tema allí es el pavor a la soledad; cuánto tiempo necesitó el protagonista para ser víctima de ese pavor, es cosa que no interesa y que Maupassant, por tanto, no da; alguna frase suelta, sin importancia alguna, le sirve para ir dejando pasar los meses en la nevada montaña suiza donde sitúa a sus personajes.

Por lo demás, el tiempo de que hemos hablado arriba no es ése que se mide con reloj; al que aludíamos es al módulo en que se contiene y se expresa el espacio, en este caso, el espacio del universo-cuento. Por ejemplo, en el cuento de Maupassant que acabamos de mencionar, ese tiempo no se refiere al tiempo astronómico sino al ritmo del desarrollo de la locura en un sujeto abandonado a la soledad.

Sé que esto que digo ahora sobre el tiempo en el cuento es difícil de comprender; tiene que ser así, porque es difícil de decir. Lo que estoy tratando de explicar a ustedes en este momento es la razón misma del género, su vida. Si el cuento está considerado como un género que no puede enseñarse –ni aprenderse–, es porque sólo el instinto alcanza a penetrar y descifrar esta incógnita. El tiempo del universo cuento es su razón de ser, y la medida de ese tiempo debe ser rigurosamente aplicada a lo que sea el tema central del cuento y a todo lo demás, incluyendo, desde luego, a la expresión, que es una parte tan importante de dicho universo, como lo es la corteza terrestre en el mundo que habitamos.

Entiéndase claramente esto: "incluyendo a la expresión". Lo cual quiere decir que la expresión, con su técnica de interesar desde la primera frase para terminar por sorpresa, no hace al cuento por sí solo. En esto han estado engañados muchos estudiosos del género. El desenlace sorpresivo, que muchos escritores consideran condición sine qua non, no es una ley en el cuento; la conducción del lector, velozmente, interesándole de manera visible hacia el desenlace, tampoco es ley.

Precisamente, la mayor diferencia entre el cuento y la novela está en el método para interesar al lector y en el de llevarlo hasta el final.

Alguien ha dicho que el cuento es un guiso del cual, inesperadamente, salta una liebre. Ésta es, acaso, la más gráfica definición del asunto que he oído hasta hoy; pero debo advertir que ella se presta a confusiones.

¿Qué es esa liebre que salta, inesperadamente, del guiso? ¿El desenlace sorprendente en un cuento? Con toda energía digo que no. Muchos grandes cuentos –y recuerdo entre ellos, ahora, al clásico "Bola de sebo" de Maupassant o a "Ben Tovit" de Leónidas Andreviev–, terminan sin ese desenlace sorpresivo. Es más, ese tipo de desenlace no aparece sino muy de tarde en tarde en la obra del maestro más grande que el género ha producido en la literatura occidental, Guy de Maupassant.

Entonces, ¿qué es la liebre? El final, digo yo. El final de un cuento debe sorprender siempre al lector aunque en él no haya desenlace. Fíjense bien en esto: puede haber final sin desenlace, final con desenlace y final con desenlace sorprendente. Estos dos últimos no son imprescindibles. Si no están naturalmente en el tema, no hacen falta ni hay que buscarlos.

En el cuento de categoría el interés no está supeditado al desenlace, y no saber eso es una de las razones por las que el cuento resulta tan difícil para muchos escritores de gran envergadura. Novelistas de renombre universal, como Honorato de Balzac, han sido cuentistas mediocres, para tratarlos con benevolencia. El cuento no es, como se dice comúnmente, una novela en síntesis como no es el gato un tigre en síntesis ni la mujer un hombre al revés ni el niño un hombre pequeño. La técnica de la novela no es, por tanto, la del cuento. Interesar al lector desde el principio, y llevarlo sin descanso, con la obsesión permanente del "qué va a pasar aquí", hasta la última página del relato, es típico de la novela. Eso lo hace Lino Novás Calvo en el libro que comentamos hoy; y lo hace de manera insuperable. Lino Novás Calvo interesa, agarra al lector y no lo suelta más. Pero lo hace con técnica de novelista, no de cuentista.

El lector se siente conducido velozmente hacia el desenlace; más que conducido, casi hipnotizado, porque el estilo envolvente y embriagador de Novás Calvo –un estilo que merece él solo charla aparte– lo sume en una atmósfera irreal, llena de color y de hechizantes sutilezas, que arrebata al lector su realidad corpórea y hace de él, como de los propios personajes de esos relatos, el producto de juegos de luces, ser amorfo hecho con su subser, escapado a la realidad de sí mismo.

En el cuento el interés debe estar en lo que se va relatando, no en el final. De ahí que, atento el lector a lo que va leyendo, quede siempre sorprendido por el final, haya o no en éste un desenlace inesperado. En la novela, el autor lleva al lector a buscar algo; en el cuento, no. Podríamos representar al novelista con un hombre que conduce a un amigo hacia un río, sin decirle cómo es el río ni dónde está; pero el amigo sabe que va hacia un río; al cuentista, como al que hace divagar por un bosque a su amigo, en el que le atraen los árboles, los pajarillos, las flores silvestres, el rumor de la brisa, y que resulta sorprendido, cuando menos se lo imagina, por la presencia de un hermoso río cuyo rumor no había oído o había confundido con el del viento entre las ramas.

Ese don de mantener al lector interesado en el relato mismo y no en el desenlace, es característico de los verdaderos cuentistas, aun de aquellos que no escriben. Es frecuente encontrar en la gente del pueblo, y especialmente entre los campesinos, a notables contadores que dominan la facultad de interesar mientras cuentan, sin que el desenlace tenga que ver en tal interés. De no ser así, el cuento no tendría demanda o atención, pues siendo tan breve, y llegándose en él tan pronto a su final, ¿por qué no buscar éste inmediatamente, tras una explicación de los antecedentes que podría darse en breves líneas? Y recibido ese final, ¿por qué pedimos otro cuento, y otro más, y otro más, como en el caso del Calila para quien Scherezada hilvanó sus cautivadores relatos?

Puesto que las condiciones que hemos anotado, necesarias para que un relato sea un cuento, no aparecen en los que Lino Novás Calvo nos da en su libro, impugno el título, única cosa, por lo demás, impugnable en esta obra que señala un momento trascendental en la historia de la literatura cubana. A juicio mío el libro debió llamarse *La luna nona y otras novelas.*

¿Por qué *otras novelas*? No son tan largas para ser novelas, pensará alguien, a quien me sería fácil responderle señalándole un ejemplo ilustre en nuestra lengua: *Las novelas ejemplares* de don Miguel de Cervantes, son tan largas –o tan cortas todas– si la memoria no me es infiel, como las del libro que se comenta aquí hoy.

Tal vez la única razón aparente que pudiera asistir a quien dijera que esos relatos de Lino Novás Calvo no son novelas, esté en la longitud; y digo aparente, porque aunque la costumbre haya establecido cierto número de páginas para la novela, lo que distingue el género es la técnica. En este caso viene bien asegurar que si, como dije antes, un niño no es un hombre, un hombre pequeño sí es un hombre. Eso es así porque las condiciones inherentes al adulto son proporcionalmente iguales en ambos. En igual proporción, las condiciones inherentes al género novela lo son en cada uno de los relatos de *La luna nona y otros...* lo que sea, tanto como en cualquier novela de Aldous Huxley.

Es probable que Novas Calvo sepa que lo que estoy diciendo es la verdad. Pocas veces he leído a un escritor tan consciente de lo que hace, como este Lino Novás Calvo, cuyo artificio está en hacer creer que no lo tiene. Y, sin haber hablado con él media palabra acerca de su libro, estoy tentado a creer que él quiso agregarle eso de "otros cuentos" para no parecer inmodesto o demasiado seguro de sí mismo; caso para no despertar la sospecha de que pretende aparearse con Lawrence, autor de novelas del tipo de las que nos da Novás Calvo, y de su longitud, a la que llamó simplemente novelas.

Si lo hizo por esa razón, Lino Novás cometió un pecado de modestia por exceso de orgullo. A pesar de cuanto haya dicho la crítica internacional, comandada por los sicofantes del mundo decadente de la preguerra, yo no tengo empacho en proclamar llanamente que me gusta mucho más Lino

Novás Calvo que el señor Lawrence y que a mi juicio el galaicocubano está muy por encima del inglés supercivilizado y degenerado que fue Lawrence. En estos menesteres literarios, me permito reírme de todas las autoridades que obedecer al gusto de sociedades enfermizas y a las acaudaladas empresas editoras, como me río de los *best-seller* y de los escritores buscaaplausos o busca dinero, que se venden al público, como aquel formidable autor de "Las viñas de la ira" que acabó convirtiéndose en el pobre constructor de "La luna se ha puesto". Por esa razón, y con ningún ánimo de *épater les bourgeois,* digo, y me quedo con la conciencia muy tranquila, que me parece Lino Novás muy superior al autor de "La mujer que se fue a caballo". Y no es posible –los dioses me perdonen si resulto demasiado suspicaz– que el propio autor de *La luna nona* no se haya dado cuenta de su superioridad; sólo que tal vez él ha tenido miedo de dar a entender que era consciente de ella, y de ahí que no haya querido aparecer como un par de Lawrence, sino como un humilde, pobrecito autor de cuentos, sin mayores pretensiones.

Creo haber dejado explicado ya por qué, a mi juicio, Novás Calvo no es ese humilde cuentista que pretende hacernos creer que es; no es eso porque no escribe cuentos. En cambio, ha escrito las admirables novelas de *La luna nona,* un libro que resulta insólito en el idioma.

Desde el primer relato hasta el último, el lector de tal obra se pone en contacto con un mundo donde la realidad es subyacente pareciendo, a un tiempo, irreal y surreal. Ningún personaje está retratado por lo que de él se ve. Lo que hacen los actores es lo importante en estos relatos; lo que hacen a causa de lo que sienten. Mediante el artificio de ir soltando las palabras sin cuidarse de ellas, como quien escribe en trance sonambúlico, Lino Novás Calvo empieza por presentarse al lector como un señor que no quiere escribir ni decir nada, a quien no le interesa tener un estilo o atraer. En esa manera de presentarse está su secreto. A partir de ahí, ¿quién ha de asombrarse porque un humildito y poco ambicioso autor empiece a hacer de un humo multicolor los más extraños personajes y los más inesperados sucesos? El que se extrañara sería alguien demasiado suspicaz, tanto, que lo haría sin razón aparente para sentirse atrapado... hasta que lo está, y ahí es donde empieza el autor a moler a su lector, que va cayendo poco a poco en un embrujamiento cada vez más cerrado.

Una por una, todas esas novelas de *La luna nona* podrían ser estudiadas en tal sentido, hasta culminar en la que nos presenta el apasionante caso de Garrida, la gallega que quería ser negra, un relato de inolvidable hermosura, página que ha de quedar como un modelo inalcanzable en nuestra tropical periquería literaria. Pero para eso habría que detenerse en el estilo de Novás Calvo, y ya he dicho que tal empresa requiere una charla; pues no es fácil estudiar el estilo de un hombre que, por no darnos la realidad visible a simple vista, no tiene demarcados los límites de su empresa y debe buscarlos él mismo, a fin de que lo surreal pueda ser descrito con un instrumento tan real como el lenguaje común.

No; no me es dado a mí, hombre atareado, que he debido hilvanar estas cuartillas a toda máquina –como dije antes– entre el tronar de la rotativa; no me es dado detenerme ahora a hablar del estilo de Lino Novás Calvo, en cuyo estudio tendría que recorrer todo el poderoso tronco novelístico inglés actual, que es el que más fácilmente podría darnos frutos tan finos como el que nos da nuestro novelista... No me es permitido, cosa que lamento.

Pero, como un anticipo de lo que tal vez haga algún día, déjenme señalar aquí, sucintamente, lo que a mi juicio resulta más impresionante en la obra del autor al cual vengo refiriéndome. Lo más notable, para mi gusto, en esa obra, es el profundo sentido popular que la recorre de un extremo a otro. Los autores de renombre que en estos años últimos se han puesto a desentrañar la subconsciencia del ser humano, han tenido a su alcance un material que facilitaba la empresa; pues es de rigor suponer que la alta burguesía y la clase media de mayores posibilidades, han podido discriminar fácilmente su subconsciencia de su conciencia, porque una serie de estímulos que han debido ser creados para su confort y disfrute, han puesto de manifiesto esa vida interior, alimentada en el tiempo holgado de que disponen los favorecidos para buscar placeres subyacentes en el fondo de sus cuerpos.

Vista esa literatura, tal ha parecido hasta hoy que el hombre del pueblo, el trabajador, el negro, el desdichado, obligado por las circunstancias de una vida siempre activa en pos del pan, eran sólo conciencia o sólo instinto, cuando mucho, como en el caso de los negros, una mescolanza siniestra o simplemente pintoresca de ambas cosas.

Pues bien: Lino Novás Calvo es el hombre que acomete la tarea revolucionaria, medularmente revolucionaria, de probar que tal posición era falsa; que la necesidad de luchar para defender la vida elemental de los hombres y de la sociedad adversa, no mata, no destruye ese depósito de la subconsciencia, lleno de un mundo tormentoso y terriblemente hermoso, que reside entre el instinto y la conciencia, rigiendo a veces, desde su ignorada cueva, el destino del ser.

Esto es para mí lo trascendental de *La luna nona y otras...* lo que sea... Ese gran novelista que, por amor de un imperativo económico, Galicia dio a

Cuba, ha hecho, silenciosa, simplemente, bajo el falso título de una colección de cuentos, una revolución de proporciones insospechadas. Él ha demostrado que la única diferencia entre una decadente señora de alta clase media inglesa y un chofer de La Habana, está en que aquélla tuvo un Lawrence que le descubriera la subconsciencia mientras que el chofer habanero tuvo sólo turistas que le pagaban a cinco pesos las carreras por los cabarets. Hasta que surgió un hombre mejor que Lawrence, más justo, más escritor, más honrado y más atrevido. Ese hombre es Lino Novás Calvo.

APUNTES SOBRE EL ARTE DE ESCRIBIR CUENTOS

I

El cuento es un género antiquísimo, que a través de los siglos ha tenido y mantenido el favor público. Su influencia en el desarrollo de la sensibilidad general puede ser muy grande, y por tal razón el cuentista debe sentirse responsable de lo que escribe, como si fuera un maestro de emociones o de ideas.

Lo primero que debe aclarar una persona que se inclina a escribir cuentos es la intensidad de su vocación. Nadie que no tenga vocación de cuentista puede llegar a escribir buenos cuentos. Lo segundo se refiere al género. ¿Qué es un cuento? La respuesta ha resultado tan difícil que a menudo ha sido soslayada incluso por críticos excelentes, pero puede afirmarse que un cuento es el relato de un hecho que tiene indudable importancia. La importancia del hecho es, desde luego relativa, mas debe ser indudable, convincente para la generalidad de los lectores. Si el suceso que forma el meollo del cuento carece de importancia, lo que se escribe puede ser un cuadro, una escena, una estampa, pero no es un cuento.

"Importancia" no quiere decir aquí novedad, caso insólito, acaecimiento singular. La propensión a escoger argumentos poco frecuentes como tema de cuentos puede conducir a una deformación similar a la que sufren en su estructura muscular los profesionales del atletismo. Un niño que va a la escuela no es materia propicia para un cuento, porque no hay nada de importancia en su viaje diario a las clases; pero hay sustancia para el cuento si el autobús en que va el niño se vuelca o se quema, o si al llegar a su escuela el niño halla que el maestro está enfermo o el edificio escolar se ha quemado la noche anterior.

Aprender a discernir dónde hay un tema para cuento es parte esencial de la técnica. Esa técnica es el oficio peculiar con que se trabaja el esqueleto de toda obra de creación: es la *tekné* de los griegos o, si se quiere, la parte de artesanado imprescindible en el bagaje del artista.

A menos que se trate de un caso excepcional, un buen escritor de cuentos tarda años en dominar la técnica del género, y la técnica se adquiere con la práctica más que con estudios. Pero nunca debe olvidarse que el género tiene una técnica y que ésta debe conocerse a fondo. Cuento quiere decir llevar cuenta de un hecho. La palabra proviene del latín *computus*, y es inútil tratar de rehuir el significado esencial que late en el origen de los vocablos. Una persona puede llevar cuenta de algo con números romanos, con números árabes, con signos algebraicos; pero tiene que llevar esa cuenta. No puede olvidar ciertas cantidades o ignorar determinados valores. Llevar cuenta es ir ceñido al hecho que se computa. El que no sabe llevar con palabras la cuenta de un suceso, no es cuentista.

De paso diremos que una vez adquirida la técnica, el cuentista puede escoger su propio camino, ser "hermético" o "figurativo" como se dice ahora, o lo que es lo mismo, subjetivo u objetivo; aplicar su estilo personal, presentar su obra desde su ángulo individual; expresarse como él crea que debe hacerlo. Pero no debe echarse en olvido que el género, reconocido como el más difícil en todos los idiomas, no tolera innovaciones sino de los autores que lo dominan en lo más esencial de su estructura.

El interés que despierta el cuento puede medirse por los juicios que les merece a críticos, cuentistas y aficionados. Se dice a menudo que el cuento es una novela en síntesis y que la novela requiere más aliento en el que la escribe. En realidad los dos géneros son dos cosas distintas; y es más difícil lograr un buen libro de cuentos que una novela buena. Comparar diez páginas de cuento con las doscientas cincuenta de una novela es una ligereza. Una novela de esa dimensión puede escribirse en dos meses; un libro de cuentos que sea bueno y que tenga doscientas cincuenta páginas, no se logra en tan corto tiempo. La diferencia fundamental entre un género y el otro está en la dirección: la novela es extensa; el cuento es intenso.

El novelista crea caracteres y a menudo sucede que esos caracteres se le rebelan al autor y actúan conforme a sus propias naturalezas, de manera que con frecuencia una novela no termina como el novelista lo había planeado, sino como los personajes de la obra lo determinan con sus hechos. En el cuento, la situación es diferente; el cuento tiene que ser obra exclusiva del cuentista. Él es el padre y el dictador de sus criaturas; no puede dejarlas libres ni tolerarles rebeliones. Esa voluntad de predominio del cuentista sobre sus personajes es lo que se traduce en tensión y por tanto en intensidad. La intensidad de un cuento no es producto obligado, como ha dicho alguien, de su corta extensión; es el fruto de la voluntad sostenida con que el cuentista trabaja su obra. Probablemente es ahí donde se halla la causa de que el género sea tan difícil, pues el cuentista necesita ejercer sobre sí mismo una vigilancia constante, que no se logra sin disciplina mental y emocional; y eso no es fácil.

Fundamentalmente, el estado de ánimo del cuentista tiene que ser el mismo para recoger su material que para escribir. Seleccionar la materia de un cuento demanda esfuerzo, capacidad de concentración y trabajo de análisis. A menudo parece más atrayente tal tema que tal otro; pero el tema debe ser visto no en su estado primitivo, sino como si estuviera ya elaborado. El cuentista debe ver desde el primer momento su material organizado en tema, como si ya estuviera el cuento escrito, lo cual requiere casi tanta tensión como escribir.

El verdadero cuentista dedica muchas horas de su vida a estudiar la técnica del género, al grado que logre dominarla en la misma forma en que el pintor consciente domina la pincelada: la da, no tiene que premeditarla. Esa técnica no implica, como se piensa con frecuencia, el final sorprendente. Lo fundamental en ella es mantener vivo el interés del lector y por tanto sostener sin caídas la tensión, la fuerza interior con que el suceso va produciéndose. El final sorprendente no es una condición imprescindible en el buen cuento. Hay grandes cuentistas, como Antón Chéjov, que apenas lo usaron. "A la deriva", de Horacio Quiroga, no lo tiene, y es una pieza magistral. Un final sorprendente impuesto a la fuerza destruye otras buenas condiciones en un cuento. Ahora bien, el cuento debe tener su final natural como debe tener su principio.

No importa que el cuento sea subjetivo u objetivo; que el estilo del autor sea deliberadamente claro u oscuro, directo o indirecto: el cuento debe compensar interesando al lector. Una vez cogido en ese interés el lector está en manos del cuentista y éste no debe soltarlo más. A partir del principio el cuentista debe ser implacable con el sujeto de su obra; lo conducirá sin piedad hacia el destino que previamente le ha trazado; no le permitirá el menor desvío. Una sola frase, aun siendo de tres palabras, que no esté lógica y entrañablemente justificada por ese destino manchará el cuento y le quitará esplendor y fuerza. Kipling refiere que para él era más importante lo que tachaba que lo que dejaba; Quiroga afirma que un cuento es una flecha disparada hacia un blanco y ya se sabe que la flecha que se desvía no llega al blanco.

La manera natural de comenzar un cuento fue siempre el "había una vez" o "érase una vez". Esa corta frase tenía –y tiene aún en la gente del pueblo– un valor de conjuro; ella sola bastaba a despertar el interés de los que rodeaban al relatador de cuentos. En su origen, el cuento no empezaba con descripciones de paisajes, a menos que se tratara la presencia o la acción del protagonista; comenzaba con éste y pintándola en actividad. Aún hoy, esa manera de comenzar es buena. El cuento debe iniciarse con el protagonista en acción, física o psicológica, pero acción; el principio no debe hallarse a mucha distancia del meollo mismo del cuento, a fin de evitar que el lector se canse.

Saber comenzar un cuento es tan importante como saber terminarlo. El cuentista serio estudia y practica sin descanso la entrada del cuento. Es en la primera frase donde está el hechizo de un buen cuento; ella determina el ritmo y la tensión de la pieza. Un cuento que comienza bien casi siempre termina bien. El autor queda comprometido consigo mismo a mantener el nivel de su creación a la altura en que la inició. Hay una sola manera de empezar un cuento con acierto: despertando de golpe el interés del lector. El antiguo "había una vez" o "érase una vez" tiene que ser suplido con algo que tenga su mismo valor de conjuro. El cuentista joven debe estudiar con detenimiento la manera en que inician sus cuentos los grandes maestros; debe leer, uno por uno, los primeros párrafos de los mejores cuentos de Maupassant, de Kipling, de Sherwood Anderson, de Quiroga, quien fue quizá el más consciente de todos ellos en lo que a la técnica del cuento se refiere.

Comenzar bien un cuento y llevarlo hacia su final sin una disgresión, sin una debilidad, sin un desvío: he ahí en pocas palabras el núcleo de la técnica del cuento. Quien sepa hacer eso tiene el oficio de cuentista, conoce la *tekné* del género. El oficio es la parte formal de la tarea, pero quien no domine ese lado formal no llegará a ser buen cuentista. Sólo el que lo domine podrá transformar el cuento, mejorarlo con una nueva modalidad, iluminarlo con el toque de su personalidad creadora.

Ese oficio es necesario para el que cuenta cuentos en un mercado árabe y para el que los escribe en una biblioteca de París. No hay manera de conocerlo sin ejercerlo. Nadie nace sabiéndolo, aunque en ocasiones un cuentista nato puede producir un buen cuento por adivinación de artista. El oficio es obra del trabajo asiduo, de la meditación constante, de la dedicación apasionada. Cuentistas de apreciables cualidades para la narración han perdido su don porque mientras tuvieron dentro de sí temas escribieron sin detenerse a estudiar la técnica del cuento y nunca la dominaron; cuando la veta interior se agotó, les faltó la capacidad para elaborar, con asuntos externos a su experiencia íntima, la delicada arquitectura de un cuento. No adquirieron el oficio a tiempo, y sin el oficio no podían construir.

En sus primeros tiempos el cuentista crea en estado de semiinconsciencia. La acción se le impone; los personajes y sus circunstancias le arrastran; un torrente de palabras luminosas se lanza sobre él. Mientras ese estado de ánimo dura, el cuentista tiene que ir aprendiendo la técnica a fin de imponerse a ese mundo hermoso y desordenado que abruma su mundo interior. El conocimiento de la técnica le permitirá señorear sobre la embriagante pasión como Yavé sobre el caos. Se halla en el momento apropiado para estudiar los principios en que descansa la profesión de cuentista, y debe hacerlo sin pérdida de tiempo. Los principios del género, no importa lo que crean algunos cuentistas noveles, son inalterables; por lo menos, en la medida en que la obra humana lo es.

La búsqueda y la selección del material es una parte importante de la técnica; de la búsqueda y de la selección saldrá el tema. Parece que estas dos palabras –búsqueda y selección– implican lo mismo: buscar es seleccionar. Pero no es así para el cuentista. Él buscará aquello que su alma desea; motivos campesinos o de mar, episodios de hombres del pueblo o de niños, asuntos de amor o de trabajo. Una vez obtenido el material escogerá el que más se avenga con su concepto general de la vida y con el tipo de cuento que se propone escribir.

Esa parte de la tarea es sagradamente personal; nadie puede intervenir en ella. A menudo la gente se acerca a novelistas y cuentistas para contarles cosas que le han sucedido, "temas para novelas y cuentos" que no interesan al escribir porque nada le dicen a su sensibilidad. Ahora bien, si nadie debe intervenir en la selección del tema, hay un consejo útil que dar a los cuentistas jóvenes: que estudien el material con minuciosidad y seriedad; que estudien concienzudamente el escenario de su cuento, el personaje y su ambiente, su mundo psicológico y el trabajo con que se gana la vida.

Escribir cuentos es una tarea seria y además hermosa. Arte difícil, tiene el premio en su propia realización. Hay mucho que decir sobre él. Pero lo más importante es esto: El que nace con la vocación de cuentista trae al mundo un don que está en la obligación de poner al servicio de la sociedad. La única manera de cumplir con esa obligación es desenvolviendo sus dotes naturales, y para lograrlo tiene que aprender todo lo relativo a su oficio; qué es un cuento y qué debe hacer para escribir buenos cuentos. Si encara su vocación con seriedad, estudiará a conciencia, trabajará, se afanará por dominar el género, que es sin duda muy rebelde, pero dominable. Otros lo han logrado. Él también puede lograrlo.

II

El cuento es un género literario escueto, al extremo de que un cuento no debe construirse sobre más de un hecho. El cuentista, como el aviador, no levanta vuelo para ir a todas partes y ni siquiera a dos puntos a la vez; e, igual que el aviador, se halla forzado a saber con seguridad a dónde se dirige antes de poner la mano en las palancas que mueven su máquina.

La primera tarea que el cuentista debe imponerse es la de aprender a distinguir con precisión cuál hecho puede ser tema de un cuento. Habiendo dado con un hecho, debe saber aislarlo, limpiarlo de apariencias hasta dejarlo libre de todo cuanto no sea expresión legítima de su sustancia; estudiarlo con minuciosidad y responsabilidad. Pues cuando el cuentista tiene ante sí un hecho en su ser más auténtico, se halla frente a un verdadero tema. El hecho es el tema, y en el cuento no hay lugar sino para un tema.

Ya he dicho que aprender a discernir dónde hay un tema de cuento es parte esencial de la técnica del cuento. Técnica, entendida en la *tekné* griega, es esa parte de oficio o artesanado indispensable para construir una obra de arte. Ahora bien, el arte del cuento consiste en situarse frente a un hecho y dirigirse a él resueltamente, sin darles caracteres de hechos a los sucesos que marcan el camino hacia el hecho; todos esos están subordinados al hecho hacia el cual va el cuentista; él es el tema.

Aislado el tema, y debidamente estudiado desde todos sus ángulos, el cuentista puede aproximarse a él como más le plazca, con el lenguaje que le sea habitual o connatural, en forma directa o indirecta. Pero en ningún momento perderá de vista que se dirige hacia ese hecho y no a otro punto. Toda palabra que pueda darle categoría de tema a un acto de los que se presentan en esa marcha hacia el tema, toda palabra que desvíe al autor un milímetro del tema, están fuera de lugar y deben ser aniquiladas tan pronto aparezcan; toda idea ajena al asunto escogido es yerba mala, que no dejará crecer la espiga del cuento con salud, y la yerba mala, como aconseja el Evangelio, debe ser arrancada de raíz.

Cuando el cuentista esconde el hecho a la atención del lector, lo va sustrayendo frase a frase de la visión de quien lo lee, pero lo mantiene presente en el fondo de la narración y no lo muestra sino sorpresivamente en las cinco o seis palabras finales del cuento, ha construido el cuento según la mejor tradición del género. Pero los casos en que puede hacer esto sin deformar el curso natural del relato no abundan. Mucho más importante que el final de sorpresa es mantener en avance continuo la marcha que lo lleva del punto de partida al hecho que ha escogido como tema. Si el hecho se halla antes de llegar al final, es decir, si su presencia no coincide con la última escena del cuento, pero la manera de llegar a él fue recta y la marcha se mantuvo en ritmo apropiado, se ha producido un buen cuento.

Todo lo contrario resulta si el cuentista está dirigiéndose hacia dos hechos; en ese caso la marcha será zigzagueante, la línea no podrá ser recta, lo que el cuentista tendrá al final será una página confusa, sin carácter; cualquier cosa, pero no un cuento. Hace poco recordaba que cuento quiere decir llevar la cuenta de un hecho. El origen de la palabra que define el género está en el vocablo latino *computus*, el mismo que hoy usamos para indicar que llevamos cuenta de algo. Hay un oculto sentido matemático en la rigurosidad del cuento; como en las matemáticas, en el cuento no puede haber confusión de valores.

El cuentista avezado sabe que su tarea es llevar al lector hacia ese hecho que ha escogido como tema; y que debe llevarlo sin decirle en qué consiste el hecho. En ocasiones resulta útil desviar la atención del lector haciéndole creer, mediante una frase discreta, que el hecho es otro. En cada párrafo, el lector deberá pensar que ya ha llegado al corazón del tema; sin embargo no está en él y ni siquiera ha comenzado a entrar en el círculo de sombras o de luz que separa el hecho del resto del relato.

El cuento debe ser presentado al lector como un fruto de numerosas cáscaras que van siendo desprendidas a los ojos de un niño goloso. Cada vez que comienza a caer una de las cáscaras, el lector esperará la almendra de la fruta; creerá que ya no hay cortezas y que ha llegado el momento de gustar el anhelado manjar vegetal. De párrafo en párrafo, la acción interna y secreta del cuento seguirá por debajo de la acción externa y visible; estará oculta por las acciones accesorias, por una actividad que en verdad no tiene otra finalidad que conducir al lector hacia el hecho. En suma, serán cáscaras que al desprenderse irán acercando el fruto a la boca del goloso.

Ahora bien, en cuanto al hecho que da el tema, ¿cómo conviene que sea? Humano, o por lo menos humanizado. Lo que pretende el cuentista es herir la sensibilidad o estimular las ideas del lector; luego, hay que dirigirse a él a través de sus sentimientos o de su pensamiento. En las fábulas de Esopo como en los cuentos de Rudyard Kipling, en los relatos infantiles de Andersen como en las parábolas de Oscar Wilde, animales, elementos y objetos tienen alma humana. La experiencia íntima del hombre no ha traspasado los límites de su propia esencia; para él, el universo infinito y la materia mensurable existen como reflejo de su ser. A pesar de la creciente humildad a que lo somete la ciencia, él seguirá siendo por mucho tiempo el rey de la creación, que vive orgánicamente en función de señor supremo de la actividad universal. Nada interesa al hombre más que el hombre mismo. El mejor tema para un cuento será siempre un hecho humano, o por lo menos relatado en términos esencialmente humanos.

La selección del tema es un trabajo serio y hay que acometerlo con seriedad. El cuentista debe ejercitarse en el arte de distinguir con precisión cuándo un tema es apropiado para un cuento. En esta parte de la tarea entra a jugar el don nato del relatador. Pues sucede que el cuento comienza a formarse en el acto, en ese instante de la selección del hecho—tema. Por sí solo, el tema no es en verdad el germen del cuento, pero se convierte en tal germen precisamente en el momento en que el cuentista lo escoge por tema.

Si el tema no satisface ciertas condiciones, el cuento será pobre o francamente malo aunque su autor domine a perfección la manera de presentarlo. Lo pintoresco, por ejemplo, no tiene calidad para servir de tema; en cambio puede serlo, y muy bueno, para un artículo de costumbre o para una página de buen humor.

El tema requiere un peso específico que lo haga universal. Puede ser muy local en su apariencia, pero debe ser universal en su valor intrínseco. El sufrimiento, el amor, el sacrificio, el heroísmo, la generosidad, la crueldad, la avaricia, son valores universales, positivos o negativos, aunque se presenten en hombres y mujeres cuyas vidas no traspasan las lindes de lo local; son universales en el habitante de las grandes ciudades, en el de la jungla americana o en el de los iglúes esquimales.

Todo lo dicho hasta ahora se resume en estas pocas palabras: si bien el cuentista tiene que tomar un hecho y aislarlo de sus apariencias para construir sobre él su obra, no basta para el caso un hecho cualquiera; debe ser un hecho humano o que conmueva a los hombres, y debe tener categoría universal. De esa especie de hechos está lleno el mundo; están llenos los días y las horas, y adondequiera que el cuentista vuelva los ojos hallará hechos que son buenos temas.

Ahora bien, si en ocasiones esos hechos que nos rodean se presentan en tal forma que bastaría con relatarlos para tener cuentos, lo cierto es que comúnmente el cuentista tiene que estudiar el hecho para saber cuál de sus ángulos servirá para un cuento. A veces el cuento está determinado por la mecánica misma del hecho, pero también puede estarlo por su esencia, por sus motivaciones o por su apariencia formal. Un ladronzuelo cogido in fraganti puede dar un cuento excelente si quien lo sorprende robando es un hermano, agente de policía, o si la causa del robo es el hambre de la madre del descuidero; y puede ser también un magnífico cuento si se trata del primer robo del autor y el cuentista sabe presentar el desgarrón psicológico que supone traspasar la barrera que hay entre el mundo normal y el mundo de los delincuentes. En los tres casos el hecho-tema sería distinto; en el primero, se hallará en la circunstancia de que el hermano del ladrón es agente de policía; en el segundo, en el hambre de la madre; en el tercero, en el desgarrón psicológico. De donde puede colegirse por qué hemos insistido en que el hecho que sirve de tema debe estar libre de apariencias y de todo cuanto no sea expresión legítima de su sustancia. Pues en estos tres posibles cuentos el tema parece ser de captura del ladronzuelo mientras roba, y resulta que hay tres temas distintos, y en los tres la captura del joven delincuente es un camino hacia el corazón del hecho-tema.

Aprender a ver un tema, saber seleccionarlo, y aún dentro de él hallar el aspecto útil para desarrollar el cuento, es parte importantísima en el arte de escribir cuentos. La rígida disciplina mental y emocional que el cuentista ejerce sobre sí mismo comienza a actuar en el acto de escoger el tema. Los personajes de una novela contribuyen en la redacción del relato por cuanto sus caracteres, una vez creados, determinan en mucho el curso de la acción. Pero en el cuento toda la obra es del cuentista y esa obra está determinada sobre todo por la calidad del tema. Antes de sentarse a escribir la primera palabra, el cuentista debe tener una idea precisa de cómo va a desenvolver su obra. Si esta regla no se sigue, el resultado será débil. Por caso de adivinación, en un cuentista nato de gran poder, puede darse un cuento muy bueno sin seguir esta regla; pero ni aún el mismo autor podrá garantizar de antemano qué saldrá de su trabajo cuando ponga la palabra final. En cambio, otra cosa sucede si el cuentista trabaja conscientemente y organiza su construcción al nivel del tema que elige.

Así como en la novela la acción está determinada por los caracteres de sus protagonistas, en el cuento el tema da la acción. La diferencia más drástica entre el novelista y el cuentista se halla en que aquél sigue a sus personajes mientras que éste tiene que gobernarlos. La acción del cuento está determinada por el tema; pero tiene que ser dictatorialmente regida por el cuentista; no puede desbordarse ni cumplirse en todas sus posibilidades sino únicamente en los términos estrictamente imprescindibles al desenvolvimiento del cuento y entrañablemente vinculados al tema. Los personajes de una novela pueden dedicar diez minutos a hablar de un cuadro que no tiene función en la trama de la novela; en un cuento no debe mencionarse siquiera el cuadro si él no es parte importante en el curso de la acción.

El cuento es el tigre de la fauna literaria; si le sobra un kilo de grasa o de carne, no podrá garantizar la cacería de sus víctimas. Huesos, músculos, piel, colmillos y garras nada más, el tigre está creado para atacar y dominar a las otras bestias de la selva. Cuando los años le agregan grasa a su peso, le restan elasticidad en los músculos, aflojan sus colmillos o debilitan sus poderosas garras, el majestuoso tigre se halla condenado a morir de hambre.

El cuentista debe tener alma de tigre para lanzarse contra el lector, o instinto de tigre para seleccionar el tema y calcular con exactitud a qué distancia está su víctima y con qué fuerza debe precipitarse sobre ella.

Pues sucede que en la oculta trama de ese arte difícil que es escribir cuentos, el lector y el tema tienen un mismo corazón. Se dispara a uno para herir al otro. Al dar su salto asesino hacia el tema, el tigre de la fauna literaria está saltando también sobre el lector.

III

Hay una acepción del vocablo "estilo" que lo identifica con el modo, la forma, la manera particular de hacer algo. Según ella, el uso, la práctica o la costumbre en la ejecución de ésta o aquella obra implica un conjunto de reglas que debe ser tomado en cuenta a la hora de realizar esa obra.

¿Se conoce algún estilo, en el sentido de modo o forma, en la tarea de escribir cuentos?

Sí. Pero como cada cuento es un universo en sí mismo, que demanda el don creador en quien lo realiza, hagamos desde este momento una distinción precisa: el escritor de cuentos es un artista; y para el artista –sea cuentista, novelista, poeta, escultor, pintor, músico– las reglas son leyes misteriosas, escritas para él por un senado sagrado que nadie conoce; y esas leyes son ineludibles.

Cada forma, en arte, es producto de una suma de reglas, y en cada conjunto de reglas hay divisiones: las que dan a una obra su carácter como género, y las que rigen la materia con que se realiza. Unas y otras se mezclan para formar el todo de la obra artística, pero las que gobiernan la materia con que esa obra se realiza resultan determinantes en la manera peculiar de expresarse que tiene el artista. En el caso del autor de cuentos, el medio de creación de que se sirve es la lengua, cuyo mecanismo debe conocer a cabalidad. Del conjunto de reglas hagamos abstracción de las que gobiernan la materia expresiva. Ésas son el bagaje primario del artista, y con frecuencia él las domina sin haberlas estudiado a fondo. Especialmente en el caso de la lengua, parece no haber duda de que el escritor nato trae al mundo un conocimiento instintivo de su mecanismo que a menudo resulta sorprendente, aunque tampoco parece haber duda de que ese don mejora mucho cuando el conocimiento instintivo se lleva a la conciencia por la vía del estudio.

Hagamos abstracción también de las reglas que se refieren a la manera peculiar de expresarse de cada autor. Ellas forman el estilo personal, dan el sello individual, la marca divina que distingue al artista entre la multitud de sus pares.

Quedémonos por ahora con las reglas que confieren carácter a un género dado; en nuestro caso, el cuento. Esas reglas establecen la forma, el modo de producir un cuento.

La forma es importante en todo arte. Desde muy antiguo se sabe que en lo que atañe a la tarea de crearla, la expresión artística se descompone en dos factores fundamentales: tema y forma. En algunas artes la forma tiene más valor que el tema; ese es el caso de la escultura, la pintura y la poesía, sobre todo en los últimos tiempos.

La estrecha relación de todas las artes entre sí, determinada por el carácter que le imprime al artista la actitud del conglomerado social ante los problemas de su tiempo –de su generación–, nos lleva a tomar nota de que a menudo un cambio en el estilo de ciertos géneros artísticos influye en el estilo de otros. No nos hallamos ahora en el caso de investigar si en realidad se produce esa influencia con intensidad decisiva o si todas las artes cambian de estilo a causa de cambios profundos introducidos en la sensibilidad social por otros factores. Pero debemos admitir que hay influencias. Aunque estamos hablando del cuento, anotemos de paso que la escultura, la pintura y la poesía de hoy se realizan con la vista puesta en la forma más que en el tema. Esto puede parecer una observación estrafalaria, dado que precisamente esas artes han escapado a las leyes de la forma al abandonar sus antiguos modos de expresión. Pero en realidad, lo que abandonaron fue su sujeción al tema para entregarse exclusivamente a la forma. La pintura y la escultura abstractas son sólo materia y forma, y el sueño de sus cultivadores es expulsar el tema en ambos géneros. La poesía actual se inclina a quedarse sólo con las palabras y la manera de usarlas, al grado que muchos poemas modernos que nos emocionan no resistirían un análisis del tema que llevan dentro.

Volveremos sobre este asunto más tarde. Por ahora recordemos que hay un arte en el que tema y forma tienen igual importancia en cualquier época: es la música. No se concibe música sin tema, lo mismo en el Mozart del siglo XVIII que en el Bartok del siglo XX. Por otra parte, el tema musical no podría existir sin la forma que lo explica, debido a que la música debe ser interpretada por terceros.

Pero en la novela y en el cuento, que no tienen intérpretes sino espectadores del orden intelectual, el tema es más importante que la forma, y desde luego mucho más importante que el estilo con que el autor se expresa.

Todavía más: en el cuento el tema importa más que en la novela. Pues en su sentido estricto, el cuento es el relato de un hecho, uno solo, y ese hecho –que es el tema– tiene que ser importante, debe tener importancia por sí mismo, no por la manera de presentarlo.

Antes dije que "un cuento no puede construirse sobre más de un hecho. El cuentista, como el aviador, no levanta vuelo para ir a todas partes y ni siquiera a dos puntos a la vez; e igual que el aviador, se halla forzado a saber con seguridad a dónde se dirige antes de poner la mano en las palancas que mueven su máquina".

La convicción de que el cuento tiene que ceñirse a un hecho, y sólo a uno, es lo que me ha llevado a definir el género como "el relato de un hecho que tiene indudable importancia". A fin de evitar que el cuentista novel entendiera por hecho de indudable importancia un suceso poco común, expliqué en esa misma oportunidad que "la importancia del hecho es desde luego relativa; mas debe ser indudable, convincente para la generalidad de los lectores"; y más adelante decía que "importancia no quiere decir aquí novedad, caso insólito, acaecimiento singular. La propensión a escoger argumentos poco frecuentes como temas de cuentos puede conducir a una deformación similar a la que sufren en sus estructuras musculares los profesionales del atletismo".

Hasta ahora se ha tenido la brevedad como una de las leyes fundamentales del cuento. Pero la brevedad es una consecuencia natural de la esencia misma del género, no un requisito de la forma. El cuento es breve porque se halla limitado a relatar un hecho y nada más que uno. El cuento puede ser largo, y hasta muy largo, si se mantiene como relato de un solo hecho. No importa que un cuento esté escrito en cuarenta páginas, en sesenta, en ciento diez; siempre conservará sus características si es el relato de un solo acontecimiento, así como no las tendrá si se dedica a relatar más de uno, aunque lo haga en una sola página.

Es probable que el cuento largo se desarrolle en el porvenir como el tipo de obra literaria de más difusión, pues el cuento tiene la posibilidad de llegar al nivel épico sin correr el riesgo de meterse en el terreno de la epopeya, y alcanzar ese nivel con personajes y ambientes cotidianos, fuera de las fronteras de la historia y en prosa monda y lironda, es casi un milagro que confiere al cuento una categoría artística en verdad extraordinaria.[1]

---

[1] Debemos esta aguda observación a Thomas Mann, quien en "Ensayos sobre Chéjov", traducción de Aquilino Duque (en Revista Nacional de Cultura, Caracas, Venezuela, marzo-abril de 1960, pp. 52 y siguientes), dice que Chéjov había sido para él "un hombre de la forma pequeña, de la narración breve que no exigía la heroica perseverancia de años y decenios, sino que podía ser liquidado en unos días o unas semanas por cualquier frívolo del Arte. Por todo esto abrigaba yo un cierto desprecio (por la obra de Chéjov), sin acabar de apercibirme de la dimensión interna, de la fuerza genial que logra lo breve y lo sucinto que en su acaso admirable concisión encierran toda la plenitud de la vida y se elevan decididamente a un nivel épico..."

"El arte del cuento consiste en situarse frente a un hecho y dirigirse a él resueltamente, sin darles caracteres de hechos a los sucesos que marcan el camino hacia el hecho..." dije antes. Obsérvese que el novelista sí da caracteres de hechos a los sucesos que marcan el camino hacia el hecho central que sirve de tema a su relato; y es la descripción de esos sucesos –a los que podemos calificar de secundarios– y su entrelazamiento con el suceso principal, lo que hace de la novela un género de dimensiones mayores, de ambiente más variado, personajes más numerosos y tiempo más largo que el cuento.

El tiempo del cuento es corto y concentrado. Esto se debe a que es el tiempo en que acaece un hecho –uno solo, repetimos–, y el uso de ese tiempo en función de caldo vital del relato exige del cuentista una capacidad especial para tomar el hecho en su esencia, en las líneas más puras de la acción.

Es ahí, en lo que podríamos llamar el poder de expresar la acción sin desvirtuarla con palabras, donde está el secreto de que el cuento pueda elevarse a niveles épicos. Thomas Mann sintió el aliento épico en algunos cuentos de Chéjov –y sin duda de otros autores–, pero no dejó constancia de que conociera la causa de ese aliento. La causa está en que la epopeya –el héroe– es un artista de tal acción pura, un cuentista lleva a categoría épica el relato de un hecho realizado por hombres y mujeres que no son héroes en el sentido convencional de la palabra, el cuentista tiene el don de crear la atmósfera de la epopeya sin verse obligado a recurrir a los grandes actores del drama histórico y a los episodios en que figuraron.

¿No es esto un privilegio en el mundo del arte?

Aunque hayamos dicho que en el cuento el tema importa más que la forma, debemos reconocer que hay una forma –en cuanto manera, uso o práctica de hacer algo– para poder expresar la acción pura, y que sin sujetarse a ella no hay cuento de calidad. La mayor importancia del tema en el género cuento no significa, pues, que la forma puede ser manejada a capricho por el aspirante a cuentista. Si lo fuera, ¿cómo podríamos distinguir entre cuento, novela e historia, géneros parecidos pero diferentes?

Para el cuento hay una forma. ¿Cómo se explica, pues, que en los últimos tiempos, en la lengua española –porque no conocemos caso parecido en otros idiomas– se pretenda escribir cuentos que no son cuentos en el orden estricto del vocablo?

A pesar de la familiaridad de los géneros, una novela no puede ser escrita con forma de cuento o de historia, ni un cuento con forma de novela o de relato histórico, ni una historia como si fuera novela o cuento.

Un eminente crítico chileno escribió hace algunos años que "junto al cuento tradicional", al cuento "que puede contarse", con principio, medio y fin, el conocido y clásico, existen otros que flotan, elásticos, vagos, sin contornos definidos ni organización rigurosa. Son interesantísimos y, a veces, de una extremada delicadeza; superan a menudo a sus parientes de antigua prosapia; pero ¿cómo negarlo, cómo discutirlo? Ocurre que no son cuentos; son otra cosa: divagaciones, relatos, cuadros, escenas, retratos imaginarios, estampas, trozos o momentos de vida, son y pueden ser mil cosas más; pero, insistimos, no son cuentos, no deben llamarse cuentos. Las palabras, los nombres, los títulos, calificaciones y clasificaciones tienen por objeto aclarar y distinguir, no obscurecer o confundir las cosas. Por eso al pan conviene llamarlo pan. Y al cuento, cuento.[2]

Pero sucede que como hemos dicho hace poco, un cambio en el estilo de ciertos géneros artísticos se refleja en el estilo de otros. La pintura, la escultura y la poesía están dirigiéndose desde hace algún tiempo a la síntesis de materia y forma, con abandono del tema; y esta actitud de pintores, escultores y poetas ha influido en la concepción del cuento americano, o el cuento de nuestra lengua ha resultado influido por las mismas causas que han determinado el cambio de estilo en pintura, escritura y poesía.

Por una o por otra razón, en los cuentistas nuevos de América se advierte una marcada inclinación a la idea de que el cuento debe acumular imágenes literarias sin relación con el tema. Se aspira a crear un tipo de cuento –el llamado "cuento abstracto"–, que acaso podrá llegar a ser un género literario nuevo, producto de nuestro agitado y confuso siglo XX, pero que no es ni será cuento.

Ahora bien, ¿cuál es la forma del cuento?

En apariencia, la forma está implícita en el tipo de cuento que se quiera escribir. Los hay que se dirigen a relatar una acción, sin más consecuencias; los hay cuya finalidad es delinear un carácter o destacar el aspecto saliente de una personalidad; otros ponen de manifiesto problemas sociales, políticos, emocionales colectivos o individuales; otros buscan conmover al lector sacudiendo su sensibilidad con la presentación de un hecho trágico o dramático, en cada caso el cuentista tiene que ir desenvolviendo el tema en forma apropiada a los fines que persigue.

---

[2] Alone (Hernán Díaz Arrieta), "Crónica Literaria"; en El Mercurio, Santiago de Chile, 21 de agosto de 1955.

Pero esa forma es la de cada cuento y cada autor; la que cambia y se ajusta no sólo al tipo de cuento que se escribe sino también a la manera de escribir del cuentista. Diez cuentistas diferentes pueden escribir diez cuentos dramáticos, tiernos, humorísticos, con diez temas distintos y con diez formas de expresión que no se parezcan entre sí; y los diez cuentos pueden ser diez obras maestras.

Hay, sin embargo, una forma sustancial; la profunda, la que el lector corriente no aprecia, a pesar de que a ella y sólo a ella se debe que el cuento que está leyendo le mantenga hechizado y atento al curso de la acción que va desarrollándose en el relato o al destino de los personajes que figuran en él. De manera intuitiva o consciente, esa forma ha sido cultivada con esmero por todos los maestros del cuento.

Esa forma tiene dos leyes ineludibles, iguales para el cuento hablado y para el escrito; que no cambian porque el cuento sea dramático, trágico, humorístico, social, tierno, de ideas, superficial o profundo; que rigen el alma del género lo mismo cuando los personajes son ficticios que cuando son reales, cuando son animales o plantas, agua o aire, seres humanos, aristócratas, artistas o peones.

La primera ley es la ley de la fluencia constante.

La acción no puede detenerse jamás; tiene que correr con libertad en el cauce que le haya fijado el cuentista, dirigiéndose sin cesar al fin que persigue el autor; debe correr sin obstáculos y sin meandros; debe moverse al ritmo que imponga el tema –más lento, más vivaz–, pero moverse siempre. La acción puede ser objetiva o subjetiva, externa o interna, física o psicológica; puede incluso ocultar el hecho que sirve de tema si el cuentista desea sorprendernos con un final inesperado. Pero no puede detenerse.

Es en la acción donde está la sustancia del cuento. Un cuento tierno debe ser tierno porque la acción en sí misma tenga cualidad de ternura, no porque las palabras con que se escribe el relato aspiren a expresar ternura; un cuento dramático lo es debido a la categoría dramática del hecho que le da vida, no por el valor literario de las imágenes que lo exponen. Así, pues, la acción por sí misma, y por su única virtualidad, es lo que forma el cuento. Por tanto, la acción debe producirse sin estorbos, sin que el cuentista se entrometa en su discurrir buscando impresionar al lector con palabras ajenas al hecho para convencerlo de que el autor ha captado bien la atmósfera del suceso.

La segunda ley se infiere de lo que acabamos de decir y puede expresarse así: el cuentista debe usar sólo las palabras indispensables para expresar la acción.

La palabra puede exponer la acción, pero no puede suplantarla. Miles de frases son incapaces de decir tanto como una acción. En el cuento, la frase justa y necesaria es la que dé paso a la acción, en el estado de mayor pureza que pueda ser compatible con la tarea de expresarla a través de palabras y con la manera peculiar que tenga cada cuentista de usar su propio léxico.

Toda palabra que no sea esencial al fin que se ha propuesto el cuentista resta fuerza a la dinámica del cuento y por tanto lo hiere en el centro mismo de su alma. Puesto que el cuentista debe ceñir su relato al tratamiento de un solo hecho –y de no ser así no está escribiendo un cuento–, no se halla autorizado a desviarse de él con frases que alejen al lector del cauce que sigue la acción.

Podemos comparar el cuento con un hombre que sale de su casa a evacuar una diligencia. Antes de salir ha pensado por dónde irá, qué calles tomará, qué vehículo usará; a quién se dirigirá, qué le dirá. Lleva un propósito conocido. No ha salido a ver qué encuentra, sino que sabe lo que busca.

Ese hombre no se parece al que divaga, pasea; se entretiene mirando flores en un parque, oyendo hablar a dos niños, observando una bella mujer que pasa; entra en un museo para matar el tiempo; se mueve de cuadro en cuadro; admira aquí el estilo impresionista de un pintor y más allá el arte abstracto de otro.

Entre esos dos hombres, el modelo del cuentista debe ser el primero, el que se ha puesto en acción para alcanzar algo. También el cuento es un tema en acción para llegar a un punto. Y así como los actos del hombre de marras están gobernados por sus necesidades, así la forma del cuento está regida por su naturaleza activa.

En la naturaleza activa del cuento reside su poder de atracción, que alcanza a todos los hombres de todas las razas en todos los tiempos.

Caracas, septiembre de 1958

ARTÍCULOS

EVOCACIÓN DE PEDRO HENRÍQUEZ UREÑA

Si el nombre con que se me conoce es de dos sílabas, se lo debo a Pedro Henríquez Ureña porque un buen día, cuando yo andaba por los veinte y tres años, el ilustre ensayista me aconsejó que no siguiera usando la E que aparecía en cada uno de los cuentos que publicaba en *Bahoruco*, la revista de Horacio Blanco Fombona, metida –y seguida de un punto– entre las palabras Juan y Bosch.

El consejo me lo dio el entonces Superintendente General de Enseñanza –que todavía la alta dirección de la educación pública dominicana no estaba encabezada por un Secretario de Estado–en la casa de la calle El Conde donde vivía con su hermano, el Dr. Rodolfo Henríquez Laurazón, que había venido de Cuba, donde la única universidad del país –la de La Habana– había sido cerrada por la dictadura de Gerardo Machado. En esa ocasión –que no era la primera– fui a verlo para llevarle dos cuentos que don Pedro quería mandar a revistas literarias del Continente, una de ellas la bien conocida *Repertorio Americano* que publicaba en la capital de Costa Rica el cuentista Joaquín García Monge, y los dos cuentos iban firmados por Juan Bosch en vez del Juan E. Bosch que había sido el nombre usado por mí hasta ese día.

Textos culturales y literarios. 3a. ed. (Santo Domingo, R. D.: Alfa & Omega, 1994).

Tal vez una semana antes, el maestro de la lengua que era Pedro Henríquez Ureña me había preguntado, en ocasión en que nos hallábamos en el Café Paliza, de la calle El Conde, qué quería decir esa E que aparecía entre Juan y Bosch. "Es que yo me llamo Juan Emilio", le respondí, y pasé a explicarle que como no me gustaba el último nombre usaba sólo su inicial; y en la ocasión en que me aconsejaba, poco después, que no usara más la E me dijo: "Olvídese de esa E, que para lo único que le sirve a usted es para confundir a sus lectores", y a seguidas inquirió: "¿Para qué pone usted una letra sola en medio de un nombre tan sonoro como Juan y su apellido, que se pronuncia sin ningún esfuerzo?" Y remachó lo que estaba diciendo con estas palabras: "En cambio, es muy fácil recordar un nombre de dos sílabas, por ejemplo, Juan Bosch, como era fácil recordar el de Mark Twain".

En el escaso tiempo que Pedro Henríquez Ureña vivió en el país por esos años –no creo que llegaran a dos– se fue formando a su alrededor lo que en España dieron por llamar peña literaria, esto es, el hábito de reunirse en un café algunos escritores –que podían ser poetas, periodistas, historiadores, pero no dramaturgos ni pintores porque en esa época no los había en la Capital, si se exceptúan los casos de Celeste Woss y Gil y Aida Ibarra; en Santiago el de Yoryi Morel; y en La Vega los de Andrés García Godoy y Miguel Moya–. El sitio de reunión era, como dije, el Café Paliza, y allí íbamos en horas de la tarde, además de don Pedro, Juan José Llovet, notable periodista español, Tomás Hernández Franco, Manuel Arturo Peña Batlle, Franklin Mieses Burgos, Pompeyo Cruz y Manuel del Cabral cuando estaban en la Capital; alguna que otra vez iban Héctor Incháustegui y Manuel Llanés, y aunque al pasear por El Conde saludaban desde la acera, nunca entraron, al menos hasta donde alcanza mi memoria, ni Fabio Fiallo ni Vigil Díaz.

El retorno de Pedro Henríquez Ureña a su país no fue definitivo y no podía serlo en las circunstancias en que vivía el pueblo dominicano en esos primeros años de la década de los treinta, pero pocos meses antes de irse trajo a su familia, que era de tres personas: su mujer –todavía no había llegado al país la moda de llamar esposa a la compañera de la vida y el propio don Pedro rechazaba el uso de la palabra señora en lugar de mujer y lo hacía recordando que en España había sido de uso desde hacía muchos siglos la fórmula de despedida "saludos a mi señora su mujer"–, que se llamaba Isabel Lombardo Toledano y sus hijas Sonia y Natacha. Algunos años después conocí al hermano de doña Isabel, Vicente Lombardo Toledano, que durante mucho tiempo fue el más importante líder de la izquierda mexicana.

Cuando llegó su familia, don Pedro se mudó a Gazcue y un día me preguntó qué debía hacer para conseguir un pavo real porque doña Isabel le pedía uno para soltarlo en el jardín de la casa que estaba estrenando. "Yo me encargo de eso", le dije, y dos semanas después doña Isabel tenía el pajuil en su jardín.

Don Pedro y su familia se fueron, pero él no se olvidó de los amigos que había dejado aquí; por lo menos no se olvidó de mí. Que recuerde, me escribió dos veces, y en una de ellas junto con la carta venía un cuento suyo en el que describía con una finura muy propia de su temperamento literario la atmósfera rica de color y de luz de Santo Domingo. Ese cuento fue publicado en *Bahoruco* porque él me lo pidió en su carta y en otra me decía que no dejara de escribir, que leyera a los grandes cuentistas; fue él quien me recomendó en esa carta la lectura de Maupassant, de Kipling y de Quiroga. A mí me impresionaba que un maestro de su categoría se tomara el trabajo de dirigirme a tanta distancia en una actividad como la literaria y en la especialidad del cuento, que para esos años no podía desarrollarse de manera cabal en una sociedad tan elemental como era la nuestra. A tal extremo llegaba el subdesarrollo dominicano que yo pude conseguir aquí un libro, –uno solo– de Ruyard Kipling porque me lo obsequió Julio Ortega Frier, pero de Horacio Quiroga no apareció ni una página, y en cuanto a Maupassant, había leído cuentos suyos sueltos que aparecían de vez en cuando en publicaciones españolas o argentinas.

Pedro Henríquez Ureña se había ido del país cinco, tal vez seis años antes de que yo hiciera lo mismo en enero de 1938, y cuando llegué a La Habana, un año después, en enero de 1939, quien me esperaba en el muelle de la Capital de Cuba era un hermano del ilustre filólogo, el Dr. Enrique Cotubanamá Henríquez, en cuya casa iba yo a encontrar una extensión de la mía. Para fines de 1940 yo tenía en Cuba dos trabajos; uno como autor de dos programas de radio que se pasaban tres veces a la semana cada uno a través de la estación CMQ, que era la más potente del país en esos tiempos, y el otro de visitante a médicos y vendedor de medicinas en las provincias de Matanzas y Santa Clara, y un día de ese año recibí en el laboratorio que producía las medicinas que vendía un recado del Dr. Henríquez en el que me daba la noticia de que su hermano Pedro estaba en La Habana y quería verme. Llamé a Cotubanama –que así le decíamos sus amigos, sin el acento que llevaba su nombre en la última sílaba–para preguntarle dónde podía ver a don Pedro. "Está en el hotel Sevilla", dijo Cotubanama, "pero estará aquí, en casa, dentro de hora y media", y a la hora y media, cuando él subía las escaleras de aquella casa que tenía a su frente las aguas del Atlántico, yo bajaba los escalones para encontrarlo a medio camino y allí nos dimos un abrazo cálido, estrecho. En los tal vez ocho años que habíamos estado sin vernos él había echado algunas canas, pero yo había echado más que él.

Don Pedro pasaba por La Habana en viaje desde Norteamérica, donde estuvo dando conferencias en la universidad de Harvard y allí había encontrado a su hermana Camila, mujer excepcional, de una finura exquisita, que también daba conferencias en una universidad de aquel país; él iba hacia Buenos Aires y no quería salir de Cuba sin visitar Varadero, la playa más conocida de las muchas que tenía –y sigue teniendo, naturalmente– la patria de José Martí, y Cotubanama le había dicho que yo conocía Varadero porque viajaba por la provincia de Matanzas a la cual pertenecía el municipio de Cárdenas, en cuya jurisdicción se hallaba Varadero. A mi pregunta de cuándo quería ir a Varadero don Pedro respondió que de ser posible al día siguiente, y al día siguiente hicimos el viaje por la Carretera Central, porque todavía no se había hecho la de la costa que iba a llamarse Vía Blanca. Cotubanama había conseguido que un amigo le prestara automóvil con chofer y don Pedro y yo lo usamos desde las ocho de la mañana hasta las siete de la noche, hora en que me despedí de él en el hotel Sevilla. En esa excursión de todo un día el hombre enciclopédico que era Pedro Henríquez Ureña habló de muchos temas, y con interés especial de la Segunda Guerra Mundial que estaba entonces en la etapa de mayor agresividad por parte de Alemania, pero a saltos preguntaba por sus conocidos de la República Dominicana y sobre todo por la situación del país en el orden político, en el económico, en el cultural.

La próxima vez que supe del más ilustre de los intelectuales dominicanos fue a mediados de mayo de 1946 cuando Cotubanama me dio la noticia de que don Pedro había muerto en la Argentina mientras viajaba en ferrocarril de Buenos Aires a La Plata, una ciudad que está en la desembocadura del río que lleva ese nombre.

Unos días después Cotubanama me dijo que los miembros de la familia Henríquez que vivían en Cuba habían acordado pedirme que tomara parte, en condición de expositor de la vida y la obra de don Pedro, en un acto que iba a celebrarse en La Habana para rendir homenaje a su memoria, y como era natural, cumplí ese deber, que para mí era mucho más que un compromiso.

Ahora, mientras escribo estas páginas evoco la imagen del personaje a quien ellas se refieren y lo veo ante mí con lo que era, a mi juicio, el aspecto más característico de su personalidad: la expresión de dulzura que emanaba de él en todos sus movimientos, lo mismo cuando levantaba ligeramente el codo para llevarse a la boca la tacita de café que cuando se ponía de pie y daba la mano para despedirse de los que le rodeaban. En lo que hace a su contextura, Pedro Henríquez Ureña no era ni alto ni delgado sino más bien de tamaño medio y cuerpo lleno, pero el rostro no correspondía con el cuerpo porque si bien la frente era ancha, a partir de los pómulos las líneas descendentes se estrechaban y el centro mismo de la cara, que está entre los ojos y la boca, quedaba iluminado por una luz que hacía resplandecer ese rostro como si fuera el de un joven que tenía siempre los labios ligeramente recogidos y también ligeramente entreabiertos, como si estuviera sonriendo de manera continua.

El busto que se le erigió en la esquina de la calle que lleva su nombre con la Leopoldo Navarro, en el barrio capitaleño de Gazcue, no refleja esa dulzura, que era para mí lo más característico de la apariencia física de ese dominicano extraordinario. En el busto se le ve carirredondo y hosco, y él no era ni una cosa ni la otra. Yo lo conocí en Santo Domingo y volví a verlo varios años después en Cuba, y aquí y allá le vi siempre en la boca un esbozo de sonrisa que no era impuesto ni falso porque se correspondía con lo que expresaban los ojos y con su dulzura, que era a la vez perpetua, contenida y varonil.

Santo Domingo, 15 de junio, 1984
(Publicado en *Isla abierta* el 30 del mismo mes, pp. 36 y 37.)

LLORÉNS TORRES, EL APASIONADO

Pocos hombres pasaron por el mundo con una carga de pasión tan grande como la que albergaba el cuerpo corto, ligeramente encorvado de Luis Lloréns Torres. El extraordinario poeta de Puerto Rico iba y venía por la Tierra viéndolo, oliéndolo, oyéndolo todo con apasionado interés. De ahí su panteísmo. "Hay poesía en todo", aseguraba.

Se le discutió mucho tal apreciación. Nemesio Canales, el malogrado dramaturgo boricua, no podía comprender la actitud de Lloréns Torres. "¿Crees que en esa puerca, por ejemplo, hay poesía?" –le preguntó, señalando a una cerda madre que estaba tendida a la orilla del camino por el cual discurrían–. "Sí" –respondió el poeta. Y al siguiente día le llevó a Canales su célebre "Navidad Antillana."

> Esta puerca parida, hembra de egregio rango,
> de la estirpe de aquellas ocho del Almirante
> que a las Indias vinieron en la Marigalante
> y en las Indias hozaron la doncellez del fango;
> esta puerca que ahora santamente se acuesta bajo
> la sed cristiana de los siete lechones
> que pulsan el teclado de sus siete pezones

Textos culturales y literarios. 3a. ed. (Santo Domingo, R. D.: Alfa & Omega, 1994).

en misererenóbica paternostral orquesta;
esta doña cuadrúpeda, de la nada creada,
le ha pagado con creces su débito a la nada.
Esta puerca, señores, no quiso
que su vida consistiese tan sólo en estar bien comida
y acostarse y rascarse y quedarse dormida.
Esta puerca es, señores, una puerca parida.

El poeta que había en él se expresaba siempre en canto, y su don de versificador, comparable con el que tuvieron sus colegas del Siglo de Oro, le llevaba a crear esa hermosa y popular forma de "misererenóbica paternostral orquesta" con una sencillez y una espontaneidad pasmosas.

Nada dejó de impresionar la sensibilidad poética de Luis Lloréns Torres, y ninguna dificultad de expresión logró interponerse entre él y el pueblo. Como para él todo era razón de poesía, no tuvo miedo en momento alguno de no expresarse como poeta. Eso se advierte en cualquiera de sus cantos. Cuando escribe su hermoso "Patito feo", dice:

Cisne azul, la raza hispana
puso un huevo, ciega y sorda,
en el nido de la gorda
pata norteamericana...

¿Era acaso "gorda" un adjetivo poético en los días que vieron el nacimiento de tal poema? No; ni lo era el final del soneto que nadie dijera, con la naturalidad que él, a la Revolución de Lares:

Tu pecho todo se volvió una rosa
al derramar tu sangre generosa
por el pueblo infeliz que en torpe yerro

no siente el deshonor de ser esclavo,
y sus cadenas lame, como un perro,
y como un perro remenea el rabo.

Pero Lloréns Torres sabía que la poesía es obra del poeta, y que un poeta debe ser, ante todo, fiel al pueblo cuya vida expresa. Esa era la clave de su poderoso don creador: escribía para el pueblo. No tomaba en cuenta, a la hora de soltar su brava voz de cantor natural, ni a los lectores cultos ni a las señoras mojigatas. Decía lo que tenía que decir, en un idioma comprensible para la masa, y no tenía consideración alguna ni por los críticos ni por los poderosos. De ahí que nadie dijera cuanto dijo en una sociedad limitada por su falta de libertad nacional.

Sus terribles catilinarias en verso contra el imperialismo norteamericano, contra su propio pueblo que lo sufre, contra la injusticia social, estaban tan cargadas de pasión como cualesquiera de sus poemas eróticos. Y a la vez tan cargadas de desenfado. El hombre que decía:

> esta noche de Reyes me doy a esa mulata...
> y si al mundo le pica que cante esta cantata,
> en mi libro de amores que me anote una errata,

o que hablando de su perro aseguraba:

> y si el amor lo hinca, al captar la lejana
> llamada de la perra, pierde todo respeto.

Y yo, bah, lo perdono... Porque en aprietos tales los hombres somos mucho más perros que los perros. Era el mismo –exactamente el mismo, por dentro y por fuera– que no se cuidaba de la forma cuando escribía un artículo de periódico en verso, como "Imperialismo yanqui", "Recibo de intereses vencidos" o "Los inmensos analfabetos de América."

Hombre cargado de pasión y sin miedo al ridículo, tenía esa cantidad de infantil inconsciencia, necesaria en todo gran poeta, que hace falta para decir en voz alta que se está viendo algo alejado de los ojos comunes.

Por respeto al ser humano en su más cabal expresión, Lloréns Torres no respetaba nada que fuera socialmente respetable dentro de la concepción vulgar del mundo. Abogado con bufete abierto y trabajos a espuertas, contempla un día sobre su escritorio el Código Civil y escribe:

> ...¿Y quién vomitó este código?
> ¿De qué estómago indigesto
> cayó en el pueblo este vómito de
> injusticias contra el pueblo?...

Tras algunas consideraciones, él mismo habrá de contestarse:

> ¿A qué padres de alma negra
> ha salido tan canalla
> este libro sinvergüenza?
> Debo decirlo y lo digo,
> aunque se parta mi lengua:
> a los padres de este código
> los parió la desvergüenza
> que se vendió en los comicios
> a dos pesos por cabeza.

Acaso esa actitud suya esté dicha en el final de su "Canción del borracho":

> ¿Y la gloria?, me arguyen
> los poetas. ¡Callad!
> Que si todo es mortal,
> ¿quién va a prendernos el laurel?
> ¡Oh!... Dejadme beber...

Acaso... Aunque para mi gusto él dijo dónde estaba el secreto de su desenfado, que es a la vez el depósito de su enorme carga de pasión; lo dijo en "Del libro borrador":

> El pueblo es el gran río
> donde mi arte abrevo
> mis andanzas urdo
> y mi bajel maniobra.

Tenía que ser así porque él mismo era pueblo. Como éste, amaba, vivía, deseaba. Clamó como nadie por la independencia de Puerto Rico, y en cada mujer de un pueblo libre buscaba beber, junto con el zumo femenino, el aire de la libertad nacional que no respiraba en torno suyo.

"Quiero morir en Puerto Rico" –dijo cuando sintió que la vida le abandonaba. Estaba hospitalizado en Nueva York. Lo llevaron a su isla. Murió gozándola con los ojos de la cara y de los huesos. El gran corazón animado de cantos se guareció en lo profundo de la tierra isleña.

Desde aquí me imagino a los puertorriqueños regando con su llanto esa tumba para que de ella nazca la república que el poeta echó tanto de menos. Pues ese hombre apasionado hacía converger todas sus pasiones en una sola: la de que su pueblo fuera el dueño de sus destinos.

Gaceta del Caribe, La Habana, agosto de 1944

MIS RECUERDOS DE CHÉ GUEVARA

Ché Guevara visitó algunas veces mi casa de Costa Rica. Esto sucedía en los primeros meses de 1954, cuando nadie sospechaba que el joven médico trotamundos iba a tener celebridad internacional. Mi hijo León, que empezaba entonces a pintar retratos y que vivía conmigo en el pequeño y dulce país centroamericano, había hecho amistad con algunos exiliados argentinos antiperonistas y a través de esa amistad llegaban a verme, a tomar una taza de café y a cambiar opiniones sobre los problemas de una América que en esos años era un muestrario de dictadores. Fue uno de esos exiliados –el Dr. Rojo, si no recuerdo mal– quien llegó un día acompañado de un joven silencioso, serio, que de vez en cuando sacaba del bolsillo de la camisa un inhalador y se lo aplicaba en la nariz mientras apretaba la diminuta vejiga del instrumento. Ese joven era el Dr. Ernesto Guevara. Ya por entonces sus amigos le llamaban Ché, apelativo nacional de los argentinos.

Ernesto Guevara era asmático –y de ahí el uso del inhalador–, pero su cuerpo estaba constituido como si no lo fuera. No tenía el pecho hundido ni era bajito ni delgado. No llegaba a ser alto; no era grueso; no era musculoso. Sin embargo producía sensación de firmeza física. Tenía unos rasgos que lo hacían inconfundible: la frente, los arcos superciliares, las cejas, los ojos, la nariz y la boca. Esos rasgos hacían evocar inmediatamente a Beethoven, y

Temas históricos, 1a. ed. (Santo Domingo, R. D.: Alfa & Omega, 1991).

recuerdo haberle dicho a mi hijo León estas palabras: "Ese muchacho tiene rostro beethoviano". Su mirada era a la vez fija e intensa, pero con más fijeza que intensidad, y muy clara, casi iluminada. Oía cuidadosamente y sólo de tarde en tarde hacía alguna pregunta, pero siempre era una pregunta que iba directamente al fondo del problema que estaba siendo tratado.

Según me dijo él mismo, Guevara había llegado a Costa Rica desde Panamá; era médico especializado en alergias y recorría América con la ilusión de conocerla toda. De Costa Rica pensaba ir a Guatemala y me pidió algunos datos sobre el país. En la Argentina se había opuesto a Perón y no quería volver a su tierra mientras gobernara el general.

En el año 1958, cuando ya el nombre de Ernesto Guevara era conocido en todo el mundo y yo me hallaba en Venezuela, Rómulo Betancourt me preguntó por lo menos en tres ocasiones distintas quién era el Ché. Algunos de los venezolanos que habían estado en el exilio con Betancourt en Costa Rica le habían dicho que Guevara había estado también por esos días en Costa Rica, pero Betancourt no lo recordaba. Betancourt iba a visitarme a menudo –como yo a él– y en algunas de esas visitas él y el Ché coincidieron; es más, en varias oportunidades Guevara se dirigió a él, siempre con un respeto visible y siempre con esas preguntas a la vez simples y agudas, muy directas, que eran tan características del joven médico argentino. Yo le explicaba a Betancourt quién era y cómo era ese renombrado Ché Guevara; se lo describía físicamente, le recordaba que en cierta ocasión Guevara le había preguntado esto y lo otro. "Era aquel joven que iba con un inhalador y que fumaba tabacos, no cigarrillos ni pipa; uno que se sentaba siempre en el mismo sitio, entre el comedor y la sala", le decía. Pero no había manera de que Betancourt recordara a Ernesto Guevara.

Yo notaba –y no se necesitaba ser un buen observador para darse cuenta de ello– el respeto que Guevara tenía por Betancourt y por mí, la atención con que oía cualquiera cosa que decíamos; y notaba también que el joven argentino trataba de buscar algo, tal vez una orientación. Debía haber alguna cosa que era para él más importante, y entendí que lo que deseaba era dedicarse a actividades científicas. Muy parcamente, me lo dejó entrever cuando le pregunté a qué pensaba dedicarse cuando terminara de recorrer las tierras apasionantes de América. La impresión que tenía yo entonces era que el Ché Guevara, a sus veinticinco o veintiséis años –pues no parecía tener más– buscaba su destino y no sabía dónde estaba ese destino.

Francamente, no esperé verlo actuando en política, y menos aún en Cuba, y mucho menos todavía en acciones guerrilleras. Me pareció que estaba temperamentalmente dotado para la investigación científica; era controlado, aunque sin duda nada frío, y llegaba rápidamente al fondo de los problemas que le llamaban la atención. Unos años más tarde, en Caracas, me visitó un joven norteamericano que quería saber de mi boca si el Ché era comunista cuando estaba en Costa Rica. "No", le dije. "En esos tiempos no sentía la menor inclinación al comunismo ni creo que tuviera idea de qué era eso". Y yo no andaba equivocado. Pocos días después Guevara declaró en La Habana que él –dijo propiamente "nosotros"– había conocido el marxismo, en la Sierra Maestra. Y, o yo soy muy tonto, o Guevara era hombre que decía la verdad en todas las circunstancias.

Ché Guevara se hizo comunista –por lo menos, marxista– en las montañas cubanas y se abrazó a esa doctrina con una fe tan dura que murió por ella. Pero quien observe cuidadosamente la trayectoria del legendario personaje que ha caído en las selvas bolivianas tiene que distinguir un matiz peculiar en el comunismo del Ché Guevara: era comunista porque era intensamente antiyanqui. Ahora bien ¿por qué se había convertido en antiyanqui hasta la raíz de su alma, él, que cuando andaba por América buscaba una orientación de otro tipo?

La respuesta a esta pregunta hay que buscarla en Guatemala. En alguna parte –creo que en una revista francesa– leí que el médico guerrillero había sido consejero de Arbenz, pero eso es una simpleza insigne. Al llegar a Guatemala Guevara no tenía ningún bagaje político o de otra índole que pudiera llevarlo a la categoría de consejero del entonces presidente Jacobo Arbenz. Pero los informes que tengo de personas que estuvieron en Guatemala en esos días indican que los sucesos que tuvieron lugar en aquel país a raíz de la llegada del joven médico argentino –a mediados de 1954– produjeron una impresión profunda y perturbadora en su ánimo.

Yo no podría decir ahora en qué mes salió Guevara de Costa Rica hacia Guatemala, pero debe haber sido entre marzo y mayo de 1954. Ya para esos meses se esperaba el zarpazo de Washington sobre el gobierno de Arbenz. Día por día se veía crecer la propaganda que presentaba a Arbenz como un agente comunista. Hasta Dorothy Thompson, una columnista norteamericana que pasaba por liberal hasta límites de radicalismo –esposa divorciada o viuda del celebrado autor de "Babitt" y "Calle Mayor"– se lanzó, con todo su peso, a acusar al gobierno guatemalteco de ser un tenebroso agente ruso. Recuerdo que entre las noticias que corrían por Centroamérica había una concebida para abusar de la ignorancia de la gente: que Arbenz había recibido de Rusia un cargamento de bombas atómicas del tamaño de pelotas de tennis

–todavía hoy no pueden fabricarse de ese tamaño– y que iba a usarlas dentro de los Estados Unidos. El submarino ruso y las granadas chinas "halladas" por los yanquis en Santo Domingo a principios de mayo de 1965 eran mentiras menos escandalosas que las de aquellas mini-bombas "A" del coronel Arbenz.

Guevara llegó a Guatemala y a poco fue derrocado el gobierno de Arbenz. Guevara, y todo el mundo en las dos Américas, sabía que había sido derrocado "por orden superior". Esa intervención –que no fue abierta, como la de Santo Domingo– dejó en el alma del médico argentino una huella que era como una herida siempre viva. Desde que Ché Guevara salió del anonimato tuve la impresión –y la sigo teniendo– de que su lucha estuvo dedicada más que nada a combatir a los Estados Unidos, y que la raíz de esa actitud está en los hechos de Guatemala.

Hay algo que los norteamericanos no han aprendido en siglo y medio de relaciones con nuestros países, y desde luego no lo aprenderán jamás, porque si este mundo ha visto un pueblo duro para adquirir conocimientos humanos –no científicos–, ese pueblo es el de los Estados Unidos. Allí pululan los técnicos en relaciones públicas, pero no hay entre ellos dos que se hayan dado cuenta de que la América Latina es, en términos de sensibilidad, una unidad viva. Un tirano de Venezuela ofende, con su sola existencia, a los jóvenes de Chile y El Salvador tanto como a las juventudes venezolanas; una intervención norteamericana en Guatemala le duele tanto a un joven médico argentino como puede dolerle al guatemalteco más orgulloso.

Guevara salió hacia Guatemala y a poco yo salí para Bolivia, precisamente para esa tierra de altas pampas y de selvas nutridas donde él iba a caer trece o catorce años después de haber estado visitando mi casa de exiliado en Costa Rica. No volví a verlo más, pero tan pronto oí su nombre a principios de 1957, cuando ya él estaba en la Sierra Maestra, recordé a aquel joven médico argentino. Lo recordaba con toda nitidez. Recordaba no sólo su presencia física sino hasta su voz. ¿Por qué? No podría decirlo. Tal vez me había impresionado aquel tono de fijeza, y de cierta ansiedad como de quien necesitaba ser y no halla manera de realizarse; la de alguien que está seguro de que tiene un destino y no sabe cómo cumplirlo.

La televisión española transmitió unas escenas relativas a la muerte de Guevara. Se veía un villorrio en la selva boliviana, un villorrio que era la estampa de la soledad, la miseria y la ignorancia; se veía un general cubierto de oropeles, cintajos dorados y medallas, y se veía el cadáver del Ché Guevara tirado en una mesa. Ahí estaba resumido el drama de América: la miseria, la opresión, y el luchador contra la miseria y la opresión, no preso, no herido, sino aniquilado a tiros. Yo evoqué unas palabras de Gregorio Luperón que dicen más o menos así: "El que pretende acabar con la revolución matando a los revolucionarios es como el que piensa que puede apagar la luz del sol sacándose los ojos".

27 de octubre de 1967

MÁXIMO GÓMEZ: UN GIGANTE DE LA HISTORIA

Máximo Gómez murió el 17 de junio de 1905, y si fuera cierto que nació en el año 1836 (fecha de la que no hay prueba aunque es muy posible que sea bueno el dato de que su nacimiento ocurrió un 18 de noviembre), vivió menos de 69 años de los cuales pasó tal vez 16 haciendo la guerra, 3 de ellos en la tierra donde nació y 13 en Cuba. En Cuba se le rinden honores a su recuerdo en una estatua que es la más hermosa levantada a un guerrero en cualquier parte del mundo, en nombres de calles o en el de la Escuela Superior de Guerra, en libros y artículos, y sobre todo en el amor que le profesan los cubanos, un amor cultivado en el corazón de los niños a través de la enseñanza de la historia del país. En cambio en la República Dominicana apenas se sabe quién fue ese banilejo al cual se refirió un periódico inglés de fines del siglo pasado llamándolo "el Napoleón de las guerrillas", cinco palabras que lo ponían a la altura nada menos que del hombre considerado, sobre todo en esos años, el jefe militar más extraordinario de la historia.

¿Merecía Máximo Gómez ser comparado con Napoleón Bonaparte?

No, porque el gran guerrero europeo fue derrotado en Rusia y en Waterloo, y Máximo Gómez no conoció nunca la derrota. Ese dominicano que fue el jefe del Ejército Libertador de Cuba no perdió nunca ni una escaramuza ni un combate ni una batalla, lo que se explica porque era a la

---

Temas históricos, 1a. ed. (Santo Domingo, R. D.: Alfa & Omega, 1991).

vez un estratego, es decir, un señor de la guerra que concebía la actividad guerrera en su conjunto, desde cómo dirigirla al combate, pero además planeaba la guerra como una cadena de acontecimientos basados en la acción armada que debían culminar en una victoria definitiva; y además de estratego, Máximo Gómez era un táctico, tan sobresaliente en ese aspecto como en el otro; y cuando en un guerrero se reúnen el estratego y el táctico, estamos ante un genio militar que conoce por instinto y a la vez la ciencia y el arte de la guerra.

A poco de comenzar la Guerra de los Diez Años (1868–1878), con la cual se inició la lucha armada por la independencia cubana, Máximo Gómez dio, en Venta de los Pinos, la primera carga al machete conocida en el país; él la planeó, la organizó y la encabezó, machete en mano. La acción de Venta de los Pinos causó una conmoción en el ejército español como la causaron el combate de La Sacra, la batalla de Palo Seco y sobre todo la de Las Guásimas, que duró nada más y nada menos que cinco días y les costó a los españoles más de mil bajas.

Máximo Gómez había pasado desde la provincia de Oriente a la de Camagüey, a la que llegó para hacerse cargo de la jefatura del Ejército Libertador que había perdido a su jefe, el mayor general Ignacio Agramonte, una estrella de hombre, rico aristócrata, fino, a quien Martí llamó "el héroe sin tachas"; y allí, en tierra camagüeyana, antes de dar la batalla de Palo Seco concibió la marcha hacia Occidente, es decir, hacia La Habana, que no pudo llevar a cabo en esa ocasión sino 27 años después cuando cruzó toda la isla desde la costa Sur de Oriente adonde llegó en abril de 1895 con Martí "una mano de valientes", entre los que se hallaba otro dominicano, Marcos del Rosario, de Guerra, y en esa ocasión puso en práctica una idea extraordinaria: la llamada Campaña de la Tea, que consistía en darles fuego, uno por uno, a todos los cañaverales que el Ejército Libertador encontrara en su camino hacia la capital de la isla.

Antonio Maceo, segundo en mando del Ejército Libertador, había muerto el 7 de diciembre de 1896, y con él el hijo mayor de Máximo Gómez, Panchito. El general Gómez, que había vuelto a Oriente, cruzó la Trocha de Júcaro a Morón, un paso que el alto mando español consideraba infranqueable, avanzó hacia Occidente, en lo que su biógrafo Benigno Souza llama la "última página de su historia militar" y afirma que "en ella se superó a sí mismo, a todo lo que antes había hecho, a su campaña de Santiago de Cuba durante los años del 68 al 70; a la invasión de Guantánamo en el 71, a las jornadas de Camagüey en el 73 y 74; a la invasión y campaña de Las Villas en el 75 y 76; a la maravillosa campaña circular de Camagüey en el año 95; a su campaña lanzadera de La Habana en el 96, nada, nada se puede comparar a esta épica aventura, a ese duelo desigual, que duró 20 meses, entre Weyler y Blanco (dos generales españoles) con sus 40,000 hombres, y él, al frente de 4,000 mal armados y peor municionados".

Souza explica después que, en 15 acciones que libraron las fuerzas cubanas en la Campaña de la Reforma, tuvieron sólo 28 muertos y 80 heridos, y que para "lograr ese resultado, tuvieron Weyler y Blanco que concentrar sobre él (Máximo Gómez) sobre la tercera parte de todo su ejército, 40,000 hombres; guarnecer con 10,000 de ellos la fúnebre línea militar de la Trocha, que llegaron a iluminar por las noches, en toda su longitud, con faros de carburo, movilizar a más de 30 generales y coroneles; gastar millones y más millones en su Trocha y en fortificar 14 centros de operaciones y campamentos de sus columnas; perder más de 25,000 soldados entre muertos o repatriados por inútiles, es decir, en esa partida se apuntaba Weyler 25,000 por 28 sin haber logrado causar el más pequeño descalabro a Gómez, sin hacerle abandonar esos potreros, sin obligarle a repasar la Trocha".

La Reforma era un conjunto de potreros que ocupaban unos 120 kilómetros cuadrados, más o menos el territorio que hay en la capital de la República Dominicana si de la orilla derecha de la boca del río Ozama tiramos una línea de 10 kilómetros hacia el norte, otra de la orilla izquierda de la boca del río Haina también hacia el norte, y una de 12 kilómetros entre los dos extremos de las dos líneas que salen de los ríos Ozama y Haina.

En un territorio tan pequeño se mantuvo Máximo Gómez nada menos que 20 meses combatiendo contra tropas españolas diez veces más numerosas y mucho mejor armadas y equipadas, pero esas tropas no contaban con la capacidad estratégica y táctica del gran jefe banilejo que puso a pelear del lado de Cuba a la naturaleza del país, a los pantanos con sus mosquitos que transmitían la fiebre amarilla y al clima de la isla, que pasaba de la noche al día de frío a caluroso y desesperaba a los soldados españoles, de esos a los que se había referido Napoleón Bonaparte cuando dijo que con soldados españoles y oficiales franceses él conquistaría el mundo.

Máximo Gómez puso a combatir en Cuba al fuego en la campaña de la tea, con el argumento de que cuando Cuba se empobreciera España no tendría interés en seguir gobernándola, con lo cual demostró que no sólo era un guerrero extraordinario, el más grande jefe guerrillero de la Historia, sino que conocía de manera instintiva el papel primordial que juega en una guerra el factor económico, y el conocimiento instintivo es un privilegio de los artistas. Luego, Máximo Gómez era un guerrero artista y por eso era un genio de la guerra, que por algo cuando se habla de guerras se dice que se está hablando del arte de la guerra o de las artes militares.

Máximo Gómez es un gigante de la Historia. Da pena comprobar que su pueblo, el pueblo dominicano, no sabe quién fue él, ese banilejo que se codea con los grandes personajes de América, genial y modesto, tan modesto que cuando le pidieron que aceptara la presidencia de Cuba, para lo cual se le dio la ciudadanía cubana a todo el que había combatido en las dos guerras de independencia, la de 1868–1878 y la de 1895–1898, condición en la que estaba sólo él, rechazó la oferta diciendo que el diapasón de la política era demasiado fino para una persona acostumbrada a oír sólo el de la guerra, y que además, él era dominicano y no podía dejar de serlo porque la República Dominicana era su patria.

Abril 1986

¿POR QUÉ DICEN CENTROAMÉRICA Y EL CARIBE?

I

De cinco años para acá el periodismo internacional ha venido ocupándose, cada vez más, de los acontecimientos que se dan en Centroamérica, y a partir del momento en que esa porción del Nuevo Mundo empezó a ser noticia de interés para los lectores de periódicos, los oyentes de la radio y los televidentes de Estados Unidos y Europa, entró en circulación una descripción geográfica que se expresa en muy pocas palabras a pesar de que no debería decirse ni en pocas ni en muchas; es la de "Centroamérica y el Caribe", tan caprichosa y confundiente (antiguo participio activo que me tomo la libertad de resucitar en este momento porque me parece necesario en una época que produce confusiones a mares) como podría ser la expresión de Francia y Europa o la de España y la Península Ibérica, o peor todavía, como si dijéramos Andalucía y España.

No se puede ni se debe decir o escribir "América Central (o Centroamérica) y el Caribe" porque el conjunto de países que forman los Estados centroamericanos son parte de la región mesoamericana llamada El Caribe. Eso de Centroamérica y el Caribe es un medio pleonasmo, o si se prefiere,

---

Temas históricos. 1a. ed. (Santo Domingo, R. D.: Alfa & Omega, 1991).

es un pleonasmo vergonzante y por tanto clandestino, algo así como una nueva figura de construcción inventada a espaldas de la Real Academia de la Lengua y de sus congéneres en países que hablan otro idioma, que no el nuestro.

La historia, y de manera especial la historia política, es un inventario de acontecimientos importantes, y esos acontecimientos se dan siempre en lugares geográficos, que pueden ser terrestres, pueden ser marítimos, y a partir de la Segunda Guerra Mundial, pueden ser aéreos, y cada vez más aéreos hasta llegar a ser astrales, pero es seguro que un hecho histórico no puede darse en el vacío. He ahí la razón por la cual para estudiar la historia hay que situar sus episodios en los sitios en que se han dado; y eso puede hacerse sólo si se tienen conocimientos de Geografía, pero no superficiales sino serios, al menos en la medida en que deben serlo para relacionarlos con los hechos de la historia.

Centroamérica o América Central está formada por cinco de las seis provincias o departamentos en que se dividía, hasta mediados del año 1821, la Capitanía General o Reino de Guatemala. Capitanía General era la denominación que le cabía dentro de la organización político–administrativa que había establecido España en sus territorios americanos, y Reino de Guatemala era el nombre que se le daba fuera de los círculos oficiales porque con él se le reconocía la categoría que le correspondía dada la circunstancia de que dentro de los que acabaron siendo sus límites geográficos había florecido la portentosa civilización maya, en la cual abundaban las ciudades Estados gobernada cada una por un rey.

Los departamentos o provincias del Reino de Guatemala eran cinco: la capital, llamada Guatemala, El Salvador, Nicaragua, Honduras y Costa Rica, y a ellos se sumaba la intendencia de Chiapas, pero a mediados de 1821, cuando en toda la América española estaba en su más alto nivel la fiebre de la independencia que había desatado en el Nuevo Mundo ibérico la ocupación de España por tropas de Napoleón Bonaparte y la prisión de Fernando VII en Francia, Chiapas se desprendió de la Capitanía General de Guatemala para unirse a México, donde en ese momento estaban en tensión jubilosa los grandes propietarios y los comerciantes a quienes enfervorizaba el general Agustín Iturbide con su Plan de Iguala, según el cual México sería una monarquía independiente de España, pero los españoles y los mexicanos tendrían iguales derechos y la religión católica tendría supremacía sobre todas las demás, sin que a esta hora sepamos por qué se declaraba esa supremacía si las religiones que no fueran la católica no podrían ser ejercidas en el país.

La noticia de que la intendencia de Chiapas desertaba de la Capitanía General de Guatemala para anexarse a México llegó a la capital el 5 de septiembre de ese año de 1821. Hay que ver un mapa de la actual República de Guatemala y uno de la región de México donde se halla el estado de Chiapas para darse cuenta de lo que significó la noticia del 5 de septiembre, pues la intendencia de Chiapas era tan grande como lo que es ahora Guatemala. Los grandes terratenientes y los comerciantes guatemaltecos se conmovieron con esa noticia, y el capitán general español, don Gabino Gaínza, convocó a una reunión de personas notables que debía celebrarse en el palacio de Gobierno el 15 de ese mes. En esa reunión se declaró la independencia del Reino de Guatemala, que debía ser ratificada por un Congreso de las provincias, y debido a ese acuerdo la independencia de los cinco países centroamericanos se conmemora los 15 de septiembre de cada año, aunque su ratificación demoró y no se obtuvo de manera unánime.

En otra reunión, llevada a cabo el 5 de enero de 1822, los señores de la tierra y del comercio de la provincia de Guatemala, convocados por el mismo don Gabino Gaínza que había sido el último capitán general español de la antigua Capitanía General, quedó declarada la anexión a México, decisión que no compartirían las autoridades de El Salvador ni las de Costa Rica. El ejército que Iturbide envió a Guatemala y a El Salvador fue recibido con flores en Guatemala y con balas en El Salvador. Iturbide, que se había proclamado a sí mismo emperador de México, fue derrocado el 19 de marzo de 1823 y salió hacia Europa, derrocamiento y viaje que arrastraron consigo el fracaso de la intervención mexicana en el antiguo Reino de Guatemala.

El nombre de Centroamérica o América Central no había aparecido todavía; iba a aparecer en un congreso de las cinco provincias que se reunió en la ciudad de Guatemala el 24 de junio de 1823. El 1 de julio, ese congreso declaró que “las provincias representadas en esta Asamblea son libres e independientes de la antigua España, de México y de cualquiera otra potencia; y que no son ni deben ser patrimonio de persona ni de familia alguna”, y denominó el nuevo Estado con el nombre de Provincias Unidas de Centroamérica, pero además eligió un gobierno provisional de tres personas que estaría encabezado por el doctor Pedro Molina.

Ese mismo congreso, que figura en la historia con el nombre de Congreso de Guatemala, pasó a convertirse en Asamblea Constituyente y siguió reunido todo lo que restaba del año 1823 y casi todo el año 1824, hasta el 22 de noviembre, cuando quedó terminada la redacción de la Constitución del nuevo Estado, que pasó a llamarse República Federal Centroamericana, de manera que aun cuando hubo cambios en la palabra que iba a darle carácter de territorio situado entre las dos Américas, la del norte y la del sur, esa palabra, Centroamérica, pasó a definir al nuevo Estado y adquirió dignidad oficial consagrada en la Constitución de la República; y desde entonces hasta hoy, a pesar de que el Estado que fue bautizado con tal nombre iba a desgranarse pronto en cinco repúblicas, todas ellas siguen llamándose, al cabo de siglo y medio, Centroamérica, pueblos o países o Estados centroamericanos, y la porción de América que ocupan es a su vez una parte del Caribe, de manera que no es correcto hablar o escribir diciendo "Centroamérica y el Caribe" o "Estados Unidos y América del Norte".

9 de diciembre de 1983

II

Abunda, más de lo que cualquiera puede creer, la gente para quienes Panamá es un país de Centroamérica, error que tal vez tenga su origen en el hecho de que en los mapas de la región del Caribe Panamá tiene el aspecto de ser una prolongación de Costa Rica, y Costa Rica es un país centroamericano, el último de ellos si los vemos o los mencionamos en orden descendente partiendo de Guatemala en dirección de América del Sur.

Panamá y Veraguas declararon su independencia de España el 28 de noviembre del mismo año en que lo hizo el Reino de Guatemala, pero por decisión suya y no debido a presiones externas, inmediatamente se incorporaron a la Colombia que Bolívar había creado dos años antes, un país de más de 2 millones 400 mil kilómetros cuadrados cuyas fronteras iban desde la que separa actualmente Costa Rica de Panamá hasta la frontera norte de Perú, y sus costas pasaban del Pacífico al Atlántico y al Caribe porque se le habían agregado los territorios que ocupan actualmente Ecuador y Venezuela.

Panamá, pues, no es ahora ni fue nunca parte de América Central o Centroamérica, pero hay un país que ocupa una porción de lo que originalmente había sido el Reino de Guatemala y por tanto es centroamericano aunque ni los geógrafos ni los historiadores de América Central lo hayan tomado en cuenta como parte de América Central a pesar de que durante un siglo, o algo más de un siglo, varios gobiernos de Guatemala estuvieron reclamando el territorio de ese país alegando que era guatemalteco.

El país aludido es Belice, que hasta hace poco fue colonia de Inglaterra y ahora es un ejemplo de esa especie confusa de organización estatal que he llamado Estados anómalos, y lo es porque su jefe no es beliceño y ni siquiera vive en Belice, sino que es una señora inglesa, nada menos que la reina Isabel Segunda, cuya residencia está en Londres y se hace representar en Belice por un gobernador general.

Belice no figura entre los países centroamericanos porque aunque fue territorio español que pertenecía, la mayor parte a la Capitanía General de Guatemala y el resto, en su porción norte, a México, España lo mantuvo abandonado, y allá por el año 1650 y tantos, épocas de ampliación del poderío inglés en América, pasaron a vivir allí unos cuantos aventureros ingleses que se dedicaron a cortar madera de los bosques, que abundaban en esas tierras. La madera era muy solicitada en aquellos años de crecimiento de las ciudades europeas, de hechura de barcos, de uso de leña en algunas manufacturas y de la reconstrucción de Londres que había sido destruida en 1666 por un fuego descomunal; la tonelada de madera había subido a 25 y hasta a 30 libras inglesas, cantidad de dinero fabulosa para la época.

En el año 1798 España perdió de manera definitiva el territorio que ocupaban los ingleses en la Capitanía General de Guatemala, y ese territorio cubría prácticamente el 90 por ciento de la costa del Caribe que correspondía a la provincia de Guatemala, es decir, a lo que sería la República de Guatemala al separarse las cinco provincias que formaban la Capitanía General.

Belice –palabra que en la lengua de los indios mayas, pobladores de las tierras que hoy llevan ese nombre, quería decir agua turbia o lodosa– es, en términos geográficos, una porción de América Central o Centroamérica, pero dado que su territorio le fue sustraído al Reino de Guatemala y además que su lengua oficial y su eje político fueron distintos a los de las provincias de ese reino que acabaron formando el conjunto de Estados llamados América Central, la colonia de Inglaterra en América Central no figura en el número de los denominados centroamericanos. Es más, la gran mayoría de los habitantes de esos países no toman en cuenta a Belice cuando se refieren a América Central.

La Capitanía General de Guatemala era una dependencia de España situada en la región del Caribe, a cuyas aguas daban las costas de cuatro de sus provincias. Sólo una de esas provincias, la de El Salvador, no tenía costas sobre el Caribe, pero como era parte del conjunto que formaba la unidad política y administrativa llamada Guatemala y es hoy parte del conjunto de Estados conocidos con el nombre de América Central o Centroamérica, políticamente –lo que equivale a decir, de manera subjetiva–, El Salvador es parte integrante de esa región del Nuevo Mundo llamada el Caribe.

En el Caribe hay tierras continentales y también muchas islas, algunas mayores, como Cuba, La Hispaniola –ocupada en el oeste por Haití y en el este por la República Dominicana–, Jamaica y Puerto Rico, y las más pequeñas y muy pequeñas, pero no forman una unidad porque sus historias fueron diferentes, pero además no todas esas tierras se hallan en el mar Caribe. Por ejemplo, la parte oriental de las costas de Venezuela, allí donde desemboca el Orinoco, da al Atlántico, no al Caribe, y Guyana, Surinam y Guayana Francesa no tienen la menor relación con el mar que le da nombre a la región del Caribe.

La idea de qué es el Caribe en tanto hecho geográfico y concepto político es en muchos casos confusa hasta lo increíble: confusa no para gente de otras partes del mundo o de América, sino para gran parte de los nacidos, criados y educados en algunos países de esa región. Por ejemplo, en Colombia, Panamá, América Central, al mar Caribe no se le da ese nombre; se le llama Atlántico, y en consecuencia se llaman atlánticos los lugares de la costa del Caribe; pero es de advertir que no se les denomina así en la lengua del pueblo sino que así se enseña en las escuelas y así se escribe en los periódicos y los libros.

La hoya del Caribe, que fue llamada también por los conquistadores españoles Mar de las Antillas, está claramente delimitada, del lado occidental, por la costa oriental de la península de Yucatán, Belice, Honduras, Nicaragua, Costa Rica, y la parte occidental de Panamá; del lado sur, el resto de Panamá, Colombia y Venezuela; por el norte, por Cuba, La Hispaniola, Puerto Rico y las Islas Vírgenes; del lado oriental, por las islas de Sotavento y las de Barlovento, y al final, casi encajada en un costado de Venezuela, está la isla de Trinidad. A corta distancia de esas islas de Barlovento, mojada por aguas del Atlántico, se halla Barbados, que figura en el catálogo de territorios del Caribe como si fuera parte de ellos y no lo es desde el punto de vista estrictamente geográfico, pero lo es desde el histórico porque esa isla fue convertida por Inglaterra en el punto de apoyo de sus expediciones de guerra y saqueo de la región del Caribe en los largos años de las luchas que llevó a cabo para arrebatarle a España lugares continentales como Guyana y Belice o islas como Jamaica y Trinidad.

Las islas están divididas por el mar pero unidas por la historia y por la lengua; los pobladores de las islas inglesas se reconocen entre sí como partes de un conjunto y usan ese reconocimiento con fines políticos, e igual que ellos se reconocen entre sí los de las islas francesas y los de las holandesas; pero los de los países de origen español van más lejos como lo sabe el autor de este artículo, al que se acercó en el edificio de Correos de Barcelona un señor que preguntaba por el número del tranvía que debía tomar para ir a Montjuich, y al oír la respuesta advirtió, por el acento, que hablaba con un iberoamericano. "¿De dónde es usted?", inquirió con tono de persona sorprendida; y cuando dije que de la República Dominicana, se acercó a mí con la expresión en el rostro y los gestos de quien acaba de dar con un tesoro y diciendo, casi a gritos: "¡Somos hermanos, somos del mismo mar!".

Y era cierto. Ambos éramos del mar Caribe porque él había nacido en el puerto colombiano de Barranquilla y yo en la isla que Colón llamó La Española.

El agua del Caribe nos unía porque nos unían la lengua y la historia de la región de América que lleva el nombre de ese mar.

14 de diciembre de 1983

MILES DE EXTRANJEROS PARTICIPARON EN LA GUERRA DE INDEPENDENCIA NORTEAMERICANA

El gobierno de Estados Unidos llama terroristas a los movimientos revolucionarios con lo cual le da esa calificación al que su pueblo llevó a cabo a partir del 16 de diciembre de 1773 hasta el 19 de octubre de 1781 para fundar un Estado soberano en el territorio que ocupaban trece colonias inglesas.

A lo largo de los siete años y diez meses que duró la lucha de los colonos de América del Norte contra el gobierno inglés, que era monárquico, y también imperial porque ejercía el poder político sobre enormes territorios de países tan lejanos los unos de los otros y de la propia Inglaterra como la India de América, los habitantes de las trece colonias norteamericanas combatieron a los ingleses políticamente y a tiros que podían ser de mosquetes pero a menudo eran de cañones; además, en esa larga guerra los revolucionarios recibieron ayuda militar, política y económica de otros países, concretamente, de Francia y de España; ayuda en gran escala, no oculta, que jugó un papel decisivo en la derrota inglesa, hecho que el gobierno

---

Temas históricos. 1a. ed. (Santo Domingo, R. D.: Alfa & Omega, 1991).

actual del país liberado por los revolucionarios de 1773-1781 considera un crimen propio de terroristas.

Las trece colonias inglesas que ocupaban territorios de América del Norte eran, dichas en orden alfabético, Carolina del Norte, Carolina del Sur, Connecticut, Delaware, Georgia, Maryland, Massachusetts, Nueva Hampshire, Nueva Jersey, Nueva York, Pennsylvania, Rhode Island y Virginia.

Con la excepción de Georgia, el gobierno inglés no había participado directamente en el establecimiento de esas colonias porque el país en que se establecieron no fue conquistado militarmente por Inglaterra. Los fundadores fueron en su mayoría sociedades comerciales que obtuvieron autorización del gobierno inglés para establecerse en esa parte del Nuevo Mundo, y en esas autorizaciones se especificaba que el rey de Inglaterra transfería su potestad real a las sociedades, que eran las que gobernaban en los territorios que les correspondía explotar comercialmente; sin embargo el gobierno inglés le concedió a una compañía que no estaba establecida en América del Norte sino en la India –se llamaba la East India Company– el monopolio sobre el té que se vendiera en las trece colonias, medida con la cual perjudicó económicamente a los comerciantes de esas colonias que hasta entonces habían traficado con té procedente de la India que entraba en las colonias sin pagar impuestos.

En ese momento la población de las colonias llegaba a 3 millones, la mayoría de los cuales habían nacido en ellas o eran inmigrantes que iban de casi todos los países de Europa, lo que se explica porque para la segunda mitad del siglo XVIII, allá por el 1770 y tantos, el sistema económico feudal estaba en disolución y millones de alemanes, suecos, daneses, noruegos, austríacos, italianos, franceses, buscaban afanosamente lugares donde iniciar un nuevo tipo de vida, que aunque ellos no supieran cuál debía ser, era el capitalista; y las colonias inglesas de América del Norte se habían convertido en establecimientos capitalistas en los que no había ni siquiera vestigios de feudalismo. Más aún: esas colonias eran el único lugar de Occidente –así se llaman la porción del mundo conocida con el nombre de Europa y los países de América colonizados por europeos– en que no se veían trazas o deformaciones económicas o sociales de origen feudal ni aun en el terreno religioso. Eso es lo que explica que de la revolución norteamericana saliera el primer Estado capitalista puro que conoce la historia humana.

Inicio de la Guerra de Independencia

A esas alturas del siglo XVIII, y todavía durante mucho tiempo más, el capitalismo era revolucionario como sistema económico porque representaba una forma nueva de producción que ilusionaba a la gente de los pueblos de Europa, pero aún no lo era en el orden político debido a que no se había creado el régimen político que debía corresponder a ese sistema económico. A veces tropieza uno con personas que cuando hablan de la democracia representativa, que es el régimen político propio del capitalismo, dicen que su origen está en la democracia griega, o dicho con más propiedad, de la que se conocía en Atenas, que era una de las ciudades Estados de Grecia; pero la democracia representativa no podía ser ejercida en Atenas porque en la época griega se estaba a más de dos mil años de distancia del sistema económico llamado a aportar la base material de la democracia representativa, y donde ese sistema económico se desarrolló sin la más mínima contaminación de feudalismo fue en los territorios de las trece colonias inglesas que ocupaban la región del Nuevo Mundo que llevaba ese nombre.

Para crear ese régimen político hacía falta que se cumplieran varias metas, la primera de las cuales debía ser la conquista de la independencia de las colonias, o dicho de otro modo, que las colonias dejaran de ser territorios ingleses, y la sola concepción de la independencia sería una novedad para todos los colonos porque en ninguna de las colonias de esos siglos se pensaba, siquiera, en la posibilidad de alcanzar esa condición; sin embargo en la colonia de Massachusetts había un hombre que predicaba día y noche la necesidad de declarar la independencia de las colonias americanas.

Ese hombre se llamaba Samuel Adams, y su prédica llegó a todas las colonias a través de comités que él iba formando desde Boston, la capital de Massachusetts, ciudad en la que iba a comenzar la lucha contra el poder inglés con la toma de tres barcos que llegaron allí cargados de té de la India. Los barcos fueron asaltados el 16 de diciembre de 1773 por una turba de hombres que se disfrazaron de indios, y dirigidos por Samuel Adams, sacaron de las embarcaciones las cargas de té y las lanzaron al mar.

A esa acción respondió el gobierno inglés declarando clausurado el puerto de Boston, lo que significaba que de él no podría salir pero tampoco entrar en él ningún buque comercial, medida que equivalía a arruinar económicamente a la capital de Massachusetts, pero además se dispuso, mediante una ley, que los habitantes de la colonia quedaban obligados a darles alojamiento a las tropas inglesas cuando sus jefes lo requirieran. Esas leyes, y otras más que fueron declaradas por los colonos "las leyes intolerables", provocaron que las autoridades de las trece colonias decidieran celebrar una reunión que debía tener lugar en Filadelfia el 3 de septiembre de 1774. Esa reunión iba a ser llamada el Primer Congreso Continental y sería el antecedente del que con el nombre de Segundo Congreso Continental se reuniría también en Filadelfia el 10 de mayo de 1775, pero antes de que se llevara a cabo ese Segundo Congreso se dieron acontecimientos que iniciaron, de hecho, la guerra de independencia del país que unos años después iba a llamarse Estados Unidos de América.

Esa guerra comenzó no precisamente con un levantamiento de los colonos sino con la muerte de ocho de ellos ejecutada por tropas inglesas.

No conocen la lengua española

Sucedió que a Boston había llegado la noticia de que un número importante de colonos estaba organizando un asalto en un lugar cercano, llamado Concord, y las autoridades inglesas despacharon hacia Concord un destacamento de tropas que salió a su destino en la noche del 18 de abril de 1775. Entre las instrucciones que llevaban los jefes de ese destacamento estaba la de hacer preso a Samuel Adams quien debía ser enviado a Inglaterra para ser juzgado allá y no en América. La noticia de esas órdenes se esparció por todas las colonias, pero Samuel Adams no fue detenido; sin embargo cuando las tropas se retiraban encontraron que en un punto llamado Lexington había colonos armados y les dieron muerte a ocho de ellos con lo cual comenzó la Guerra Norteamericana de Independencia.

En el Segundo Congreso Continental, el celebrado el 10 de mayo de 1775, es decir, tres semanas después de la matanza de Lexington, se acordó la declaración titulada "Las causas y la necesidad de levantarnos en armas", que decía así:

"Nuestra causa es justa, nuestra unión es perfecta, nuestros recursos internos son grandes y si es necesario no hay duda de que podemos obtener ayuda del extranjero."

Lo que dijeron en esa hora inaugural de Estados Unidos los hombres que iniciaron la lucha armada por la independencia de su país es considerado hoy como una infamia por los que gobiernan ese país; una infamia que debe ser perseguida en las personas de quienes iniciaron esa lucha, pues decir que para esa lucha podían "obtener ayuda del extranjero" era proclamar su condición de terroristas que se ponían al servicio de poderes enemigos de Inglaterra. A más de dos siglos de haber sido dichas, esas palabras presentan a sus autores ante el gobierno norteamericano como unos traidores cuyos nombres deberían ser borrados de los libros de historia del país que ellos ayudaron a crear.

Ese Segundo Congreso Continental fue el que nombró a George Washington comandante de las fuerzas revolucionarias norteamericanas, de manera que a partir de su celebración debemos dar por un hecho decisivo el inicio de la Guerra de la Independencia de Estados Unidos. Así, sin duda, lo reconoció el rey de Inglaterra, Jorge III, cuando el 23 de agosto de ese año (1775) declaró que las trece colonias se hallaban en rebeldía contra el gobierno inglés, y ocho meses y medio después el Segundo Congreso, que seguía reunido, declaró su apoyo a esa lucha, a la búsqueda de alianzas con países extranjeros y al establecimiento de una federación de las trece colonias; y por último, el 4 de julio (1776) quedó aprobada la Declaración de Independencia, el primer documento de su índole producido por una sociedad colonial.

Los políticos norteamericanos de finales del siglo XX deberían sentirse orgullosos de la Declaración de Independencia de su país, pero no pueden estarlo porque en la guerra que siguió tras esa declaración participaron muchos extranjeros, entre ellos el marqués de Lafayette, oficial del ejército francés, y más de 6 mil compatriotas suyos que fueron enviados a América nada menos que por el rey Luis XVI, y fue la marina real francesa la que decidió el final de la guerra cuando ayudó a acorralar en

Yorktown a las tropas inglesas del general Cornwallis, que se rindieron el 19 de octubre de 1781, rendición con la cual el gobierno inglés se convenció de que debía aceptar la independencia de las que habían sido sus trece colonias de Norteamérica.

Es seguro que si leyera estas páginas el presidente Ronald Reagan diría que no es cierto que la guerra de independencia de su país fue ganada con ayuda de extranjeros, pero no podrá desmentir lo que se dice en ellas porque ni él ni ninguno de sus ayudantes conocen la lengua en que han sido escritas.

Santo Domingo
17 de octubre de 1985

CONFERENCIAS

SOBRE PERIODISMO Y LITERATURA

El tema a desarrollar aquí es Lenguaje literario y lenguaje periodístico.

¿Qué diferencia hay entre esos dos lenguajes?

La que hay entre el ejercicio de la palabra desde un punto de vista artístico, que es el literario, y desde un punto de vista profesional, que es el periodístico.

La literatura es arte y el periodismo es profesión. Ahora bien, debo explicar qué diferencia hay entre arte y profesión; y diré que la obra del artista es inventada a partir de un conjunto de impulsos en los que figuran la imaginación y la sensibilidad; pero en el caso de los literatos, en su obra juega un papel importante el dominio del lenguaje debido a que éste es el medio a través del cual los literatos llegan al público; y también, cuando son muy buenos, llegan a la posteridad. En el caso de un pintor no son las palabras, son los colores; en el caso de un escultor es su capacidad para construir imágenes en barro, en yeso, en mármol, en piedra. En el caso del periodismo, ésa es una profesión que usa el lenguaje así como lo usan los literatos; pero no para inventar situaciones y personajes como hace el literato, sino para describir o comentar hechos que han ocurrido o están ocurriendo en el país o en otra parte del mundo y para exponer opiniones.

Textos culturales y literarios. 3a. ed. (Santo Domingo, R. D.: Alfa & Omega, 1994).

La literatura es un arte, no una actividad económica, si bien con ella hacen negocio las editoriales, los vendedores de libros, y de ella sacan dinero los especialistas, que hacen crítica y publicidad de obras como novelas, libros de cuentos, poesía; y hay literatos, naturalmente, que también sacan provecho económico de su obra, literatos que producen eso que se llama un *best-seller.* El *best-seller* es el libro que tiene una venta escandalosa tan pronto sale a la circulación o que, como en el caso de los que reciben el premio Nobel de Literatura, son premiados con cantidades cuantiosas de dinero; pero nunca un literato ganará tanto dinero como gana Michael Jackson bailando o cantando o Julio Iglesias cantando o un banquero dominicano comprando dólares y vendiendo dólares.

El caso del periodismo no es el del literato porque, como dije, el periodismo es una profesión; y es una profesión que se ejerce al servicio de empresas que son a la vez industriales y comerciales. Son industriales porque fabrican el periódico o la revista y son comerciales porque venden espacio a los anunciantes y también les venden el periódico o la revista a los lectores. Pero, fundamentalmente, los periódicos son empresas que compran noticias y venden noticias; naturalmente, estoy hablando de los periódicos comerciales, que son la inmensa mayoría; les compran noticias a las agencias noticiosas y a los periodistas que trabajan para ellos y les venden esas mismas noticias a las gentes que compran los periódicos.

Los periodistas pueden ser los que escriben las noticias, los que escriben los editoriales y los comentarios, los que hacen las fotografías y los dibujos o las caricaturas; pero en este texto la palabra periodista se referirá a los que hacen periodismo escrito, porque el título que se me propuso fue el de periodismo y literatura; y he empezado a desarrollar este tema hablando de las diferencias que hay entre el lenguaje literario y el lenguaje periodístico y voy a seguir por ese camino.

Sin embargo, antes de entrar en el análisis de esas diferencias debo decir que así como en la literatura hay géneros, por ejemplo el cuento, la novela, la poesía, la historia; en el periodismo hubo en un tiempo géneros tan distintos como la entrevista, que está actualmente en proceso de desaparición; y la crónica, que en la República Dominicana, seguramente debido a la influencia de la prensa de Estados Unidos, pasó a convertirse en el editorial con la característica de que la crónica era siempre el trabajo de un periodista que lo firmaba y el editorial no lleva firma, aunque aquí en nuestro país los lectores del *Listín Diario* saben cuándo el editorial está escrito por Rafael

Herrera, porque lo identifican al leer el periódico debido a que el estilo de Rafael Herrera es inconfundible. Hay ocasiones en que el editorial del *Listín* no está escrito por Rafael Herrera; en este mes ha habido dos o tres editoriales que no han sido escritos por él, y un lector acostumbrado a leer los editoriales del *Listín* nota la diferencia, pues el cambio del editorialista de ese periódico, del autor de sus editoriales, se nota inmediatamente.

La entrevista está desapareciendo en los periódicos dominicanos debido al uso abusivo de ese aparato electrónico que se llama la grabadora. Los periodistas graban ahora lo que les dicen de viva voz las personas entrevistadas por ellos, y como no se conoce el caso de nadie que hable como escribe, porque nadie habla como escribe, la forma más importante y por tanto valiosa de expresión de la lengua es la expresión escrita, no la hablada; porque el lenguaje hablado tiene varias formas de expresión que completan lo que se dice con las palabras, como son los gestos con las manos o con el entrecejo o con los hombros; y además, también la inflexión de la voz: es decir, cuando se está hablando, el lenguaje no es el mismo que cuando se está escribiendo debido a que no se pueden describir movimientos de los ojos o la inflexión de la voz o el cambio de tono de la voz, que en ocasiones significa que se abre un paréntesis y más allá se cierra el paréntesis; pero ese paréntesis no figura en la voz del que habla sino solamente cuando se escribe; y sucede que a la hora de trasladar al papel lo que se grabó en una cinta (en esa cajita electrónica que se llama grabadora) lo que aparece en el papel es a menudo diferente de lo que en realidad dijo el entrevistado, y en ocasiones a éste se le pone a decir disparates como me sucedió a mí una vez en que, hablando de ese gran novelista de la lengua española que se llama Rómulo Gallegos, me refería a una de sus novelas, la titulada *Canta claro;* esto es, un hombre que dice lo que tiene que decir y lo decía con claridad; y el que transcribió la cinta, el que pasó las palabras al papel con una maquinilla de escribir, me puso a decir Santa Clara; y lo peor es que así salió en una revista literaria, de manera que mi nombre anda por ahí calzando una declaración en la que yo aparezco llamándole Santa Clara a una novela de Rómulo Gallegos perfectamente conocida por su nombre de *Canta claro.*

¿Y qué tal cuando el verbo transitivo hacer, hacer con h-a-c-e-r, queda convertido en dos palabras: la preposición a y el verbo sustantivo ser o viceversa; cuando en vez de a y ser escriben aser porque eso es lo que se oye, porque el oído no distingue entre hacer del verbo hacer y a ser del verbo sustantivo ser y la preposición a? Esas diferencias no las distingue la cinta del grabador, y el oído es como la cinta del grabador. ¿Por qué? Porque en ese caso las palabras diferentes suenan exactamente igual. Sólo si estuviéramos en España y en una región española donde se pronunciara de una manera precisa la c, el transcriptor oiría hacer, pero aquí, ¿quién pronuncia aquí la c, si a veces, como ha ocurrido en un periódico de hoy precisamente, no solamente no la saben pronunciar sino que no saben dónde ponerla? Hoy, por ejemplo, en un periódico apareció Cederías California con una c en Sederías del tamaño de este salón.

El uso de la grabadora por parte de los periodistas está jugando un papel de mucho peso en la creciente descomposición que se advierte, en lo que se refiere al uso del lenguaje periodístico, leyendo los periódicos dominicanos. En lo que a mí me toca creo que el grueso de los periodistas jóvenes, esto es, de los que han salido hace poco tiempo de las escuelas de periodismo y están saliendo ahora de las aulas universitarias, no domina la lengua española a pesar de que el buen conocimiento de esa lengua es absolutamente necesario para ser un buen profesional del periodismo; y creo más; creo que ellos están colaborando al uso incorrecto del lenguaje que aparece en los periódicos, al deterioro de la lengua española, ésa que estamos obligados a preservar en su modalidad escrita todos los que nos dedicamos en este país a cualquier género de escritura, y no solamente a la periodística.

Volvamos ahora al lenguaje literario y al lenguaje periodístico porque nos toca decir que el lenguaje de un poeta como Pablo Neruda o Pedro Mir no es el mismo que el de un periodista como Rafael Herrera debido a que aunque usan las mismas palabras, los poetas, y especialmente los de este tiempo de la lengua española que no es el mismo en que vivieron Rubén Darío o Espronceda, las sitúan entre todas las que ellos emplean con tal acierto que les transforman su significado y las dotan de valores nuevos aun en versos al parecer tan simples, tan sencillos como los del poeta español Rafael Montesino cuando dice:

> De tanto como te pienso
> tú eres ya toda mi alma
> y yo sólo soy mi cuerpo.
> Me estoy muriendo y no tengo
> un sitio en tu corazón
> en donde caerme muerto.

O las siguientes de Luis Rosales, también español:

> Que me estoy convocando y reuniendo a mí mismo
> en partes dolorosas que no conviven juntas,
> que nunca pueden completar su unidad,
> que nunca podrán ser
> sino tan sólo un nombre sucesivo que se escribe con sombras.

Con esa manera de usar las palabras el poeta anestesia súbitamente la cotidianidad de su lector y al mismo tiempo coloca allí donde puso la anestesia una carga emotiva que recorre todos los centros donde se refugia la sensibilidad y los hace estallar como estallaría una orquídea que en menos de un segundo naciera y se expandiera sobrecargada de esplendor hasta alcanzar el tamaño de una catedral.

Eso hacen los poetas que son los máximos exponentes del arte de la palabra en la actividad literaria, y recordemos que el novelista, el cuentista, el historiador, cada uno en su género hacen también literatura, pero el periodista no es literato; el periodismo no se hace para anestesiar la cotidianidad del lector sino para informarlo de lo que está pasando en el mundo y en su medio social, razón suficiente para que el periodista se ocupe de la noticia que tiene interés para el mayor número posible de personas, para las que forman eso que se llama el común. Ahora bien, aún así el periodista que describe los hechos con gracia, diciendo lo que le toca decir con claridad y de manera atractiva, ése acabará ganándose la admiración y con ella la atención de sus lectores, y para lograrlo necesitará conocer la lengua en que escribe; conocerla no sólo porque haya hecho conciencia del valor de cada palabra que use sino también porque se habrá adueñado de un léxico rico y habrá estudiado y dominado las leyes de esa lengua, las que ordenan dónde debe ir cada parte de la oración y en qué sílaba de tal palabra se colocará el acento y por qué hay palabras en las que debe usarse la c en vez de la s, qué razones hay para poner una frase entre paréntesis, entre guiones y comillas.

Pero a un periodista y a un escritor no se les puede ocurrir eso. Las comillas se usan para distinguir una palabra que es común y corriente pero que en el texto adquiere de pronto una significación diferente, una significación sobre la que hay que llamar la atención; para eso sirven también las negritas y las itálicas. Las negritas son letras más negras que las de la generalidad del texto, y las itálicas son las que en mi tiempo se llamaban bastardillas, que quiere decir que eran letras bastardas, que eran letras no legítimas, porque eran inclinadas.

En un periódico de hoy, decía yo, aparece el entrecomillado usado de manera impropia quince veces en una sola página, pero además, en cuatro artículos de colaboradores hay cuarenta y cinco errores gramaticales de los cuales debe haber diez que no son de los autores sino erratas de los que trabajan en la imprenta, es decir, de los que componen los artículos y de los que corrigen las pruebas, porque la palabra error tiene un significado y la palabra errata tiene otro. La palabra errata corresponde al lenguaje restringido de los artesanos de la impresión; es decir, se creó en la época del artesanado de la impresión. Hoy ya del artesanado de la impresión queda muy poco porque el arte de hacer libros y periódicos y revistas se ha industrializado.

El periodista de hoy no se parece al de los años de mi juventud. Debo decir con toda franqueza que en aquellos años no había grabadoras, y el periodista tomaba notas que iba escribiendo en una libreta; notas, lo mismo de un accidente, de un acto político que de lo que le decía un personaje a quien estaba entrevistando, y como había aprendido a redactar, lo que equivale a decir que sabía escribir, escribía lo que fuera: sueltos, informaciones, noticias o la declaración de un funcionario público, y lo hacía con claridad y buen gusto, con la puntuación correcta, con obediencia a las leyes gramaticales.

La mayoría de los periodistas de hoy no se dan cuenta de que cada escritor usa la puntuación de una manera personal, y no usar esa puntuación puede llevar a los lectores a confusiones.

Yo recuerdo que una vez, hace ya dieciocho años, dos periodistas que hoy son directores de periódicos se molestaron porque me hacían preguntas y yo les dictaba y les iba diciendo punto, o punto y coma, o coma; y ellos creían que con eso estaba desconsiderándolos porque los trataba como si fueran ignorantes, y resulta que no es así. Yo uso la puntuación de acuerdo con mi criterio, y José Martí la usaba de acuerdo con su criterio y Pablo Neruda la usó de acuerdo con su criterio, y yo no tenía que sujetarme al criterio de dos periodistas que por muy bien que conozcan la lengua española no la conocen mejor que yo, pero además, no usaban mi manera de puntear, de poner el punto, el punto y coma, el punto y aparte o la coma.

Debo decir, eso sí, que esas cualidades por sí solas no hacen un periodista. El periodista es como lo he dicho: un profesional que debe conocer no sólo su lengua sino también otras cosas, como la geografía, la historia y los problemas de su país y los del mundo, en la medida de lo posible, o por lo menos, los de otros países; pero sobre todo, el periodista debe conocer en detalle el problema de que trata en el periódico para el cual trabaja, o para la estación de radio o de televisión, que han venido a ser periódicos sonoros.

Por ejemplo, si se dedica a escribir sobre asuntos políticos lo menos que le toca saber es cómo están organizados los partidos políticos del país; cuál es la posición ideológica de cada uno; de dónde proceden los fondos con que cubren sus gastos; quiénes son sus dirigentes y cómo y por qué ocupan puestos de dirección. Un periodista no puede conformarse con ser un ganapán; en su condición de profesional de la Comunicación Social tiene un compromiso con sus lectores, que es similar al de un profesional de la medicina con los enfermos. El médico está en el deber de devolverles la salud a sus pacientes, a los pacientes que usan sus servicios, y el periodista está en el deber de transmitirles a sus lectores todo lo que sepa él del tema que está tratando.

Cualquiera noticia puede convertirse en tema para una novela o un cuento o un episodio histórico si se cumplen ciertas condiciones; una es que lo sucedido o el hecho descrito en la noticia tenga elementos dramáticos importantes, con fuerza e interés suficientes para llamar la atención de un novelista, un cuentista o un historiador; y llamársela con tanta fuerza como para entusiasmarlo y llevarlo a escribir una novela o un cuento o una historia escrita sobre el argumento de eso que leyó como noticia en el periódico; otra condición es que para causar esa impresión la noticia tiene que haber sido escrita con riqueza de exposición, con fuerza dramática y con lujo de detalles expuestos con claridad y precisión; y por fin, que entre los lectores de esa noticia haya un novelista, un cuentista o un historiador; dos o tres o uno sólo de ellos con la sensibilidad necesaria para captar el peso argumental de la noticia; porque si no tiene peso argumental, es decir, si no da para crear con ella, o mejor dicho, con lo que ella dice, una novela o un cuento o un episodio histórico, entonces no hemos dicho nada. Puede estar muy bien escrita y carecer sin embargo del peso argumental necesario para provocar en un literato el uso de esa noticia como tema para una obra dada.

Y al llegar aquí entramos en el tercer punto de los cuatro que se me propusieron. Ese tercer punto trata del aspecto literario que se advierte en reportajes y crónicas periodísticas; y quiero decir que ese aspecto literario se ve en los periódicos españoles, venezolanos, cubanos, pero muy poco en los de nuestro país, salvo el caso de *El Caribe* que publica con bastante frecuencia artículos de Arturo Uslar Pietri y de Germán Arciniegas, dos escritores que son cronistas, palabra que tiene su origen en la que los griegos usaban para referirse al tiempo (recuerden el nombre del dios del Tiempo, que era Cronos); de esa palabra cronos salió la palabra crónica, que pasó a tener el significado de historia cuando se usaba para describir los hechos pasados.

Uslar Pietri y Arciniegas escriben crónicas. El primero es novelista, y entre sus novelas hay una que es de las mejores que se han escrito en la lengua española; se titula *Las lanzas coloradas* y es prácticamente desconocida en este país. Arciniegas es ensayista e historiador.

Quiero aclarar que el hecho de que yo mencione aquí a Arturo Uslar Pietri y Germán Arciniegas no implica de ninguna manera que esté de acuerdo con la posición ideológica de ellos; estoy hablando de ambos en su condición de escritores y al mismo tiempo periodistas; periodistas dentro de un género que es el conocido con el nombre de crónicas, y los menciono porque los dos colaboran casi a diario en un periódico dominicano.

Sin duda que entre el periodismo y la literatura hay un elemento que conecta a los trabajadores de aquella profesión y los creadores literarios. Ese elemento es la materia prima con que hacen su trabajo los primeros y los segundos, esto es, el lenguaje.

Más aún, hay grandes novelistas y grandes cuentistas que empezaron siendo periodistas; y entre ellos dos fueron Premio Nobel de Literatura: Ernest Hemingway, que en sus años de juventud trabajó como reportero o redactor de noticias para el periódico *Star* de la ciudad de Kansas, en los Estados Unidos, y Gabriel García Márquez, que tiene una historia de periodista interesante porque no sólo trabajó en periódicos de su país y fue propietario de una revista, sino que además fue redactor de una agencia de noticias internacionales muy conocida que se llama Prensa Latina.

Hemingway y García Márquez cruzaron el puente que separa el periodismo de la novela y del cuento; y mencionamos esos dos géneros porque ambos fueron, y el último aún sigue siendo, grandes cuentistas y grandes novelistas. Pero además, aún después de haber recibido el Premio Nobel García Márquez siguió escribiendo para varios periódicos cultivando el género llamado crónica, trabajo al que también se dedica el notable poeta y novelista uruguayo Mario Benedetti.

Puede ser que entre los que escuchan esta charla haya uno que acaricie la ilusión de alcanzar a través del periodismo el título de novelista, de cuentista, de historiador, y tal vez hasta el de poeta; y de ser así yo quisiera decir que en nuestro país hay excelentes periodistas que no estudiaron esa profesión porque en los años de su juventud, y en algunos casos, en los de su mocedad y en los de su edad adulta, el periodismo no se enseñaba en la República Dominicana.

¿Cómo se explica entonces que yo haya calificado hace apenas dos minutos de periodistas excelentes a personas que no estudiaron esa carrera?

Se explica porque en los tiempos en que ellos se dedicaron al periodismo se requería de un conocimiento serio de la lengua española; y nadie tenía la idea de aspirar a graduarse de bachiller si no disponía de la base indispensable para hacerse periodista; porque la técnica periodística se adquiría ejerciendo el oficio del periodismo, el de escribir para un periódico. Hoy se hace lo contrario: se enseña la técnica periodística, pero no se enseña la lengua española tal como ella debe ser estudiada desde el primer año escolar, con instrucción teórica y aplicación práctica de los principios teóricos.

El periodista es un escritor, y si no lo es no puede ser periodista a plenitud; y para todo aquel que desempeñe el oficio de escritor el género a que se dedique será un barco que navegará bien si lleva en la popa una hélice que se mueve impulsada por una máquina, y las máquinas se niegan a trabajar si les faltan piezas, bielas, cilindros. La máquina que mueve el barco en que van juntos todos los que trabajan con palabras, sean periodistas o sean literatos, es la lengua, y en el caso nuestro, la lengua española.

Esa es mi convicción. De ahí que termine diciendo que lo mejor que podría hacer un estudiante de periodismo que no domine la lengua de su pueblo es renunciar a esa carrera si no está en condiciones espirituales y materiales de volver atrás y empezar sus estudios por el nivel más elemental indicado para aprender a escribir, como lo hicieron periodistas de otras generaciones que todavía trabajan.

Termino diciendo que quiero dirigir estas palabras no sólo a los estudiantes de periodismo que esperan dedicarse a escribir noticias, sino también a los que están aprendiendo a manejar la componedora, a los que aspiran a ser correctores de estilo y de pruebas, porque todos van a ser trabajadores que tendrán una misma materia prima: la palabra escrita, el tesoro más valioso del género humano, porque es el único a través del cual el hombre acumula conocimientos de generación en generación sin darse cuenta de cómo puede enriquecerlo ese proceso acumulativo de un bien inextinguible, con el cual cada quien queda dotado de los conocimientos que la humanidad ha creado a lo largo de millones de años; y algo más: que cada quien puede transmitir esos conocimientos a quien pueda transmitírselos, y en la cantidad que pueda traspasarlos; porque sucede, señores, que los conocimientos se reciben, se acumulan y se transmiten sólo a través del lenguaje, sea hablado o sea escrito, pero sólo a través suyo.

Biblioteca Nacional
Santo Domingo, 30 de agosto de 1984

MUJERES EN LA VIDA DE HOSTOS

Todo hombre recibe influencia de mujer, como toda mujer la recibe de hombre. No puede ser de otra manera, porque sólo la suma de los sexos completa en su ley y en su fin natural al ser humano.

Visto de prisa, Eugenio María de Hostos parece inmune a esa influencia. Su carácter, que le llevó a aceptar como deber lo que en otros no pasaba de ser sueño, le hace figurar en la historia más como un mito que como lo que fue: una realidad de profundo contenido humano. De primera intención se rechaza la idea de que algo pudiera influir en su vida. Parecería que de sí mismo manaba el principio dinámico. Y no es así. Cierto que su naturaleza excepcional distrae al espectador y desfigura su condición de hombre; cierto que su peculiar manera de reaccionar frente a problemas determinados y generales podría explicar parte de sus hechos. Pero no todos. Y ni siquiera tal vez el fondo de uno solo. Porque la verdad es que no hay una actitud, una acción, un movimiento de esa vida austera y admirable que no responda, desde la cuna hasta la tumba, al influjo que la mujer ejerció en ella.

Conferencia dictada en San Juan de Puerto Rico, el 7 de noviembre de 1938, bajo los auspicios de la Asociación de Mujeres Graduadas de la Universidad de Puerto Rico, con motivo de la celebración del Centenario de Eugenio María de Hostos. Fue tomado de *Mujeres en la vida de Hostos.* 5a. ed. (Santo Domingo, R. D.: Alfa & Omega, 1996).

Producto de su razón fue el ideal del hombre perfecto, en el cual trabajó, sobre sí mismo, minuto tras minuto, sin un solo desmayo. Ahora bien, si el perfecto es aquél que con más propiedad encarna las disposiciones de la naturaleza, lógico es que sea él quien mejor responda a esa ley inflexible que ordena al hombre completar su realidad física y espiritual uniéndose a la mitad que le corresponde.

En el camino de la perfección es donde percibe Hostos el propósito divino del acicate sexual "Todo mecánico" de la naturaleza, llamaba a la mujer. A tan justa definición no puede haber llegado sino mediante un proceso reflexivo intenso. Así logró abreviar su concepto de la mujer con dos palabras que expresan medularmente el hondo sentido creador y eterno del imperativo sexual en la porción femenina del ser humano.

Y si hubo ese proceso mental, es claro que se debió al reconocimiento que hizo el propio Hostos de la influencia que en él ejercía la mujer. Lógico es, también, que esa influencia no podía ser de otra manera que benéfica, porque ella debía estar condicionada a la naturaleza íntima del influenciado. Al reconocerse producto de esas influencias, Hostos, que siempre debió gratitud a cuanto consciente o inconscientemente le hacía bien, pagó el bien defendiendo los derechos sociales de la mujer y proclamando su importancia como mitad de la sociedad.

"Madre, amante, esposa, toda mujer es una influencia" –escribió en Santiago de Chile en 1873 –; y ocho años más tarde, en Santo Domingo: "el movimiento social... directa o indirectamente es siempre determinado por acción o reacción de la mujer, por impulso visible o invisible de mujer, por influencia buena o mala de mujer..."

Él percibió siempre las que le atañían, que fueron de dos tipos: las que forzaron la manifestación de su carácter y quizá contribuyeron a formarlo, recibidas durante la infancia; y las que determinaron los rumbos de su vida, cuando penetró en esa especie de recinto luminoso y florecido que forman los días del amor.

De cada acto suyo es origen una mujer; y casi siempre lo que determina esos actos es el miedo a los deberes que impone el amor.

–¿Miedo a los deberes?, preguntarán Uds. asombrados.

–Sí, miedo a los deberes. Y ahora verán cómo y por qué. Hombre del suyo como lo era él, Hostos no podía comprender que pudiera abandonarse un deber mayor por uno menor. Así como él fue durante sesenta y cuatro años la mejor encarnación de sus ideales, lo fue también de aquel viejo proverbio de que "lo mejor es enemigo de lo bueno". Hostos sufría el miedo de no ser fiel a su ideal; y entre el servicio de su Continente, de las Antillas, de Puerto Rico, y el de un mandato natural que sólo a él había de beneficiar, escogía sin titubeos aquél.

Espoleado por el imperativo sexual, anduvo de tierra en tierra, nuevo judío errante de la dignidad. El resorte entrañable de su vida lo mueve la mujer. En repetidas ocasiones lo reconoció así. Cuando se rinde al fantasma implacable, tras haberlo eludido una, dos, tres, cuatro veces, Hostos gana la paz sexual, se siente completo ya en carne y en espíritu, y puede entonces entregarse a la obra sustancial de su vida: la de educador. Belinda Otilia de Ayala recibe en Hostos un propagandista y le devuelve a América un apóstol de la enseñanza y un creador de cultura autóctona.

Pero Belinda es sólo la paz. Al comprobar en un examen rápido que otras mujeres simbolizaron la lucha, y cómo y por qué la simbolizaron, vamos a conocer un Hostos realmente humano, cien veces más grande, por lo mismo, que ese Hostos casi mitológico a quien se ha temido reconocer.

Y con razón. Porque la verdad es que un hombre de tal temple avergüenza con sus actos a la generalidad de sus hermanos.

Las mujeres de la infancia

De las mujeres que componen la familia de Hostos, tres, sobre todo, contribuyen a formar aquel carácter extraordinario: la madre, a quien él recuerda como mujer hermosa, rubia, "de aspecto a la par bondadoso e imponente"; su hermana Engracia, "la primera protectora", tan parecida al hermano que "le hacían el agravio de compararla conmigo, que era feo, mientras ella era bella" –dice Hostos–; y su tía-madrina Caridad, de cuyo físico no hay prendas; pero de quien él deja constancia de que fue amorosa y buena con el ahijado por los días en que, convaleciente de una gravedad, el niño fue a su casa, en las cercanías de Mayagüez, a recibir aires sanos.

Rapaz sumamente violento, Hostos fue una naturaleza briosa desde sus primeros años. Se gozaba en clavar alfileres en los brazos de la lavandera o en pellizcar a una acogida de sus padres. ¿Muestras de vehemencia? Quizá. Lo era mucho: la primera vez que oyó música estuvo dos días acostado en el piso y girando como un trompo, sufriendo porque no recordaba el aire. Cuando doña Hilaria se sentaba a coser, el hijo se echaba a sus pies a acariciarla y si ella se molestaba con tantos mimos, él se la ganaba besando con verdadera unción de idólatra el ruedo del vestido materno.

Tal vez esa vehemencia de Hostos, aparte de lo que pueda haber de naturaleza excepcional, explique el consentimiento en que las mujeres de la casa tenían al niño tan fieramente hambriento de cariño. Ese consentimiento, agravado por dos dolencias que lo tuvieron al borde de la muerte, había de resentirse por culpa de su tía-madrina Caridad, y del resentimiento surgiría aquella voluntad poderosa, de la que él se quejó tantas veces.

Estando moribundo rechazaba las medicinas a menos que le pagaran por tomarlas. Generalmente todos los muchachos hacen eso; pero en Hostos era raro, porque él jamás fue interesado. Treinta años más tarde, con esa amable melancolía en que se nos envuelven los recuerdos de la infancia, evoca él aquellos días. "Cuando la convalecencia le consintió dar algunos pasos –escribe en tercera persona– más se ocupaba de tener segura la bolsa en que había ido acumulando su riqueza, que de afirmar sus pasos".

De ese ambiente en que tienen tanta autoridad sus caprichos va a pasar a otro donde tropezará con la primera imposición. Ocurre así: el enfermo fue enviado a reponerse donde su abuela, con quien vivía Caridad. Caridad no sabía qué hacer para complacerle: él era la luz de sus ojos, y se había vuelto exigente con el quebranto: si no se le daba de inmediato lo que exigía, lo rechazaba altanero. Ella le rogaba, le prometía, lo acariciaba. Una tarde, sin duda gratísima para aquella tía-madrina consentidora, descubrió ella que a Eugenio María le gustaba el arroz blanco, y desde entonces, a las dos de la tarde, hora precisa, le traía al niño su ya favorito plato. Pero cierta vez tardó algunos minutos y cuando se presentó ante el chiquillo él le gritó que no quería. Rogó la madrina, exigió la abuela, argumentaron ambas. Nada. "¡No quiero!" –chilló él–; "¡Pues yo quiero!" –respondió Caridad–; y a la brava le metió la cuchara en la boca. Pero ocurrió que el arroz estaba muy caliente. Al sentirse quemado, el niño se puso frenético, arrebató el plato de las manos de su tía, y lo lanzó por el balcón. Creyendo calmarlo, la abuela aprovechó la presencia de un amigo que pasaba frente a la casa, le pidió en alta voz, con el fin de asustar al muchacho, que fuera donde Hostos y le dijera que mandara en busca de Eugenio, porque ellas no podían domarlo. Cuando Eugenio María oyó aquello se puso fuera de sí y con la misma firmeza que iba a demostrar durante toda su vida, dijo que él se iba esa misma tarde a Mayagüez. De nada valieron las explicaciones de la abuela. Nadie pudo doblar la voluntad que tan recia apuntaba.

De igual manera, es la primera separación de la madre, por quien sentía veneración, casi idolatría, lo que le da la idea del deber y cómo hay que cumplirlo por encima de todo. Sucedía que Hostos, tan sufridor como fue, era duro para las lágrimas. "La sensibilidad, como la voluntad, son creación de mi razón" –asegura alguna vez. Su razón de niño debió convencerle de que cuando se sufría un gran dolor, había que llorar. Así, ese día de la separación, cuando la madre estaba al partir, Hostos, que quería llorar y no tenía lágrimas, se dio de golpes contra las puertas a fin de que el dolor físico le hiciera mostrar el que sentía.

Pero quizás la más importante revelación de su naciente personalidad fue la provocada por la belleza de su hermana Engracia: nada menos que el descubrimiento de su carácter, cuando apenas él tenía nueve años.

Engracia era dos mayor que Eugenio, pero su presencia no denunciaba tan corta edad. La niña aparecía muy bella. El juez de Primera Instancia de Mayagüez –"el hijo de don Anastasio el avaro, cuyas víctimas fuimos en Bilbao Pepe, Ortega, Bedford y yo, años más tarde", dice Hostos como si quisiera perseguir al juez hasta en sus ascendientes– iba a menudo a la casa de Hostos donde encontraba esa acogida cordial que necesariamente debía entonces un notario a un juez. Un domingo por la mañana éste fue a almorzar donde sus amigos y no encontró más gente allí que a Engracia y a su hermanito Eugenio. El juez pensó que se le hacía fácil molestar a la niña y la persiguió para abrazarla mientras ella corría asustada. Entonces surgió en Hostos el hombre que había de ser. Nadie, fuera de él, podía defender a su hermana: se abalanzó sobre el juez y tan fiero debió portarse aquel niño, que el impetuoso magistrado abandonó la casa, olvidando, incluso, que estaba invitado a almorzar.

¿Un amor en Puerto Rico?

Tres años después de ese incidente, Hostos salió hacia Bilbao. Iba a estudiar. Estuvo antes en San Juan. Se sabe poco de su vida de entonces, por lo menos en lo que respecta al tema que nos ha reunido esta noche. Hay un dato interesante, de la época de Mayagüez, que conviene no dejar pasar por alto: las burlas de las niñas, que tanto mal hacen en la infancia, no inquietaban a Hostos. Ni cuenta ponía en que las Quijano esperaban los domingos, cuando el muchacho pasaba por delante de su casa camino de misa, para gritarle "cabezón" y "barrigón". "Parece que efectivamente –recuerda donosamente el burlado– su merced tenía más cabeza que la que conviene a cualquier hombre y más barriga de la que conviene a cualquier niño."

Debido a la muerte de su hermano Pepe, vuelve a Bilbao cuando tiene entre quince y dieciséis años. Su hermana Engracia le relaciona con sus amigas. Sospecho que entre esas amigas de Engracia está escondido el primer amor de Hostos. No son más que conjeturas, a las que alguien podría oponer la edad de Eugenio. La verdad es que quince o dieciséis años es la corriente en el trópico para despertar al amor. Hablando de aquellos días él dice, simplemente: "Los oasis no son suficientemente grandes en los desiertos"; pero muchos años después, estando en Nueva York, escribe: "María Lozada, niños ambos, sintió por mí un afecto apasionado, que yo no supe apreciar ni corresponder".

El otro viaje, provocado por otra muerte, lo hace cuando tiene veinte años. Es sin duda entonces cuando estuvo haciendo "demostraciones vacilantes" a Lola Ruiz y Cipriana Mangual, de Mayagüez las dos.

Y si no en el primero, ni en el segundo, el probable amor puertorriqueño de Hostos se cumple en su tercer viaje, el de 1892. En esa ocasión permaneció casi un año en Puerto Rico, "el año de meditación más dolorosa que conozco en mí" –según confiesa–.

¿Que por qué sospecho yo lo que no está dicho ni entre líneas? Pues sencillamente porque el amor no se inventa ni se conoce por analogía. El que no haya vivido esa fiebre fascinante del primer amor, esa especie de delirio en que nos sume el descubrimiento de tanta pasión y de tanta vehemencia sexual en nosotros mismos, no podrá describirlo jamás. En *La peregrinación de Bayoán* hay dos escenas de amor en los trópicos que son vivo retrato de la realidad. Una de ellas es la despedida de Marién y Bayoán, que va camino de España; la otra, separación momentánea en San Juan, donde se encuentran los jóvenes, en la que Marién se asoma al balcón vestida de blanco, coincide con una breve cita que Hostos hace en su diario de "una figura angelical" a quien él contemplaba con éxtasis en San Juan.[1]

---

[1] Después de pronunciada esta conferencia, el autor ha dado con un fragmento de un manuscrito de Hostos en el cual se confirma en parte esta sospecha. Ciertamente, Hostos tuvo en su primera juventud un amor que sacrificó a la felicidad de un amigo. No hay en este fragmento del manuscrito ninguna indicación del lugar o país que fue escenario de esa pasión. Por tratarse de un fragmento, se dificulta describirlo biográficamente.

¿Pero qué interés pudo haber tenido Hostos en silenciar tal amor? Ninguno. Es que por ser bravío, por ser fiebre de los sentidos, ese primer deslumbramiento del hombre se olvida pronto. Parecería que ninguna importancia puede tener en la vida una pasión que tan fácilmente olvidamos; pero la tiene. Si la que sospechamos fue, ella explica el desconcierto en que cayó Hostos de retorno en España; la apatía, la falta de fe en su carrera de Leyes, que se negó a seguir estudiando. Gran favor le hizo a América quienquiera que tuviera la culpa de que Hostos no quisiera hacerse abogado. Falto de un título, necesitaba instrucción amplia en otros sentidos. Además, así pudo dedicar su tiempo a estudiar las materias de su predilección. Pero esto lo hizo solamente después de la muerte de doña Hilaria, suceso que marcó definitivamente el rumbo que había de seguir Hostos.

Doña Hilaria, o la lucha

Doña Hilaria Bonilla de Hostos muere el día 28 de mayo de 1862. Cuando transcurran dieciséis años y el hijo haya vivido muchos de dolor, dirá con amargura que aquel hecho impiadoso "le despertó del sueño de la vida": "Aquello –afirma– había sido un verdadero sueño. Si hay hombre que sepa positivamente lo que es la realidad, y sobre todo, el abismo verdadero que hay entre la realidad de la vida y lo que imagina la adolescencia fuerte como la vida, ése soy yo. Yo lo supe en el momento en que perdí a la santa mujer a quien veneré como virtud viviente tanto como amé con ardiente amor de hijo. Hasta aquel día me había desarrollado libremente, siguiendo sin guía, o sin oír al guía, la dirección que la inexperiencia, agravada por el desinterés natural de mi vida, me hacía seguir".

Herido en lo hondo por un dolor cuya fuerza él no podía sospechar, Hostos se reconcentra en sí mismo y ve la vida tal cual es. Ya no demora en este mundo ese regazo en que acogerse; carece ya de sombra amable el camino. Como una mano invisible, el golpe le sacude el alma. Toda la vehemencia que ponía en amar a la madre iba a encauzarse ahora en otra dirección.

De vuelta en Puerto Rico, hecho hombre por el sufrimiento, mira en su torno y comprende entonces la sombría realidad: aquella tierra suya es colonia. Empezó el amargo descubrimiento, el conocimiento lento, pero de seguro avance: cada vicio, cada monstruosidad, cada error tenía su origen en la condición colonial del país.

Día tras día, aquel espíritu fue aprendiendo la lección del mundo que le rodeaba, y como él no podía ver lo monstruoso sin aprestarse a luchar contra ello, a medida que descubría se iba irguiendo su conciencia. Por eso dice que fue el año más sufrido que tuvo. No dice que fue el que lo salvó para la posteridad: en él comenzó a subir su cuesta de la amargura.

Marién

Cuando llega a España en 1863, Hostos lleva ya consigo, aunque no lo sospeche, esa figura triste de mujer que encarnaba a las islas amadas, esa Marién ingenua a quien mata la falta de su sol antillano.

Cubana como será una de sus amadas y como lo será la compañera bien querida, Marién presidirá muchos actos de la vida de Hostos y será un símbolo de su última etapa española. Muchas veces hablará de ella como si hubiera realmente existido. Dice de su mujer, Belinda Ayala de Hostos: "La conocí como conoció Bayoán a Marién". Era tanto su amor por Marién, que si como previera que de todas sus obras era la que cuenta su historia la que menos había de llamar la atención, la defendía con recelo paternal y aseguraba que sólo ella le satisfacía.

La frialdad con que el público español recibe su creación le arranca frecuentes frases de desdén. Quizá le consuele algo que una mujer de alcurnia le aplauda sin reservas y le escriba estimulándole. La vida, mientras tanto, se le anuda. Lucha por la república, y va a Barcelona, torna a Madrid, emigra a París. Se prepara la revolución de septiembre. En estos trajines, mujeres sin importancia asoman un segundo y desaparecen de nuevo. De una de ellas llegará a escribir Hostos: "...sin embargo, la amo, como se aman los recuerdos, como se ama la vida que se ha vivido, como se ama la obra que se ha hecho. Es, en la historia de mi sentimiento, la única realidad con que tropiezo... la acojo en la imaginación con entusiasmo, la acerco a mi corazón con reverencia, la contemplo en mi alma como un ideal". Habla de una Matilde, y quizá sea a ella a quien evoque muy delicada y amargamente cuando dice: "...recordando *Sueños de amor...*" que "...fue mi distracción en Madrid, en el dulce recuerdo, en el triste placentero sentimiento".

Recelosa, Marién se ha recogido al fondo de su alma. No se la ve, no se la siente. Pero resurge triunfal, al fin. Es en la noche del 20 de diciembre de 1868. Hostos pronuncia su fogoso discurso en defensa de Cuba. Inicia la batalla grande que terminará con su muerte. En la penumbra discreta que envuelve los pasillos del Ateneo viejo de Madrid, mientras habla Hostos, se pasea la figura amable de Marién. Sonríe, vencedora. A poco, la criatura ya casi carnal traspone la frontera con Eugenio María cuando éste comprende que se hace necesario romper del todo con España. En Nueva York se prepara una expedición para su isla. Hasta Nueva York le seguirá Marién, la pobre muerta de amor.

La rival afortunada de Marién

A fines de octubre de 1869, próximo ya a cumplir los treinta y un años, Hostos llega a Nueva York. Los emigrados cubanos y puertorriqueños lo reciben con tibieza. Procede de España, y todavía no ha podido llegar hasta Nueva York el eco de su campaña en favor de la libertad de las Antillas, realizada bravíamente en la Metrópoli. A Betances, a Basora, a Mestre, a Piñeiro, les explica sus planes. A cambio de desconfianzas, de torturas desgarrantes, Hostos va imponiéndose entre los emigrados; pero imponiéndose en cuanto a la honradez de sus principios, no en cuanto a la conveniencia de que se adopten sus planes para realizar aquéllos.

En su obstinada lucha de renovador, Hostos estaba llamado a fracasar como jefe de hombres, porque tanto como a sí propio les exigía a los demás. De ahí que solamente sepa y pueda conducir niños. Cuanto más se le pide más honrado y más satisfecho se halla el niño; el hombre es todo lo contrario.

Entorpecido en sus proyectos, abrumado por las intrigas, que le desesperaban porque él no era capaz de concebirlas, Hostos se encontró un día soñando como cualquier chiquillo. Un sábado, el primero del año 1870, para ser precisos, el creador de Marién cometió una infidelidad imperdonable: suplantó bruscamente el recuerdo de la muerta adorada por el de una americana que, para hacer más odiosa la suplantación, era millonaria. Precisamente por serlo, por tener millones como sólo allí se tiene es por lo que Hostos la prefiere.

Pero oigamos a Hostos. Que nos cuente él mismo esta aventura insólita. Paseaba calles y avenidas: "Ocasión propicia –dice–, la aproveché y me puse a imaginar. Imaginé que había jugado para ganar cien o doscientos o trescientos o quinientos mil pesos, que gané: los gané para hacer la revolución de Puerto Rico. Un acto de abnegación, me valió la simpatía de una joven, allí presente: la joven tenía un padre: lo contaminó de admiración por mí, y siendo americanamente millonario el padre, y siendo yo el necesario futuro esposo de la joven, ¡se salvó Puerto Rico!". Suelta ya la frenética imaginación que tanta cadena había sufrido, Hostos prepara la revolución ideal, en que tanto como los guerreros expertos entran los médicos, los maestros, los técnicos de todo oficio y arte. "Esos chicos de Puerto Rico que pierden aquí el tiempo –dice–, sostenidos por mí, se educaban en el trabajo y en la lectura obligatoria y dirigida, para ir a cumplir con su deber". Él se retira al interior a preparar con su compañera el gran momento de la revolución. Es algo inaudito lo que se avecina. Hostos ejercita a los obreros de las fábricas del suegro; su hermana Rosita se casa con el Ministro de Hacienda de Hostos, que es hermano de su amada "y ya había yo consagrado social y teológicamente mi cariño" –dice–, dejando entender que hasta a casarse según los ritos religiosos estaba dispuesto.

Marién yace en el olvido. Hostos pasea e imagina: "...ya estaban prevenidos en mi favor Summer, Grant, todos los grandes políticos de América, ya estaban mis agentes en Colombia;... ya Betances y los otros caudillos, obedeciendo mi plan montaban sus vapores respectivos... Pero entonces llegué yo a la puerta de mi casa, y las dos revoluciones que concibo, se quedaron en donde me quedo todo yo: en las tinieblas del deseo".

También allí, en aquella puerta que lo devolvía a la realidad, se quedaba la millonaria americana. Si Hostos hubiera vuelto los ojos, habría visto que tras la millonaria, triste, llorosa, la sombra de Marién se despedía para siempre.

Candorina, o el descubrimiento de América

El año de 1870 es quizás el más decisivo en la vida de Hostos: comienza en él a formarse el hombre de América que había estado preludiado en España desde la aparición de su novela. Unas palabras suyas aseguran que llegó a Nueva York con el único propósito de tomar parte en una expedición que salía a fines del 69 hacia Puerto Rico. Betances y Basora estaban en la ciudad de los clubs revolucionarios: desde allí conspiraban los cubanos, los puertorriqueños, los dominicanos que combatían a Báez. Hostos se mantenía colaborando en periódicos de habla española, aunque necesitara con frecuencia recurrir a los haberes del padre, que no desatendía a aquel hijo de sus culpas, querido y admirado a la vez.

De la fiebre revolucionaria sacaba siempre oportunidades para otras cosas. A veces caminaba cuadras enteras detrás de una mujer atrayente; otras se abismaba contemplando cómo bellas cubanas daban a la revolución su gallardía y su oro. Activo como pocos, orador preciso, escritor vehemente, pronto tuvo la mayor popularidad a que podía aspirar un emigrado: dolor de Hostos, que no buscaba eso: la popularidad le echó encima a los grandes de la emigración y tuvo que mantener una lucha sorda con la miseria económica que le circuía y con la miseria moral que le combatía. Ni Memé, acariciadora y enamorada, que le besaba casi en presencia de extraños, pudo distraer el tormento de aquella alma.

Hostos empieza a sentirse solo. ¿No tendría necesidad de una compañera? Él había llegado ya a ese término de la vida en que se hace necesario el amor. Cuatro años más tarde lo diría. "Me había faltado una fuerza de impulsión. Esa fuerza era la que importaba adquirir, ella la que debía estimularme... Había tenido y tenía entonces las solicitaciones más impulsivas para constituir una familia". Lo sentía, pues. Estaba maduro para el amor, pero temía, "porque –dice– todo sentimiento de familia y toda tendencia deliberada hacia él chocaban con la idea del deber aceptado y obedecido exclusivamente hasta entonces". Ese deber de que habla es la revolución para las Antillas; pero aunque él no reconocía más ley que la de su razón, lo engañó la naturaleza, que le clamaba por compañera, haciéndole caer en el amor mental. Porque eso, y nada más que eso, fue lo que determinó sus relaciones con Carolina o Cara, cubana, quizá de no más de quince años, de familia asentada en Cartagena de Colombia. Más de tres meses dura la lucha sorda de Hostos que duda entre si declararse o no. A pesar de que él lo creía, se ve en sus apuntes de entonces que aquel amor no era el grande, ése que toca muy de tarde en tarde en la vida, y en el que no pueden intervenir cálculos ni deseos, porque él paraliza todas aquellas facultades que no sean las más sutiles de la animalidad. Hostos medía y pesaba mucho sus relaciones con Cara. Le creó un apodo, *Candorina,* curioso por dos motivos: tiene mucho de mental, porque a la mujer realmente amada no se la nombra con apodos que exalten una virtud evidente o supuesta, sino con uno que emerge de lo hondo de nuestro ser y que por lo general nada dice, porque es tan sólo un sonido dulce, sin pretensiones definidoras; y porque ese final en *ina* le será siempre grato a Hostos, que lo aplicará a otra mujer, que se sentirá complacido de que su compañera lo tenga, aunque con alguna diferencia, de que lo lleve una hija, y cuando escriba para otra hija alguna de sus deliciosas piezas de teatro infantil, le prolongará el nombre para terminarlo en el *ina* sonoro y dulce.

Durante un cuarto de año su diario está lleno de alusiones a Cara. "Ella me atraía, yo le inspiraba confianza –dice–. La noche de la taza de café fue deliciosa." Y la tal delicia no pasa de ser lo que él llama el candor con que ella aparece en la puerta, dudando entre si entrar o no, y las indirectas de la hermana y del cuñado de Cara, que hablan de la "buena pareja que harían", lo que los lleva a medirse, como un par de muchachos.

A la distancia de los años, y conocido el final de esas relaciones, alguien diría que Cara coqueteaba con Hostos. Él debió ser un tipo de hombre muy atractivo para las mujeres, porque tenía una condición esencial para ganar su admiración: la armonía, la sobriedad, el dominio propio que comunica el íntimo conocimiento. Hombre sumamente dulce, amable, alegre, con una alegría bien medida; gran conversador –no lo que ahora se llama *causseur*, que es un mantenedor de atención a base de falsedades–, viajado, instruido y dotado del don especial de hacerse entender hasta cuando trataba temas complicados, Hostos debió ser un gran compañero de veladas. Físicamente tenía también presencia, y cierta gravedad, cierta especie de noble tristeza en los ojos, grises de reflejos claros, tristeza que se deshacía al oírle hablar con una voz viril y decidora de grandes bellezas. Era más bien bajo que alto. Una maestra normal dominicana de la primera época me aseguraba, hace pocos días, que ella no había conocido hombre más majestuoso que Hostos, a pesar de su estatura, ni más cortés y afectuoso. Aparte de lo que pudiera imponer el conocimiento de sus cualidades y la cercanía de una persona de tal renombre, él tenía atracciones físicas. ¿Qué mucho, pues, que aquella cubanita de ojos negros, sugestionable, de casi ninguna cultura, como lo deja entrever el propio enamorado, coqueteara con Hostos?

El ideal físico que perseguía Hostos era el de la mujer rubia, posiblemente de líneas que expresaran majestad, como las de la madre. Candorina tenía el pelo y los ojos negros. Esforzándose en quererla –y dígase si no era mental tal amor– él pensaba que con un poco de energía podía figurársela rubia.

En la lucha del amor, paralela a la política, pasan tres meses. La familia de Cara se va a Cartagena; y es entonces, al ver que le van a llevar la amada, cuando Hostos halla la solución de sus problemas. Puesto que él no puede vivir en aquel aire escaso y envenenado de anexiones en que se mueve la parte más poderosa de la emigración, debe hacer algo; pero algo que concuerde con la necesidad de su amor. Lo dice claramente, porque Hostos jamás trata de engañar: "Me falta el estímulo". Sus palabras precisas, cuando logra armonizar el sueño ideal con el imperio natural, son éstas: "Me había faltado una fuerza de impulsión. Esa fuerza era la que importaba adquirir, ella la que debía estimularme". Ya están dichas hace un momento, pero se repiten para que se vea cómo gobierna la honda trama sexual muchos actos de nuestra vida. Candorina es ese estímulo; Hostos lo confiesa. Debe ir tras ella, y como ella está en Cartagena y también en Cartagena se puede servir a Cuba, él irá allá a servir a Cuba, luchando porque se reconozcan su derechos, porque se le auxilie; y además a trabajar por dos causas: para sostener su hogar, y para hacerse del dinero que hará efectiva su acción en favor de la isla en guerra.

Así decidido, no quiere que Candorina se le escape sin que sepa cómo la ama. "Éste es un mármol del que se pueden sacar buenas estatuas" –asegura–. Siete años más tarde se dirigirá al padre de Belinda de Ayala con palabras exactamente iguales. Vale la pena apuntarlo porque es común que Hostos use una misma expresión para manifestar estados iguales, no importa que éstos se cumplan en tiempos distintos, lo cual acusa que no cambia de ideas.

Listo a cumplir su propósito, empezó a imaginar cómo había de hacer la estatua que reclamaba aquel mármol. La educaría, le llevaría libros. Incluso dio los primeros pasos en tal sentido. Pero cuando se iniciaba él en los secretos de esa cincelación, la familia se llevó a Cara. Hostos quedó como ciego. El día antes gemía: "Se me va mañana; ya empecé a llorarla hoy". ¡Hay que ver qué páginas tan confusas son las de su diario en esos días! Se aprecia el esfuerzo por naturalizar aquel amor mental. Él mismo confiesa: "¡qué amor tan sin amor!". Pero como aquella razón poderosa es capaz de crear hasta la sensibilidad, no ha de extrañar gran cosa que creara una falsificación del amor tan aceptable que llegara a influir en su vida de manera determinante. Ya en agosto dice que la falta de cartas en que lo tiene Cara y la lucha política le anonadaban. "Y siempre solo, sin nadie a quien oír, a quien hablar, a quien querer, a quien creer, porque hasta ella me abandona, hasta ella me priva de sus cartas" –se queja–.

Un dinero que recibe de su padre lo resuelve, y el 19 de agosto dice: "si las cartas de la familia Bda. (probable apócope del apellido de Carolina) son las que espero, me reuniré a ella".

¿Qué cartas son ésas que espera? Las que le deben escribir la hermana y el cuñado de Candorina, al parecer empeñados en casar a la niña con Hostos.

Para olvidar que esas cartas no llegan, Eugenio María se sumerge en las noticias de la guerra franco-prusiana, de la consternación francesa por la derrota. Pero no se anestesia así como así aquel hombre que se lanzaba a toda fuerza sobre lo que consideraba necesario hacer, y el 4 de octubre sale de Nueva York. Embarca en el *Arizona*, una lástima de barco, que hace la ruta por condescendencia del mar. Va camino de Cartagena de Indias, a cumplir su palabra; y desde antes de salir empieza la duda: "Deseo y temo, temo más que deseo" –asegura–.

Pero aquí está América, la rival de Candorina. Cuando vislumbra las costas de Cuba, cuando se siente en las cercanías del Continente, Hostos empieza a reaccionar. Candorina va ocupando un plano secundario, sin que él lo procure. Aquel amor mental acabará teniendo el puesto que le corresponde. ¿No está aquí América?

Si hasta ocurre que, recién desembarcado, cuando alguien lo quiere llevar a la casa de la mujer perseguida, Hostos prefiere recorrer la ciudad. ¿Qué ha ocurrido? ¿Es que al contacto con aquel mundo milagroso, al sentir esa imponderable emanación telúrica que parece desprenderse del sitio donde se habla nuestro idioma, donde se ha luchado por lo que uno, donde ha estado en derrota, en triunfos, en luchas un héroe como Bolívar, ha despertado en Hostos al hijo múltiple del Continente que dormitaba en él? Quizá. Es el caso que en la noche, cuando visita a Candorina –a quien no ve al principio porque ella, coqueta, siente vergüenza de verlo– asegura que no puede cumplir su palabra porque no hay trabajo en Cartagena y sin trabajo no hay posibilidad de fundar un hogar. La hermana de Candorina, buena casamentera por lo visto, apunta una idea: que se vaya Hostos a Panamá, trabaje allí y de allí vuelva a Cartagena o mande por Cara. Hostos conviene en que sí, mas como él va a comprometerse, quiere un compromiso de parte de Candorina. Dice, además, que quizá tampoco haya trabajo en Panamá.

–Se llega usted al Perú, donde hay porvenir para usted –resuelve la futura hermana política.

De acuerdo; pero mientras espera el barco, algo hay que hacer. Se entera Hostos de que el problema del Estado Bolívar es la desproporción entre habitantes negros y blancos: muchos más de los primeros. Se teme que algún día surja una lucha de razas. Entonces concibe él la colonización del litoral por cubanos, dominicanos y puertorriqueños revolucionarios que les resuelvan el problema a los cartageneros resolviéndoselo a la emigración que anda dispersa. Como en Cartagena consigue todo lo que el sitio puede dar, se embarca hacia el Perú con el propósito de conquistar allí los capitales necesarios al buen éxito de la empresa. De esa manera torna a armonizar sus dos deberes: el íntimo del hombre y el externo del patriota. Buscará trabajo para casarse y capitales que favorezcan a las Antillas.

Recién llegado a Lima, Hostos se ve forzado a quedarse con el aspecto externo de su peregrinación: una carta de la hermana de Carolina le dice: "C. no piensa en lo que usted habla en su carta, y es mi deber decírselo a usted. Ella lo estima como a uno de sus mejores amigos, pero más nada".

Hostos asegura que la carta es superior a su amor propio y la cierra sin acabar de leerla. Pero segundos más tarde se consuela con estas palabras: "aquí ha debido haber un interés de familia puesto en juego en mi contra". En su favor, diríamos nosotros. Él parece olvidar fácilmente, y asegura que a veces la casualidad gobierna nuestra vida, refiriéndose a que aquel matrimonio frustrado le ha puesto en nuevas vías, reconociendo así, tácitamente, que su vida está más acoplada al ritmo del Continente de lo que estuvo antes.

De pie ya en el Perú, donde va a servir a sus islas, Hostos no es capaz de sospechar que otro amor va a revolucionar sus destinos para encaminarlo, una vez más, por los derroteros convenientes al porvenir de América. Ese amor hará época en los anales de las letras continentales.

Manolita, o la pasión

Cuando se acercaba al Callao, Hostos iba desprovisto de todo: no tenía un centavo, un traje decente, un amigo en quien confiar; sin embargo a pesar de todo ese escenario íntimo de miseria, el hombre florecía de amor y de fe: en el cholo, en el quechua, en la tierra, en el futuro de América: en todo confiaba. Ya en el barco se mostró asombrado por la belleza de las cholas y en el trayecto del Callao a Lima, como tuviera oportunidad de ver un grupo de damas, empezó a deleitarse con las gracias y la vivacidad de la mujer peruana. Un día, recién llegado, iba por una calle de Lima paseando su preocupación; llevaba en la mano una flor que le habían regalado minutos antes. Como pasara una chola atractiva, se la quedó mirando. Buena americana, la chola es bella, con una belleza ardiente que aúna el ojo morisco, ojo de regazo, a la línea aérea del lirio. Mientras la contemplaba, de un grupo de señoritas que pasaba salió una voz:

¡Qué flor tan bella!

Gentil, "atiemposo", como decimos en mi tierra, Hostos puso la flor en las manos de la que había hablado.

Era un augurio, si todavía pensamos como los romanos. Maduro para el amor, deteniéndose cuando pasaba una mujer de "talle conyugal", como tan castamente definía Martí cierto atractivo de la hembra, Hostos paseaba su corazón igual que flor y sólo esperaba la voz que exclamara:

¡Qué bello!

Y no tardó en oírlo de labios de Manolita, a quien llamaremos con el dulce apodo con que él la nombraba: Nolina, o Manolina, como también se oyó decir del amado.

¿Cómo se conocieron? ¿Qué los acercó? ¿Qué lo llevó hacia ella? ¿Sería rubia, como él deseaba a la amada? ¿Morena, con ese fascinante morenismo de su tierra? ¿Qué vio ella en el extranjero? El mismo Hostos se lo pregunta, desconfiado, y dice que "ellas se enamoran en él de lo desconocido, de lo imprevisto". Pero quizá no fuera esa la causa. Hostos había alcanzado en Lima un renombre que estaba a la altura de su labor. Lo que hizo allí por Cuba en mítines, artículos y conferencias; por el Perú en el establecimiento de sociedades de enseñanza y en la redacción de *La Patria* por el negro, el indio y el chino en sus estudios de tipos sociales, bastaba a conquistar la admiración, que es el camino del amor, de cualquiera mujer no común, como sin duda fue Nolina.

Se conocieron en los primeros meses del 71, casi en el duelo del recuerdo de Candorina. Ya en marzo, el día 30, Hostos, que las pocas veces que habla de Manuela lo hace con acongojante discreción, dice que había convenido con ella verse donde su hermana. Después de aquel día apenas la menciona. Está airado por ese amor. Pero en noviembre, desde Chorrillos, estalla al fin, con una vehemencia casi fiera: "La amo, la amo, la amo y no oso evitarlo". Jamás sufrirá tanto, porque al tiempo que la mujer, América le solicita, y él sabe que está al borde de preferir la compañera. "He pasado mi vida en contener mis pasiones por medio de la razón –se queja–, y he aquí como lo que debía hacerme fuerte, feliz, me hace el más débil de los hombres y en consecuencia el más infeliz". ¿No es cierto que entristece ver cómo el hombre cuya razón gobernaba su vida hasta en el más pequeño ondular de sus sentimientos se encuentra un día con esa razón avasallada por una pasión que él no puede contener? Debió ser amarga y desesperante la noche de noviembre en que Eugenio María de Hostos llegó a tan triste confesión.

¡Treinta y dos años de sacrificios, domando a los sentimientos, se esfumaban de golpe!

Vienen los días de la lucha. Esta es la encrucijada, la gran encrucijada. Los caminos de la vida se reparten a los pies de Hostos. ¿Cómo va él a darle paz a su corazón? *Nolina*, le dice. Este sí es el nombre hondo, el que fluye como el venero de agua en la loma; el que lo dice todo sin decir nada. ¡Qué distante de aquel *Candorina* falso!

¡Nolina! Debe haber sido estrecha la relación de ambos enamorados, porque el padre (el apellido se insinuaba con una *C* y una *l*), el "señor Cl", como le llama Hostos, le aconseja que calme "el espíritu apasionado de su hija". Y Hostos le escribe. Ella no contesta. Hostos siente miedo, un miedo pavoroso. Su obra va a zozobrar. Queda un camino: alejarse. De no hacerlo, él y sus sueños de patriota serán mosca inerme en la red de araña de aquel amor.

Desde Santiago de Chile le escribe una carta patética. Al tiempo, atormentado por el recuerdo, se refugia en el trabajo. Da el *Hamlet*. ¿Y por qué el *Hamlet*, precisamente? ¡Ah! Porque él, como el príncipe de Dinamarca, se ha sentido la víctima de su razón, de la razón que le muestra el deber y le impide darse a su pasión; y, además, porque ella está en Ofelia. "Algunas palabras de Ofelia, y sobre todo su locura, me dan miedo: pienso en ella, tan delicada, y temo que la pasión que tan involuntariamente he provocado esté produciendo dolores tan hondos como los de la triste semidemente." Luego, Hostos sabe que es querido, frenéticamente querido, y eso debe aumentar su tortura. De las palabras que Goethe dice de Hamlet –aquel símil del florero y la encina– Hostos piensa que sería mejor aplicarlas a Ofelia "y siento que yo podría aplicarlo a Manolina", –se lamenta–.

Pero todavía hay algo más grave, algo insólito en la vida de Hostos. Al cabo de mucho estudiarlo se convence el más terco enemigo de su gloria de que aquel hombre jamás tuvo móviles personales que no estuvieran perfectamente armonizados con el servicio más activo de la humanidad, con el de su Continente en particular, con el de sus Antillas en la intimidad de su mundo americano. Sin embargo –!oh milagros del amor!– he aquí que él, el servidor entero, confiesa, con una amargura desgarradora: "Pienso publicar *Bayoán* y éste es un pretexto para acercarme a ella con el pensamiento; trato de crearme aquí una reputación y es el aplauso de ella el que busco. Seriamente, temo ponerme tan mal de espíritu como Hamlet, si no realizo ya este triste ideal".

¿Quién había de sospecharlo? Hace justamente un año, a fines de marzo del 71, empezaba a dudar si se acercaba o no a Nolina. Hoy no puede más: "es el aplauso de ella el que busco". En esta exaltación de lo sexual, que exige su lugar, que lo hostiga, Hostos es la víctima. Por eso teme acabar como Hamlet; por eso comprende tan justamente la creación del poeta y por eso es Nolina la razón del *Hamlet.* Se puede asegurar, autorizado por el propio Hostos, que sin Nolina no habría la formidable pieza crítica que con tanto respeto se lee en el mundo; que sin ese *Hamlet,* predecesor inevitable de los estudios de carácter crítico, no se hubieran escrito ni la *Memoria de la Exposición de 1872* ni el estudio de pintura y de escultura que la sigue y que son el verdadero origen de la producción metodizada de Hostos, por cuyo camino llega a la Escuela años más tarde.

Pero hablábamos de una carta. Es patética, porque en ella se esfuerza Hostos en disimular su desesperación. Está fechada en Santiago de Chile el martes 2 de abril de 1872: "He estado pensando en ti todos estos días" –empieza; y termina–: "no he querido romper relaciones que me hacen esperar la ventura". Es la primera vez que él escribe tuteando. Se ve que la lleva consigo, en la sangre, y que la ve en sus ojos, y la oye en su voz. Donde hable, la oirá; donde escriba, la describirá: "En Hamlet hay una influencia pasajera: es Ofelia" –dice–. "Al escribir esta noble, simple, pura y deslumbradora criatura, he pensado en Nolina". Y al final: "es el suyo el retrato de Ofelia que ha despertado tantos admiradores: son mis propios remordimientos los que yo he vertido en él, mis propias quejas las que allí he expresado".

¿Y cómo es ella? ¿Qué carne encierra tan amada esencia? No sabemos. Cerrando los ojos para volverlos a mejores días, cada uno de nosotros buscará en el pasado el retrato de mujer que con más propiedad exprese tanta dulzura y que mejor despierte en nuestras almas las más gratas emociones. Unos pensarán que Nolina era rubia, fina, de risa blanca y brillante; otros la imaginarán bronceada, de ojo negro y triste. Como quiera que haya sido, su espíritu debió ser grande, que si no no habría sido tan amada de un hombre excepcional. La mujer a quien quiso Hostos así no podía ser mujer corriente: hay pruebas: aquí tenemos párrafos de la última carta, en la que aquella Nolina que parecería dulce y frágil si atendemos a la sensación de espiga que el nombre cariñoso procura, se nos muestra con una serenidad de remanso en la gravedad de las palabras: "Trate de olvidarme para que alcance un gran renombre" –le dice–. ¿Despecho quizá? No, porque antes le suplica que no haga el viaje a la Argentina ya que jamás se perdonaría un accidente que pudiera Hostos sufrir.

No es despecho, sino grandeza lo que parece emerger del fondo amargo de tales razones. Grandeza como la que necesariamente debía tener la mujer de quien Hostos quiso aplausos.

Todavía asido a su amor, Hostos contesta: "Yo no quiero olvidar que he encontrado en mi camino, bien áspero por cierto, una criatura generosa, tan bella de alma como de cuerpo, de sentimientos como de ideas, que tuvo la benevolencia de creer en mí".[2]

Y ciertamente, la recordará muchas veces, con discreción, con oscuridades, con vagas alusiones. Recordará siempre que "jamás ha habido relaciones más puras, más dignas, más inmaculadas que las que han hecho tan triste para la dulce Manolita, tan venturoso para mí, el año pasado en el Perú".

Quizás sea ella la defendida en la defensa que de los derechos de la mujer a ser científicamente educada hace en Santiago de Chile; y con toda seguridad es ella la recordada en todas esas exaltaciones que hace de la mujer peruana, de su belleza y de su inteligencia, cada vez que, con no importa qué motivo, escribe sobre el Perú, la tierra de aquella Nolina inolvidable.

Carmen Lastarria, o la fuga

Rastreando sus sentimientos, uno llega a convencerse de que Hostos amó con igual pasión a todas las tierras de América; pero no cabe duda de que prefiere a Santo Domingo porque es la que más se le parece a Puerto Rico y de que es en Chile donde mejor se halla. El carácter comedido, discreto y firme del chileno; su proverbial gentileza; el espíritu emprendedor y ordenado del pueblo, la fuerza institucional del país, complacen de tal manera a Hostos, que sólo en Chile llega a enternecerse como buen hijo del trópico, cosa que jamás le ocurrió en su zona nativa.

[2] Hostos escribió a Nolina tuteándola: ella contestó tratándole de Ud. Al responder a esa última voz de la amada, Eugenio María elude el ridículo de volver a tutearla y el dolor de llamarla de Ud., y se dirige a ella como a una tercera persona. La cita del párrafo siguiente, que es de la carta mencionada, ilustra mejor que nada la forzosa y extraña posición de Hostos.

Por otra parte, Hostos debió sentirse holgado en aquella privilegiada porción del Continente, porque fue allí donde encontró verdaderos y numerosos amigos, los que sentían como él y padecían como él por sus ideas de libertad, de progreso, de bien. La abundancia de hombres de primera calidad, en todos los sentidos y en todas las dimensiones, favoreció la natural expansión del espíritu y de la mente del puertorriqueño, que alcanzó allí su pleno desarrollo.

A no ser porque una mujer decide, con su amor, un viraje dolorosísimo para él, Hostos hubiera permanecido más tiempo en Chile y no sería arriesgado decir que Carmen Lastarria malogró para Chile grandes servicios, porque Hostos habría hecho una obra más fecunda allí, donde todo le era propicio, que en Santo Domingo, donde él, como el campesino que se enfrenta a la naturaleza bravía, tumba, tala, quema y cerca, para que tras la primera cosecha vuelva por sus fueros el monte impetuoso y señoree a poco sobre la tierra consagrada por el solitario esfuerzo.

En junio del 73, el día primero, dice que la tarde anterior tocó hasta las lágrimas el dolor que había puesto en el alma de Carmen. Es la primera vez que la menciona. "El sentimiento de la familia haciéndose más y más potente" –dice–, rindiéndose al mandato natural; pero a seguidas agrega: "...trato de realizarlo y me espanto tan pronto la realización del sentimiento comienza".

Carmen Lastarria, fina, con cierta altivez de mujer de alcurnia, vástago de un hogar apreciadísimo en todo Chile entonces y hoy, amó a Hostos con ese amor que se entrega sin reservas a todos los sacrificios que favorezcan el objeto del amor. Jamás se confesaron ella y Eugenio María que se querían: les bastaba mirarse a los ojos, o, hacia enero del 73, en los inicios del callado y triste idilio, estarse ambos en silencio, cuando Carmen veraneaba en la quinta de la familia y Hostos iba a verla. Recordando cómo ambos se sentaban en una de las hamacas que se mecían bajo los árboles frondosos, y cómo ambos temblaban de sólo pensar en decirse lo que era indecible, Hostos, ya en Buenos Aires, sentía que los ojos se le llenaban de lágrimas. "Desde el fondo de mi abatimiento miro ahora más allá de los Andes y quisiera con toda mi alma estar allí" –confiesa–.

Es triste este amor chileno de Hostos. Al principio lo dejaba fluir, lo dejaba humedecer los ardidos senos de su alma. Había llegado a Chile deshecho por una pasión; y la presencia de Carmen parecía dulcificar la rudeza del recuerdo y despertar en el amado el niño que duerme en todo hombre.

Pero ocurrió que un día alguien le preguntó a Hostos si era cierto que se casaba con la Lastarria, y él temió: "Tengo deberes que cumplir y carezco de posición para contraer matrimonio" –contestó–; y a seguidas, temeroso de temer demasiado, agregó: "Sin embargo, eso no sería imposible: uno puede casarse siempre que al hacerlo sea capaz de cumplir con su deber: yo, por ejemplo, me casaría y dejaría a mi mujer por correr a cumplir con mi deber".

Esa misma noche quiso saber si podía hermanar los dos deberes. Carmen, que de seguro amó a Hostos con un gran miedo de que él, tan renombrado, no correspondiese a su cariño, contestó, cuando él le preguntó si se casaría con un hombre pobre y si sería capaz de comprender que un hombre se debía a ciertos deberes, que la pobreza no era un obstáculo y que comprendía la razón que le asistía a quien cumplía con su deber abandonando otros.

–¿Y se lo recordaría usted misma? –inquirió Hostos.

–Sí.

–Entonces míreme a mí.

"Brillaron sus ojos" –cuenta él–. "Yo seguí mirándola".

La niña del sur pasa por el diario de Hostos asistida de no sé qué contagiosa tristeza. Duele pensar que, cuando ya está seguro, cuando ya sólo tiene que extender las manos para arrancar racimos de azahares, este Hostos tan fieramente pegado a su deber se desgarre el corazón y decida irse. Lucha, sufre; inventa pretextos. ¡Si el padre de Carmen le dijera algo, le insinuara algo...! Busca en sus palabras el valor oculto, como si jugara una esgrima torturante. Le bastaría ver a Lastarria inclinado a que se quede, y se quedaría, con Carmen y para Chile.

Dice que se va, y vuelve a decirlo. En una ocasión propicia, ella, que se bebe las lágrimas, le asegura, en presencia de todos, que él va a convertirse, de momento, en una estatua de hielo. Esa frase lanza a Hostos a la fuga. Le disgusta que sean injustos con él. ¿Es que no comprende Carmen cómo está su corazón?

Antes, ella le había dicho: "usted no se irá", y Hostos vio de pronto todo lo grave que había en su amor, luchando con sus deberes. Es raro que cuando Carmen Lastarria le demuestra más abiertamente que lo quiere, él reacciona contra ella. ¿No habría en el fondo de esa pugna un miedo a quererla demasiado? ¿No ocultarían esas reacciones una verdadera gran pasión, entorpecida por el discreto ambiente del sur?

Los días que preceden a la salida son conmovedores. Una por una, Hostos va despidiéndose de las familias de su aprecio. Cuando dice adiós a los Lastarria procura que Carmen no lo vea irse, y después, en la calle, siente que se le agolpan las lágrimas en los ojos y para no dejarlas caer se cuida de no tropezar con las piedras del arroyo. En su casa, al otro día, encuentra unas violetas. Hostos comprendió. Besó las violetas, "ardientemente" –dice–. Era la prenda postrera del carácter dulce y firme de la amada. La segunda edición de Bayoán se estaba imprimiendo entonces; tomó la primera página y escribió: "A Carmela, Hostos. Ni un suspiro, ni una queja, ni una lágrima", palabras de *Bayoán* al salir de Cuba. Y he aquí cómo un libro que quiso reeditar por una mujer, por Nolina la peruana, le servía ahora para anestesiar la tristeza sin nombre que lo envolvía, por Carmen, por Chile, por su sueño de hogar sacrificado al sueño de patria. Por su fuga, en fin.

Los fantasmas del pasado

La vida se está haciendo triste para Hostos. Un pseudo amor en Colombia, la pasión en el Perú, la ternura en Chile: todo lo ha ido abandonando, y a medida que siente el indecible dolor de esos abandonos, va poniendo en el cumplimiento de su sueño de patriota las energías que resta a su felicidad. Pero no logra engañarse. De nada vale que se lance en Buenos Aires a una frenética campaña en favor de Cuba, a otra en beneficio del ferrocarril transandino proyectado por Juan Clark; de nada que le mimen escritores y políticos, Guido Spano, Bartolomé Mitre, Sarmiento, entre ellos. Los fantasmas del pasado están socavando su fuerza y sólo en la fuga inacabable hallará consuelo el mártir de su deber.

Para que no se vaya, los amigos hacen que le ofrezcan una cátedra de Historia de la Filosofía en la Universidad de Buenos Aires; él agradece la oferta y a la carta en que se la hacen contesta con otra en la que explica, brevemente, que ninguna razón puede sustraerlo al cumplimiento de su deber.

Entre días se rinde. Sueña con Carmela y llora; lee a Leopardi y no puede callar: "¡Ah, Nolina!" –se queja–. Querría volver a Chile; pero él sabe que el pasado no se rehace. Y un día, perseguido por los fantasmas de su perdida felicidad, parte. Va exaltado. En el Brasil escribe algunas de sus más bellas páginas; allí, frente a Santos, confiesa: "No sé si por falta de Eva, símbolo del fin afectivo de la vida humana... la felicidad es un concepto vacío para mí". Anda triste, y la recia naturaleza le remueve el oscuro y callado fondo de dolor.

El 26 de julio del 74, ya en Nueva York, empieza a recordar: "Hace justamente un año –escribe– que jugué la felicidad de una noble criatura y la mía al azar de un deber imaginario".

No ha podido cumplir ese deber y le duele el fracaso. La miseria le va cercando. Muere su hermana Lola y sufre por el padre. Malos días aquellos. En septiembre le escribe un amigo chileno: "...(su) vida de incesante sacrificio, lo ha obligado a renunciar a la dulce paz grata a su alma y a las puras delicias del hogar para las cuales parece haber nacido su naturaleza eminentemente buena y afectiva". Hostos se conmueve leyendo la carta. Sigue triste, no tiene trabajo, a veces carece de con qué comer.

El otoño entra y llueve. "Pienso en el invierno y viéndome sin trabajo y sin recursos, pienso con estremecimiento en los días por venir" –dice–. Otra vez Carmela, y ya su tristeza es tan grande que él mismo la teme. "Nada más natural –afirma– que una tristeza... cuando mezclo el recuerdo de Cara al de Colombia, el recuerdo de Nolina al del Perú, la memoria melancólica de Carmela a la de Chile...: que tal canción que oí aquí cuando creía amar a Cara; que el resonar de la canción criolla que a Nolina y a mí nos gustaba; que la Stella en que se fijan mis más queridos recuerdos de Carmela; que la marcha de los *jíbaros* que evoca la pasión arraigada de mi patria;... me haga sentir angustias".

"He perdido todas las mujeres que hubieran podido amarme, dirigirme, sostenerme, hacerme feliz, hacerme desgraciado, hacerme conocer una parte del movimiento de la existencia."

Esa tristeza tiene sin duda una raíz sexual, aunque esté agravada por la falta de trabajo y de medios de subsistencia. Nótese cómo se complace en recordar a las mujeres que le han amado; y todavía se pensará más en tal raíz cuando se sepa que, con trabajo bastante bien remunerado poco después, lo abandona para tomar parte en la fracasada expedición del *Charles Miller* y que, entre otras de las razones que lo llevan a Cuba, además de la ineludible e inargumentable de su deber, está la de que quizá encuentre en Cuba una compañera con quien formar su hogar.

Hostigado, fracasado como revolucionario activo, siempre dispuesto a salir hacia el campo en guerra tan pronto se lo pidan o se organice algo, queda desorientado en Nueva York hasta que recibe cartas de Puerto Plata, desde donde le llaman los cubanos y puertorriqueños y los dominicanos que les auxilian.

Cerca de un año después vuelve a salir. No hay ni el más leve indicio de que su corazón se interesara en Puerto Plata[3] La historia de sus amores se corta de pronto para no reaparecer hasta el año 77, en Caracas, donde había de anclar su corazón. Había llegado en noviembre del 76 a Puerto Cabello. Ya estaba en sazón para el amor. Iba a cumplir treinta y ocho años; le dolía en lo hondo del alma haber sacrificado sus sentimientos varias veces. Se sentía solo, abrumado. Quería otro clima y con mucha reticencia le explicaba en carta a un amigo que vivía en Caracas que era un clima espiritual más propicio, el que deseaba. Pasó entonces a la capital de Venezuela donde había de encontrar a...

Inda, remanso y estímulo

"Como Bayoán a Marién, así conocí yo a Inda; de pronto, de repente, sin saber siquiera que existía, sin prever el influjo de su existencia en mi existencia" –dice Hostos cuando ya ha transcurrido cerca de un año de su unión, mientras la compañera está ausente–.

En aquellos días en que la necesidad de Inda va conformando su destino y dirigiéndolo hacia la etapa cimera de su vida, Hostos, entonces en Puerto Cabello, se da a evocar las horas tormentosas de sus amores; a relatar los ardides, los desconsuelos, los júbilos, toda esa suma de emociones diversas que forman en conjunto el amor. Recuerda al pastor cuya presencia en casa de la amada supo utilizar para sus fines, primera vez que lograba manejar un hombre a su antojo; la protección amable de Lola Rodríguez de Tió para los enamorados, las oposiciones de la madre de Inda. Padece de felicidad. Evoca los días mejores de su reciente unión: se siente agradecido de Inda

[3] Una carta de un amigo, cuya firma no aparece, escrita desde Santo Domingo y que acusa recibo del primer número de *Los Antillanos*, el periódico que creó Hostos en Puerto Plata, se refiere a la resistencia del puertorriqueño al amor. "Ame Ud. a una cubana o borinqueña; ella y sus hijos le harán más poderoso para seguir combatiendo" —dice el amigo—. En la carta se alude a una Filita y a una Mima; pero no se dice claramente si Hostos tuvo algo que ver con alguna de ellas.

porque lo quiere, y llega a perder a tal punto su centro de gravedad, que aquel impenitente positivista piensa un día, evocando a la madre muerta, que Inda es un regalo de doña Hilaria. Hablando de la nunca olvidada, dice: "La profetisa no ha muerto: la profetisa vive con la doble vida de su propio ser en donde hoy viva, y con el ser de mi Inda bienamada, que yo no sé por qué desusada inspiración de mi espíritu enemigo de todo lo que me parece sobrenatural, se me presenta con frecuencia como donativo de mi madre. Y hasta las fechas del nacimiento de una y de la muerte de la otra, me induce a esa dulcísima superstición: Inda nació en el mismo año en que murió mamá".

Conmueve ver que tal hombre, verdadera encarnación de sus ideas, se tornaba un inseguro buscador de explicaciones extrahumanas cuando el amor le hacía paladear las esencias divinas que sólo él regala.

Pero ¿quién fue Inda? ¿Quién la mujer que realizó el milagro? ¿Era siquiera mujer?

Cuando Hostos la conoció no tendría más de catorce años; él acababa de cumplir treinta y ocho. Sin duda tuvo desde muy niña juicio y apariencia de mayor edad, porque la noche en que la conoció, llevada por su padre, que quería presentar al famoso propagandista a su familia, Hostos la confundió con la esposa del doctor. Desde que la vio comprendió que allí había de rendir aquella intimidad rebelde a la ley ineludible. Las páginas de su diario van marcando día tras día los flujos y reflujos de aquella pasión. Inda es muy niña; todavía no tiene carácter definido, y él, que, irremediablemente ha de casarse con ella, que ya no quiere ni puede rehuir más él fantasma, empieza a ir conformando aquella alma a su gusto y manera. A veces padece por algunas niñadas lógicas en sus años; por lo que él llama "indiscreciones" o porque ella no atiende a sus recomendaciones para que estudie el piano; a veces padece por la distancia de tiempo que los separa, pero se consolará pensando que "la edad, sobre todo cuando la vida ha sido pura, importa poco en el matrimonio". Recordará a todas las grandes parejas de la historia que estuvieron en su caso. Desde Jesús hasta Richter, pasando por Sócrates, por Colón, por Abelardo, por Homero, por Guttemberg, ninguno de los viejos amados por jóvenes se escapa a su deseo de encontrar antecedentes en la historia. Consolado a medias con tales razonamientos, confía en que "tal vez no me equivoque cuando hasta el triunfo de mis ideas y de mi nombre espero de este amor", según afirma, intuyendo, o comprendiendo, mejor, el poderoso influjo que ha de tener en su vida la paz sexual que hallará en su unión.

Para hacer de Inda su verdadera mitad, le da lecciones, le presta libros anotados. Poco a poco, aquel botón de gran espíritu se va abriendo bajo la mirada amorosa del cultivador. La niña empieza a enamorarse pasionalmente de los sueños de Hostos. Hija única de emigrados –puesto que su hermano había muerto–,[4] comprendía la tortura del buscador de patria, y la alentaba. El hecho de fijarse en un hombre que le llevaba tantos años denunciaba ya en ella un espíritu de selección, con tendencia a la gravedad. No es extraño pues que, recién casados, un día en que él le preguntaba con qué se quedaría ella si él se iba a la revolución de Puerto Rico, ella le contestara que con su conciencia. Quien respondía allí era el propio Hostos, es decir, su hechura, la proyección de su espíritu.

Los amores no dejaron de tener su amargura. La madre de Inda no concebía que su hija se uniera a un hombre pobre y, aunque muy sutilmente, muy reticentemente dicho, Hostos deja entrever que hasta el padre, el doctor Filipo de Ayala, no veía con gusto aquella unión.

Pero no vamos a hacer aquí la historia detallada de este amor. Ya va para largo esto, aparte de que esa historia está escrita por el propio Hostos en las más de cien páginas que escribió sobre Inda.

Un día –ella fue terca, como que sabía, tenía la intuición de que iba a ser feliz– se unieron. Esto ocurría en julio del 77.

Hostos fue al matrimonio con la plena conciencia de que iba a gozar la paz definitiva de su vida, la que le permitiría realizar una obra digna de sus fuerzas. No tenía dinero ni como ganarlo; pero el dinero, como todo lo adyacente, sería un resultado de su paz.

Hombre de suma razón, sabía que el amor es la manera de satisfacer la más recóndita de las necesidades naturales, y que por ello el amor debe conservar su fuero de religión ideal, con derecho y exigencia de sacrificio cotidiano. Mantenerlo implica una consagración tan rendida, que aquel que no se le consagre del todo lo dejará morir al primer descuido. ¿Y puede

---

[4] Del segundo matrimonio, doña María Guadalupe Quintana hubo dos hijos: Filipo, que murió joven, y Belinda Otilia, la Inda de Hostos. Doña María Guadalupe había enviudado de Sir James Darrymple, caballero inglés que estuvo en la Habana hacia 1854 comisionado, con otros, por el Gobierno inglés para estudiar los detalles de un tratado comercial angloespañol. La hija única de ese primer matrimonio, mencionada alguna vez por Hostos en su diario, casó en Caracas con un catedrático de la Universidad, el Dr. Velásquez Level. Ya estaba casada cuando Eugenio María conoció a Inda.

permitir tragedia igual un hombre que sabe a conciencia que la paz sexual es la base de su obra?

Otro aspecto del amor en los seres de conocimiento profundo es el de su proyección en el tiempo. La animalidad se sacia demasiado pronto; al espíritu toca vencer esa propensión de nuestra bestia, porque es rebajarse ante sí propio; descender de la categoría casi divina en que el amor nos coloca. El amor verdadero consiste en un olvido absoluto de la ley de la especie, logrado mediante la gozosa enajenación de las almas en la comunión eterna y elevada. Esa comunión exige que se la alimente minuto tras minuto, como si se tratara de un rito de días tribales, cuando el hombre temía y adoraba a un Dios terrible que repartía bendiciones y desgracias.

Así, como a un Dios exigente, porque no hay bendición mayor que el júbilo de quienes sirven fielmente al amor, ni desgracia comparable a la de verlo morir poco a poco, a medida que el mandato natural pierde fuerzas para mantener su prestigio.

Hostos lo sabía. Por eso él fue un devoto de esa divinidad y enseñó a Inda a serlo. La amó toda su vida como el primer día; le enseñó, la formó, la atendió siempre con igual celo.[5]

Con las noticias primeras del fracaso de Cuba, recibidas en Puerto Cabello, Hostos y su compañera decidieron la separación: ella iría a Puerto Rico mientras él buscaba su nuevo rumbo. Se va Inda. Hostos quedó enloquecido por aquella ausencia. Piensa en Curazao, en Santo Domingo, incluso en volver a Puerto Rico. La falta de cartas le causa dolores físicos. Teme a todo. "Desde que tengo a Inda –afirma– me parece que hasta el

---

[5] Hostos fue al matrimonio seguro de que iba a la felicidad consciente. Dos días antes de realizarlo, obsequió a Inda la *Vida y viajes de Cristóbal Colón* de Washington Irving. He aquí la dedicatoria con que acompañó el obsequio:

> Como Colón, vamos a embarcarnos para un mundo desconocido. Ya se va el equipaje, ya se rompen las ataduras materiales que nos ligan al lugar en que hoy estamos y al estado en que hasta ahora hemos vivido. De aquí en adelante, los dos solos ante la conciencia; y la responsabilidad del deber buscado y aceptado, en el fondo secreto de la conciencia. Como Colón, lo desconocido por delante, la oscuridad en medio, la tristeza del pasado allá atrás. Si llegamos a donde queremos, un nuevo mundo de aventura: si no sabemos llegar, un mundo nuevo de infortunios. Colón supo llegar a Guanahaní: amparémonos en su noble vida y aprendamos en ella a llegar al término del viaje.
>
> Yo estaré siempre contigo, Inda mía. Apóyate bien en mi brazo y en mi seno, y llegaremos. Eugenio María.

rumor del aire puede convertirse en daño de ella". Además, está endeudado y sospecha que la reacción clerical le hará un mal. Pide dinero a su papá, y el dinero tarda. Cree que una llamada "Beata" y los que están detrás de ella lo llevarán a los tribunales. Pero de todos estos dolores, el mayor es la falta de Inda.

Cartas de Luperón, que contestaba a unas enviadas por intermedio de Inda, le dicen que no es cierto lo de Cuba. Decide salir y embarca hacia Saint Thomas. Está casi un día en el puerto de Mayagüez; su padre le envía dinero, pero no permite que nadie vaya a verlo. En Saint Thomas Vicente García le da detalles del pacto del Zanjón, comprende que no puede y no debe volver a Puerto Rico, vive las horas más tristes que pueden concebirse, y –actitud conmovedora– escribe los cuentos a su hijo, que todavía tardará un año en nacer, en los cuales exalta las virtudes de la esposa ausente. A poco decide pasar a Santo Domingo. Allá se le reunirá Inda, y, ya en paz, iniciará su gran obra.

Hablando de doña Belinda, una persona de mi país, que la conoció cuando todavía no pasaba ella de los diecisiete años, decía que "era linda como una lámina", jovial y amable, con esa jovialidad que nace de la salud física y moral; pero que no tenía cultura mayor, a pesar de que estaba muy bien educada.

Años después, Inda escribía un libro de impresiones que fue muy elogiado por quienes conocieron los originales,[6] escribió la letra de un himno a Puerto Rico que compuso Hostos; escribió cartas, que sus hijos conservan, llenas de juiciosas observaciones y que denuncian una cultura sólida y, sobre todo, un juicio directo y sereno; formó asociaciones de instrucción en Santo Domingo; ideó la supresión del juguete de carácter bélico, sugestión que acogió, por mediación de la delegación dominicana, la Liga de las Naciones.

¿Qué significa tal superación? Significa que aquella compañera quiso ser siempre digna del suyo, y fue elevándose, completándose, desenvolviendo su personalidad hasta lograr ser, como lo fue, una mujer que no desdijo de la intuición que acercó a su vida a uno de los más grandes hombres de la raza. Esta superación, amparada y mantenida por el propio Hostos, hubiera bastado a justificar la paz que logró el Maestro, la que le permitió reunir toda su energía en un solo haz, si no lo hiciera más interesante a nuestros

---

[6] Lamentablemente esos originales se perdieron cuando ya estaban listos para ser publicados.

ojos el hecho de que a la vez que se superaba, Inda iba encontrando más deberes en la multiplicación de su familia. No dejó de ser esposa y madre para ser compañera de inquietudes. Debió ser de gran júbilo el día en que Inda le dijo a Hostos que había ahorrado lo bastante del escaso sueldo que recibía en Santo Domingo, y que con esos ahorros se podía comprar una casa. El sueldo llegaba ya desmedrado, porque Hostos le enviaba a su padre mensualmente cantidades que en ocasiones eran de hasta el cincuenta por ciento de sus entradas.

Luego, Inda había realizado el milagro de los panes y los peces. No en vano se le mostró él siempre tan agradecido.

—Pero, ¿fue feliz? –preguntará alguien–. ¿No tuvo borrascas su vida de hogar?

No lo creo. Ni ella ni él ignoraban que el amor es como red de araña, que jamás se recose. Pero algo debió él sufrir cuando los padres de Inda fueron a vivir a Santo Domingo. La madre era mujer de carácter fuerte. "El suegrón", la llamaba Hostos entre sus amigos. Había sido la enemiga de su felicidad en Caracas, ¿por qué no también allí? Desde luego, conocida la delicadeza de Hostos, nadie busque pruebas de desavenencias con la suegra; pero aquel que se familiarice con el carácter del Maestro hallará motivos para pensar que sí las hubo: Hostos fue implacable cuando se era injusto con él: no dejó pasar por alto una injusticia; algún medio de castigarla encontraba. Entre papeles de al parecer ninguna importancia, hay un recibo escrito de puño de Hostos que reza: "He recibido del señor Eugenio María de Hostos la suma de ciento ocho pesos oro en pago de un préstamo de ciento que le hice". La firma es de doña María Guadalupe de Ayala. He ahí la forma que tuvo Hostos de armonizar su delicadeza con su sentido de la justicia: ese recibo, que denuncia cómo la suegra le cobraba ventajas al marido de su hija, acusa a una persona interesada. Hostos conservó el documento. ¡Bella manera de castigar, remitiendo su venganza a la posteridad!

Pero no tardaron mucho en separarse. Lilís[7] iba agarrotando a la República Dominicana y si bien no es cierto, como algunos aseguran, que molestara a Hostos, éste comprendió que no podría vivir en el ambiente que se preparaba. Pero quizá no era ése todo su interés: ya hemos visto cómo Hostos acostumbraba a conciliar su necesidad íntima con la de la

[7] Lilís, sobrenombre de Ulises Heureaux, el tirano dominicano, muerto a balazos el 26 de julio de 1899, tras trece años de dictadura.

dignidad de nuestros pueblos. ¿No sería también aquélla una coyuntura admirable para librarse de posibles inconveniencias hogareñas? Apenas lo preguntamos. Nada puede confirmar esta sospecha. Si además de a Lilís aquel viaje era una manera de esquivar a doña María Guadalupe, el propósito perseguido fue alcanzado, porque en Chile tuvo Hostos la satisfacción de vivir en un pueblo digno y la de ver su hogar en espontáneo y armónico desarrollo.

En efecto, Inda logró su completa gravedad moral e intelectual en aquella tierra donde la armonía parece ley suprema. Ocurría que ella era un espíritu que exigía grandeza en su torno. Le gustaba la vida en grande. Desde luego, no podemos olvidar que era vástago de familias de rango material y moral. Sus padres habían sido confinados a Fernando Po, por patriotas, y empobrecidos; pero a ella la criaron como a hija de casa de lustre. En Chile alcanzó su pleno desarrollo, y dio a Hostos los días más felices de su vida, recibiendo en su casa, como de igual a igual, a las más eminentes cabezas de Santiago, que encontraban placer en departir con tan amable anfitriona. Educaba a sus hijos, y ya el mayor había alcanzado el grado de subteniente en la Escuela Militar, inclinado sin dudas hacia la profesión por herencia paterna –porque no debemos olvidar que la aspiración de Hostos era ser oficial de artillería–, cuando el curso natural de los acontecimientos americanos se desvió de improviso: Estados Unidos había declarado la guerra a España.

Hostos, que además de hombre de razón poderosa era sujeto de una intuición admirable, adivinó que el Nuevo Mundo estaba al borde de padecer uno de los sucesos más trascendentales de su historia. Percibiendo y diciendo, llegó a su casa con aspecto de iluminado, como si de golpe lo hubiera poseído un espíritu hechizador. Le dijo a Inda que debían partir de inmediato, porque su deber era intervenir para encauzar los destinos de Puerto Rico hacia su curso lógico. Pero en aquel instante la reacción de Inda, que era madre y había logrado ya establecer su hogar en bases sólidas, que necesariamente defendería ese hogar contra todo peligro, fue la reacción de la madre. Abrazada a los pies de aquel admirable esclavo de sus sueños, Inda clamó y lloró por sus hijos y por su hogar. Hostos, humano por casi divino, comprendió, pero ya no pudo volver a ser el Hostos de antes. Encanecía por horas; se iba agotando en el dolor de no cumplir su deber con la patria. Pasada la primera impresión, que la hizo actuar por reflejo, Inda se dio al padecimiento de ver al compañero desmedrándose, como una luz cuyo pabilo se acaba por segundos. Y ahí procedió ella como debía proceder la compañera del hombre insigne.

–Hazlo, Hostos. Dios no habrá de abandonarnos –dijo.

Hostos salió con su hijo mayor hacia Washington. En Caracas tomó dinero prestado "para trabajar por la libertad de Puerto Rico", según reza el pagaré sin plazo que firmó entonces. Inda, mientras tanto, con el dolor que debemos suponerle, se dio a desmantelar aquel hogar donde tantos sueños venturosos había tenido y donde se habían consumido las energías de casi diez años.

Lo que Hostos hizo aquí merece estudio aparte. Cuando retornaba de Washington, adonde fuera como miembro de la Comisión de Puerto Rico, halló que los niños de Juana Díaz le recibieron cantando su himno a Puerto Rico. Inda le había escrito la letra y había preparado aquella recepción que debió conmover al luchador.

En año y medio, el maestro infatigable no descansó un minuto. Había estado sesenta años tratando de que su destino le deparara un pueblo sobre el cual trabajar. Creyó que era Puerto Rico y se dio a su deber con toda la fe y toda la energía que hallaba en su vehemente amor a esta tierra. Pero nadie es profeta en su tierra. Así, cuando el presidente de la República Dominicana le cablegrafió: "País, discípulos espéranlo", volvió los ojos hacia días pasados, gozó la delicia del recuerdo y, como quien retorna a la patria no vista, tomó por última vez el camino de la tierra que amaba por parecerse a la propia.

Sin duda alguna, Hostos debió conmoverse con la recepción de los dominicanos. Le aclamaban como a un salvador, y en los pueblos del interior le recibían con arcos de triunfo y bandas de música. Debió conmoverse, pero debió también sufrir mucho, porque fue así como debió tratarlo su Puerto Rico.

En la lucha de sus tres últimos años, Inda fue camarada. Organizó asociaciones de enseñanza, que ella dirigía; esmeró su amoroso trato con el hombre que necesitaba todos sus minutos para luchar por la instrucción de un país que hoy lo venera como el padre de la patria mental; hizo de su hogar un centro activo de trabajo por la enseñanza. Pero el destino había secreteado ya su palabra, que era bien amarga para mi tierra.

En lo mejor de la lucha, plenamente capacitado para realizar su programa desde el poder, Hostos vio el derrumbe de sus sueños en la revolución del año tres. Ya estaba cansado y quería a aquel pueblo con amor paternal. Pensó en mandar su familia a Cuba, y quedarse él allí, porque sentía que no podía arrancar a su corazón otra despedida. Vio caer en aquellos días trágicos a discípulos suyos de la Normal. Como una obsesión lúgubre, esas muertes le perseguían día y noche. Tuvo que refugiarse en un barco de guerra norteamericano. Es inconcebible cómo pudo sobrevivir a tanto sufrimiento un hombre a quien el sufrimiento moral le desmedraba como a nadie.

Las dos últimas amantes

En tales días, Inda estuvo a la altura de su deber. Fue la compañera, la cariñosa compañera que él necesitaba. Pero Inda no sospechaba que en la vida de aquel hombre iban a intervenir dos hembras ineludibles. La una, descarnada e insaciable, empezó a rondar su casa por los primeros días de agosto de 1903. En menos de una semana aseguró la presa. El día once, bramador y majestuoso, el mar mostraba aquella faz bravía que siempre había impresionado a Hostos. El médico lo dijo, y Hostos quiso verlo. Levantó la cabeza unos segundos, después la dejó caer de golpe, se le amorató el rostro. "Ha estallado ese gran corazón" –aseguró el médico de cabecera, don Francisco Henríquez y Carvajal–.

Justamente a las once y treinta y cinco minutos de aquella noche tormentosa, la hembra descarnada había logrado su conquista. Había perdido Inda la batalla de su amor. El hombre que le fuera fiel hasta en lo más recóndito de su ser, el hombre por quien había luchado y soñado, por quien había logrado el pleno goce de su vida, había caído en las manos de una insaciable que no podía comprenderlo.

Pero no había acabado todo allí. Una vida como la de Hostos no se seca en un minuto: florece por los años de los años, inacabablemente. De la voracidad de esa amante iba a vengar a doña Inda otra, delicada, que aúna a la sonrisa de Nolina la discreta dulzura de Carmela y el celo amoroso de Belinda. Llena de luz en sus ojos, de celestial armonía en el olímpico gesto; dulce y amable, pero enérgica en sus propósitos, la última amante no tardaría en descender hasta el tálamo a que llevó la otra al ser de excepción que se llamó Eugenio María de Hostos.

De esta amante admirable no podía tener celos la Inda desconsolada. Era tan bella, era tan brillante su mirada, tan dulce su presencia que Inda se fue consolando en la idea de que una mujer superior a ella, por lo eterna, había de ser la compañera ya definitiva del hombre a quien amó y admiró con amor y admiración de gran espíritu.

Esa amante, esa última, que sonríe esta noche al conjuro del nombre de Hostos, que no le exige sino que le da; que se entregó entera a él con generosa actitud, fue ganada por la razón extraordinaria del Maestro, por su infatigable dignidad, por la grandeza sin medidas de su alma.

Estoy nombrando, señoras y señores, a la Inmortalidad.

San Juan de Puerto Rico
noviembre de 1938

LO QUE SIGNIFICÓ PARA LOS PALESTINOS LA INSTALACIÓN EN SU TERRITORIO DEL ESTADO ISRAELÍ

El Estado de Israel, que ocupa hoy el territorio de la antigua Palestina, partes de los territorios del Líbano, Siria, la Transjordania y la Península de Sinaí, no es, como han dicho algunos interesados, un producto de la historia; es un producto del sistema capitalista, tal como éste vino a desarrollarse en el siglo XIX.

Aunque había nacido en el último tercio del siglo XVIII, allá por el año 1765, la industria mecanizada, es decir, la industria que funciona a base de máquinas, comenzó su verdadero desarrollo en los primeros 25 ó 30 años del siglo pasado, y ese desarrollo requería una reorganización del mundo apropiada a las necesidades del crecimiento de la industria, lo que equivale a decir una reorganización del mundo apropiada al crecimiento del poderío económico, político y militar de Inglaterra, que era el país donde había nacido la industria moderna. Las máquinas fueron el producto del desarrollo del sistema capitalista, pero a su vez, gracias a la invención de la máquina de vapor el sistema capitalista iba a renovarse y a darle nacimiento dentro de él

---

Breve historia de los pueblos árabes (Santo Domingo, R. D.: Alfa & Omega, 1991).

a un capitalismo más avanzado, y para el año 1838 ese capitalismo avanzado estaba viendo la necesidad de meter entre el África y Asia una cuña que debía ser un país puesto bajo la protección de Inglaterra.

Según puede ver todo el que lea el libro *El problema palestinense* escrito por Edmundo Rabbat, Mustafá Kamil Yassen y Aicha Rateb, páginas 54 y 55, ya en el 1840 Lord Shaftesbury recomendaba "la separación del mundo árabe, entre su parte africana y su parte asiática, por medio de la creación de un Estado"; y agregan los autores del libro que acabamos de mencionar: "Un memorándum del 25 de septiembre de 1840 dirigido a Palmerston (que era entonces el ministro de Relaciones Exteriores de Inglaterra, cuyo busto está aquí, me parece que en la avenida Abraham Lincoln, porque tuvo intervención en los problemas políticos y militares dominicanos y haitianos en la época de nuestra independencia) contenía ya un plan de colonización de Palestina". Además ese libro nos entera de que en cartas que datan de agosto de 1840 y de febrero de 1841, Palmerston daba instrucciones a su embajador en Turquía de favorecer el establecimiento de los judíos en Palestina "para impedir toda tentativa de Mohamed Alí de realizar la unión de Egipto y Siria". Los autores de ese libro llegan a decir que un consulado inglés que fue establecido en el año 1838 en Jerusalén daba protección a los judíos que vivían en esa ciudad, que fue la capital del Estado judío hace 2,900 años cuando ese Estado fue fundado por David, según puede verse en la página 321 de la edición que hizo en 1967 la editorial española CID de nuestro libro *David, biografía de un rey.* (A fin de que no haya confusiones aclaremos desde ahora, y no después, que ese Estado fundado por David hacia el año 1000 antes de Cristo no fue verdaderamente duradero; y no lo fue, primero porque acabó dividiéndose en dos reinos: el de Israel y el de Judá, que se mantuvieron en guerra durante años; después, porque Israel fue ocupado por el reino de Damasco en el siglo VIII antes de Cristo; luego, porque en ese mismo siglo pasó a ser un país vasallo de Asiría, a la que tenía que pagarle tributos, y cuando un país paga tributo a otro país ya no es un Estado; es un territorio dependiente, pero no un Estado; y por fin, porque en el año 721 antes de Cristo, Israel, no ya el Estado fundado por David sino el país donde estuvo ese Estado, pasó a ser territorio asirio y después pasó a ser territorio babilonio. De lo que fue el reino de David y Salomón lo que quedaba hacia el siglo VII antes de Cristo era Judá, un pequeño territorio situado entre los filisteos y el Mar Muerto, que fue también ocupado por los asirios, aunque no totalmente dominado por ellos debido a que lo impidió el levantamiento de Josías y la guerra de los medos contra Asiria cuya capital, la gran ciudad de Nínive, fue tomada y destruida por los medos. De todos modos la suerte de los asirios no benefició a Josías, que murió hacia el año 609 en combate con los egipcios, quienes avanzaron para ocupar el territorio de Judá y el de los filisteos o filistinos, palabra de la que procede Palestina, que le iba a dar nombre a toda la región comprendida entre Gaza y el Líbano, el Mar Mediterráneo y el río Jordán y el Mar Muerto).

Mientras tanto, bajo los reyes caldeos, que fueron los reyes de Babilonia, Babilonia se hacía rápidamente poderosa y llegó a un acuerdo con los medos para repartirse Asiria. En ese acuerdo Palestina, que era parte de Asiria, quedó como zona de los caldeos, quienes se la arrebataron a Egipto; pero como los palestinos se levantaban una y otra vez contra los caldeos, éstos al fin asolaron la región, tomaron Jerusalén y la destruyeron, hecho que se produjo hacia el año 587, es decir, en el siglo V antes de Cristo. Gran parte de la población palestina y de la de Judá o Judea fue llevada a Babilonia. El pueblo judío no se extinguió, pero el Estado de Israel había dejado de existir hacía tiempo, y tras una serie de guerras que se prolongaron a lo largo de los siglos, Palestina pasó a manos de los griegos que gobernaron a Egipto después de la muerte de Alejandro, de los seléucidas que gobernaron la región después de los griegos ptoloméicos, y por fin cayó en poder de los romanos en el siglo I antes de Cristo. (Hay que tomar en cuenta que en la era cristiana contamos siglo I, II, III, IV, V, hasta éste en que nos hallamos que es el XX, pero que antes de Cristo contamos al revés, es decir, V, IV, III, II, I; partimos del número más alto al más pequeño por ejemplo, del siglo X antes de Cristo al IX antes de Cristo, al VIII antes de Cristo, al VII, VI, V, IV, III, II, I. Las dos maneras de contar el tiempo son como dos escaleras, una que baja y otra que sube, y las dos se unen en el nacimiento de la era cristiana).

Bajo el gobierno de Julio César, los sumos sacerdotes de Judea pasaron a ser ciudadanos romanos y recibieron el título de procuradores de Judea, y Octavio, el sucesor de Julio César, le dio a Herodes el título de rey de Judea y le proporcionó fuerzas militares romanas para que pudiera reconquistar Jerusalén, que se hallaba en manos de los partos. (Los partos eran árabes). Así, bajo protección romana Herodes gobernó desde Jerusalén a partir del año 37 antes de Cristo, y a su muerte el reino fue dividido entre tres de los varios hijos que tuvo en sus diez o doce mujeres. (Sabemos de diez o doce oficiales, pero les aseguramos que no conocemos a fondo la vida íntima de Herodes). Uno de esos hijos fue Herodes Antipas, que no heredó el título de rey sino que fue designado tetrarca de Galilea (tetrarca era un título de origen griego y no romano), y fue él el que examinó a Jesús por petición de Poncio Pilatos, que era el procurador o gobernador de Jerusalén. Como Jesús era galileo Pilatos quiso que lo juzgara el tetrarca de esa región de Palestina. A la muerte de Jesús, Palestina estaba dividida en la tetrarquía de Felipe, hijo de Herodes, la tetrarquía de Herodes Antipas, que fue quien interrogó a Jesús, y la enarquía de Arquelas, y en Jerusalén gobernaban los romanos.

Poco después, en el año 44, toda la Palestina pasó a ser una provincia romana gobernada por un procurador romano. Hubo varios levantamientos judíos y en el año 67 el emperador Vespasiano llegó a Palestina con su hijo Tito, que también fue emperador; pero no llegó solo: llegó con 60 mil soldados romanos. En el año 70 Jerusalén cayó en manos de Tito y la ciudad y el templo fueron destruidos por tercera vez, y para el año 73 quedaba eliminada toda clase de resistencia al poder romano y Palestina entera pasó a ser provincia del Imperio Romano con el nombre de Judea. A partir de ese momento los procuradores pasaron a llamarse legados. En el año 132 se construyó en el lugar donde había estado Jerusalén la colonia Aelia Capitolina, con templos dedicados a los dioses romanos, y como esa decisión originó la rebelión de Bar-Cocha, los romanos actuaron con una dureza indescriptible: destruyeron todas las aldeas y mataron medio millón de personas.

Estamos contando todo esto para que ustedes vean cómo había desaparecido totalmente el Estado judío en Palestina, y no solamente había desaparecido como un Estado nacional, es decir, como una organización política, sino que también había desaparecido desde el punto de vista religioso porque ya había sido destruido tres veces lo más sagrado para los judíos, que era el templo de Jerusalén que había levantado Salomón de acuerdo con los planos que le dejó David y con el dinero que le dejó David para construirlo. El país había sido ocupado por numerosos, no uno, ni dos ni tres, sino por numerosos imperios, y además en el orden religioso la ciudad de Jerusalén había dejado de ser la capital del judaísmo puesto que los romanos después de destruirla establecieron allí una ciudad romana con templos y dioses romanos; entre esos templos había uno dedicado al emperador porque en Roma el emperador se adoraba como si fuera un dios.

Cuando Constantino el Grande se convirtió al cristianismo, cosa que sucedió en el Siglo III, hizo construir en Jerusalén la iglesia del Santo Sepulcro. Ese dato indica que en el siglo III Jerusalén había dejado de ser la capital de la religión judaica y había pasado a ser una ciudad de religión cristiana. Elena, la madre de Constantino, mandó levantar en Belén la Iglesia de la Natividad en el lugar donde estuvo el establo en que nació Jesús, y mandó levantar en Jerusalén la iglesia de la Asunción. Todos esos hechos indican que ya el judaísmo había desaparecido en Palestina, a pesar de que en el año 352 hubo una rebelión judía en Galilea que fue aplastada por Galo. En cuanto a rebeliones, sabemos que las hubo aun en tiempo de Cristo; pero muchas de ellas eran limitadas. Por ejemplo, había tribus que se levantaban por razones religiosas y otras veces por cualquiera otra causa; digamos, porque mataban a un miembro de tal tribu y esa tribu respondía matando a miembros de la tribu del matador.

Bajo el gobierno de Constantino la provincia de Judea fue unida a Arabia. Ustedes saben que la religión mahometana considera a Jerusalén como uno de los tres lugares santos de los árabes, no mientras era territorio judío sino cientos de años después, cuando era provincia del Imperio de Bizancio, allá por los años 634, 636 de la era cristiana, y desde entonces fue territorio árabe hasta que en mayo de 1948 se estableció allí el Estado de Israel. Pero como dijimos al comenzar, ese Estado es el producto del sistema capitalista tal como éste vino a desarrollarse en el siglo XIX. Ya estuvimos hablando de que desde 1838 Inglaterra estableció en Jerusalén un consulado que tenía la misión de ofrecer protección a los judíos que hubiera en la ciudad, y nos referimos a los planes ingleses, expuestos en el 1840, de formar en Palestina un Estado que fuera una cuña colocada entre los árabes de África y los árabes de Asia. Y ahora debemos decir que en el año 1839 el judío inglés Moses Montifiori, que seguramente debió ser hijo de algún judío italiano porque su apellido quiere decir los montes de las flores, y que tenía el título de Sir, un título de nobleza de Inglaterra, propuso un plan de colonización judía en Palestina, y fue a base de ese plan de Sir Moses Montifiori que se hizo en 1856 la primera plantación de naranjos en la región. En el 1870 Charles Netter fundó una escuela agrícola en la colonia de judíos llamada Mikve Israel, y el Barón Edmond de Rothschild, de la familia de los grandes banqueros judíos que estaban establecidos en Inglaterra y en Francia, compró tierras y organizó en el sur de Palestina una siembra de viñedos. (El viñedo es la planta de la cual sale la uva, y con la uva se hace el vino. Fíjense que la palabra viñedo y la palabra vino se parecen mucho). Toda esa actividad, organizada por grandes figuras del judaísmo inglés del siglo pasado respondía a un plan de expansión del capitalismo industrial inglés, que era entonces el que se hallaba a la cabeza del desarrollo industrial del sistema capitalista.

No es cierto, como dice Michel Bar-Zohar en su libro *Israel: el nacimiento de una nación,* que el sionismo nació el 19 de diciembre de 1894 en el tribunal militar de París mientras era juzgado el capitán Alfred Dreyfus, judío francés acusado por su jefe inmediato de haber vendido a los alemanes secretos militares. Dreyfus fue condenado a cadena perpetua en La Cayena. La Cayena queda en la Guayana Francesa, y ese lugar era conocido en el mundo entero como el presidio más espantoso de la Tierra. Michel Bar-Zohar cuenta lo siguiente:

"Entre los periodistas (que se hallaban presenciando aquel juicio), un hombre es presa de una emoción intensa. Es vienés, escritor y publicista enviado especial en París del *Neue Freie Presse* (que era un periódico de Austria). Es un judío austríaco, el doctor Theodoro Herzl. Republicano, francófilo ferviente (es decir, que admiraba mucho a Francia), siente que todo un mundo se derrumba en el proceso Dreyfus. Bruscamente descubre la verdad: los judíos no tendrán jamás paz, seguridad ni respeto mientras estén dispersos entre las otras naciones. Su única salvación es encontrar una patria, un hogar para ellos. Ese hogar existe desde siempre: es Palestina. Herzl decide escribir un libro, *El estado judío,* en el que expone su idea, la creación de un Estado hebreo. Al año siguiente el libro es publicado en varias lenguas y suscita una emoción indescriptible en los medios judíos". Hasta aquí llega el autor de la biografía de Ben Gurión, que tiene ese título de *Israel: el nacimiento de una nación.*

Decíamos que lo que cuenta Michel Bar-Zohar no es verdad, porque el sionismo no nació de golpe debido a una emoción que sacudió el alma de Theodoro Herzl. En la naturaleza que nos rodea y en la mente de los hombres los hechos se dan como resultado de un proceso que va cubriendo etapas; todo, hasta el relámpago que vemos iluminando las nubes negras y desatando truenos que parecen cadenas de cañonazos, todo eso es resultado de un proceso. Nada se produce instantáneamente. Cuando Herzl estuvo en París enviado por un periódico austríaco para informar del juicio contra Dreyfus, que fue el juicio más célebre en su época, ya había colonias judías en Palestina; las había desde hacía muchos años. Es más, Theodoro Herzl no había nacido todavía cuando los colonos judíos sembraban naranjos en Palestina siguiendo los planes trazados por Sir Moses Montifiori. Lo que hizo Herzl fue publicar dos años después del juicio de Dreyfus un libro titulado *El estado judío* en el cual se le dio forma orgánica a una idea y a una práctica que tenían muchos años de vida, y es posible que la condena de Dreyfus (absolutamente injusta porque el que le vendió secretos militares a Alemania no fue él sino su jefe, que era un coronel del ejército francés) estimulara a Herzl a escribir su libro, pero no es verdad que ese libro le surgió de repente en el fondo del cerebro cuando oyó la condena de Dreyfus. Las ideas que Herzl expresó venían desarrollándose desde hacía tiempo, gradualmente, en muchas mentes judías y en otras no judías, pero el que las ordenó en un conjunto fue Herzl; en vez de hablar de enviar judíos a Palestina para formar colonias de agricultores habló de crear un Estado judío en Palestina. Es más, Herzl llegó hasta a señalar las fronteras de ese Estado cuando dijo estas palabras:

"Debemos tener acceso al mar en razón del porvenir de nuestro comercio exterior. Debemos igualmente poseer una gran superficie de tierra para introducir nuestros cultivos modernos en gran escala". Y más adelante decía que la consigna que los judíos debían lanzar era la de "la Palestina de David y Salomón". Pero a medida que pasaba el tiempo su idea de la creación de un Estado judío en Palestina iba teniendo éxito entre la población judía de Europa y América, y con ese éxito las ambiciones de Herzl crecían también, y ya en los últimos tiempos no le parecía suficiente la Palestina de David y Salomón y quería una Palestina que fuera desde el río de Egipto, es decir, el río Nilo, hasta el Eufrates. Los judíos llegaron efectivamente hasta el río Nilo, hasta cerca del Nilo, puesto que llegaron hasta el Canal de Suez en el 1967; lo que nos parece un poco difícil es que puedan llegar hasta el Eufrates aunque podemos estar seguros de que hay muchos de ellos si no una mayoría de ellos, que están alimentando ese sueño. Hace tres o cuatro días, por ejemplo, hubo en Jerusalén manifestaciones contra el gobierno actual de Israel porque las fuerzas judías van a retirarse unos pocos kilómetros del Canal de Suez. Centenares de jóvenes, de muchachos y muchachas, se pararon frente a las oficinas del primer ministro, jefe del gobierno, con un conejo en la mano y eso en Israel es una manera de llamarle cobarde al primer ministro porque allí el conejo es el símbolo de la cobardía.

En sus primeros pasos como ideólogo del sionismo Herzl pensó que el Estado judío podía establecerse en la América del Sur y hubo sionistas que hablaron de establecerlo en la Argentina y en el Brasil y hasta en Uganda. Uganda es el país africano donde gobierna Papacito Amín, que fue sargento de la guardia inglesa y ahora le pone telegramas a la reina de Inglaterra diciéndole que él va para Londres y le exige que ella vaya al aeropuerto a esperarlo. Pero el primer congreso sionista, que se celebró en la ciudad suiza de Basilea en el 1897, es decir, un año después de haber sido publicado el libro de Herzl, señaló concretamente a Palestina como el lugar para formar el Estado judío, y señaló el método para penetrar en Palestina y quedarse allí diciendo que debía hacerse mediante una (y ahora leo las palabras de Herzl) "colonización racional de Palestina por medio del establecimiento de labradores, artesanos e industriales judíos", cosa que precisamente venía haciéndose desde hacía muchos años, desde antes de que él naciera, porque Theodoro Herzl nació en el año 1860 y ya en Palestina había labradores (quiere decir, agricultores) y artesanos judíos.

El segundo congreso sionista, celebrado en 1899, decidió fundar el Banco Colonial Judío, que tendría su sede en Londres y que se dedicaría a financiar el establecimiento de negocios agrícolas, industriales y comerciales en Palestina y en Oriente. Lo que planeaban los sionistas era comprarle la Palestina al gobierno turco y el propio Herzl le dijo al sultán Abdul-Hamid: "Si Su Majestad nos diera la Palestina podríamos comprometernos a regularizar completamente las finanzas de Turquía. Para Europa constituiríamos en la región un sector de la muralla contra Asia, seríamos el centinela avanzado de la civilización contra la barbarie. Nos mantendríamos, como Estado neutral, en relación constante con toda Europa, que debería garantizar nuestra existencia".

Observen que ése era exactamente, aunque dicho con otras palabras, el plan de Lord Palmerston y la idea de Lord Saftesbury, es decir, "la separación del mundo árabe entre su parte africana y su parte asiática por medio de la creación de un Estado", sólo que ni Palmerston ni Saftesbury llegaron a decir que el Estado sería judío. Eso vino a decirlo Herzl cincuenta años después en su proposición al sultán Abdul-Hamid, quien le respondió a Herzl, con la dignidad propia de un jefe de Estado, de esta manera: "El Imperio Turco no me pertenece a mí sino al pueblo turco. Yo no puedo distribuir ningún pedazo del mismo. Que los judíos se guarden sus millones. Cuando mi Imperio sea repartido podrán tener Palestina por nada. Pero es únicamente nuestro cadáver lo que será dividido. Yo no aceptaré una vivisección" (vivisección significa cortar a un ser humano o animal estando vivo). Efectivamente, fue después que el Imperio Turco era un cadáver cuando los judíos pudieron adueñarse de Palestina, no antes.

El 17 de agosto de 1903 el gobierno inglés le escribió a Herzl, que iba a morir en el 1904, ofreciéndole el territorio africano de Uganda para que estableciera en él el Estado judío, lo que quiere decir que ya los ingleses aceptaban la tesis de que el Estado fuera judío aunque no estuviera situado donde ellos pensaban sino en Uganda. Herzl convocó el sexto congreso sionista para estudiar la propuesta inglesa y las conclusiones de ese congreso fueron las siguientes: "La organización sionista se atiene firmemente al principio fundamental del programa de Basilea, a saber, la creación de una patria garantizada por el derecho público para el pueblo judío en Palestina, y declina, como finalidad y como medio toda acción colonizadora fuera de Palestina y los países colindantes".

Esas palabras ("acción colonizadora") revelan que los líderes judíos comprendían de una manera clara que lo que ellos iban a hacer en Palestina era colonizarla. Herzl se oponía a la infiltración que era un método de penetración en territorio palestino seguido de manera individual por muchos judíos. Herzl murió, como dijimos hace un rato, en 1904, a mediados de ese año, y no pudo detener esa penetración que siguió dándose después de su muerte. Irse a Palestina era lo que los judíos llamaban la *aliyah*, el sueño de los jóvenes sionistas. Uno de los jóvenes que hicieron la *aliyah* fue David Ben Gurión, que iba a ser el primer jefe de gobierno del Estado de Israel.

Se estima que para el año 1903, es decir, cuando se reunió el sexto congreso sionista, el último a que asistió Herzl, la población judía en Palestina era de 60 mil almas, y esa población fue aumentando, aunque despacio; dio un salto en 1906, cuando los infiltrados judíos empezaron a establecerse en el Valle del Jordán, donde estaban las tierras más ricas de Palestina, pero para el 1914 se calculaba que los judíos establecidos en Palestina no pasaban de 85 mil. Ese año de 1914 fue cuando comenzó la Primera Guerra Mundial. En esa Primera Guerra Mundial participó un cuerpo judío al lado de los ingleses. Dicen que el que a buen árbol se arrima buena sombra le cobija, y ellos se arrimaron a los ingleses con ese cuerpo militar. Naturalmente el inicio de la guerra no paró la infiltración judía en Palestina, que todavía era territorio turco y por tanto territorio enemigo de los ingleses. Sin embargo la guerra provocó una salida grande de judíos de Palestina porque cuando terminó en el año 1918 había solamente 56 mil judíos y cuando comenzó cuatro años antes había 85 mil. Esa disminución se explica por la persecución turca a los que viviendo en territorio de Turquía eran partidarios de los enemigos de ese país.

Los judíos ayudaron a los ingleses en la guerra no solamente con ese cuerpo militar que se llamaba Zion Mules Corp, es decir, un cuerpo montado en mulos, una especie no de caballería sino de mulería judía, sino que en el año 1917 formaron la Legión Judía y además ayudaron de muchas otras maneras. Por ejemplo, el químico Weizman, que iba a ser el primer presidente de Israel, trabajó en Londres para el gobierno inglés y logró mejorar el trinitotolueno convirtiéndolo en un explosivo muchas veces más poderoso que lo que había sido hasta entonces y que todos los que estaban siendo usados en la guerra, y se cree que los inventos de Weizman jugaron un papel importante en la decisión del gobierno inglés de ofrecerle su respaldo a la idea de establecer una nación judía en Palestina.

Además de la influencia que pudo tener Weizman en esa decisión, se sabe que en ella pesó grandemente la posibilidad de que el movimiento sionista norteamericano, alentado por la actividad de Inglaterra en favor de la creación del Estado judío, presionara al gobierno norteamericano para llevarlo a participar en la guerra del lado de los aliados, como sucedió en el mismo año en que Lord Balfour envió a Lord Rothschild la histórica carta que se conoce con el nombre de Declaración Balfour. Debemos aclarar sin embargo, que la entrada de los Estados Unidos en la guerra tuvo efecto siete meses antes de que Lord Balfour enviara su carta al banquero Rothschild, lo cual, naturalmente, no significa que los sionistas norteamericanos no conocieran la posición del gobierno inglés sobre el problema judío con mucha anticipación, antes, incluso, de que se produjera, al comenzar el año 1917, el bloqueo marítimo de Inglaterra, que fue el pretexto de que se valió el gobierno norteamericano para justificar su declaración de guerra a Alemania, hecho que tuvo lugar el 6 de abril de ese año 1917.

El pueblo norteamericano era opuesto a tomar parte en la guerra, pero el número de judíos que había en los Estados Unidos era altísimo y entre ellos se habían organizado muchos grupos sionistas. Sería una tontería nuestra pensar que la decisión de enviar a Lord Rothschild la carta de Lord Balfour fue obra exclusiva de este último. Esa fue la obra del llamado Gabinete de Guerra inglés, que estaba formado por los primeros ministros de los territorios ingleses, incluyendo al primer ministro de Inglaterra; y recordemos que en esos tiempos los territorios ingleses eran enormes y riquísimos; que entre ellos estaban Australia, Nueva Zelandia, la India, Canadá, África del Sur, Rodesia, y estamos hablando de los importantes, no de los que no tenían gobiernos propios como las islas inglesas del Caribe o los protectorados africanos, entre los cuales los había de tanta categoría como Egipto.

Decíamos que el pueblo norteamericano se oponía a tomar parte en la guerra, y para que ustedes vean cómo nos han engañado siempre les contaremos que hoy mismo (26 de agosto) leíamos en *The New York Times* del domingo un artículo de una señora que ha muerto de 39 años y una semana antes de morir terminó ese artículo en el cual contó cómo actuaba la democracia norteamericana (que en esa ocasión era democrática dos veces porque el país estaba gobernado por el Partido Demócrata bajo la presidencia de Woodrow Wilson, el democrático presidente que ordenó la ocupación militar de Haití y de nuestro país). A todos los que se oponían a la entrada de los Estados Unidos en la guerra se les perseguía; eran apaleados, llevados a la cárcel, sacados de sus empleos y trabajos. Esa señora y un grupo de amigos de ella fundaron la Liga de la Defensa de los Derechos Humanos, que fue la primera organización de su tipo que hubo en los Estados Unidos.

El pueblo norteamericano se oponía a entrar en la guerra y los ingleses querían presionar al gobierno de Wilson para que tomara parte en la guerra. Se habían usado todas las oportunidades para llevar a los norteamericanos a la guerra, como la que se presentó cuando un submarino alemán hundió el *Lusitania*, un buque yanqui de pasajeros, hecho que sucedió en el año 1915, y cuando otro submarino alemán hundió un buque francés en que viajaban muchos norteamericanos; sin embargo fue el bloqueo marítimo de Inglaterra, hecho por submarinos alemanes, lo que le sirvió a Wilson de pie para declarar la guerra a los llamados Imperios Centrales, es decir, el Imperio Alemán, el Austro-húngaro y el Turco.

¿Por qué fue ese bloqueo determinante en la declaración de guerra de los Estados Unidos?

Ustedes van a comprenderlo cuando sepan que en el año 1913 la balanza comercial norteamericana era favorable en 690 millones de dólares, lo que significa que entre lo que compraban y vendían a otros países había una diferencia a su favor de 690 millones de dólares; y en el año 1916 la balanza había pasado a ser favorable en 3 mil millones de dólares, y 3 mil millones de dólares, que hoy nos parecen nada, eran en aquellos días una cantidad de dinero fantástica; era tanto dinero que la mente humana no lo concebía. Y ese enorme beneficio en el comercio internacional de los Estados Unidos procedía fundamentalmente de las compras que hacían Francia e Inglaterra en Norteamérica. Esos dos países estaban dedicados únicamente a la guerra, de manera que no tenían capacidad para producir nada que no fueran equipos militares, y sus hombres, fueran obreros o fueran intelectuales, o estaban en las trincheras o estaban preparándose para ir a ellas; y en los años de esa guerra la mujer de los grandes países industriales no tenía aún, como la tuvo en la Segunda Guerra Mundial, preparación para ir a las fábricas a ocupar los puestos que dejaban vacíos los hombres que iban a los campos de batalla. No olvidemos que la Primera Guerra Mundial fue una verdadera hecatombe, en la que tomaron parte más de 60 millones de hombres, de los cuales murieron en las trincheras muchos millones.

En esa Primera Guerra Mundial participaron todos los grandes países capitalistas y algunos que sin llegar a grandes estaban en camino de serlo. En ella el Japón peleó al lado de los aliados contra Alemania, Austria y Turquía. El propósito de los grandes países capitalistas era repartirse las materias primas de las partes más atrasadas del mundo, pero como las materias primas no están en el aire, no flotan sino que están en la tierra, y la tierra se halla repartida en países, había que tomar parte en la guerra para cuando ella terminara tener posiciones tomadas que les permitieran participar en la distribución de esos países coloniales que se haría, sin duda alguna, al terminar la guerra, o para participar en el reparto de las zonas de influencias que harían posible la explotación de esas regiones sin necesidad de ocupar físicamente los territorios que iban a ser explotados. En el caso de nuestro país hubo ocupación física, ocupación militar. Los Estados Unidos nos ocuparon en el segundo año de la guerra, un año antes de entrar en ella, para explotarnos como productores de azúcar, como hemos explicado muchas veces, y en plena guerra le compraron a Dinamarca Saint Thomas y las Islas Vírgenes además de que ya habían ocupado Haití y Nicaragua.

En ese momento histórico lo más importante para Norteamérica era controlar las zonas de influencia comercial para crear lo que iba a llamarse después la Zona del Dólar, que iba a funcionar en oposición a la Zona de la Libra Esterlina, que era la moneda que corría en todo el Imperio inglés. Al terminar ese segundo año de la guerra, el balance comercial era de 3 mil millones, y claro, el gobierno norteamericano no iba a perder un dólar de ésos, de manera que los sionistas norteamericanos realmente no iban a tener necesidad de hacer mucho esfuerzo para llevar al gobierno norteamericano a la guerra. Treintiocho años después tampoco tendrían que hacer muchos esfuerzos para que el gobierno de Truman sustituyera al gobierno inglés como protector supremo del sionismo, pues ya para esa época, es decir, para el año 1945, los Estados Unidos habían sustituido a Inglaterra en la jefatura mundial del sistema capitalista, y ese sistema fue el padre y la madre y el hermano mayor del movimiento sionista.

La carta de Lord Balfour a Lord Rothschild decía: "El gobierno de Su Majestad ve con buenos ojos el establecimiento en Palestina de un hogar nacional para el pueblo judío y hará todo lo que pueda para facilitar la puesta en práctica de ese objetivo". Al final le decía a Lord Rothschild que "hiciera conocer esa carta a todos los organismos sionistas", es decir, a la federación de organismos sionistas que estaban establecidos especialmente en Europa y en los Estados Unidos. Lloyd George, que fue el primer ministro del gobierno en el cual Lord Balfour era ministro de Relaciones Exteriores, dijo mucho más tarde, en un libro titulado *La verdad sobre los Tratados de Paz*, que todos los miembros del gobierno inglés pensaban (y aquí empiezo a leer sus palabras): "que cuando llegase la hora de otorgar instituciones representativas a Palestina, si los judíos habían sabido sacar provecho de la ocasión ofrecida por la idea del Hogar Nacional para llegar a ser una mayoría entre los habitantes, Palestina se convertiría en un Estado judío independiente".

Más claro no canta un gallo. Esa y no otra era la forma en que estaban pensando los gobernantes ingleses en el momento mismo en que el general Allenby lanzaba sus fuerzas sobre Palestina y poco más de un mes antes de que tomara a nombre de Inglaterra la ciudad de Jerusalén. (Ya ustedes saben que Jerusalén fue tomada en el mes de noviembre de 1917 por Allenby). Y si este testimonio del jefe del gobierno inglés en cuyo nombre habló Lord Balfour no nos bastara, tenemos el del general Jean Christian Smuts, que en su condición de primer ministro del gobierno de Sudáfrica, que era entonces parte del Imperio Inglés, pertenecía al gabinete de guerra del Imperio Británico en el momento en que Lord Balfour hizo conocer su declaración de apoyo al plan de que los judíos se establecieran en Palestina. En un discurso que pronunció el 13 de noviembre de 1919 en Johannesburgo, la capital de Sudáfrica, el general Smuts dijo estas palabras: "En las próximas generaciones vais a ver levantarse allí en Palestina una vez más el gran Estado judío".

Creemos que no hay necesidad de presentar nuevos argumentos para convencerlos a ustedes de que desde el momento mismo en que el sionismo se organizó lo hizo con el propósito bien definido de establecer un Estado judío en Palestina y que ese plan contó de antemano con el apoyo de Inglaterra, que era entonces el país capitalista por excelencia, el jefe del sistema capitalista en el mundo, y ese apoyo se explica porque por razones históricas que trataremos de explicar brevemente; los judíos habían producido una verdadera élite, una crema también mundial de grandes capitalistas especialmente en el campo de las finanzas, en el cual venían actuando desde hacía siglos, primero como prestamistas de reyes y gobiernos y después como banqueros de comerciantes e industriales y también de gobernantes.

¿De dónde salió esa élite, esa crema mundial judía de grandes capitalistas, especialmente en el campo de las finanzas?

Salió de la última diáspora.

¿Qué quiere decir diáspora?

Esa palabra quiere decir dispersión, y aplicada al caso concreto de la historia a que estamos refiriéndonos, significa dispersión de los judíos, es decir, se refiere al hecho de que los judíos fueron sacados de Palestina y tuvieron que ir a vivir a otros países, o lo que es igual, fueron dispersados. Así, sepan que cada vez que ustedes oigan la palabra diáspora deben darle solamente ese sentido. La primera diáspora fue la del destierro a Babilonia, que duró desde el año 597 al 538 antes de Cristo, es decir, unos 60 años, al cabo de los cuales los judíos volvieron a Palestina y muy especialmente a Jerusalén; la segunda diáspora es muy prolongada y no tiene fecha de iniciación. Algunos consideran que comenzó con la destrucción de Jerusalén por las fuerzas romanas bajo el mando de Tito, pero eso no parece cierto porque se sabe que hacia el siglo III antes de Cristo había judíos establecidos en varios lugares del Mediterráneo que se dedicaban al comercio y sobre todo al comercio de la moneda; había judíos en la propia Roma dedicados a ese negocio. Parece que a raíz de la destrucción de Jerusalén por los romanos en el año 70 de nuestra era y los años del dominio romano, los judíos seguían saliendo del país y se dedicaban en Alejandría, en Roma y en las ciudades grandes del Mediterráneo al comercio de dinero. Los romanos prohibieron a los judíos ir a Jerusalén.

A medida que los judíos fueron penetrando en los países europeos comenzaron a ser vistos como extranjeros peligrosos porque el cristianismo se extendía rápidamente por esos países y los judíos no eran cristianos; y peor aún, a los judíos se les acusaba de haber dado muerte a Cristo. Pero el odio religioso tenía una base de otro tipo: era el comercio de dinero a que se dedicaban muchos judíos. Ese comercio los convertía en objetivos del odio popular porque cobraban muy caro por el dinero que prestaban, pero además resultaba que al mismo tiempo que ellos les prestaban dinero a las gentes del pueblo se convertían en amigos de los reyes y los nobles que cuando necesitaban dinero lo conseguían prestado de los judíos ricos. Ahora bien, para asegurarse el cobro de esos préstamos que ellos les hacían a los reyes, a los príncipes, a los nobles (incluso se dice que el dinero para el viaje del descubrimiento de América fue proporcionado a la reina Isabel la Católica por judíos de España), esos judíos reclamaban que se les autorizara a hacer el cobro de los impuestos, y el cobro de los impuestos era cosa que no les agradaba ni a los nobles ni a los pueblos; así fue como en muchos países se fue creando un distanciamiento entre los pueblos y los judíos en el cual se mezclaban las luchas de los explotados contra los explotadores con los odios religiosos, y como el desarrollo político era en esos siglos casi inexistente porque entonces las ideologías se expresaban en términos religiosos y no en términos políticos, en vez de unirse los explotados cristianos y los explotados judíos (que los había, y eran la mayoría de los judíos como ha sucedido siempre en todos los pueblos), unos y otros se dejaban engañar por los explotadores judíos y cristianos que siempre se entendían para hacer negocios y repartirse los beneficios en las alturas en que vivían.

Cuando decimos que las ideologías de aquellos tiempos se expresaban en términos religiosos y no políticos nos referíamos a que los capitalistas que fueron formándose en el seno de la sociedad feudal eran políticamente más avanzados que los señores feudales y que los siervos feudales, pero ese avance no se manifestaba en términos políticos sino en términos religiosos; es decir, dentro del cristianismo, por ejemplo, se formaba una secta religiosa más avanzada que la religión de los más atrasados, y esa secta religiosa nueva trataba de conquistar el poder y entraba en guerra contra la parte de la población políticamente más atrasada que defendía la religión en los valores anteriores. Muchas de esas cosas están sucediendo hoy en el mundo y tenemos el ejemplo del padre Camilo Torres en Colombia, y tenemos el ejemplo de muchos sacerdotes que políticamente son más avanzados que otros. Así vino a suceder que cuando comenzó la formación del capitalismo dentro del seno de la sociedad feudal, los judíos, pero especialmente los judíos pobres, tuvieron que irse a vivir a barrios para ellos solos, barrios que a veces tenían que ser amurallados, es decir, tenían que hacerse cercas de piedras para que sus habitantes pudieran defenderse de los ataques de las poblaciones cristianas.

Esos barrios judíos se llamaban *ghettos*, palabra de origen italiano que se usa hoy para referirse a barrios donde viven razas consideradas inferiores, como es el caso de los negros en los Estados Unidos. Había otra palabra que se relacionaba con ésa y que ya no se usa. Era la palabra *progrom*, que significa ataque, destrucción y saqueo de un *ghetto* judío por parte de cristianos, generalmente azuzados por las autoridades que necesitaban distraer la atención del pueblo por razones políticas o porque querían quedarse con los bienes de los judíos e inventaban, cada vez que la situación económica o política se les ponía difícil, cualquier argumento que pudiera sublevar a las masas cristianas o católicas, como por ejemplo la noticia de que varios judíos habían sido sorprendidos comiéndose un niño cristiano o sacándole la sangre para bebérsela o que unos cuantos judíos se habían robado la hostia sagrada de tal iglesia o que habían quemado una imagen de la virgen tal o de Jesús.

A veces las matanzas de judíos llevadas a cabo en los *progroms* eran impresionantes, y aunque los *progroms* fueron desapareciendo en los países de Europa a medida que iba avanzando la conciencia política de las masas, siguieron llevándose a cabo en algunas partes, como en Rusia, y aunque sea difícil de admitir, esa persistencia de los *progroms* y en general de la discriminación violenta contra su pueblo, llevó a muchos intelectuales judíos a elaborar lo que podríamos llamar una ideología del aislamiento y diferenciación que los separaba de los pueblos mientras otros, como fue el caso de Marx, respondieron buscando la verdad profunda acerca de lo que dividía a cristianos y judíos y encontraron que esa era una división falsa y concebida para engañar a los pueblos; que lo que realmente dividía a la gente no era la religión sino el lugar que cada quien ocupa en las relaciones de producción. Así, por ejemplo, en Inglaterra, el país más desarrollado del mundo dentro del sistema capitalista, un judío como Disraeli llegó a ser en el siglo pasado jefe del gobierno, es decir, primer ministro, y un banquero como Rothschild llegó a Lord del reino, es decir, fue declarado noble. En otro país donde el capitalismo se desarrollaba rápidamente, los Estados Unidos, muchos judíos pasaron a ocupar posiciones de mando en la banca, las industrias, el comercio y varias actividades, especialmente, en las que forman o ayudan a formar la opinión pública. Debemos insistir especialmente en el caso de los comerciantes judíos de dinero que se dedicaban a ese negocio ya en tiempos de Roma, en la provincia capital del Imperio Romano y en tiempos de los reyes Ptoloméicos en Alejandría. Recordemos a los cambistas, esto es, a los que compraban y vendían monedas a los peregrinos que iban al templo de Jerusalén, a quienes Jesús echó de allí a latigazos. Pues bien, el manejo de ese negocio durante siglos formó entre los judíos expertos banqueros y financistas, como la venta de joyas formó entre ellos grandes capitalistas joyeros. En pocas palabras, a medida que la sociedad occidental se desarrollaba y entraba en la era capitalista y el capitalismo se desarrollaba a su vez, entre los judíos fueron desarrollándose habilidades y mentalidades capitalistas que pasaron a asociarse de manera natural y lógica con los grandes capitalistas no judíos, porque tal como aclaró Marx, las sociedades no primitivas se dividen en clases, y tal como dice la gente del pueblo desde tiempo inmemorial, siglos antes de que naciera Marx, cada oveja busca su pareja.

Digamos que no todos los judíos que se destacaron se hicieron capitalistas. La necesidad de sobrevivir en un mundo que los perseguía, y la división del trabajo que se va dando en cada sociedad a medida que aumenta el número de sus miembros y la vida se va haciendo más compleja debido al desarrollo de las fuerzas productivas, llevó a muchos judíos a hacer esfuerzos gigantescos para destacarse en sus medios respectivos, porque un judío que se destacaba como médico o como matemático o como músico o como político se ponía a salvo de la persecución y sobre todo de la discriminación injuriante. Eso es lo que explica que en la historia de Inglaterra, Francia, Italia, Alemania, Rusia y otros países haya tantos judíos que conquistaron nombres famosos, que entre ellos surgieran sabios en todas las ciencias y figuras mundiales en todas las actividades. Pero hay que convenir en que el mayor número de los judíos que se destacaron lo hicieron como capitalistas o como ideólogos del sistema capitalista, y hay que convenir también en que la mayor parte de la masa judía de la diáspora siguió a esos capitalistas y a esos ideólogos del sistema capitalista. Ahí es donde hay que ir a buscar la fuerza original y actual del sionismo. Hay que buscarla en el hecho de que es una organización que defiende y expande violentamente lo que se llama el *statu quo*, es decir, lo que está establecido, el sistema en que vive, y lo defiende con todas las armas, las ideológicas y las de hierro.

La semana pasada mencionamos el caso del segundo congreso del Partido Obrero Socialdemócrata Ruso, organización de categoría histórica porque ella fue la que estableció el primer Estado socialista que conoció la humanidad, de manera que dentro de 50 ó 100 años, cuando la mayoría de los países del mundo sean socialistas, hecho que nadie podrá evitar, ese partido será reconocido en todas partes como lo han sido durante 1900 años los apóstoles del cristianismo, esto es, como los propagandistas de una nueva era. Pues bien, el segundo congreso del Partido Obrero Socialdemócrata Ruso, que se celebró en Bruselas entre el 17 de julio y el 10 de agosto de 1903, casi al mismo tiempo que se celebraba el congreso sionista de ese mismo año, fue de importancia excepcional porque en él quedó definida la forma en que debían organizarse los partidarios rusos del marxismo para poder alcanzar el poder, y en la tarea de lograr esa definición los miembros del congreso quedaron divididos en dos grupos; uno llamado mayoría que en ruso se dice *bolchevique*, y otro llamado minoría que en la misma lengua se dice *menchevique*. Pues bien, entre los *mencheviques* estaba un sector formado principalmente por judíos marxistas que exigían que el congreso los reconociese como los únicos representantes de los trabajadores judíos, y eso significaba nada más y nada menos que para esos marxistas judíos la sociedad no estaba dividida en clases como lo habían demostrado Marx y Engels, sino en nacionalidades, la cual era la tesis capitalista no expresada todavía en esa época de manera organizada por ninguna doctrina. Esa sería precisamente la tesis que iba a justificar la guerra de un país rico contra uno pobre para quitarle sus riquezas arrebatándole la soberanía a fin de poder arrebatarle, a través de la dependencia política, sus materias primas, su comercio, y pagarle a bajo precio su mano de obra. La actitud de esos judíos marxistas rusos es una prueba de hasta qué punto muchos judíos, aun llamándose revolucionarios eran en realidad partidarios del sistema –y hablamos del sistema capitalista– que aparentemente deseaban o se proponían derrocar. Todavía hoy miles de soviéticos de origen judío luchan por salir del país donde nacieron y se formaron para irse a Israel, lo cual demuestra que habiendo nacido socialistas y habiéndose formado en un ambiente socialista lo que ellos son realmente es partidarios a rajatablas del capitalismo, y eso, el capitalismo, es lo que les atrae de Israel.

El sionismo nació como una expresión ideológica y práctica del capitalismo en el mismo momento en que en Europa se desarrollaban las organizaciones nacientes del socialismo, de manera que si vemos los acontecimientos del Cercano Oriente desde el punto de vista marxista tenemos que concluir en que lo que está sucediendo en esa región es un reflejo a nivel internacional de la lucha de clases que se lleva a cabo en todo el mundo, y eso y no otra cosa es lo que explica el papel que han jugado y siguen jugando en los acontecimientos del Cercano Oriente los Estados Unidos de parte de Israel y la Unión Soviética y otros países socialistas de parte de los pueblos árabes. Esa lucha, cuando se lleva a cabo de parte de un país rico y poderoso contra uno pobre y débil, tiene un nombre, o mejor dicho dos nombres, se llama imperialismo por un lado y por el otro se llama colonialismo.

Israel está llevando a cabo en el Cercano Oriente una lucha imperialista con el propósito de colonizar a los pueblos de la región a partir de la base que ha establecido en Palestina. Si se vuelven los ojos atrás se puede comprobar lo que decimos recordando que desde el primer momento los judíos se prepararon para esa lucha organizándose como se organiza una empresa económica que persigue un fin político. Comenzaron reuniendo dinero para comprar tierras en Palestina o consiguiendo que las compraran banqueros como los Rothschild; después organizaron un banco que no podía tener un nombre más significativo, Banco Colonial Judío, que cosa de medio siglo más tarde pasaría a ser el Banco Nacional de Israel. Para capitalizar ese banco, es decir, para proporcionarle fondos, se creó el Fondo Nacional Judío y casi 30 años después, en el 1929, se organizó en la ciudad suiza de Zurich la Agencia Judía, cuya función consistía en dirigir desde el punto de vista económico, pero con criterio político, las actividades de los judíos que se hallaban en Palestina.

En algún libro cuyo título no recuerdo ahora, leí este razonamiento: Los grandes terratenientes árabes de Palestina, muchos de ellos absentistas (palabra que significa personas que viven ausentes de sus tierras o de sus negocios) les vendieron sus propiedades a los judíos sin que estos los forzaran en ningún sentido, y en la mayoría de los casos los judíos pagaron esas tierras en más de lo que valían. Bien, aceptemos eso como verdad irrebatible, pero se trata de una verdad dentro de un concepto capitalista de la moral pública y privada, no dentro de un concepto humanitarista y por tanto de justicia auténtica. A millones y a cientos de millones y a miles de millones de personas se les ha hecho creer que la moral capitalista es la moral verdadera y por esa razón hay enormes cantidades de gentes que consideran que es absolutamente moral que el que tiene algo lo venda, sobre todo si quien lo compra lo paga en algo más de lo que vale, y que es absolutamente moral que el que dispone de dinero compre lo que necesite o lo que le guste sin tomar en cuenta para nada a los demás. En el caso concreto de las tierras, que son bienes de producción con los que se ganan la vida, aun dentro del sistema capitalista, los que trabajan en ella aunque sean trabajadores que reciben un salario injusto, el propietario que se las vende a un extranjero está vendiendo un pedazo de su patria que no le pertenece solamente a él, porque al mismo tiempo que esa tierra es suya dentro de la ley fundamental del sistema capitalista que es la que establece la propiedad privada de los bienes de producción, esa tierra es también de las generaciones que no han nacido, puesto que los que van a nacer necesitarán un territorio para tener una patria. Una patria es el hogar de un pueblo, y un pueblo sin el territorio donde debe vivir y producir no puede formar una patria. Ahora bien, esos grandes propietarios árabes, muchos de ellos absentistas como dijimos hace poco, les vendieron sus tierras a los judíos sin tomar en cuenta lo que iba a sufrir el pueblo de Palestina cuando no tuviera tierras para trabajar en ellas, para producir en ellas lo que tenía que alimentarlo, y lo hicieron sin remordimiento de conciencia porque actuaban de acuerdo con la moralidad capitalista. En esa moral, lo que me deja beneficios económicos es bueno aunque perjudique a otros, y lo que me perjudica económicamente, o sin llegar a perjudicarme no me deja beneficios en dinero, es malo aunque beneficie a mi pueblo o a todo el mundo.

Ustedes recordarán que hace poco dijimos que al terminar la Primera Guerra Mundial, lo que equivale decir al terminar el año 1918, la población judía en Palestina era de 56 mil personas, pero recordemos también que al finalizar ese año de 1918 los ingleses estaban en Palestina desde hacía un año, y que iban a estar ahí hasta el 15 de mayo de 1948, esto es, 30 años más; recordemos que desde el año 1938 los ingleses tenían el propósito de meter una cuña entre los países árabes de África y los de Asia, y que esa cuña iba a ser concebida después como un Estado judío establecido en Palestina, y recordemos por fin que al comenzar el mes de noviembre de 1917 el gobierno inglés, por boca de su ministro de Relaciones Exteriores, declaró que Inglaterra estaba dispuesta a emplear todos sus esfuerzos para que se estableciera en Palestina un Hogar Nacional Judío. Esos puntos que acabamos de recordarles forman una línea clara, coherente; esto es, todos esos puntos están relacionados entre sí como parte de un plan general que había surgido como una idea ochenta años antes y que se había ido realizando a lo largo de ese tiempo a medida que las circunstancias iban permitiéndolo.

A partir del final de la Primera Guerra Mundial resultaría más fácil llevar adelante ese plan porque Palestina había quedado bajo mandato inglés. Según se dice con acierto en el número 70 de *Les Cahiers de l'Histoire* tal como aparece en la traducción al español del libro *El problema palestinense*, páginas 63-64, "Los estados árabes vecinos de Israel no han cesado de temer que la inmigración sea el origen de un engranaje sin fin (que es lo que nosotros llamamos aquí tornillo sin fin) al pedir los judíos tierras para ubicar sus inmigrantes (es decir, los judíos que llegaban a Palestina), y al instalar inmigrantes para poder pedir tierras... Los árabes tenían pues fundamentos para considerar la creación del Estado de Israel, no como el comienzo de una era de estabilidad, sino, como el origen de una expansión" (destinada a llevar a Palestina a los judíos de todos los países) como en efecto ha resultado ser.

Golda Meier, que originalmente se llamaba Golda Meyerson, tenía razón cuando declaró, siendo una jovencita, el 24 de agosto de 1921: "No es a los árabes a quienes los ingleses van a elegir para colonizar Palestina, sino a nosotros". Y efectivamente así fue, y así tenía que ser dado que en ese terreno los ingleses no estaban improvisando; seguían, como dijimos hace poco, una línea adoptada desde hacía 80 años. Para el 1920, los ingleses habían autorizado una entrada anual de 16 mil 500 inmigrantes judíos y para el 1922 la población judía llegaba a ser el 11 por ciento de la población total de Palestina.

En un libro titulado *Palestine: Loss of a Heritage* cuyo autor es Sami Hadawi, encontramos datos muy precisos y bien organizados, lo que se explica porque Sami Hadawi fue funcionario evaluador de tierras e inspector de mediciones para el pago de los impuestos en el Departamento de Establecimiento en las tierras del gobierno de Palestina de 1937 a 1948, lo que le dio oportunidad de mantenerse bien informado en materia de tierras ocupadas por judíos y por árabes así como del número de judíos que llegaban a Palestina; y dice él que al ocupar los ingleses en 1917 el territorio de Palestina la población era aproximadamente de 700 mil personas, de las cuales 574 mil eran mahometanas, 70 mil eran cristianas y 56 mil judías; pero que datos de confianza, en los que podía creerse, solamente vinieron a tenerse en el censo hecho el 23 de octubre de 1922 y en el que se hizo el 18 de noviembre de 1931, aunque del último, el de 1931, se excluyeron, o se sacaron para fines de cálculos futuros los soldados ingleses de ocupación, que eran unos 2 mil 500, y los beduinos del subdistrito de Besheba, que eran 66 mil 553. (Debemos aclarar que los beduinos son los habitantes árabes del desierto, que viven trasladándose constantemente de un sitio a otro). Los datos de ese censo mostraron que de 752 mil 48 habitantes que tenía Palestina en el año 1922, se había pasado en 1931 a 1 millón 33 mil 314, de los cuales eran mahometanos, incluyendo los nómadas, 759 mil 700; judíos, 174 mil 606; cristianos, 88 mil 907, y de otras religiones, 10 mil 101. Los únicos que habían aumentado más del doble habían sido los judíos que de 83 mil 790 habían pasado a 174 mil 606; el aumento de la población árabe apenas pasó rozando de la tercera parte. En cuanto a la tierra, los 56 mil judíos que había en el país en el 1918 ocupaban 162 mil 500 acres, cantidad que equivale a un millón 45 mil 528 tareas; pero el total de las tierras llegaba a 6 millones 580 mil 755 acres, o dicho en tareas, 42 millones 375 mil 700.

Ahora bien, esos números y los tantos por ciento de ellos parecen decir una verdad pero no dicen la verdad, porque cuando se habla de tierra lo más importante no es la cantidad; lo más importante es la calidad. Diez tareas de tierra en Moca producen muchas veces más que 200 tareas de tierra en Guayacanes, y me refiero a Guayacanes de la costa Este que queda a unos 10 ó 12 kilómetros de San Pedro de Macorís; y además de la calidad, la tierra tiene más valor si está cerca de una ciudad importante donde hay población que pueda consumir el producto de esa tierra, y si se estudia el mapa de los suelos de Palestina en esa época, se aprecia en el acto que los judíos se adueñaron de las tierras de mejor calidad aunque cuando las Naciones Unidas planearon en el año 1947 el reparto de Palestina entre los judíos y los árabes, a ellos les tocaron, además de las mejores tierras, la mayor parte de las de Neguev, que eran las más pobres, pero también a los árabes les tocaron ésas del Neguev y las de las orillas del Mar Muerto y del Jordán, hasta el Norte de Nablus, y todas ésas son tierras de la misma pobre calidad que las de Neguev.

La inmensa mayoría de las tierras destinadas a los árabes, tal vez más del 80 por ciento, era de calidad mediana o pobre, pero digamos también que calidad mediana o pobre no significa en Palestina tierras improductivas. Esas tierras de Neguev y de la orilla derecha del Jordán produjeron siempre olivos, que es el árbol de la aceituna, de la cual se saca el aceite, y viñedos, es decir, la planta de la uva de la cual se hace el vino. Los grandes propietarios árabes, especialmente los absentistas como dijimos hace poco, iban vendiendo sus tierras a los judíos, y la organización obrera judía llamada Histadruth prohibía que los propietarios judíos, fueran privados o fuera la Agencia Judía, emplearan trabajadores no judíos, de manera que la masa del pueblo palestino árabe que no disponía de tierras sino que vendía su fuerza de trabajo quedaba en una situación desesperada. Esa situación dio lugar a explosiones de violencia que se hicieron graves a partir de 1929. Debemos aclarar que la violencia no detuvo la llegada de judíos a Palestina. En 1939 ya había allí unos 400 mil judíos. Ese mismo año el gobierno inglés reconoció que había ido demasiado lejos en su apoyo a los judíos porque los árabes se levantaban y mantenían un estado de sublevación permanente, y en el Libro Blanco de ese año declaró que no tenía la intención de patrocinar un Estado judío en Palestina sino que Palestina debía convertirse en un Estado independiente en el cual debían vivir juntos árabes y judíos con iguales derechos y responsabilidades, y fijó la cantidad de emigrantes judíos en 10 mil por año más 25 mil refugiados por año durante 5 años.

Pero sucedió que en ese año de 1939 estalló la Segunda Guerra Mundial provocada por el ataque alemán, a Polonia, como dijimos anteriormente, y sucedió también que Hitler y su partido nazi tenían como base de su doctrina al mismo tiempo que la destrucción de la Unión Soviética, el aniquilamiento de la raza judía, a la que Hitler consideraba la culpable de todos los males de Alemania. La salida de judíos de Alemania, Austria y Checoslovaquia aumentó enormemente en ese año de 1939 y pasó a convertirse en un torrente humano a partir de la ocupación de Polonia. Una parte de esos judíos iba a otros países, especialmente a los Estados Unidos, pero gran parte iba a Palestina. La enorme matanza de judíos hecha por los nazis en los años de la guerra agravó la situación de los palestinos porque creó un clima mundial de horror hacia los crímenes nazis que se manifestaba en un apoyo general al propósito de establecer un Estado judío en Palestina. De nada valió que en el protocolo de Alejandría, que sirvió de base a la formación de la Liga Árabe, se dijera esta verdad más grande que las pirámides egipcias: "No puede haber mayor injusticia que resolver el problema de los judíos tan injustamente tratados en Europa, mediante otra injusticia causada a los árabes de Palestina".

Para el año 1939 Inglaterra comenzaba a ver con preocupación la situación de Palestina, pero para 1945, al terminar la Segunda Guerra Mundial, la corona de reina del sistema capitalista había pasado de la cabeza de Inglaterra a la de los Estados Unidos. La crema mundial judía del sistema capitalista, que había establecido en el siglo pasado su cuartel general en Inglaterra porque Inglaterra fue desde el siglo XVIII el centro mundial del capitalismo, había ido a establecerse en los Estados Unidos a partir de los años que siguieron el final de la Guerra de Secesión Norteamericana debido a que después de esa guerra comenzó el violento desarrollo de ese país que iba a llevarlo a la posición de líder del capitalismo mundial, puesto que alcanzó gracias a las dos grandes guerras de 1914-1918 y 1939-1945. Al terminar la segunda de esas guerras, los judíos norteamericanos se hallaban a la cabeza de grandes industrias, grandes bancos y especialmente dominaban los medios de comunicación de masas como periódicos, estaciones de radio, agencias de publicidad, editoras de libros, cátedras de universidades y colegios, y dominaban también organizaciones de trabajadores y el pequeño comercio de las ciudades más importantes del país, y además la población judía de los Estados Unidos había llegado a ser muy numerosa. Un ejemplo de lo numerosa que llegó a ser la población judía lo tenemos en el caso de Henry Kissinger. Henry Kissinger era un niño judío-alemán y salió con su familia huyendo de Alemania cuando tenía 13 años, durante la Segunda Guerra Mundial; fue a dar a los Estados Unidos y ahí lo tienen ustedes ahora de Secretario de Estado de ese país. Imagínense si será o no será influyente.

Después de la conferencia de Yalta, en la que tomaron parte el presidente de los Estados Unidos Franklin Delano Roosevelt, el jefe del gobierno y del partido comunista de la Unión Soviética Josef Stalin y Winston Churchill, el jefe del gobierno inglés, Roosevelt se reunió con Abdul Aziz Ibn Saud, que era el rey de Arabia (de su nombre Saud sale el nombre de Arabia Saudita) y era el padre de Faisal, a quien acaba de matar hace poco un sobrino. La reunión tuvo lugar a bordo del crucero Quincy, en el que viajaba

Roosevelt, y según cuenta Leonard Mosley en su libro *El peligroso juego del petróleo*, "mientras los dos jefes de Estado hablaban de cultivos y de la cooperación entre los Estados Unidos y la Arabia Saudita para la extracción y comercialización del petróleo, parecían dos viejos amigos. Menos armonía hubo al tratar de la solución del problema palestino. La conversación derivó (entonces) hacia una serie de malentendidos que iban a enturbiar las relaciones entre ambos países en los meses siguientes".

Hasta ahí llega ese párrafo de Mosley, quien sigue diciendo que "Roosevelt prometió, primero de palabra y después confirmándolo por carta, que como presidente nunca llevaría a cabo ninguna acción hostil para los árabes, y que el gobierno de Washington no cambiaría su política palestina sin consultar de antemano tanto a los árabes como a los judíos". Ibn Saud quedó muy contento con esa declaración, pero sucedió que Roosevelt murió dos meses y medio después de haberla hecho, y según dice Mosley "su promesa murió con él"; y en una nota al pie Mosley explica lo siguiente: Al romper la promesa de Roosevelt el presidente Harry S. Truman[1] usó unas palabras que desde entonces han venido obsesionando, dice Mosley, tanto a los petroleros como a los diplomáticos que intentan negociar con los árabes. Las palabras de Truman que Mosley pone entre comillas son éstas: "Lo siento, señores, pero me debo a cientos de miles de personas que están deseosas de ver el éxito del sionismo. Entre mis electores carezco de cientos de miles de árabes".

Para ganarse el apoyo de los judíos norteamericanos, un apoyo que significaba su elección como presidente de los Estados Unidos, Truman respaldaba la petición judía de que se permitiera la entrada inmediata en Palestina de otros 100 mil judíos. De hecho, ya para ese momento, año de 1947, el poder que decidía en Palestina no era Inglaterra, eran los Estados Unidos. Cuando la Agencia Judía resolvió respaldar a las organizaciones terroristas judías que actuaban en Palestina contra las autoridades inglesas y contra los árabes, desde luego, los ingleses arrestaron a algunos de los

---

[1] Al llegar aquí el autor hizo un paréntesis para decir las siguientes palabras: "Y aquí intervenimos nosotros para explicar que Harry S. Truman era vicepresidente con Roosevelt, de manera que, cuando murió Roosevelt en abril de 1945, Truman quedó como presidente y al terminar su periodo aspiraba a ser elegido presidente como está haciendo ahora Gerald Ford, que terminará el período de Nixon y aspirará a la presidencia suya; es decir, Truman aspiraba a ser candidato presidencial y lo fue en las elecciones de 1948, que le ganó al candidato republicano Thomas E. Dewey".

jefes de la Agencia Judía. Eso ocurrió cuando los terroristas judíos volaron el hotel David, donde había varios jefes ingleses. Truman protestó de esa medida mientras al mismo tiempo el Congreso norteamericano se negaba a dar los fondos pedidos por los ingleses para cubrir gastos que ellos hacían precisamente en Palestina.

El desplazamiento de Inglaterra de su papel de país líder del sistema capitalista mundial y la ocupación del lugar que dejó vacío Inglaterra por los Estados Unidos, determinó a su vez un movimiento del bloque socialista para enfrentarse a los Estados Unidos. Todavía la revolución socialista no había triunfado en China ni en ningún país fuera de la Unión Soviética y de la Europa Oriental y Central, y el líder natural de los países socialistas en los que el socialismo había triunfado en los años finales de la Segunda Guerra Mundial era la Unión Soviética. Así pues, en términos de liderazgo hubo un enfrentamiento de tipo político entre los Estados Unidos y la Unión Soviética que no llegó a manifestarse en hechos porque la Unión Soviética apoyaba la idea de que se estableciera en Palestina un Estado en el que vivieran conjuntamente árabes y judíos, es decir, no un Estado judío ni un Estado árabe sino un Estado para árabes y judíos. En el resto de Europa el enfrentamiento fue más agudo, especialmente en el caso del bloqueo de Berlín, y tomó el nombre de la Guerra Fría, pero en esa guerra fría los soviéticos no perdieron de vista la situación que iba creándose en el Cercano Oriente a causa de la cual en el 1945 se creó la Liga de Estados Árabes.

Cuando los ingleses se dieron cuenta de que si la Guerra Fría se extendía al Cercano Oriente ellos no tenían nada que ganar, pero podían perder su ventajosa posición en Egipto, decidieron retirarse de Palestina, y esa decisión precipitó los acontecimientos que iban a dar lugar al nacimiento del Estado de Israel. Sin embargo, desde el mes de noviembre de 1947 en las Naciones Unidas se había hecho un reparto de las tierras que debían ocupar los árabes y de las tierras que debían ocupar los judíos.

Dijimos que la decisión de Inglaterra de retirarse de Palestina precipitó los acontecimientos que iban a dar lugar al nacimiento del Estado de Israel, y ese Estado nació protegido, no ya por Inglaterra sino por los Estados Unidos. Hubo, pues, una traslación de poderes. Así vino a suceder que al heredar el lugar de Inglaterra como jefe del mundo capitalista, los Estados Unidos heredaron también la paternidad del Estado de Israel, que había sido planeado por Inglaterra desde hacía más de 100 años.

Al mismo tiempo que la decisión inglesa de abandonar Palestina colocó a los Estados Unidos en el papel de protectores del Estado de Israel, que iba a nacer el día antes de la retirada de los ingleses, esa decisión prolongó la autoridad de los ingleses en Egipto varios años, por lo menos, hasta el 26 de julio de 1956, es decir, un poco más de ocho años después del nacimiento del Estado de Israel. En ese 26 de julio de 1956, Nasser declaró la nacionalización del Canal de Suez y la nacionalización del Canal de Suez fue el fruto de la lucha política entre Estados Unidos y la Unión Soviética, que eran los dos poderes enfrentados en el Cercano Oriente. Ya no eran Inglaterra y los árabes; ya eran los Estados Unidos y la Unión Soviética en su condición de potencias mundiales. Nasser necesitaba enormes cantidades de dinero para levantar la presa de Assuán, que es la más grande del mundo, y los Estados Unidos se las negaban porque su protegido en el Cercano Oriente era Israel. Estamos hablando de 1956; ya había pasado la guerra de 1948 entre Israel y Egipto, y como país líder de la Liga Árabe, Egipto estaba a la cabeza de la lucha contra Israel. Nasser respondió a la negativa norteamericana nacionalizando el Canal de Suez, y los gobiernos dueños de la compañía que administraba el Canal, que eran Inglaterra y Francia, respondieron a su vez organizando un ataque israelí a Egipto, para lo cual Ben Gurión, jefe del gobierno de Israel, fue llevado en secreto a Francia a fin de decidirlo a que Israel atacara en Egipto, con lo cual se justificaría la intervención inglesa y francesa en el conflicto.

Esa justificación era indispensable porque ni Inglaterra ni Francia podían contar en ese momento con la aprobación norteamericana debido a que por detrás de Nasser estaba el poder soviético, y los Estados Unidos temían que su participación en un ataque a Egipto, aunque fuera encubierta, desatara una nueva guerra mundial.

Ben Gurión, Shimon Peres y Mosé Dayán llegaron a la ciudad francesa de Sevres, en viaje secreto, el 22 de octubre de 1956, y las elecciones norteamericanas, en las cuales el presidente Eisenhower iba como candidato a la reelección, se celebrarían dos semanas después. Cualquier desliz en la política exterior de los Estados Unidos podía significar la derrota de Eisenhower, que equivalía a la derrota del Partido Republicano; y por esa razón lo que hicieran los ingleses y los franceses en Egipto tenía que ser hecho sin que se enterara el gobierno norteamericano; de ahí que el viaje de los líderes israelitas a Francia y el de los altos jefes políticos ingleses y franceses a la ciudad de Sevres para entrevistarse con ellos fueran movimientos hechos con tantas precauciones que ni la CIA se enteró, pero seamos justos y digamos que tampoco se enteraron los servicios soviéticos de contraespionaje. No se enteró nadie; sólo los que actuaron. En esas entrevistas de Sevres se decidió el ataque israelí, inglés y francés a Egipto.

El ataque comenzó con un avance inesperado del ejército israelí iniciado el 29 de octubre en dirección del Canal de Suez por la vía de El-Arish, donde se estableció el cuartel general israelí, y el día 30 los ingleses y los franceses enviaron un ultimátum a los israelitas y a los egipcios, pero se trataba de un ultimátum que los israelitas estaban esperando porque eso se había planeado en Sevres, y que los egipcios no esperaban porque ellos eran las víctimas de ese plan secreto.

A la una del día 31 de octubre Nasser rechazó el ultimátum y a las 4 de la mañana del día siguiente empezaron los ingleses a bombardear los suburbios de El Cairo y los alrededores del Canal de Suez. Los ingleses y los franceses habían reunido una fuerza gigantesca para atacar a Egipto; tenían 130 buques de guerra, entre ellos 6 portaaviones, 15 cruceros y barcos auxiliares, 9 mil vehículos, 500 aviones, 75 mil hombres; todo eso para actuar como intermediarios que iban a garantizar la paz, pero en realidad era para quedarse con el Canal de Suez a fin de que los barcos ingleses y franceses y los que se les añadieran de las flotas del llamado Mundo Libre pudieran hacer su camino hacia Oriente con una economía de 9 mil kilómetros, como explicamos.

Permítasenos que al llegar aquí hagamos la historia de un episodio personal. Yendo de Cienfuegos, en Cuba, para Amberes, a participar en un congreso de trabajadores del transporte que debía celebrarse parte en Bélgica y parte en Austria, aprovechamos el viaje, que hacíamos en un barco alemán de carga que aceptaba de 10 a 12 pasajeros, para escribir el borrador de una biografía de David que habíamos planeado mientras vivíamos en Chile, allá por el año 1955. La razón del viaje era conseguir que en ese congreso de trabajadores se declarara un boicot a Trujillo, lo que no pudo conseguirse porque los representantes de los sindicatos ingleses se opusieron con el argumento de que Inglaterra compraba en la República Dominicana cacao, azúcar y café, y si ellos aceptaban el boicot el comercio inglés sufriría pérdidas. Esa conclusión tan revolucionaria de los ingleses fue aceptada por el congreso en sus sesiones de Viena, y de Viena nos fuimos a Roma junto con los otros dos delegados dominicanos, y en Roma pasamos en limpio el borrador de la biografía de David. Ahora bien, estando en Roma se nos ocurrió que no debíamos volver a América sin aprovechar la oportunidad de ver la tierra de David y de comprobar qué cambios se habían operado en ella desde los tiempos bíblicos hasta los actuales. No teníamos dinero para hacer el viaje, pero tuvimos la suerte de encontrar en Roma a una amiga cubana que nos prestó 300 dólares, con los cuales nos fuimos en tren a Brindisi, que queda situada en la base del tacón de la bota en que termina la península italiana; y de Brindisi salimos hacia Haifa en un barco llamado el *Mesaphia*. Íbamos en tercera clase, porque el dinero no daba para ir en segunda, y como en tercera no se disponía de camarote debíamos dormir en cubierta; pero eso sí, de noche nos daban un colchón, lo que nos permitía pararnos al amanecer con cierta agilidad. El *Mesaphia* estaba anclado en un puerto de la isla de Chipre cuando vimos, por primera vez, aviones militares a reacción. Eran aviones ingleses y franceses que salían de Chipre, donde todavía hay bases inglesas, para ir a bombardear los alrededores de El Cairo; pero de esto último vinimos a enterarnos después de nuestra llegada a Haifa, que fue al día siguiente. Y perdonen el tiempo perdido en hablar de ese episodio personal.

Los planes ingleses y franceses fracasaron por la intervención yanqui. Ya los ingleses no eran el gran poder mundial; el gran poder mundial eran los Estados Unidos, y Eisenhower, temeroso de las complicaciones que podía traer el ataque anglofrancés a Egipto, intervino inmediatamente para ponerle fin. Foster Dulles hizo unas declaraciones muy enérgicas pidiendo que cesaran esos ataques, y los ataques cesaron y cesó también el avance israelí en Egipto. Los Estados Unidos se habían convertido en el líder mundial del sistema capitalista y naturalmente no podían tolerar que por motivos económicos o políticos unos paisitos como Inglaterra y Francia se tomaran la libertad de actuar por su cuenta, poniendo en peligro el liderazgo norteamericano.

Ahora vamos a dar un salto atrás para explicarles la clave del conflicto del Cercano Oriente, que se originó en la apropiación, por parte de los judíos, de las tierras de Palestina, con lo cual dejaron al pueblo palestino sin uno de los dos requisitos esenciales de una nación. Esos dos requisitos son pueblo y tierras. Un pueblo asentado sobre un territorio dado forma una nación, y una nación puede constituirse en Estado solamente si reúne esos dos requisitos. Palestina pudo haber pasado a ser un Estado, pero la ocupación inglesa lo impidió, y las infiltraciones judías primero, y las inmigraciones judías después, realizadas unas y otras con apoyo inglés, le arrebataron al pueblo palestino las tierras que ocupaba desde hacía varios siglos; en cambio los judíos, que eran un pueblo sin tierras y por tanto no constituían una nación, se convirtieron en nación al apropiarse de tierras palestinas, y de nación pasaron a Estado, el Estado de Israel, que quedó proclamado un día antes de abandonar las fuerzas inglesas el territorio palestino. Los ingleses evacuaron ese territorio el día 15 de mayo del año 1948 y los israelíes proclamaron la existencia del Estado de Israel en la tarde del día 14.

El pueblo judío no tenía tierras porque desde hacía más de mil quinientos años vivía en medio de otras sociedades. En la *Historia de Palestina* de Lorand Gaspar (pp. 167 y 168), hallamos una nota que dice lo siguiente: "En 1964, sobre una cifra total de 2 millones 525 mil 600 habitantes de Israel, había 123 mil judíos iraquíes, 61 mil judíos yemeníes y de Adén, 44 mil judíos turcos, 37 mil judíos iraníes, 112 mil judíos marroquíes, 40 mil judíos argelinos y tunecinos, 36 mil judíos egipcios, 39 mil judíos holandeses, 219 mil judíos polacos, 147 mil judíos rumanos, 11 mil 88 judíos rusos, 53 mil judíos alemanes y austríacos, 26 mil judíos checoeslovacos, 29 mil judíos húngaros, 29 mil judíos búlgaros, 11 mil judíos griegos, 8 mil judíos yugoeslavos", y sigue diciendo: "Hay judíos del Cochin (Cochin es la Cochinchina, Viet Nam del Sur) y del Sur de la India y de Abisinia, muy oscuros de piel, los judíos rubios de ojos azules de Europa Central y del Este, muchos de ellos con una osamenta facial prominente de tipo eslavo (es decir, ruso), judíos de pelo negro y de cráneo dolicocéfalo, de tipo mediterráneo del Norte de África, judíos de tipo fornido de Kurdistán y Bujara, yemeníes delgados y muchos más"; es decir, como ustedes ven solamente faltaban judíos dominicanos. Y decimos que solamente faltaban judíos dominicanos porque conocimos en Israel judíos argentinos, judíos brasileros, judíos chilenos, y asómbrense, también judíos cubanos.

Al adueñarse de las tierras de los palestinos y asentarse en ellas el pueblo judío pasó a ser nación, y una vez convertido en nación fue llevado a la categoría de Estado con la ayuda principalmente de Inglaterra, que les dio su apoyo durante un siglo a los grandes capitalistas judíos de Europa para que establecieran ese Estado como una cuña metida entre los países árabes de África y de Asia, y después con el apoyo político, económico y militar de los Estados Unidos, que vieron en Israel un aliado insuperable para mantener una base política y militar en la región del Cercano Oriente donde estaba dejándose sentir la penetración soviética.

Veamos cómo fue desarrollándose el proceso de convertir al pueblo judío en nación y cómo después que esa nación pasó a ser Estado usó el poder que tienen los Estados para acabar adueñándose del resto de las tierras palestinas, quitándoles a los árabes palestinos su medio de vida fundamental, pues tratándose, como se trataba, de que el pueblo árabe de Palestina era agricultor y pastor de cabras y de ovejas, si le faltaba la tierra le faltaba la base misma de su vida. Ya hemos dicho que la organización obrera judía llamada Histadruth, que es uno de los engranajes de la organización del Estado de Israel y antes de la existencia del Estado lo era de la Agencia Judía, rechazaba de manera tajante que los inmigrantes judíos les dieran trabajo a personas que no fueran judías, de manera que los árabes que iban perdiendo la tierra donde producían para ir viviendo porque sus propietarios se las vendían a los judíos o por otras razones, no tenían oportunidad de trabajar ni siquiera como peones de los judíos; pero esa situación iba a agravarse con la creación del Estado de Israel, como veremos dentro de poco.

Por ahora, veamos algunos números que nos ayudarán a comprender la situación. Antes habíamos dicho que en el censo de 1931, 174 mil 606 judíos vivían para ese año en Palestina. En ese momento la población total del país era un millón 33 mil 314. Entonces se estimó que para el 1944 en Palestina habría un millón 739 mil 524 habitantes, de los cuales 528 mil 702 iban a ser judíos; pero resultó que un año antes, en 1943, los judíos eran, no 528 mil 702, sino 539 mil, y la población total un millón 676 mil, de manera que para 1943 los judíos eran poquito menos que la tercera parte de todos los habitantes de Palestina. En 1949, es decir, un año después de haberse constituido el Estado de Israel, los judíos eran 219 mil más que en 1943. En 1954 habían pasado a ser un millón 500 mil y en 1958 eran un millón 800 mil. Como pueden ustedes ver, en 14 años los judíos, ellos solos, pasaron a ser más que todos los habitantes de Palestina que se estimaba iba a haber en 1944, incluyendo entre ellos más de medio millón de judíos (528 mil 702). Como es natural, ese aumento de la población judía requería más tierras, no sólo para la producción judía sino también para sus viviendas. Ahora bien, una vez constituido el Estado de Israel, como dicen los autores de *El problema palestinense* tomándolo de otras publicaciones, "se pasó de la etapa de la adquisición a la de la confiscación". Tan pronto los ingleses abandonaron Palestina los países árabes vecinos atacaron Israel, y al terminar esa guerra, cuando se hizo el armisticio en julio de 1949, Israel sometió a la autoridad militar israelí la Alta Galilea y una gran parte de la región Central; y toda la parte norte de la costa entre Gaza e Isdud pasó también a ser sometida a la autoridad militar israelí, así como la región del Neguev, al sur de Rafah.

En el año 1941 las tierras de judíos en Palestina tenían una superficie de 528 kilómetros cuadrados, y para el 1951 llegaban a 16 mil 324 kilómetros cuadrados.

¿Cómo se obtuvo ese aumento de propiedades judías que alcanzó a casi 18 veces?

Pues se obtuvo con las leyes que votó el gobierno judío inmediatamente después de haberse constituido el Estado de Israel, porque la constitución de un Estado autoriza la formación inmediata del gobierno que ha de administrarlo o dirigirlo, y un gobierno a su vez está autorizado a producir leyes en nombre y en defensa de ese Estado, y por eso, señores, es que los procesos políticos van dirigidos a la conquista del poder dentro de los límites del Estado porque el poder, que es ejercido por el gobierno, tiene la capacidad de organizar la vida de un pueblo de acuerdo con los intereses de aquellos que lo gobiernan.

Tan pronto constituyeron el Estado de Israel, los judíos pasaron a organizar la incautación o la conquista de las tierras de los árabes mediante varias leyes de las cuales las tres primeras fueron promulgadas en el año 1948, es decir, el mismo año de la instalación del Estado de Israel. Esas tres leyes fueron la Ordenanza de las Áreas Abandonadas, la Regulación de las Propiedades de los Ausentes y las Regulaciones de Emergencia para el Cultivo de las Tierras no Cultivadas. Por la primera se declararon ausentes a todos los árabes que no se hallaban en sus ciudades o aldeas después del 29 de noviembre de 1947; se estableció que todos los árabes que tenían propiedades en la ciudad nueva de Acre serían clasificados como ausentes aunque nunca hubieran salido a mas de 30 metros de la parte vieja de la ciudad. (Ustedes se ríen y parece increíble, pero así sucedió). También fueron declarados ausentes todos los que salieron de un lugar de Israel hacia otro dentro del país, y se llegó a colmos como el de que los árabes que fueron de visita a Beirut o a Belén en los últimos días del mandato inglés, aunque la visita durara sólo un día, fueron declarados ausentes, y se nombró al ministro de Agricultura y a un custodio especial para que tomaran posesión de las tierras de esos ausentes, y luego por ley del 14 de marzo de 1950 se autorizó al custodio a vender las tierras de esos ausentes y se legalizaron todas las distribuciones de tierras propiedades de árabes que se habían hecho hasta ese momento sin autorización legal.

Decía Sami Hadawi (p. 54): "Bajo esas regulaciones y leyes las autoridades israelíes legalizaron la toma de las propiedades de los árabes refugiados e hicieron legales las confiscaciones de cualesquiera otras propiedades de árabes, fueran o no fueran refugiados". Y agregaba esta conclusión: "El resultado actual es que todas las tierras agrícolas pertenecientes a refugiados (árabes) han sido vendidas por el custodio israelí, o la (llamada) Autoridad para el Desarrollo, que fue creada especialmente para liquidar los derechos y los intereses de los árabes".

Además de las tierras la Palestina árabe tenía instalaciones telegráficas y telefónicas, ferrocarriles, acueductos, carreteras, puertos, edificios de gobierno, incluyendo entre ellos escuelas, hospitales, cuarteles de la policía y terrenos públicos y ciudades y aldeas; y los árabes palestinos tenían hogares y muebles y negocios, sobre todo comercios, miles de comercios, aunque fueran pequeños; y con la mayoría de todo eso se quedaron los israelíes. En resumen, no es que al pueblo árabe de Palestina le quitaron su tierra y sus bienes. Lo que ha sucedido es algo infinitamente peor, pues si le hubieran quitado su tierra y sus bienes y le hubieran permitido quedarse en lo que durante más de mil 200 años había sido su país, en 20, en 40, en 60 años de trabajo hubiera podido rehacer lo que le habían arrebatado. Pero lo que se hizo con ese pueblo fue arrancarlo de raíz de su patria y lanzarlo fuera de ella, de tal manera que ahora hay fuera de Palestina más de millón y medio de palestinos, de los cuales una gran cantidad ha nacido en el exilio.

La raíz del conflicto del Cercano Oriente está en ese hecho; en que un pueblo entero fue despojado de su patria natural para que fuera a ocuparlo otro pueblo que estaba fuera de ella hacía más de mil 200 años. Pero si la raíz está en ese despojo, que ha sido un crimen descomunal propio de un sistema que ha reemplazado el sentimiento de la confraternidad humana y el concepto de lo justo por la persecución del beneficio económico, su medida trágica, lo que le da una grandeza dolorosa difícil de medir es que la víctima de ese crimen es un pueblo que forma parte de una hermandad de pueblos que siente en carne propia el puñal que les han clavado a sus hermanos palestinos. Nosotros los latinoamericanos nos damos cuenta de lo que sufren los pueblos árabes con lo que les está sucediendo a sus hermanos de Palestina porque sabemos lo que nos duele el asesinato de un estudiante argentino o la desaparición misteriosa de un combatiente chileno.

Estando en España, allá por el año 1967, doña Carmen y yo fuimos a Córdoba, y naturalmente visitamos ese monumento de belleza increíble que se llama la Mezquita de Córdoba. En la Mezquita de Córdoba se avanza de asombro en asombro por entre columnas de mármoles de todos los colores, verde, rosado, gris, blanco, y de todos los estilos, el dórico, el jónico, el salomónico, y además de todos los tamaños, porque los árabes recogieron esas columnas especialmente de las antiguas ciudades romanas del Norte de África para llevarlas a Córdoba a montar con ellas un verdadero bosque de columnas. Unas son más altas y se les hicieron hoyos para que penetraran más en tierra; otras son más cortas y a ésas se les hicieron bases para que quedaran más levantadas, porque en la parte superior, en el final de los capiteles, todas debían estar a la misma altura.

Yendo por entre ese bosque de sorpresas, dejándonos llevar de belleza en belleza, nos dimos de pronto conque en medio de aquella construcción gigantesca que es la Mezquita de Córdoba había un lugar de donde habían quitado las columnas para fabricar, bajo el techo de la Mezquita, una iglesia católica. El guía que iba acompañándonos nos contó que cuando llevaron allí al emperador Carlos V, que por haber nacido y haberse criado fuera de España era menos fanático que la mayoría de los españoles, miró despaciosamente la iglesia católica y el bosque de columnas que la rodeaba y dijo más o menos estas palabras: "Ustedes han hecho dos cosas malas a la vez; han echado a perder la mezquita y han echado a perder la iglesia católica".

Todas las mezquitas o templos musulmanes tienen un nicho que está colocado en dirección a la Meca, y ese nicho es el lugar sagrado de una mezquita. Su nombre árabe es el *mijrab.*

Pues bien, paseando por aquel mundo de columnas que nos tenía deslumbrados doña Carmen y yo desembocamos de pronto en el *mijrab* de la Mezquita de Córdoba, y nuestra sorpresa fue tal que nos miramos a los ojos. Ese *mijrab* era la culminación de todo lo bello que habíamos visto en la mezquita. Las letras y los signos que hay en él están hechos de oro sobre mármol, y despedían una fuerza artística impresionante. Al darse cuenta de que nosotros nos habíamos quedado mudos, el guía, que parecía un árabe, dijo estas palabras:

"Aquí han venido muchos árabes que al llegar a este sitio no han podido seguir caminando y se han echado a llorar".

Y nosotros comprendimos a cabalidad por qué lloraban esos árabes. Lloraban porque al llegar ante el *mijrab* de la Mezquita de Córdoba veían de manera material, viva, con sus propios ojos, lo que había sido la cultura de ese imperio que al cabo de tantos siglos de haber desaparecido sigue iluminando con el resplandor de un sol naciente el alma de todos los pueblos árabes y sigue uniéndolos tanto como la lengua, tanto como a nosotros los latinoamericanos nos une la lengua española; y lo que no comprenden los judíos que han establecido un Estado judío en Palestina arrancando de allí, como quien arranca un árbol, al pueblo que habitaba esa tierra, y lo que no comprende el gran poder que está detrás de ellos, es que cuando hay pueblos con sentimientos tan profundos de unidad; cuando hay pueblos que sienten el dolor de sus hermanos como si fuera su propio dolor, entonces, aunque se necesiten muchos años de lucha y aunque esa lucha cueste muchas vidas, no hay sobre esta tierra poder alguno que pueda convertir en permanente una injusticia tan repugnante como la que se ha cometido con el pueblo árabe de Palestina.

TEMAS DE HISTORIA GENERAL

PALABRAS ACERCA DE LA HISTORIA Y EL HISTORIADOR

Aunque el diccionario de la Real Academia de la Lengua diga que la historia es la "Narración y exposición verdadera de los acontecimientos pasados y cosas memorables", y agregue que "En sentido absoluto se toma por relación de los sucesos públicos y políticos de los pueblos; pero también se da ese nombre a la de sucesos, hechos o manifestaciones de la actividad humana de cualquiera otra clase", lo cierto es que la historia es una actividad demasiado importante y compleja y a causa de su importancia y su complejidad no puede ser descrita de manera tan escueta como lo hace ese libro.

La historia no es nada más una narración o relato de lo que ha sucedido en tiempos lejanos o cercanos. La historia es la memoria de los pueblos expuesta en palabras e imágenes, y las imágenes pueden ser estáticas, cuadros de pintores, fotografías, pero también palabras expuestas en escrituras y actualmente grabadas en cintas sonoras; es más, a veces la historia se manifiesta a través de ruinas que permanecieron ignoradas miles de años.

La historia es obra de los seres humanos entre los cuales unos cuantos pasan a ser personajes históricos, y un personaje histórico puede ser hombre o mujer, ambos guerreros, como Napoleón Bonaparte o Juana de Arco, o un intelectual como Carlos Marx, que nunca desempeñó cargos públicos. Para definir qué significan las palabras personaje histórico debe decirse que lo es

---

Temas histórico, 1a. ed. (Santo Domingo, R. D.: Alfa & Omega, 1991).

todo aquel que para bien o para mal ha influido en el curso de la historia de su pueblo o de otros pueblos llevando a cabo hechos materiales, intelectuales, artísticos, militares, políticos, que de alguna manera son importantes en su país o en aquel que fue escenario de su actuación. Por ejemplo, Simón Bolívar fue un personaje histórico debido a todo lo que hizo en los varios millones de kilómetros cuadrados que ocupan Venezuela, Colombia, Panamá, Ecuador, Perú y Bolivia; y Máximo Gómez es un personaje histórico por el papel que jugó en las dos guerras de independencia que llevó a cabo el pueblo cubano.

Es bueno aclarar que una cosa es la historia y otra es el historiador. En nuestro país se tiene por historiador al que relata por escrito hechos históricos, y el solo hecho de relatar lo que sucedió no le confiere al relatador categoría de historiador. En este aspecto el diccionario de la Real Academia dice la verdad cuando explica que la historia es "narración y exposición verdadera de los acontecimientos pasados y cosas memorables", y aunque las palabras exposición verdadera demandaban mayor claridad y por tanto más palabras, lo cierto es que el historiador debe estar seguro de que lo que dice es lo cierto, no lo que sea dicho por tradición como ocurre tantas veces según podemos ver en el caso de la historia dominicana. Por ejemplo, en nuestra historia se afirma que la batalla de Palo Hincado fue ganada por Juan Sánchez Ramírez, pero un estudio de lo que escribieron acerca de ese hecho personas que participaron en él conduce a la afirmación de que quien ganó esa batalla fue Tomás Ramírez Carvajal, tal como quedó dicho por mí en el artículo titulado "Palo Hincado: una batalla decisiva" publicado en el número 79 de la revista *Política: Teoría y Acción*.

Santo Domingo
15 de agosto de 1988.

QUÉ ES UN HECHO HISTÓRICO

Francis Fukuyama, hijo de japoneses pero nacido en Estados Unidos, escribió hace poco tiempo un artículo que tituló "El final de la historia" con el cual promovió respuestas generalmente condenatorias de la tesis que exponía bajo ese título porque a juicio de los autores de esas respuestas la historia no tiene ni tendrá fin debido a que el nombre de historia se les da a los relatos de los acontecimientos que son o fueron importantes, aun de aquellos en cuyos orígenes o desarrollo no hayan tenido que ver los seres humanos pero han causado mortandades y destrucciones importantes. Por ejemplo, para los dominicanos el terremoto que destruyó La Vega hace cuatro siglos fue un hecho histórico y debido a que lo fue figura en la historia de nuestro país, pero también lo fue, y sigue siéndolo, la muerte de Ulises Heureaux, acontecimiento en el que la víctima fue sólo una persona, y por cierto una persona que no murió en una batalla ni fue victimado por un grupo de enemigos suyos sino por un hombre, uno nada más, cuyo nombre nadie conocía fuera de Moca, la ciudad donde le tocó a Heureaux morir.

El artículo de Francis Fukuyama no tuvo una acogida buena; de los que lo comentaron, la mayoría opinó que "El final de la historia" estaba mal concebido y, desde luego, mal titulado, porque mientras haya acontecimientos que tengan importancia para los pobladores de la Tierra habrá

Temas históricos, 1a. ed. (Santo Domingo, R. D.: Alfa & Omega, 1991).

hombres y mujeres que los relatarán, y la historia es el relato de un hecho, o de cien hechos, capaces de llamar la atención de los seres humanos, sean éstos muchos, pocos o uno sólo. Para esas personas, la historia tendrá fin cuando no aparezca en todo el mundo un solo ser humano capaz de escribir o contar de palabra los pormenores de un suceso, grande, mediano o minúsculo, que llamara la atención de otra gente.

Los hechos históricos son de índole y categoría muy variados porque perduran en el conocimiento de los hombres sin tomar en cuenta si se trata de actividades positivas o negativas, morales o inmorales. Podemos comparar el caso de la muerte de Ulises Heureaux, conocido sólo de los dominicanos, con el asesinato de Julio César, que no fue un hecho moral ni produjo beneficios para Roma o para los romanos, y ni siquiera para el autor de esa muerte; sin embargo fue un hecho histórico de categoría mundial porque ha perdurado en el conocimiento de millones y millones de seres humanos a través de varios siglos. Lo mismo puede decirse de los hechos en que participaron en papeles de protagonistas personajes como Jesús, Lutero, Mahoma, Juana de Arco, Napoleón, Bolívar, Washington; acontecimientos como el descubrimiento de América, las revoluciones norteamericana, francesa, rusa; la Primera y la Segunda Guerras Mundiales.

Hay hechos históricos que no tienen la menor relación con sucesos políticos como fueron los que encabezaron Napoleón Bonaparte, Alejandro Magno o Abraham Lincoln. Esos hechos son los descubrimientos científicos como los de Galileo y Newton, o para referirme a casos más cercanos, como los de Pasteur y Fleming, cuyas aportaciones a la Medicina han resultado en la salvación de la vida de millones de seres humanos. Pero también han sido hechos históricos las creaciones de tipo cultural, tanto las literarias como *El ingenioso hidalgo Don Quijote de la Mancha* o *Cien años de soledad* o de escultura como la *Venus de Milo*, y de música como el *Réquiem* de Mozart.

Los hechos o acontecimientos históricos se diferencian de los corrientes o usuales en su perdurabilidad, palabra que significa larga duración, y en su caso, perduran durante siglos y siglos en la memoria de la humanidad o de un pueblo; o dicho de otra manera, los hechos históricos son aquellos que no se pierden en el olvido de las generaciones que han heredado su conocimiento.

Hay casos en que no se sabe quiénes hicieron tal obra, y se trata de obras que fueron ejecutadas en tiempos tan lejanos como el que corresponde a la prehistoria, es decir, a los tiempos en que no podía haber historia porque no se conocía la manera de transmitir a generaciones humanas futuras la descripción de los hechos que iban sucediendo. Por esa razón se le llama prehistoria a la suma de los acontecimientos que sucedieron en el mundo antes de que los seres humanos pudieran elaborar documentos históricos, esto es, documentos en los que se describieran acontecimientos importantes que habían sido escritos por personas que participaron en ellos o que los conocieron en todos sus aspectos.

Tomando en cuenta que los primeros homínidos o grupos ancestrales de la familia biológica del hombre actual datan de una época cuya edad se remonta a los cuatro o cinco millones de años, podemos afirmar que la prehistoria duró varios millones de años. Según las autoridades en la materia el paleolítico fue la primera época, no de la historia sino de la prehistoria, y duró por lo menos un millón de años, y al paleolítico le siguió el mesolítico (que va de los 12 mil a los 10 mil años antes de Cristo). Del paleolítico se dice que lo más lejos que llegó el hombre en esa etapa de la prehistoria fue a dominar el simple tallado de la piedra, como lo hacían los indios arcaicos (pretaínos) de nuestra isla que percutiendo y presionando piedras unas contra otras construían rústicos instrumentos que utilizaban para variados fines.

Si es cierto que los indígenas del paleolítico de Quisqueya (3 mil a 4 mil años antes de Cristo) estaban tan atrasados, en lo que hoy es la provincia española de Santander se desarrolló desde mucho tiempo atrás la cultura magdaleniense (35 mil a 20 mil años antes de nuestra era), que dejó en las paredes de piedra de las cuevas de Altamira nada menos que 150 pinturas de animales, algunas de hasta 162 metros cuadrados, todas hechas con colores rojo, negro y violeta, y necesariamente, los que hicieron esas pinturas tuvieron que crear el material pictórico y algo parecido a las brochas que se usan en la actividad de pintar, y además debieron hacer algo parecido a escaleras o tuvieron que picar las paredes de las cuevas para subir hasta los sitios donde harían las pinturas.

A pesar de lo que acaba de leer el lector, las pinturas rupestres de las cuevas de Altamira ni ninguna hecha en su época es o ha sido un hecho histórico. Para que alcance la categoría de histórico un hecho o acontecimiento tiene que ser conocido universal o nacionalmente, lo cual no significa que debe ser aprobado en todo el mundo, en una gran parte del mundo o en el país donde se produjo. Los hechos que produjo Napoleón Bonaparte fueron aprobados por sus partidarios y rechazados por sus adversarios y enemigos, pero el conjunto de esos hechos fueron históricos y siguen siéndolo, porque jugaron un papel de suma importancia en la historia de Francia y en la de muchos otros países.

Ahora bien, el personaje que ejecuta hechos históricos se convierte en una figura histórica. Ese es el caso de Juan Pablo Duarte, que no participó en ninguna de las batallas que se llevaron a cabo para fundar el Estado que él bautizó de antemano con el nombre de República Dominicana, y sin embargo otros que dedicaron la mayor parte de su vida a hacer la guerra, como sucedió en los casos de Demetrio Rodríguez y Desiderio Arias, para mencionar sólo dos, no llegaron a ser personajes históricos a pesar de que algunos de ellos fueron agasajados con música y letra de merengues.

En cuanto a Francis Fukuyama y su artículo "El final de la historia" no creo que sea necesario refutar lo que dijo. El hombre tiene memoria y sin ella la vida humana sería muy diferente de lo que es. Para el conjunto llamado humanidad su memoria es la historia, y la necesita a tal extremo que la inventa en el género literario llamado novela, y Francis Fukuyama no es historiador pero tampoco es novelista.

Santo Domingo
5 de septiembre de 1990

EL FEUDALISMO NO SE CONOCIÓ EN AMÉRICA

Con retraso de nueve años –fue publicado en abril de 1980– ha llegado a mis manos un libro –*El precapitalismo dominicano de la primera mitad del siglo XIX 1780-1850*– cuyos autores son Julio César Rodríguez Jiménez y Rosajilda Vélez Canelo, en el cual aparecen párrafos como los siguientes:

> ...nos oponemos a la tesis, eminentemente deductivo-abstracta, de que como en América Latina no ha existido el feudalismo como formación dominante, en la República Dominicana, por consiguiente, no ha existido el feudalismo como formación dominante, y ni siquiera relaciones de producción feudales con cierto peso específico en el contexto de su proceso histórico social. Todo lo contrario, nuestro estudio se ubica o plantea la existencia del feudalismo en un período bien concreto del proceso comprendido entre los primeros cincuenta años del siglo pasado.

Rodríguez Jiménez y Vélez Canelo dicen que en el sistema feudal "Los trabajadores son propiedad parcial de los dueños de la tierra, pero pueden disfrutar de un pequeño terruño para proporcionarse los medios necesarios

---

Temas históricos, 1a. ed. (Santo Domingo, R. D.: Alfa & Omega, 1991).

para su sustento. En el modo de producción feudal existen tres tipos de renta de la tierra: "la renta en trabajo, en especie y en dinero", y a seguidas agregan: "las que obedecen en su aspecto general a fases de desarrollo del propio modo de producción feudal", pero no indican de dónde sacaron esas conclusiones, qué autor, y en qué obra, dijo esas palabras, y si no exactamente las palabras, por lo menos lo que ellas significan, y es lástima que no lo hicieran porque de alguna parte sacaron ellos esos conceptos hasta ahora totalmente desconocidos en la historia del feudalismo.

En mi libro *Breve historia de la oligarquía y tres conferencias sobre el feudalismo* (Alfa y Omega, Santo Domingo, sexta edición, 1986, págs. 170 y siguientes) yo dije: "En todo lo que fue el imperio carolingio se entregaron tierras a los nobles guerreros, pero tal como expliqué en la primera conferencia esas tierras estaban pobladas a base de las antiguas villas o aldeas romanas. Los señores que recibieron esas tierras las recibieron del rey en usufructo. En los conceptos de la época, el verdadero dueño de esas tierras era Dios, y el rey era su vasallo, y las repartía en nombre de su señor, que era Dios. Al recibir esas tierras del rey, los nobles pasaron a ser sus vasallos, y como tales vasallos contraían obligaciones con el rey. El rey se quedaba también con un feudo, y en ese sentido él mismo era un señor feudal y se mantenía de lo que producía su feudo. Pero cada uno de esos señores feudales vasallos del rey recibió, junto con las tierras, determinados poderes reales que el rey delegó en él para que él ejerciera la autoridad real en sus feudos. En los casos en que no sucedió así, la costumbre se generalizó y cada señor feudal acabó ejerciendo en sus dominios la autoridad real".

A seguidas paso a describir la escena en la cual un noble quedaba convertido en señor feudal, que era como sigue:

En América no se conoció el feudalismo

Al recibir un feudo del rey (y aclaro que la palabra feudo significaba riqueza, naturalmente, en tierras), el noble "se inclinaba de rodillas, ponía sus dos manos en la mano derecha del rey, éste le colocaba sobre las manos algún objeto, y con ese acto quedaba establecido el contrato de enfeudación. El señor se comprometía a darle al rey un servicio llamado noble, a cambio del usufructo de esas tierras. Ese servicio noble consistía en servirle durante cuarenta días al año en acciones guerreras", lo que significaba que el rey había pasado a ser el señor feudal del noble que se le había enfeudado, y con el tiempo los señores feudales obtuvieron del rey el llamado derecho de inmunidad, que acabó convirtiéndolos en señores de pleno derecho de sus feudos.

¿Qué quería decir eso?

Que los señores feudales tuvieron pleno derecho para hacer justicia, que en muchas ocasiones, si no en todos los casos, llegaba hasta el de imponer y ejecutar penas de muerte; pero además tuvieron también el derecho de cobrar tributos (impuestos) y la de acuñar monedas propias, la autoridad para levantar ejércitos (las llamadas mesnadas), la de hacer la guerra, así fuera a otro señor feudal, tan enfeudado con el rey como el que lo agredía, y a veces llegaban al colmo de hacerle la guerra a su señor el rey, y por último, los señores feudales tenían la autoridad de hacer la paz como si fueran reyes.

Retorno a copiar lo que dije en abril de 1971 en la segunda de las conferencias que con el título de "Tres conferencias sobre el feudalismo" pronuncié en el Centro Masónico de la Capital. Allí expliqué que "con el paso de los siglos los grandes señores feudales que habían recibido los poderes del rey y luego se quedaron con ellos, pasaron a delegar esos poderes en otros señores", y con ese traspaso de poderes "fue formándose una pirámide de vasallos, que comenzaba arriba con un solo vasallo, el de Dios, que era el rey, y abajo de él había varios vasallos (a tal extremo que en 'Francia, por ejemplo, llegó a haber siete grandes señoríos feudales'), ...y debajo de ésos otros muchos que eran vasallos de los vasallos del rey, y como veremos luego, la pirámide siguió ampliándose en escala descendente; de manera que acabó produciéndose una proliferación de señores que ejercían todos o parte de los derechos que originalmente sólo podía ejercer el rey. Así pues, hubo un largo proceso de transmisión de poderes, y con él de apropiación de las tierras. El último de los vasallos, el que se hallaba en la base de la pirámide era el siervo de la gleba, y éste no tenía ya la menor participación en lo que quedaba de los poderes reales".

De la pirámide que acaba de ser descrita decía yo en la mencionada conferencia: "el verdadero señor feudal era el que retenía la suma de las potestades reales (o dicho de otra manera, la totalidad de los poderes del rey)". Ese era el llamado "señor jurisdiccional", que era, explicaba yo, "un duque o un conde o un marqués". La existencia de esos miembros de la alta nobleza "es lo que explica que en la Baja Edad Media los señores feudales se llamaran también ducados, condados o marquesados".

En ninguna parte de América, y mucho menos en la colonia llamada La Española o Santo Domingo, que seguramente era la más pobre del Nuevo Mundo, hubo nunca nada parecido a lo que está dicho en el último párrafo de este trabajo, pero tampoco lo hubo en España, donde se conocieron muy pocas manifestaciones del feudalismo.

La sociedad feudal era compleja

Esa descripción que acaba de leer el lector fue, como lo dije cuando expliqué en el Centro Masónico, cómo estaba organizada la sociedad feudal, de tipo vertical, es decir, de arriba hacia abajo o viceversa, pero a seguidas me dediqué a describir cómo era una de tipo horizontal, y decía:

"Así, imaginémonos un feudo donado por el rey a uno de sus nobles. Ese señor feudal podía obtener, siempre mediante la violencia, o por convicción si no necesitaba usar la violencia, que éste o aquel miembro de la pequeña nobleza que vivía en un lugar separado de su feudo se enfeudara con él, pasara a ser su vasallo, y el señor feudal delegaba en él uno, dos o más de los poderes que él tenía, por ejemplo, el de cobrar censos y banalités". (El censo era la obligación que contraía el vasallo de entregar a su señor, en señal de vasallaje, una vez al año si se estipulaba así, algunos frutos, animales o productos del trabajo artesanal. El valor del censo solía ser bajo, pues lo que tenía importancia era el valor simbólico del acto de la entrega. La palabra censo pasó a definir, además de la obligación descrita, aquello que se entregaba, esto es, el fruto, el animal o el producto artesanal que se le daba al señor, y con este último significado pasó al lenguaje del sistema capitalista. Actualmente es sinónimo de empadronamiento para fines estadísticos; en cuanto a la palabra banalités, que se decía también poyas, eran las obligaciones que tenían los siervos de utilizar las instalaciones y los equipos de los señores, como sus molinos hidráulicos de piedra, con los cuales se molía el trigo; sus lagares, en los cuales se majaba la uva; y sus estanques o grandes toneles para hacer el vino, así como el horno para cocer el pan. Los siervos tenían que pagar por el uso de esos equipos e instalaciones de los señores, lo mismo si pagaban en especie que si lo hacían en dinero).

Los vasallos de un señor feudal podían enfeudar a su vez a siervos, colonos o campesinos; pero también sucedía que muchos campesinos libres –porque no todos los campesinos eran siervos de la gleba, palabras que describían a los que habitaban los mansos serviles, esto es, donde tenían que vivir las personas de la más baja condición, las que tenían obligaciones de servidumbre– se enfeudaban con otros señores, no con los que les correspondían dentro de los límites de los feudos. Al suceder eso ocurrían dos cosas: la primera, que esos campesinos libres y colonos pasaban a ser vasallos de señores que a su vez eran vasallos de otros señores, y aún podía suceder –y sucedía a menudo– que estos últimos eran también vasallos de señores más poderosos; y la segunda, que dentro de los límites de un feudo había siervos de un señor, o de más de un señor, que no era el señor de ese feudo. Como puede apreciarse, los latifundios del régimen feudal eran muy complejos y no se parecían a los latifundios que conocemos en la América Latina.

El entramado de la sociedad feudal era tan complejo que se daban casos de campesinos libres, colonos y siervos de la gleba que ocupaban distintos sitios (los llamados alodios y mansos) y a veces un campesino libre ocupaba dos alodios, y un siervo, dos mansos serviles.

En América, fuera la del Norte o la del Sur, fuera la de las islas del Caribe, no se conoció nunca, ni por asomo, una sociedad tan compleja como lo fue la feudal, y están confundidos los que creen que en un país donde se produjo una institución tan primitiva como la de las llamadas tierras comuneras la sociedad estuvo organizada alguna vez en algo parecido al feudalismo, que duró en Europa por lo menos dos siglos más que los que han transcurrido desde que América fue descubierta.

10 de mayo de 1989

LA REVOLUCIÓN HAITIANA

Los primeros movimientos de la Revolución Francesa –año de 1789– provocaron enorme agitación en Haití. La oligarquía blanca de la colonia – conocida como los "grandes blancos"– se lanzó a formar asambleas coloniales y a reclamar el derecho de enviar representantes a la Asamblea Nacional que iba a reunirse en París. La oligarquía mulata –llamada los "affranchís"– pedía que se le reconociera el derecho a participar en las asambleas coloniales. Los "grandes blancos" se negaban a aceptar que los "affranchís" votaran, siquiera, para elegir candidatos a esas asambleas coloniales; de manera que la Revolución Francesa colocó, uno frente a otro, a los dos bandos de la oligarquía esclavista de Saint-Domingue (Haití). Los mulatos y negros libres que no pertenecían a la oligarquía mulata apoyaban a los "affranchís"; pero los franceses de la colonia que no formaban parte de la oligarquía blanca, llamados "los pequeños blancos", se oponían a la oligarquía mulata. Los esclavos, desde luego, se mantenían al margen de esas luchas, y no por su voluntad sino porque ninguno de los dos bandos de la oligarquía y de sus respectivos partidarios los tomaba en cuenta.

La lectura de los documentos de la época deja la impresión de que a partir de 1789 en Haití se desató una actividad política febril, pero que eso no afectó seriamente el proceso económico. Antonio del Monte y Tejada

---

Composición social dominicana, 18a. ed. (Santo Domingo, R. D.: Alfa & Omega, 1995).

(*Historia de Santo Domingo*, Ciudad Trujillo, 1953, Tomo III, págs. 156-157), que reproduce de algún autor francés, sin ofrecer la fuente, datos estadísticos muy interesantes sobre Haití, dice que el año anterior a la revolución –sin que sepamos si se trata del 1788 o del 1790, que es el anterior a la sublevación de los esclavos, aunque debe suponerse que se refiere a 1788–, "se introdujeron en la colonia diez y siete mil seiscientos sesenta y cuatro negros varones, ocho mil cuarenta y seis hembras, seis mil quinientos veinticinco párvulos varones y dos mil novecientos diez y seis hembras en seiscientos sesenta buques". Eso suma más de treinticinco mil esclavos en un año, de manera que resulta aceptable la estimación de que en los últimos diez años habían estado entrando en Haití unos treinta mil esclavos por año –el doble de todos los que había en nuestro país–, y resultan también aceptables los informes de que para el estallido de la Revolución había en la colonia más de seiscientos mil esclavos; algunos han hablado de setecientos mil.

De acuerdo con del Monte y Tejada, a la colonia del Oeste "concurrían con más frecuencia los buques de la América del Norte y en el año 1789 entraron en sus puertos seiscientos ochenta y cuatro con harinas, provisiones saladas, mantecas y manufacturas inglesas". El comercio haitiano era muy activo también con los territorios españoles del Caribe; del Monte y Tejada dice que en 1789 fue "por valor de tres millones", y el que se hizo "con Europa empleó aquel año 780 buques". "De la parte española de Santo Domingo", explica del Monte y Tejada, "en que estaba prohibido el comercio, entraron 40.000 reses y 3.000 caballos y mulos". En el "resumen de las producciones del comercio del Guarico en el año de ochenta y nueve" que da del Monte y Tejada figuran cifras como éstas: Pesos fuertes de cuño español: 2,617,530; onzas de oro de cuño español: 58,219, lo que hace un total de más de 3,700,000 pesos sólo en moneda. Los cueros curtidos y sin curtir exportados desde Haití llegaron ese año a 141,587; el café, a 846,173 quintales; el añil, a 52,570 quintales. En las cifras de exportación que da el padre A. Cabon (*Histoire d'Haiti*, Tomo IV, Port-au-Prince, sin fecha; pp. 95-96) las exportaciones de 1791, año de la sublevación de los esclavos, fueron más altas en algunos renglones que las de 1789.

Haití, pues, estaba, al comenzar la Revolución Francesa, en el mayor esplendor económico de toda su historia, y eso significaba buenas ventas de reses, caballos, mulos, algún tabaco y alguna madera de la parte española. Se calcula que nuestras ventas a la colonia vecina alcanzaban a unos tres millones de pesos fuertes al año, lo que significa veinticuatro pesos por cada dominicano, es decir, más o menos la mitad de lo que correspondió a cada dominicano en las exportaciones totales de 1967. Ahora bien, todos los autores que tocan el tema de nuestro comercio con Haití en esos días dicen que a cambio de nuestros productos nosotros obteníamos herramientas, telas, esclavos; eso quiere decir que comprábamos en Haití tanto como le vendíamos, pesos más, pesos menos.

De todos modos, es el caso que ese comercio, el más importante para nosotros, quedó desorganizado cuando se produjo el levantamiento de los esclavos y comenzó la terrible revolución haitiana. Otra vez, como había sucedido a mediados del siglo XVI, al fracasar la naciente oligarquía del azúcar, y como habrá sucedido a principios del siglo XVII, cuando se llevaron a cabo las despoblaciones, el pueblo dominicano se hallaba frente a una fuerza ingobernable que destruía en un momento las mejores perspectivas del país. Pero esta vez el golpe iba a ser seguido por muchos otros; la historia dominicana iba a entrar en un proceso rápido, arrastrada por los acontecimientos desatados en Europa por la Revolución Francesa y en la isla por la Revolución Haitiana –reflejo de la de Francia–, y de ese proceso saldría al fin nuestro pueblo agotado y a punto de desaparecer.

Las relaciones de España y Francia se hicieron muy difíciles desde que comenzó la Revolución Francesa, pero se agravaron con la prisión de Luis XVI, el rey de Francia, y desembocaron al fin en la guerra cuando Luis XVI fue decapitado en París. Como es lógico, todo el proceso que seguían las relaciones de Francia y España tenía que reflejarse en la isla de Santo Domingo, que se hallaba, por otra parte, en estado de convulsión debido al levantamiento de los esclavos. La guerra franco–española, comenzada el 7 de marzo de 1793, terminó con el Tratado de Basilea, firmado el 22 de julio de 1795. El artículo IX del Tratado establecía que "en cambio de la restitución de que se trata en el Artículo IV, el Rey de España por sí y sus sucesores, cede y abandona en toda propiedad a la República Francesa toda la parte Española de la Isla de Santo Domingo en las Antillas" (Véase *La era de Francia en Santo Domingo*, de Emilio Rodríguez Demorizi, Ciudad Trujillo, 1955 pp. 7-15).

A pesar del artículo IX del Tratado de Basilea, nuestro país no fue ocupado por los franceses sino por Toussaint Louverture, en enero de 1801. Del Monte y Tejada dice (ob. cit, págs. 210-11): "Algunos vecinos en corto número habían emigrado a Cuba y Puerto Rico, siguiendo las huellas de las autoridades y corporaciones que ya habían abandonado la isla desde que se publicó el tratado de cesión; pero la mayor parte se sostenía en la creencia de que la entrada formal no llegaría a tener efecto en definitiva, y por tanto, continuaban dedicados a sus tareas agrícolas e industriales con el mismo ardor que antes y no escaseaban las diversiones y festejos públicos y privados, tal vez con más entusiasmo y animación que nunca".

Este párrafo de del Monte y Tejada –y el que le sigue, que será transcrito inmediatamente– es de gran valor para conocer la inconsciencia de la gente de alcurnia y medios que tenía Santo Domingo a fines del siglo XVIII. Esas gentes "continuaban dedicados a sus tareas agrícolas e industriales" como si nada estuviera pasando. Es más, "Disfrutaba la ciudad de Santo Domingo de la más completa alegría, y precisamente se hallaba reunido lo más granado de la capital en el baile que se daba el día de Reyes en la casa de Don N. Herrera con motivo de haber cantado misa nueva un hijo suyo, cuando se divulgó la noticia en aquella reunión, en la cual se encontraban las primeras autoridades, de que el General Toussaint invadía la parte española con un ejército numeroso". Así, los efectos directos de la revolución de Haití tocaban en las puertas de la capital precisamente en el momento en que los grandes señores del país, entre ellos "las primeras autoridades", bailaban desaprensivamente en la casa de uno de ellos.

Al día siguiente, esto es, el 7 de enero, "se improvisaron compañías que con la tropa del fijo llegarían al número de mil quinientos hombres"; tales fuerzas fueron despachadas apresuradamente para hacer frente a Toussaint, que marchaba por el camino del Sur. En la sabana de Ñagá, las avanzadas haitianas destrozaron la vanguardia dominico-española, que se hallaba bajo el mando de don Juán Barón. El general Kerverseau y el general Chanlatte –francés el primero y haitiano "affranchí" el segundo– huyeron con los derrotados. Toussaint avanzó sobre la capital y estableció su cuartel general en el ingenio Boca Nigua, "propiedad del Marqués de Irlanda", de manera que como puede verse, hasta había marqueses con ingenios en el país. Inmediatamente se nombró una diputación para negociar con Toussaint, y "En este intervalo, fue grande la emigración de españoles a los puntos más inmediatos de los dominios españoles, Puerto Rico, Maracaibo, Caracas, etc.", dice del Monte y Tejada.

Cuando Toussaint entró en territorio dominicano debía haber en él numerosos franceses de los que habían huido de Haití. Dorvo Soulastre, que llegó al país en abril de 1789 con la expedición francesa del general Hédouville, cuenta en su "Viaje por tierra de Santo Domingo, Capital de la Parte Española de Santo Domingo, al Cabo Francés, Capital de la Parte Francesa de la misma Isla" (Emilio Rodríguez Demorizi, *La era de Francia...*, p. 70) que Monsieur Delalande, un refugiado francés que vivía en las afueras de la capital, se había dedicado a producir legumbres porque "La llegada de 1500 a 2000 refugiados de la parte francesa" le había dado esa idea. Soulastre dice que antes de la llegada del señor Delalande a la capital "los habitantes de Santo Domingo no conocían sino las legumbres secas que les venían de España o de la América septentrional, y nunca las habían visto verdes en sus mercados".

No hay constancia de que los franceses refugiados en nuestro país huyeran a la llegada de Toussaint, aunque parece que muchos de ellos se fueron después que las tropas de Leclerc y de Rochambeau quedaron destruidas en Haití. Al hacer la descripción de la ciudad de Santiago, Dorvo Soulastre *(Ibíd.*, pág. 89), menciona al señor Espaillat, francés de origen, establecido desde hacía mucho tiempo en Santiago". Rodríguez Demorizi, en una nota a la mención de Soulastre, explica que "En la sección de Los Melados (hoy Provincia de Santiago) estaba la finca de Monsieur Espaillat, fundador de la preclara familia de ese nombre en el país, como lo dice justamente el periódico *El Constitucional (*Santiago, 6 de marzo de 1901). Esa hacienda era una de las de más nombradía en el Cibao. La casa abrazaba una superficie de 1,500 metros cuadrados y la rodeaba un muro de piedras y ladrillos de altura bastante regular. El arroyo Los Cedros, cuyas márgenes fueron fortificadas con dos lienzos de pared, corría por medio de la posesión. Tenía capilla, taller de carpintería, herrería, hornos de cal, tejar, fábrica de índigo (añil), alambique, trapiche, enfermería, depósitos para el azúcar, tabaco, y algodón. Una negrada de 500 cabezas componía el personal de la finca". El Dr. Reyes Martínez vio en Sevilla los documentos relativos a la nacionalización de Monseiur Espaillat, que era francés y se había hecho español hacia el 1795. Se llamaba Francisco y fue, hasta donde alcanzan las noticias, la única persona que tuvo en el siglo XVIII una instalación de ese tipo en Santo Domingo. Así, podríamos decir que hubo en nuestro país un oligarca esclavista con mentalidad y capacidad igual a los que conoció la colonia francesa de Haití, pues la descripción de su explotación de Los Melados es la de un establecimiento similar a los que había en Haití.

El caso de don Francisco Espaillat se destacaba en medio de un paisaje social lamentable. Las descripciones de Dorvo Soulastre son típicas: "En toda la primera parte de nuestra ruta,[1] de próximamente 30 leguas, de Santo Domingo al Cotuí, sólo encontramos una aldeíta, algunas chozas esparcidas

[1] De la capital hasta Cabo Francés.

y ni una sola villa. El Cotuí mismo, como se verá en el itinerario, apenas merece este nombre". "Los habitantes no cultivan sino lo necesario para sus primeras necesidades y no hay más comercio que el de los ganados, criados o abandonados a ellos mismos en aquellas ricas comarcas, que ofrecen pastos tan sanos y abundantes" (p. 53). "Una mala choza, en cuyos ángulos se suspende una hamaca; algunos sitios o cuadros de tierra cultivados con legumbres y tabaco; algunos guiñapos como vestidos, son lo bastante para la dicha de los habitantes de los campos" (p. 59). "La finca de da. Teresa Sánchez se compone de algunas chozas construidas, cerradas y cubiertas con la madera, la cáscara y las hojas de palmera, y de un cercado formado por un vallado toscamente enmimbrado o defendido por torrenteras; por otra parte, ningún cultivo, pero sí varias frutas, tales como naranjas, piñas y zapotes" (p. 72). En Jima "el terreno está lleno de numerosos ganados, pero no se cultiva allí sino en pequeña cantidad, lo que es necesario para la subsistencia de los habitantes"; al salir de las sabanas de Jima, "se encuentran muchos caballos y ganados de todas clases; pero, como en los otros lugares, los cultivos se reducen a lo absolutamente necesario" (p. 82). Hablando de una región que se hallaba a unas diez leguas a la derecha de Monte Plata, Soulastre dice (p. 77): "En el fondo de este valle, cuarenta leguas del país pertenecen a un solo propietario, don Coca, de Santo Domingo". Doña Petronila Coca era la dueña de la estancia Cañaboba, a la que se refiere Sánchez Valverde *(Idea del valor...* p. 43) con estas palabras: "Una sola hacienda, que está a las márgenes de Jayna, llamada Cañaboba, que hoy es de ningún producto, se conocía antiguamente con el nombre de la Urca;[2] porque su poseedor enviaba a Sevilla una todos los años con los frutos residuos que no había expendido en la capital"; y en nota de Fray Cipriano de Utrera se aclara que en esa hacienda "había por el 1780 dieciocho esclavos". (Utrera habla de la estancia, pero la calificación de "estancia" era inadecuada para una propiedad de esa categoría). Doña Petronila Coca, desde luego, debía ser la mujer, o la madre, de ese don Coca que en el 1789 era dueño de cuarenta leguas del país. La familia Coca se unió luego a la Rocha, descendientes de altos funcionarios. Los Rocha-Coca eran sucesores de Gonzalo Fernández de Oviedo (Utrera, *Revista de Indias,* XVII, 69-70 (julio-diciembre, 1957): 611), de manera que al terminar el siglo XVIII hallamos reunidos en nuestro país los altos linajes y el latifundio, los ingenios y la nobleza, tal como había

[2] Urca, cierto tipo de embarcación.

ocurrido en el siglo XVI. A través de todas las vicisitudes de la tierra y del pueblo, se mantenía vivo el concepto de la casta estrechamente vinculado al poder económico. La importancia social tenía grados, y el más alto era el de los latifundistas y los azucareros con orígenes nobles.

Muchos años después de haber pasado Dorvo Soulastre cerca de las tierras de ese "don Coca" dueño de cuarenta leguas del país, don Domingo Rocha, descendiente de "don Coca", fue alcalde de Santo Domingo bajo el gobierno de Boyer, y en 1848 fue nombrado por Santana ministro de Justicia, Instrucción Pública y Relaciones Exteriores (Ramón Marrero Aristy, *La República Dominicana*, vol. 1, p. 329) en 1871 figuraba entre los grandes terratenientes del país (conforme a la Comisión de Investigación de los EE. UU. en Santo Domingo en 1871, Prefacio y Notas de E. Rodríguez Demorizi, Editora Montalvo, 1960, pp. 469, 486) y era "dueño de un tercio –no diré un tercio, sino un sexto– de la tierra del extremo oriental de la isla". La posición de esas tierras indica que habían sido las mismas del "don Coca" mencionadas por Soulastre.

Toussaint L'Ouverture estuvo en Santo Domingo apenas dos meses, pues retornó a Haití en marzo; al marcharse dejó el gobierno de la antigua parte española en manos de su hermano Paul L'Ouverture –comandante general de la región del Sur, con asiento en Santo Domingo– y del general Pageot –con el mismo cargo para la región Norte, con asiento en Santiago–. Aunque a su paso por Santo Domingo Toussaint aplicó el principio de la libertad de los esclavos, que estaba aplicándose en Haití desde el año 1793, la verdad es, como afirma el padre Gabón (ob. cit, p. 152), que la situación de los esclavos no tuvo cambios apreciables, entre otras razones porque quedaron adscritos a las propiedades en que trabajaban, y Toussaint prohibió la venta de tierras sin previa autorización de los municipios a fin de evitar la división de las grandes fincas (Gabón, p. 153). Por otra parte, la esclavitud iba a ser repuesta en las posesiones francesas de las Antillas en mayo de 1802, de manera que cuando Ferrand vino a quedar gobernando en Santo Domingo a principios de 1804, ya la esclavitud había sido restablecida.

Así pues, el paso de Toussaint por Santo Domingo dejó intacta la organización social del país, por lo menos de hecho; y eso explica el comportamiento frente a Toussaint de los sectores dominantes en la vida del país. El gran jefe haitiano no puso en peligro los bienes de esos sectores. Al llegar a San Juan de la Maguana, de paso para la capital, L'Ouverture había lanzado una proclama en la que prometía seguridad y protección a las personas y a sus propiedades, y mantuvo su promesa *(il tint sa promesse.* Gabón, p. 152); las medidas que tomó mientras estuvo en Santo Domingo fueron de tipo superficial: reorganización de los municipios, apertura de algunos puertos al comercio exterior, reglamentación de los cortes de madera, estímulo a la producción. Pero sucedió que su ocupación de la antigua parte española de la isla, con la consecuente convocatoria para redactar una constitución para la isla, provocó la reacción de Napoleón Bonaparte, y la respuesta a esas demostraciones de poderío autónomo del jefe haitiano no se hizo esperar. Al comenzar el año de 1802, Víctor Manuel Leclerc, cuñado de Napoleón, llegaba a Samaná al frente de fuerzas poderosas de mar y tierra que tenían el encargo de aplastar a Toussaint a cualquier costo. La tempestad de la guerra iba a caer sobre la isla, y a causa de ella el pueblo dominicano iba a sufrir como nunca antes había sufrido en su historia.

La Revolución Haitiana es hasta ahora la más compleja de las revoluciones que se han producido en América en los tiempos modernos, y la única que fue simultáneamente una guerra social, de esclavos contra amos; una guerra racial, de negros contra blancos; una guerra civil, entre fuerzas de Toussaint y las de Rigaud, una guerra internacional, de franceses y haitianos contra españoles e ingleses, y por fin una guerra de liberación nacional, que culminó en la creación de la primera república negra del mundo.[3]

En la primera etapa, de 1789 a 1791, la lucha en Haití se limitó a los esfuerzos de la oligarquía esclavista blanca para tomar posiciones dentro de los organismos de poder revolucionario que se establecieron en Francia, a los esfuerzos de la oligarquía esclavista mulata para ser reconocida como su igual por los oligarcas blancos, a la lucha de los mulatos y los negros libres contra la oligarquía blanca, a la lucha de los llamados "pequeños blancos", que al fin se enfrentaron contra los dos bandos de la oligarquía. La segunda etapa, de 1791 a 1802, fue la de la sublevación de los esclavos, el reconocimiento de su libertad por parte de los representantes del gobierno francés, la guerra civil entre las fuerzas de Rigaud y las de Toussaint y el ascenso de éste a la jefatura de la revolución y de la isla; la tercera etapa, de 1802 a finales de 1803, fue la de la reacción francesa contra Toussaint y su régimen, la liquidación de Toussaint, la sublevación de sus tenientes encabezados por Dessalines, Cristóbal, Petión, y la aniquilación completa del poder de

---

[3] Para un tratamiento más amplio de la revolución haitiana, ver Juan Bosch, *De Cristóbal Colón a Fidel Castro.* (Madrid: Alfaguara, 1970, pp. 373-453.

Francia sobre Haití. El proceso duró en total catorce años, y al llegar al final la fabulosa riqueza de la antigua colonia de Francia había desaparecido de manera prácticamente total. Por ejemplo, en el año de 1791 Haití había exportado 702,277 quintales de azúcar blanco, en el 1801 exportó sólo 165 quintales y en el 1818 no llegó a 2; en el 1781 había exportado 931,175 quintales de azúcar negro (prieto); en el 1801 exportó 185,000 quintales y en el 1818 menos de 55,000; el índigo bajó de 9,300 quintales en 1791 a 8 en 1801 y a nada en 1818; en 1801 ya no se exportaron cueros, y en cambio se exportaban maderas de tinte, típica materia prima de poco rendimiento para el país.

La Revolución Haitiana, tanto en su aspecto limitado a Haití como en su aspecto de producto inmediato de la Revolución Francesa, fue influyendo sobre Santo Domingo en forma escalonada; al principio, sólo económicamente debido a la desorganización de la economía haitiana; después en el orden militar, al producirse en 1793 la guerra de Francia y España; luego, políticamente, cuando nuestro país fue legalmente incorporado a Francia mediante el Tratado de Basilea y cuando fue ocupado por Toussaint, a nombre de Francia, en enero de 1801. A partir de la llegada de la expedición francesa de Leclerc a la bahía de Samaná, esas influencias se acentuarían a causa de los acontecimientos que se desataron en Haití.

Leclerc arribó a Samaná el 29 de enero de 1802 –según algunos historiadores, el 2 de febrero–; y desde allí despachó buques y hombres a cada uno de los puertos principales de la isla. El comisario Kerverseau, general de Brigada, que había huido a Venezuela después del combate de Ñagá en enero de 1801, fue enviado con dos navíos y 500 hombres de infantería a tomar la ciudad de Santo Domingo, y aunque no pudo hacerlo en el primer intento, la tomó en el segundo con el auxilio de fuerzas dominicanas comandadas por don Juán Barón.

Para el mes de mayo los franceses dominaban toda la isla si bien en las montañas del Este de Haití quedaron algunos focos de resistencia. Toussaint fue hecho preso el 7 de junio; se le envió a Francia y murió preso en el castillo-fortaleza de Jou, en el departamento del Jura, el 7 de abril de 1803. Simultáneamente con la prisión de Toussaint llegó a Haití la noticia de que la esclavitud había sido restablecida en los territorios franceses de las Antillas. Los mejores tenientes de Toussaint, encabezados por Dessalines y Cristóbal, se levantaron en las montañas del Centro y del Este, y a poco todo Haití ardía al grito de Libertad o Muerte. Fue una guerra sin cuartel, en la que el vencido moría de la peor manera. Una epidemia de fiebre amarilla mató a millares de soldados franceses, y Leclerc, el cuñado de Napoleón, fue una de las víctimas de la enfermedad. Su sucesor, el general Rochambeau, desató sobre los esclavos una ola de terror que parecía la obra de un loco. En el mes de mayo de 1803 los ingleses reanudaban la guerra contra Francia y bloquearon los puertos de Haití. Francia quedó definitivamente derrotada en el mes de noviembre de ese año, cuando el general Rochambeau tuvo que capitular en la ciudad del Cabo frente a Dessalines. En menos de dos años los franceses habían perdido más de cincuenta mil hombres.

Fue en ese último episodio de la revolución haitiana cuando las plantaciones agrícolas de Haití, los ingenios de azúcar, los alambiques de aguardiente y ron, las fábricas de índigo, y las lujosas casas de los amos de esos espléndidos dominios, quedaron destruidos hasta los cimientos y las raíces. En la hora de su desesperación por reconquistar la libertad perdida, los esclavos de Haití no dejaron en pie nada que pudiera recordarles sus largos años de sumisión a los blancos y a los mulatos ricos.

Esa guerra no llegó al territorio dominicano. Dessalines y sus tenientes no tenían la visión de Toussaint. Si Toussaint hubiera vivido, habría dispuesto la extensión de las operaciones a la parte del Este, que era también territorio francés y donde había fuerzas francesas. Pero a pesar de la ocupación de 1801, los jefes de la guerra de 1803 no alcanzaron a comprender el alcance de la doctrina de Toussaint, para quien la isla era una e indivisible. Así, Dessalines y sus tenientes declararon el 1ro. de enero de 1804 el establecimiento de la República de Haití, pero no extendieron el poder de la República hacia el Este.

En el Este gobernaba Kerverseau, con asiento en la ciudad de Santo Domingo y con una fuerza francesa de seiscientos hombres; en Monte Cristi, guardando el paso hacia Santiago, se hallaba el general Louis Ferrand, al mando de cuatrocientos soldados. Esos mil hombres hubieran sido barridos fácilmente por los victoriosos haitianos. Pero éstos no se movieron; y así fue como la antigua Española quedó al comenzar el año de 1804 dividida en la República de Haití y la colonia francesa de Santo Domingo.

OCUPACIÓN MILITAR DEL PAÍS POR ESTADOS UNIDOS

Para que el lector se haga una idea del enorme atraso político en que vivía el pueblo dominicano reproduciré lo que acerca de las elecciones de 1914 dije en *Composición social dominicana* (Págs. 364-67), que fue lo siguiente:

> Cada mesa tenía urnas separadas por hileras de alambre de púas a fin de que en una votaran los bolos y en otra los horacistas. Los votantes de los dos partidos se insultaban entre sí, a través de la alambrada, y en algunos casos se combatieron a tiros. La votación duró tres días y durante ese tiempo se buscaba como aguja en pajar a cada votante y se le arrastraba a votar, si no quería hacerlo, o se le daba dinero, generalmente un "clavao", la moneda nacional que valía veinte centavos americanos. Los candidatos presidenciales eran los jefes de los dos partidos, don Juan Isidro Jimenes y don Horacio Vásquez. Jimenes resultó triunfador por unos trescientos votos en un total de unos ochenta mil.

Para 1914 la población dominicana debía ser de unas 600 mil personas de las cuales 150 mil serían votantes si se toma en cuenta que ni las mujeres ni los menores de 21 años eran votantes, de manera que si los votos fueron 80 mil los que no votaron fueron 70 mil. El bajo número de los que votaron se explica por el estado de aislamiento en que vivía una parte de la población

---

Las dictaduras dominicanas, 2a. ed. (Santo Domingo, R. D.: Alfa & Omega, 1989).

compuesta por campesinos que ocupaban lugares aislados del país. Jimenes comenzó a gobernar antes de que se cumpliera mes y medio del día en que terminaron las elecciones, y aunque sacó más votos que Horacio Vásquez, no sacó, sin embargo, una mayoría de diputados porque entre éstos *los bolos pata blanca* eran menos que *los pata prieta.*

Juan Isidro Jimenes era un comerciante, no un político; en su familia había varios activistas de la política tal como ésta se entendía en la República Dominicana, lo que significa que sólo eran activistas políticos los hombres de guerra como lo había sido el padre de Juan Isidro y lo era su sobrino Enrique Jimenes, y no lo eran si no sabían usar fusil, como era el caso de José Manuel Jimenes, el hijo del jefe de los *bolos pata blanca.* En el círculo familiar, Jimenes no hallaba en quien apoyarse, pero tampoco lo hallaba fuera de ese círculo porque sus seguidores estaban divididos y al mismo tiempo el gobierno de Estados Unidos le reclamaba con palabras amenazantes que redujera el número de soldados dominicanos y que colocara en la dirección de la recaudación de impuestos a un funcionario norteamericano que sería escogido por las autoridades de Washington, no las de la República Dominicana. Ese funcionario controlaría no sólo todas las actividades fiscales sino también todas las comunicaciones, incluyendo los teléfonos, y no podría ser destituido sin previa aprobación del Departamento de Estado.

Las presiones norteamericanas eran repudiadas por los legisladores a tal extremo que por el hecho de recibirlas Jimenes fue amenazado de ser llevado a juicio ante el Senado. Desiderio Arias había sido nombrado Ministro de la Guerra pero el desempeño de ese alto cargo no significaba que los diputados y senadores que lo tenían como jefe respaldaban al gobierno; al contrario: a esas alturas los *bolos pata prieta* eran tan antijimenistas como los rabuses. Para colmo de males, a mediados del año (1915) hubo levantamientos armados de rabuses en varios lugares del país y al mismo tiempo los círculos políticos fueron sacudidos por la noticia de que Haití había sido ocupado por tropas norteamericanas.

Cuando Ulises Heureaux tomó posesión de la presidencia de la República el país estaba iniciando la etapa capitalista de su historia, y para afirmar el desarrollo de esa primera etapa era indispensable que en la jefatura del Estado se concentrara una autoridad capaz de mantener en actividad los privilegios que para los capitalistas son propios de esa etapa. Los resultados de tales privilegios fueron los que Carlos Marx calificó de acumulación originaria. Un tercio de siglo después, quien encabezaba el gobierno no era

Ulises Heureaux; era Juan Isidro Jimenes, comerciante afortunado que llevó a cabo negocios no sólo en el país sino también en Europa, pero carecía de las condiciones políticas indispensables para gobernar un país que en pleno siglo XX se hallaba iniciando la primera etapa del capitalismo, y que, para colmo de males, estaba geográficamente situado en la zona de expansión de un país capitalista altamente desarrollado que desde hacía más de un cuarto de siglo se había lanzado a una frenética carrera imperialista.

Tres meses después de haber ocupado Haití, el gobierno del presidente norteamericano llamado Woodrow Wilson, elegido por el Partido Demócrata, le exigía al de la República Dominicana disolver el ejército para que lo sustituyera uno que debería ser organizado por oficiales estadounidenses nombrados por las autoridades de Washington. Ante una política imperialista tan brutal como la que estaba aplicándosele a nuestro país ninguno de los líderes nacionales sabía cómo reaccionar; lo que provocaban las demandas del gobierno norteamericano era desaliento en unos y actitudes de violencia contra el de Jimenes en otros. Esto último fue lo que hizo Desiderio Arias, que en su condición de Ministro de la Guerra se hizo fuerte en la Fortaleza de Santo Domingo cuando el presidente Jimenes, presionado por miembros de su familia, destituyó al comandante de Armas y al jefe de la Guardia Republicana de la capital, dos *bolos pata prieta;* al mismo tiempo, los legisladores *pata prieta,* con el apoyo de miembros del Congreso de otros partidos, acusaron a Jimenes de haber violado la Constitución y acordaron someterlo a un juicio a lo que Jimenes respondió negándose a presentarse ante sus acusadores.

Estos hechos se daban a mediados de abril de 1916, y desde hacía algún tiempo el presidente Jimenes se hallaba viviendo en Cambelén, lugar que estaba a unos veinte kilómetros de Santo Domingo; pero en vista de la crisis política que desató la rebelión de Desiderio Arias y sus seguidores *pata prieta,* Jimenes marchó sobre la capital con unos mil quinientos hombres que logró reunir entre *bolos pata blanca* y rabuses que repudiaban a Arias. Tal parece que ni Jimenes ni ninguno de los líderes o jefes políticos se habían dado cuenta de que en las aguas cercanas merodeaban navíos de guerra norteamericanos puesto que cuando llegaba a San Gerónimo el presidente Jimenes se dio con una fuerza de infantería de la Marina de Guerra estadounidense que le impidió seguir su marcha hacia Santo Domingo y su jefe le hizo saber que esa fuerza había desembarcado para impedir un encuentro entre la columna que llevaba Jimenes y la Guardia Republicana de la Fortaleza de la Capital, y además para darle apoyo al gobierno que presidía Jimenes, a lo que éste respondió diciendo que la ayuda que necesitaba consistía en armas y municiones, que el gobierno dominicano pagaría. La demanda de Jimenes no fue aceptada y el 7 de mayo Jimenes renunció a la presidencia de la República y el país pasó a ser ocupado por fuerzas militares de Estados Unidos.

El Estado llamado República Dominicana, que había sido desmantelado cuando cumplía 17 años para dejar convertidos su territorio y su población en provincia del Imperio Español, fue restablecido en 1865 con la Guerra de la Restauración al costo de muchas vidas, de la destrucción total, mediante el fuego, de las ciudades de Santiago y Puerto Plata, que eran entonces las más importantes del país, pero iba a quedar desmantelado de nuevo medio siglo después cuando el 29 de noviembre de 1916 el capitán de la Marina de Guerra norteamericana H. S. Knapp declaró, con una proclama escrita en inglés, "que la República Dominicana queda por la presente puesta en estado de ocupación militar por las fuerzas bajo mi mando, y queda sometida al Gobierno Militar y al ejercicio de la Ley Militar" sin especificar que esa Ley Militar era la de Estados Unidos, e inmediatamente, el mismo día el capitán Knapp declaraba que se prohibía "a todo individuo y a toda organización, con excepción de las Fuerzas de la ocupación, el porte de armas de fuego o el tenerlas en posesión, lo mismo que las municiones para ellas y toda clase de explosivos", y en un lenguaje que denunciaba el hecho de que igual que la proclama de ocupación esa orden había sido redactada en inglés, en ella se decía: "Personas en conocimiento de estas órdenes, y a sabiendas violándolas serán expuestas al castigo por el Gobierno Militar".

El argumento usado para suprimir el Estado dominicano fue la violación, por parte de varios gobiernos de nuestro país, de la convención que Estados Unidos y la República Dominicana habían acordado y firmado el 8 de febrero de 1907. La violación consistía en no haberle dado cumplimiento al artículo III, según el cual la deuda pública dominicana no podía ser aumentada "sino mediante un acuerdo previo entre el Gobierno Dominicano y los Estados Unidos", y cuantas veces fue violada "El Gobierno Dominicano... ha dado como explicación de dicha violación la necesidad de incurrir en gastos extraordinarios incidentales a la supresión de las revoluciones", palabras con las cuales se pone en evidencia que el gobierno de Estados Unidos ocupó militarmente nuestro país por razones económicas, entre las cuales la decisiva fue, como lo indica el curso que siguieron las inversiones de capitalistas norteamericanos hechas en los años posteriores a 1916, disponer de tierras buenas y mano de obra barata para producir azúcar. Lo que se acaba de decir queda confirmado por el hecho de que dos meses después de haber proclamado la ocupación el capitán Knapp modificaba con su Orden Ejecutiva número 27 la "interpretación, en la redacción del Artículo 1ro. de la Ley dada el 14 de diciembre de 1915 por el Congreso Dominicano prorrogando el período en el cual los propietarios de terrenos deben inscribir sus títulos en la forma prescrita por la Ley de inscripción de la Propiedad Territorial", y el 12 de abril de 1917, antes de que se cumplieran tres meses de haber firmado la Orden Ejecutiva número 27, ponía en vigor la número 48 en la cual se decía que: "Para facilitar el muy importante trabajo del registro de títulos, de acuerdo con la Ley de Inscripción de la Propiedad Territorial, según fue aprobada por el Congreso Dominicano el 14 de diciembre de 1915, (a) los dueños de terrenos que a la fecha no hayan remitido sus títulos para ser registrados, se les ordena por la presente hacerlo lo más pronto posible".

Cinco días antes el capitán Knapp había dispuesto la formación de la Guardia Nacional Dominicana.

ENSAYOS SOCIO-POLÍTICOS

NO SIEMPRE LA CLASE DOMINANTE ES LA GOBERNANTE

Una clase dominante puede convertirse en clase gobernante pero conviene aclarar que si bien a menudo una clase dominante pasa a ocupar los puestos más importantes del aparato del estado, eso no es suficiente para que pueda decirse de ella que ha pasado a ser una clase gobernante. Una clase dominante se convierte en clase gobernante cuando el país en que esa clase actúa ha llegado a un punto tal en el desarrollo de la división social del trabajo que miembros de esa clase, ideológicamente hablando, han formado un equipo humano suficiente para cubrir todos los puestos de dirección que hay en el aparato del Estado y cualitativamente capaz de conocer en todos sus matices cómo debe funcionar ese aparato en sus dos aspectos, de fondo y forma.

Para apreciar con hechos que están a la vista de todos los dominicanos la razón de lo que acabamos de decir, veamos qué sucede en nuestro país. Es evidente que en la República Dominicana hay una clase que domina la economía y gracias a ese dominio domina también el aparato del Estado, ¿pero es acaso esa clase dominante una clase gobernante?

Clases sociales en la República Dominicana. 7a. ed. (Santo Domingo, R. D.: Editora Corripio, 1992).

No lo es, y a simple vista tenemos muchas demostraciones de que no lo es. Por ejemplo, el Secretario de Estado –ministro en otros países– de Industria y Comercio del gobierno actual es un comerciante e industrial que también es terrateniente, pero su antecesor era un conocido industrial y el antecesor del último era un empresario de transporte marítimo y socio de una industria alcoholera; y si eso fuera poco, el propio jefe del Estado es un capitalista terrateniente que ha hecho una fortuna en esa actividad. Hay otros ejemplos, pero no queremos recargar estas líneas con casos de altos funcionarios del Estado que nunca han hecho vida pública o la han hecho de manera circunstancial y no como actividad de primera importancia para ellos. Vamos a ceñirnos por ahora a casos recientes, como el discurso leído el 16 de este mes de agosto (de 1980) por el señor Presidente de la República, cuyo antepenúltimo párrafo decía así:

> Propicia es la ocasión para enviar un mensaje de aliento y de esperanzas a los hombres y mujeres del Partido Revolucionario Dominicano. La historia del Perredeísmo ha sido rica en hazañas portentosas, pero todo eso se ha logrado gracias a la unidad indestructible que hemos exhibido. Por eso, aprovecho este momento para hacer un llamado a la Unidad y la Concordia en nuestras filas. El Pueblo, Supremo Juez de nuestras acciones políticas, espera y ansía esa unión que debe extenderse desde el Partido hasta el Gobierno. Sin ella, sería difícil que el país continúe disfrutando de las ventajas de un Gobierno inspirado en los principios fundamentales del Perredeísmo: Justicia social, soberanía nacional, libertad y democracia.[1]

En el discurso en que dijo esas palabras el presidente Guzmán estaba refiriéndose a cuestiones de Estado porque hablaba como jefe del Estado, desde el Palacio Nacional y con motivo de la fecha patriótica, nada menos que el 117 aniversario del inicio de la guerra que hizo el pueblo dominicano contra España para restaurar la República. Para el pueblo, el señor presidente puede ser un miembro importante del PRD pero para el Estado él es únicamente su jefe, el jefe del gobierno y del poder ejecutivo, y en el

---

[1] Las mayúsculas que aparecen en el texto de ese párrafo del discurso del presidente Guzmán aparecieron así en la publicación que hicieron todos los periódicos del día 17 de agosto (1980).

desempeño de esas funciones no puede hablar del PRD como si éste fuera parte del aparato del Estado.

¿Por qué razón el presidente Guzmán mezcla los asuntos de Estado con los políticos privativos de un partido, sea el que fuera, que no tiene participación en las estructuras estatales?

Los mezcla porque aunque él es miembro y a la vez representante dentro del aparato del Estado de la clase dominante del país, no conoce qué diferencia hay entre el Estado y el Partido Revolucionario Dominicano porque los que componen la clase dominante nacional no han pasado de ser eso: miembros de la clase dominante. No son miembros de una clase gobernante debido a que el país no ha producido aún los representantes políticos de la clase dominante, esto es, los que manejan en representación y para el beneficio de esa clase el aparato del Estado, o para decirlo de otro modo, los especialistas de la ciencia y el arte de gobernar.

En otra fecha patriótica –el 27 de febrero de 1978– otro jefe del Estado –el Dr. Joaquín Balaguer– interrumpió su discurso para que se oyera en una cinta magnetofónica lo que había dicho poco antes en un mitin el líder del Partido Revolucionario Dominicano, o lo que es lo mismo, el Dr. Balaguer convirtió un discurso de Estado en una pieza de propaganda electoral antiperredeísta. Dado el tiempo que el Dr. Balaguer ha dedicado a la política se supone que debía conocer la diferencia que hay entre un discurso partidista dicho para conseguir voto, y uno del jefe del Estado dicho para cumplir con obligaciones ineludibles de un estadista, pero tanto el Dr. Balaguer como Antonio Guzmán han actuado en una sociedad en la que la clase dominante no ha pasado a ser aún clase gobernante si bien por su larga práctica como funcionario del aparato del Estado el Dr. Balaguer conoce mejor que el presidente Guzmán el complicado mecanismo de ese aparato aunque nunca alcanzara a darse cuenta de que entre el estado y las actividades partidistas o de otra índole hay deslindes que no pueden ignorarse. Ejemplo de lo que acabamos de decir era la exhibición anual, o casi anual, de modelos de trajes que hacía Oscar de la Renta en el salón de actos del Palacio Nacional, que debido a que es un lugar destinado a actos de Estado no puede ser usado en provecho de una empresa privada.

El caso de una clase dominante que no ha pasado a ser clase gobernante no es peculiar de la República Dominicana. Durante algunos siglos la burguesía fue dominante desde el punto de vista de la economía en varios países de Europa, pero tardó mucho tiempo para convertirse en clase gobernante. El más notable de los ejemplos de una clase dominante europea que tardó en pasar a ser clase gobernante es el de la burguesía francesa, que sólo pasó a clase gobernante después de la que Engels llamó la Gran Revolución, y no inmediatamente después de los sucesos de 1789, pues durante varios años fue sustituida en el dominio del aparato del Estado por Napoleón Bonaparte. Antes de 1789, la burguesía francesa tenía el dominio económico del país, pero la existencia de una nobleza feudal terrateniente que tenía el dominio social e ideológico obligó a esa burguesía a aceptar que el control del aparato del Estado estuviera en manos de una cadena de reyes absolutos. Esos reyes favorecían económicamente a los burgueses pero retenían la autoridad que les proporcionaba ese control del Estado que se resume en la monopolización de la violencia organizada de la sociedad.

Un caso que llama la atención es el de Estados Unidos, del cual dijeron Marx y Engels (en Feuerbach: *Oposición entre las concepciones materialistas e idealistas)* que era "el ejemplo más acabado de Estado moderno". Aunque la independencia norteamericana fue declarada en 1776, el primer jefe de Estado del país vino a aparecer en el 1789, cuando ya había sido redactada y aprobada la Constitución, y desde el primer momento el gobierno de George Washington funcionó de tal manera que nadie puede poner en duda que para entonces ya había en los Estados Unidos una clase gobernante.

¿Cómo explicar la existencia de una clase gobernante norteamericana en época tan temprana? ¿Dónde y cómo se había formado?

Se había formado mientras el país era territorio inglés y su sociedad se hallaba gobernada por funcionarios del estado inglés, al frente del cual había una clase gobernante bien adiestrada en el manejo del aparato de ese estado que ejercía su poder desde la India hasta América pasando por Europa. Hay constancia histórica de que Washington pasó largos meses redactando él mismo y muy cuidadosamente el protocolo que debía regir los movimientos y los hechos de todos los funcionarios públicos de los Estados Unidos. El protocolo de la monarquía inglesa era, naturalmente, apropiado a una corte real; pero los ingleses que fundaron las colonias americanas que iban a formar los Estados Unidos salieron de Inglaterra porque eran ideológicamente burgueses, de manera que tenían una posición ideológica firme desde antes de establecerse en su nuevo país, y además, aunque siguiera siendo una monarquía, Inglaterra había pasado a ser una sociedad capitalista desde el siglo XVII, más de cien años antes que Francia; y esa sociedad burguesa inglesa estuvo gobernando en sus colonias inglesas de América del Norte hasta 1776, o sea, hasta trece años antes de la Revolución Francesa. Así pues, la clase dominante norteamericana que hizo la guerra de independencia contra el poder inglés tenía para 1789 las condiciones necesarias para pasar a ser, como efectivamente sucedió, una clase gobernante.

[Al llegar a este punto me veo en el caso de introducir unos párrafos que no figuraron en el original de este artículo porque debo aclarar que la composición social norteamericana tuvo cambios apreciables al ritmo a que iba desarrollándose en Estados Unidos el capitalismo moderno, lo que coincidía con la llegada al país de millones de emigrantes europeos. La asociación de comerciantes y terratenientes que formaba la clase dominante en los últimos treinta años del siglo XVIII no lo era ya en 1820, cuando las luchas entre los esclavistas del Sur y los antiesclavistas del Norte parecían haber llegado a un remanso con el Compromiso de Missouri. La actitud contraria a la oligarquía esclavista del Sur, que iba a llegar a su más alta expresión al estallar en 1861 la Guerra de Secesión, fue fortaleciéndose al mismo tiempo que el desarrollo capitalista se demostraba con la rápida expansión de los ferrocarriles y se daban los primeros movimientos de huelga, como la del 8 de julio de 1842, llevada a cabo en una mina de carbón, datos que nos indican claramente que una oleada de capitalistas industriales había pasado, o estaba pasando a ocupar el lugar de la asociación de comerciantes y terratenientes que habían formado la clase dominante del país en los últimos años de la colonia y los primeros de la República.

La violencia del desarrollo capitalista era de tal magnitud que grandes cantidades de personas pasaban, a menudo casi de manera improvisada, de la pequeña burguesía a la burguesía, y en los niveles de la burguesía el paso de ricos a muy ricos era común. Esos traslados sociales se expresaban en el orden político por medio de la formación de grupos y partidos. El panorama de la movilización social era tan fácil de apreciar desde lejos que en *El deciocho brumario de Luis Bonaparte* Marx lo comentó diciendo que en los Estados Unidos, "si bien existen ya clases, éstas no se han plasmado todavía, sino que cambian constantemente y se ceden unas a otras sus partes integrantes, en movimiento continuo" (24 de agosto, 1982.)]

Al tomar el poder, el proletariado se convirtió en clase dominante en Rusia, China, Yugoeslavia, Cuba, pero no podía pasar a ser clase gobernante debido a que era imposible que de las fábricas de esos países salieran obreros especializados en la ciencia y el arte de gobernar, y mientras no se convirtiera en clase gobernante, el proletariado tenía que ser sustituido en el poder por hombres como Stalin en Rusia, Mao en China, Tito en Yugoeslavia, Fidel Castro en Cuba, y con ellos equipos humanos formados generalmente por intelectuales pequeño burgueses y hasta algún que otro burgués revolucionario. Fue después de la muerte de Stalin, y aun diríamos que después de la caída de Kruschev cuando el proletariado pasó a ser clase gobernante en la antigua Rusia, que a su vez había pasado a ser la Unión Soviética.

En un país como la República Dominicana –ya lo hemos dicho– la burguesía, que es económicamente dominante, no podrá convertirse en clase gobernante mientras no pasen a tener una ideología política burguesa todos los sectores de esa clase dominante, desde los que estén en las alturas del aparato del estado hasta los que cumplan funciones de policías y de guardias rasos.

5 de agosto de 1980

PÓKER DE ESPANTO EN EL CARIBE

INTRODUCCIÓN

La zona del Caribe viene padeciendo tiranías desde hace tanto tiempo que la opinión general entiende ya que siempre las ha tenido. Se olvida que en el Caribe hay países que nunca han sufrido tiranos, como Costa Rica, o que durante mucho tiempo vivieron en democracia política, como Colombia.

Ahora bien, ¿a qué se debe que Costa Rica no haya padecido los males de una dictadura, siendo así que su vecina Nicaragua, por ejemplo, recuerda épocas tan sombrías como la de Zelaya, y vive desde hace más de veinte años al capricho de Anastasio Somoza? ¿A qué se debe, en el caso contrario, que un pueblo de alma tan libre como Cuba tenga que avergonzarse de la dictadura de Fulgencio Batista; o que un pueblo tan viril como el de Venezuela se halle maniatado por un régimen de gobierno tan despiadado como el que encabezan Marcos Pérez Jiménez y Pedro Estrada?

No es posible argüir –como a menudo ha oído el autor de este libro– que la mescolanza racial del Caribe origina las enfermedades políticas que culminan en tiranías. Hay quien haya pensado así alegando que si Costa Rica se ha salvado de esos males se ha debido a que su población es preponderantemente blanca, sobre todo en la Meseta Central, asiento de

---

Escrito en 1955. Tras sucesivas pérdidas de los originales, fue publicado en 1988. 3a. ed. (Santo Domingo, R. D.: Alfa & Omega, 1990).

los poderes públicos y región que hasta hace pocos años estaba cerrada al acceso de los negros. Alemania es un país de raza tan blanca, por lo menos, como Costa Rica, y ya se sabe qué clase de dictadura produjo entre 1933 y 1945.

Tampoco puede afirmarse que la pobreza de los pueblos caribes ha sido causa fundamental en esa proliferación de tiranías; y ningún ejemplo sirve mejor para el caso que el mismo de Costa Rica, país más pobre que muchos de sus vecinos del Caribe, mientras que en el polo opuesto podemos escoger como países ricos a Cuba y a Venezuela, ambos aquejados del mal.

El argumento que mayor apariencia de bondad tendría sería el de que los pueblos del Caribe padecen de malestar político debido a su escasa cultura general; y en ese caso valdría el ejemplo de la propia Costa Rica, el único en toda la zona –y seguramente en todo el continente, incluyendo a Estados Unidos– que tiene más escuelas que soldados. (Adviértase que decimos "más escuelas" no más maestros, pues el número de maestros es varias veces mayor que el de escuelas en esa pequeña y admirable tierra, y por tanto varias veces mayor, también, que el de soldados). Pero es que si acudimos a casos alejados de la región hallamos que en Inglaterra no había hace un siglo más alfabetos que en la Cuba actual o que en la República Dominicana, en términos relativos, claro; sin embargo, en Inglaterra había entonces democracia política.

En los últimos tiempos se ha propagado mucho la tesis de que el imperialismo es el responsable de que el Caribe se encuentre apestado de tiranías. Mas he aquí que las agresiones políticas y armadas de los Estados Unidos en esa zona no toman cuerpo sino a partir de 1898, y ya a esa época los pueblos caribes conocían despotismos tan prolongados y tan crueles como los regímenes del indio Carrera en Guatemala o de Ulises Heureaux en Santo Domingo, o como el de Henri Cristophe en Haití y el de Guzmán Blanco en Venezuela.

Un análisis exhaustivo de las causas que producen las tiranías en el Caribe aconseja dejar a un lado la costumbre de buscar la razón única. Hay muchas razones entrelazadas. Lo que sí aparece claro a los ojos del estudio es que las tiranías del Caribe se producen por ciclos, y cada ciclo corresponde al momento en que debe producirse un cambio en la estructura social.

A menudo ese cambio está determinado por fenómenos estrictamente nacionales y agravado por otros de origen internacional; a menudo lo internacional predomina sobre lo nacional y produce el desequilibrio que se resuelve en una tiranía.

En cuanto a la tiranía en sí misma, sus caracteres están determinados por el perfil moral del tirano y por el genio nacional del pueblo que la sufre. Pero hay en los últimos tiempos una tendencia a igualarlas en ciertos aspectos, por ejemplo en el uso del terror y de la corrupción como medios de prolongarlas, y en el uso de ficciones legales para justificarlas.

La efectividad del terror es producto, desde luego, de la técnica actual. Se objetará que los despotismos del pasado no dispusieron de esta técnica y sin embargo usaron el terror como medio de mantenerse en el poder. Pero es que en el siglo pasado, y aun a principios del actual, los pueblos no tenían la cultura política que tienen hoy ni el complejo social se parecía al de ahora; así, en poblaciones escasas, de vida colonial, puramente agrícola y pastoriles, cuyos núcleos más potentes eran los comerciales, la prisión o la muerte de unos cuantos personajes importantes dejaba a los pueblos paralizados. Ahora, en cambio, los líderes surgen de zonas sociales diversas; del estudiantado, del proletariado, de la pequeña burguesía, todas las cuales pueden ser mejor vigiladas gracias a los medios actuales –el teléfono, la radio, el automóvil y hasta el avión, que son parte importante en la organización de un Estado– y sus movimientos pueden ser impedidos con rapidez. El uso a fondo de las armas modernas siembra el terror en el pueblo, y el terror permite convertir al Estado en una inagotable fuente de recursos con los cuales se compran más armas y hombres suficientes para seguir manteniendo en constante crecimiento aquel terror. En suma, una serpiente que se muerde la cola.

En el siglo pasado, con medios de comunicación primitivos y armamentos que no superaban a los que sus enemigos podían adquirir, las tiranías americanas tenían que fundamentarse en un aspecto ideológico; y ya eran los ultramontanos los que se reservaban el poder para sí, ya eran los liberales en lucha contra aquellos. Pero cuando fueron apareciendo mayores facilidades para el movimiento de las tropas y para la adquisición de equipos militares, a la vez que se les hacía cada vez más difícil a grupos no gubernamentales conseguir ayuda en armas, los ejércitos fueron convirtiéndose en fuentes casi absolutas del poder.

Eso explica que las tiranías actuales –y recordamos que estamos refiriéndonos a las del Caribe– descansen sobre todo en sus ejércitos. Los cuatro regímenes despóticos que está sufriendo esa región se asemejan en el hecho de que en todos ellos el ejército es un partido que ha conquistado el poder gracias al predominio de las armas. El fusil ha suplantado al voto, la bala a la idea; y el resultado lógico ha sido el reino del terror en la República Dominicana y en Nicaragua, en Venezuela y en Cuba.

Pero con el solo terror no se gobierna, y los tiranos del Caribe lo saben. El terror es útil para paralizar a la generalidad del pueblo; ahora bien, hay pequeñas zonas de la población, y muchas del exterior, inmunes al terror o tan alejadas de su centro de acción que no pueden ser alcanzadas por él. Esas zonas son habitualmente ganadas con prebendas; y ahí entra en juego el poder corruptor de las tiranías. En un estudio serio sobre los orígenes de las tiranías del Caribe y sobre las causas de su prolongación hay que dedicar bastante espacio a la corrupción, porque a veces su papel y su juego son tan complicados que a los ojos de muchos observadores pueden verse confundidos los orígenes con los resultados, y viceversa. Por ejemplo, en ciertos casos se advierte con toda claridad el papel de los empresarios extranjeros y de la política exterior norteamericana en la aparición de una dictadura del Caribe; pero en otros es la dictadura la que compra el respaldo de Washington mediante prebendas y uso de todos los medios corruptores.

Cuando Fulgencio Batista instauró su primera dictadura, en 1934, lo hizo siguiendo al pie de la letra las instrucciones que le transmitió un diplomático norteamericano, Jefferson Caffery, y de ello hay constancia histórica. Pero al hacerlo la segunda vez, en 1952, no contaba –hasta donde se sepa– con insinuación ni con ayuda de Washington; la ayuda fue a buscarla después de haber tomado el poder por medios ilícitos.

Fulgencio Batista surgió como caudillo militar de Cuba en septiembre de 1933 sin tomar en cuenta a Washington; cuatro meses después los grandes intereses azucareros lo habían corrompido, gracias a la presión política, y lo habían ganado para su causa. Pero ése no fue el caso de Anastasio Somoza, deliberadamente escogido por los norteamericanos para que ejerciera la tiranía en Nicaragua y librara a ese país de Sandino y de sus seguidores.

Anastasio Somoza complació a sus verdaderos electores –que no fueron los nicaragüenses sino los capitostes de Washington–, pero se excedió en los métodos a extremos tales que se declaró públicamente, en un banquete, asesino del heroico paladín de su patria. Es sabido que la muerte de Sandino llegó a convertirse en una mancha demasiado negra en la Política del Buen Vecino, razón por la cual resultó aconsejable retirarle a Somoza la simpatía oficial norteamericana. Harry S. Truman se negó a recibirle en la Casa Blanca; pero cuando el gobierno republicano de Eisenhower consideró necesario borrar del mapa de Centroamérica el régimen de Arbenz, Somoza resultó de nuevo el agente idóneo para la política norteamericana en el Caribe, y en sus propias fincas se entrenaron algunas de las fuerzas de Castillo Armas. Mientras no volvió a favorecerle el respaldo de Washington, Somoza utilizó ampliamente la corrupción como sistema de gobierno en Nicaragua, y es del caso admitir que en ese lapso usó más de la corrupción que del terror.

Ahora bien, hasta en el grado de terror o de corrupción a emplearse hay diferencias de una a otra tiranía. No proceden en igual forma Pérez Jiménez y Batista o Trujillo y Somoza. En su oportunidad estudiaremos los procedimientos de cada uno y las causas de sus diferencias. En cambio se parecen bastante en su afán de darles vestiduras legales a sus regímenes.

Es evidente que ha sido inclinación natural de todos los tiranos presentarse al mundo con ficción legal. En la República Dominicana se recuerda, el oficio con que cierto gobernador de provincias enviaba a la capital del país a un número de reclutados para el ejército: "Ahí le mando treinta voluntarios. Hágame el favor de devolverme las sogas". Hasta Lope de Aguirre, el demente "Príncipe de la República Marañona", trató de justificar su conducta en su conocida carta a Felipe II.

Como los "voluntarios" del gobernador dominicano son muchos de los "partidarios" de las tiranías, sea que acudan a votar donde se les diga y cuando se les ordene, sea que aparezcan firmando documentos privados o públicos; y como la carta de Lope de Aguirre son las declaraciones de "demócratas" con que los dictadores se autodenominan. Ninguno de ellos es capaz de tomar el poder y conservarlo virilmente, afirmando que lo ha tomado porque ha querido y que lo mantiene porque es su santa voluntad. Al contrario, todos afirman que el poder les ha sido entregado por los pueblos, que hacen sacrificio de su tranquilidad y casi de su vida para servir la voluntad popular y, además, que son fanáticos de la democracia.

Pero el afán de justificar sus actos no termina ahí; los tiranos quieren legalizar sus desmanes, y para el caso tienen congresos a sus órdenes y enmiendan las respectivas constituciones cuantas veces necesitan hacerlo. Las cuatro tiranías actuales del Caribe son extrañamente parecidas en eso; ninguna de las cuatro ha dejado de celebrar elecciones a su medida o de tener su Constitución privada. El historiador del porvenir no necesitará ser muy sagaz para hallar en ese aspecto de su conducta la prueba de que el póker de espanto del Caribe –Trujillo, Somoza, Pérez Jiménez y Batista– está compuesto por cuatro cartas similares; se parecen en que tienen conciencia de sus pecados; saben que sus actos son delictuosos y necesitan aparecer ante sus pueblos, ante el mundo y ante la historia como si fueran líderes auténticos y no vulgares usurpadores.

Pero hay algo más en este afán de legalización de las tiranías caribes. Nótese que ninguna de ellas se atreve a dictar una Constitución en que se establezca como sistema de gobierno el que en verdad ellos ejecutan. Esas Constituciones de las tiranías abundan en reconocimiento de derechos populares, en garantías de libertades y de dignidad humana. La ficción legal no tiene nada que ver con la realidad. Hay una vida en el papel y otra en los hechos. Las tiranías del Caribe son regímenes que temen a la verdad y viven en un ambiente de perpetuo engaño. Eso denuncia la naturaleza de quienes las encabezan. También en esto hay diferencias; por ejemplo, Somoza resulta más viril que Trujillo, cosa que se advierte en que pone menos interés que su colega dominicano en engañar a la posteridad; Somoza se reconoció públicamente asesino de Sandino, y eso jamás lo habría hecho Trujillo. En casos similares Trujillo inventa al autor del crimen y le aplica la ley de fuga antes de que pueda hablar.

En el sexto párrafo de esta introducción hemos dicho que las tiranías del Caribe se producen por ciclos, y que cada ciclo corresponde al momento en que debe producirse un cambio en la estructura social. A fin de que al adelantar en el estudio de cada tiranía en particular, el lector tenga una idea general del panorama del Caribe en lo que se refiere a esos ciclos, llamamos su atención sobre los siguientes hechos:

En 1930 se presentó uno de esos momentos. Sin duda la causa más fuerte de la conmoción que entonces removió a toda América y en particular al Caribe, fue la gran crisis económica de 1929; pero es de advertir que al confirmarse en apariencia la buena situación económica, en 1928, se inició la agitación de los pueblos, que aspiraban a participar del bienestar general. En Venezuela, donde para la época llevaba ya veinte años de duración la tiranía de Juan Vicente Gómez, el movimiento popular en demanda de libertades públicas estalló en abril de 1928; ese mismo año vio la expulsión de varios estudiantes de la Universidad de La Habana, la prolongación presidencial de Gerardo Machado en Cuba y la de Horacio Vásquez en Santo Domingo. En 1930 las masas del Caribe comenzaron a hacer acto de presencia en el escenario político; querían más libertades y mejor vida. Inmediatamente empezó la lucha entre esos pueblos y sus explotadores. En Colombia alcanzaron el poder los liberales; en Cuba acabó triunfando el pueblo al cabo de tres años de incesante batallar; pero en otros países las masas fueron vencidas por sus enemigos. El resultado fue el surgimiento de tiranías en la República Dominicana, en Guatemala, en Honduras, en El Salvador, en Nicaragua, y el fortalecimiento de la de Venezuela.

Hacia 1944, como fruto lógico de las contradicciones económicas y políticas originadas por la guerra mundial, se presentó otro de esos momentos. Esta vez los pueblos barrieron con casi todos los dictadores o con los residuos de tiranías, con la excepción de Trujillo y de Somoza y con la pérdida lamentable de la democracia colombiana, único lugar donde el pueblo perdió francamente la batalla. Entre 1944 y 1948 Trujillo y Somoza se vieron muy asediados, ya por movimientos domésticos, ya por la presión externa.

La agitación producida por los problemas económicos y políticos de la postguerra revolvió de nuevo las aguas en el Caribe. En líneas generales, los pueblos habían conquistado libertades y bienestar a partir de 1944, y una vez eliminados los obstáculos internacionales que limitaban la acción de los grupos gobernantes –pues hubiera sido muy osado imitar a Hitler en lo mejor de la guerra, apretando tuercas o fomentando regímenes como el nazi en pleno mar Caribe–, esos grupos volvieron por sus fueros y trataron de arrebatar a las grandes masas los beneficios que éstas habían conquistado. En algunos casos la batalla fue ganada por los pueblos, como en Costa Rica, Honduras y en cierto sentido en El Salvador; en otros fue perdida por ellos, como en Venezuela y en Cuba, donde al fin acabaron instaurándose tiranías. En la propia Nicaragua, aún bajo el poder de Somoza, hubo cambios apreciables en la situación, que permitieron la edición de periódicos opositores y cierta libertad de crítica en el Congreso. En la República Dominicana los cambios fueron sólo aparentes; en vez de reelegirse en su propia persona, Rafael Trujillo lo hizo en la de su hermano menor.

Sería errado creer que debido a que las causas de esos grandes movimientos fueron comunes, la lucha tuvo caracteres comunes. En cada país, se ha visto, hubo resultados sui géneris; en unos vencieron los pueblos, en otros fueron derrotados. ¿Por qué? Porque en unos hubo lo que podríamos llamar salud política y social suficiente para sobreponerse a la crisis y vencer; y en otros no. En unos eran más débiles las fuerzas de la reacción, y en otros más fuertes. En unos no había dictaduras que debilitaran el organismo nacional o injerencias extrañas tan abiertas como en otros. Unos tuvieron la energía necesaria para dar de su seno líderes capaces y honestos; otros no. En unos, aquellos que debían defender las libertades públicas se replegaron; en otros, atacaron.

En cada caso la lucha tomó los caracteres impuestos por la tradición nacional y por las posibilidades del medio. Por ejemplo, en Cuba tuvo buen éxito el terrorismo del pueblo contra la tiranía, y fracasaron los movimientos revolucionarios en campo abierto; pero en Costa Rica fracasó el terrorismo y triunfó la revolución de batallas campales acaudillada por José Figueres. En Guatemala y en El Salvador resultaron victoriosas las pobladas sin armas contra Ubico y Hernández Martínez, que habían fracasado en Venezuela contra Gómez y López Contreras y que fracasaron en Nicaragua y Honduras contra Somoza y Carias. En Cuba fue derrotado el batistato con votos en 1944, y en Venezuela Medina Angarita gracias a una sublevación mixta de soldados y pueblos en 1945.

Pretender hallar los orígenes de las tiranías del Caribe en una sola causa es aventurado y puede inducir a errores; en igual sentido pretender juzgar los movimientos que a ellas se enfrentan por uno de sus matices comunes es mal procedimiento. Cada una tiene caracteres propios, si bien todas tienen algunos semejantes. Eso es lo que vamos a ver en las páginas de *Póker de espanto en el Caribe.*

Antes, sin embargo, de entrar en materia, el autor quiere aclarar un punto y referirse a un aspecto desdichado de las tiranías caribes que ha querido expresamente dejar para el final de esta introducción. El punto se relaciona con el orden de tratamiento de las tiranías. Pudiera parecer que si el autor comienza por exponer el caso dominicano se debe a chauvinismo. No es así. Si en el estudio de las tiranías que se expone en este libro aparece en primer lugar la de Rafael Leónidas Trujillo, ello se debe a que es la más antigua de las cuatro. En el orden de su aparición le siguen las de Somoza, Pérez Jiménez y Batista; en ese orden serán estudiadas.

El aspecto desdichado de esos regímenes a que se ha aludido es el de la propaganda contra sus adversarios. Pocas veces en la historia se ha visto conjunción más repugnante que la que han organizado las tiranías del Caribe para distribuir la infamia. Se trata de una maquinaria tan bien montada que a menudo ha llegado a impresionar a gentes de buena fe. Servida por expertos en la materia, en ocasiones por periodistas conocidos, por diplomáticos corrompidos o por políticos venales, esa maquinaria mueve una propaganda fétida en los lugares más remotos. Agentes de publicidad en Estados Unidos, ex-presidentes en la América Latina, banqueros en Europa, gánsters de pluma y de la radio en todas partes, abogados de gran renombre y de ningún escrúpulo sirven a sus fines, todos ellos, desde luego, movidos por el oro de las tiranías o por estímulos personales de otro tipo, como la rivalidad política, el resentimiento literario o simplemente el odio.

Se trata de algo tan espantosamente sucio que sólo referirse a ello en detalle mancha la conciencia. Todos los sistemas de la denigración son usados. A veces se ordena a un periodista norteamericano que transmita por cable una noticia falsa; sobre ella se acumulan otras falsedades, procedentes de otros lugares, y se le devuelve a su punto de origen convertida en todo un cúmulo de acusaciones de la más baja ralea; entonces se toma ese montón de calumnias y asquerosidades y se publica en la prensa nacional. De esa manera la infamia aparece a los ojos del pueblo prestigiada por su origen extranjero. A veces se ordena la fabricación de documentación falsa y se distribuye concienzudamente por todos los ámbitos; o se hacen imprimir hojas sueltas en que compañeros de lucha y hasta de partido político aparecen injuriándose entre sí, y se envían a todos los puntos claves de la sensibilidad nacional e internacional; a veces se ordena a los diplomáticos de una, de varias o de todas esas tiranías que hagan circular en determinados medios tal rumor en perjuicio de personas o de instituciones.

Nada escapa a esa campaña; el honor familiar, el buen nombre de la anciana madre de un luchador, el sentimiento religioso de un líder; todo es manchado, enlodado, perseguido y denigrado. La lectura de la prensa usada por los tiranos de la República Dominicana, de Nicaragua, de Venezuela y Cuba resulta repugnante, y nada servirá mejor en el porvenir para juzgarlos que esa prensa, verdadero almacén de la vileza.

Es frecuente que en la redacción de un periódico de tendencias democráticas –y recordamos que sólo los hay en Nicaragua y en Cuba, porque en Santo Domingo la prensa es en su totalidad propiedad de Trujillo, o está sometida a él, y en Venezuela se halla bajo censura– haya un periodista al servicio de esa maquinaria de infamias; y en un momento dado, cuando el director no puede, por alguna razón, evitarlo, aparece en sus páginas uno de esos ataques. Es frecuente también que en la casa de gobierno de un país democrático haya uno o dos funcionarios que diseminan rumores bien pagados por uno de los tiranos. No hay vicio, debilidad o crimen que no se les impute a los dirigentes de oposición; y la acusación se repite incesantemente, aquí y allá, en voz baja o en la prensa vendida; se envía a los cuerpos de policía, a las bibliotecas, a las cancillerías extranjeras. No hay medida para la calumnia; cuanto más espantosa, más útil.

Esa es una característica feminoide. El hombre completo no denigra, no falsea, no miente para beneficiarse o para perjudicar a otros. Se argüirá que aún los regímenes democráticos más fuertes usan de la propaganda extraviada contra sus adversarios en casos de guerra. Pero es de tomar en cuenta que en las guerras juega un papel muy importante el sentimiento nacional, mientras que las tiranías asestan sus heridas precisamente al orgullo nacional cuando denigran a un líder, a un grupo o a un mártir de sus pueblos.

En *Póker de espanto en el Caribe* no se contestará al descrédito con el descrédito, ni desde luego a la calumnia con la calumnia. Pues lo que pretende este libro no es hacer propaganda política ni difamar a los tiranos. Ellos se han difamado solos. Lo que se pretende con él es exponer honestamente los orígenes de esas tiranías, las causas que las sostienen y su manera de actuar. En pocas palabras, *Póker de espanto en el Caribe* aspira a ser una contribución seria al estudio de los males políticos que agobian a los pueblos de esa zona.

Tal vez ese estudio sea útil a otros pueblos de América ayudándoles a evitar que en sus países se reproduzcan las enfermedades que tan siniestros frutos han dado en las riberas del Mar de las Antillas.

FIDEL CASTRO O LA NUEVA ETAPA HISTÓRICA DEL CARIBE

Este libro se habría hecho demasiado largo si se hubieran registrado en él los numerosos incidentes provocados por los Estados Unidos, o por las intervenciones de otras potencias hasta el asesinato de Augusto César Sandino. La lista de esos incidentes llenaría muchas páginas. Entre ellos hubo cañoneos a ciudades y puertos, desembarque de infantes de marina para lo que en el lenguaje de la diplomacia se llamaba "castigar" una afrenta; exigencias abiertas, hechas a menudo con métodos incalificables.

Esa situación llegó a ser tan alarmante que los países de lengua española de la América acabaron uniéndose para defenderse y plantearon en conferencias continentales la necesidad de que se estableciera el principio de no intervención como fundamento de las relaciones internacionales. El acuerdo se obtuvo en una Conferencia Interamericana, celebrada en Montevideo del 3 al 26 de diciembre de 1933. Todavía estaba ocupado militarmente Haití, de donde la infantería de marina de los Estados Unidos salió el 21 de agosto de 1934.

Un año después de ese día, el general Smedley D. Butler –aquel que había luchado contra Benjamín Zeledón en Coyotepe, Nicaragua, en 1912, y había obtenido en 1915 que los "cacós" de Gonaives, en Haití, vendieran

---

De Cristóbal Colón a Fidel Castro, 9a. ed. (Santo Domingo, R. D.: Editora Corripio, 1995).

sus armas; el mismo que había volado con dinamita Fort-Rivière, en Haití, el 17 de noviembre de 1916–, resumió en unas declaraciones ante un comité del Senado norteamericano la historia de esos años con estas palabras:

> He servido durante treinta años y cuatro meses en las unidades más combativas de las fuerzas armadas norteamericanas, la infantería de marina. Pienso que durante ese tiempo actué como un bandido altamente calificado al servicio de los grandes negocios de Wall Street y de sus banqueros. En 1914 contribuí a darles seguridad a los intereses petroleros (de los Estados Unidos) en México, particularmente en Tampico. Ayudé a hacer de Cuba un país donde los señores del National City Bank podían acumular sus beneficios en paz. Entre 1909 y 1912 participé en la limpieza de Nicaragua para ayudar a la firma bancaria internacional de Brown Brothers. En 1916 llevé la civilización a la República Dominicana por cuenta de los grandes azucareros norteamericanos. Fue a mí a quien correspondió ayudar a arreglar en 1923 los problemas de Honduras para darles seguridad a los intereses de las compañías fruteras norteamericanas.

Esas declaraciones del general Butler indican a qué punto quedó desprestigiada en las dos Américas –hasta en los propios Estados Unidos– la política de intervención militar. Así, pues, no era posible seguir usando la fuerza en el Caribe. Y, efectivamente, dejó de usarse durante veinte años; pero al cabo de ese tiempo comenzaría a usarse en forma nueva; en lugar de los soldados actuaría la Agencia Central de Inteligencia (la CIA). Esta modalidad, que se ponía en juego para burlar los acuerdos de Montevideo y los que en los años siguientes de 1934 confirmaban el principio de no intervención, iba a iniciarse en 1953 con una acción sobre Guatemala destinada a derrocar el gobierno del coronel Jacobo Arbenz.

Hacía apenas cinco años que se había aprobado en la Conferencia Interamericana de Bogotá (30 de marzo a 2 de mayo de 1948) la Carta de la Organización de los Estados Americanos (OEA), cuyo artículo 15 decía: "Ningún estado o grupo de estados tiene el derecho de intervenir directa o indirectamente, por ninguna causa, en los asuntos internos o externos de cualquier otro estado. Este principio prohíbe no sólo el uso de las fuerzas armadas, sino también cualquier otra forma de interferencia o intento de amenazas contra la personalidad de un estado o contra sus elementos políticos, económicos y culturales". Ese artículo 15 quedaba reforzado por el número 17, que decía: "El territorio de un estado es inviolable; no puede ser objeto, ni siquiera de manera temporal, de ocupación militar o de otras medidas de fuerza tomadas por otro estado, directa o indirectamente, en ningún sentido".

La delegación norteamericana que tomó parte en la Conferencia de Bogotá estuvo encabezada por el Secretario de Estado, general George Marshall, de manera que los acuerdos de Bogotá fueron hechos por los Estados Unidos con plena conciencia de lo que significaban; además, al quedar aprobados por el Senado del país esos acuerdos pasaron a ser leyes de los Estados Unidos y, por tanto, su gobierno estaba obligado a cumplirlos y a hacer que los cumplieran todos sus funcionarios y todos sus ciudadanos. Sin embargo, cinco años después ese gobierno, en la persona del presidente Dwight Eisenhower, ordenó que la CIA organizara un ataque a Guatemala.

En 1952, el gobierno de Arbenz había sancionado una ley de reforma agraria que había elaborado el Congreso de su país. La United Fruit Company, conocida en Centroamérica con el nombre de La Frutera, tenía en Guatemala inversiones que se calculaban en unos 40,000,000 de dólares y una parte importante de esas inversiones se hallaban en tierras. La ley de reforma agraria guatemalteca ordenaba que las tierras que no estaban en producción fueran distribuidas entre campesinos sin tierra, y La Frutera tenía grandes extensiones en reserva. Algo parecido sucedía con las propiedades de numerosos latifundistas del país. Como en todo el Caribe y en la mayoría de los países de la América española, menos del 2 por ciento de la población de Guatemala era dueña del 70 por ciento de las tierras cultivables y en vista de que el 80 por ciento de la población guatemalteca era en 1952 campesina, resultaba que más de las tres cuartas partes de los habitantes disponía sólo de menos de un tercio de las tierras, y éstas no eran precisamente las mejores.

Al hacer cumplir la ley de reforma agraria, el gobierno de Arbenz procedió a expropiar unas 80,000 hectáreas de las tierras de La Frutera e inmediatamente comenzó a propagarse en los Estados Unidos la idea de que Guatemala y su gobierno habían caído en manos comunistas. En el término de un año el gobierno de Arbenz se convirtió, a los ojos de la mayoría del pueblo norteamericano, en títere manejado por Moscú y, por tanto, en una casi segura base militar de la Unión Soviética para ataques al canal de Panamá y a los propios Estados Unidos. Cuando la campaña de prensa llegó a acondicionar la mentalidad del país a todos los niveles, el presidente Eisenhower ordenó al jefe de la CIA, Allen Dulles –hermano del Secretario de Estado, John Foster Dulles–que organizara el derrocamiento del presidente Arbenz.

En el primer momento, Eisenhower pensó que la persona más adecuada para dirigir la operación destinada al derrocamiento de Arbenz era su hermano Milton Eisenhower, que había visitado en su nombre los países de la América española y había establecido contacto con los gobernantes y los líderes políticos, sociales y económicos del hemisferio. Esa elección da idea de la categoría que el Presidente de los Estados Unidos le daba al caso de Guatemala. Milton Eisenhower rehusó participar en la agresión al pequeño país del Caribe. Por su parte, Allen Dulles solicitó de su hermano John Foster que nombrara embajador en Guatemala a John E. Peurifoy, a cuyo cargo estaría la misión de preparar el movimiento dentro del país, amparado por la inmunidad diplomática. Henry Holland, jefe del departamento de la América Latina en la Secretaría de Estado, el senador Thruston B. Morton, encargado de las relaciones del Congreso con la Secretaría de Estado, y los jefes del Estado Mayor Conjunto fueron llamados a participar en la dirección del plan.

En el desarrollo del plan tomarían parte los embajadores norteamericanos en Honduras, Nicaragua, Costa Rica y las Naciones Unidas. Este último era Henry Cabot Lodge, que pasaría a ser conocido mundialmente debido a sus actividades como embajador de los Estados Unidos en Vietnam del Sur durante los años críticos de la guerra en aquel país asiático. Además de esos funcionarios norteamericanos y a solicitud del gobierno de los Estados Unidos, participarían los gobiernos de Honduras, Nicaragua y la República Dominicana.

Como jefe visible de la acción militar se eligió al antiguo coronel del ejército de Guatemala, Carlos Castillo Armas, que había estado dos años en la escuela de Estado Mayor de Fort Leavenworth, Kansas. En 1950 Castillo Armas había tomado parte en un complot para derrocar al presidente Arbenz; fue detenido, pero se fugó de la prisión y se refugió en Honduras. Castillo Armas no tenía prestigio político en Guatemala, pero lo tenía en las filas de los propietarios latifundistas el general Miguel Ydígoras Fuentes, que vivía en El Salvador. Walter Turnbull, uno de los más altos jefes de la United Fruit en Centroamérica, acompañado por dos agentes de la CIA, visitó en El Salvador a Ydígoras Fuentes para pedirle que ofreciera su apoyo político a Castillo Armas. Al mismo tiempo el Secretario de Estado, John Foster Dulles, utilizó la Décima Conferencia Interamericana, que tuvo lugar en Caracas, Venezuela, del 1 al 28 de marzo de 1954, como plataforma para darle carácter oficial y continental a la acusación de que el gobierno de Arbenz se había convertido en un instrumento de la Unión Soviética, y a darle, por tanto, base política exterior a Castillo Armas.

Castillo Armas había logrado reunir unos cuantos guatemaltecos, hondureños, nicaragüenses y norteamericanos –estos últimos, reclutados por agentes de los Estados Unidos–, a quienes dio adiestramiento militar un funcionario de la CIA. El campo de adiestramiento estaba en la pequeña isla de Momotombito, que se halla en el lago nicaragüense de Managua. Pero esos hombres apenas iban a participar en el derrocamiento de Arbenz, pues el poder de ataque sobre el gobierno de Guatemala se confió a varios aviones P-47 *Thunderbolts*, facilitados por el gobierno norteamericano y conducidos por pilotos de esa nacionalidad. La misión de esos aviones era bombardear centros vitales de Guatemala, mientras el embajador Peurifoy se dedicaba a conseguir que los jefes militares guatemaltecos desconocieran el gobierno de Arbenz.

El trabajo de Peurifoy comenzó con éxito: el 17 de junio (1954), el jefe de la fuerza aérea de Guatemala huyó del país acompañado por el ex-jefe de la misión aérea norteamericana en Guatemala, lo que naturalmente causó mucha confusión entre los militares guatemaltecos.

El día 16, John Foster Dulles, el senador Morton, los jefes de Estado Mayor Conjunto y varios otros altos funcionarios del gobierno norteamericano se reunieron con el presidente Eisenhower en la Casa Blanca para ponerse de acuerdo acerca de los detalles finales de la llamada operación Guatemala. El día 18, Castillo Armas, con 150 hombres, entró en Guatemala desde Honduras, pero se quedó a pocos kilómetros de la frontera, pues su papel era justificar con su presencia en territorio guatemalteco que el derrocamiento de Arbenz era producto de una sublevación popular, no de un ataque que procedía del exterior. El mismo día 18 comenzaron los bombardeos de los P-47 sobre San José, el puerto más importante de la costa pacífica de Guatemala. Los aviones estaban operando desde Nicaragua.

La delegación de Guatemala en las Naciones Unidas acusó al gobierno de los Estados Unidos de los bombardeos de San José y explicó que éstos se habían hecho con aviones norteamericanos pilotados por agentes de la CIA, cosa que negó el embajador Cabot Lodge. Por su parte, el Departamento de Estado declaró oficialmente que los hechos de Guatemala eran producto de una revuelta interna y que el gobierno de los Estados Unidos no tenía nada que ver con ellos. Esto sucedía el día 18. El día 22, la CIA informó al presidente Einsenhower que algunos de los aviones P-47 que estaban bombardeando Guatemala se hallaban fuera de combate a causa de accidentes en unos casos y del fuego antiaéreo guatemalteco en otros, razón por la cual la operación Guatemala podía fracasar. Eisenhower respondió a esa posibilidad de fracaso ordenando que la fuerza aérea de los Estados Unidos simulara inmediatamente una venta de aviones a Nicaragua, con lo cual se aseguró la continuación de los bombardeos. Mientras tanto, los jefes militares guatemaltecos, que se hallaban bajo el control de los agregados militares norteamericanos acreditados en el país, se negaban a atacar la pequeña fuerza de Castillo Armas, que seguía sin moverse de las vecindades de la frontera hondureña. Cuando el presidente Arbenz se convenció de que sus altos jefes no cumplían sus órdenes sino las del embajador Peurifoy, presentó su renuncia. Era el 27 de junio. A partir de ese momento, y durante más de doce años, miles y miles de guatemaltecos serían perseguidos, aterrorizados, torturados y asesinados bajo la acusación de que eran comunistas. La intervención norteamericana dejaría, pues, una larga secuela de sangre y dolor en ese país del Caribe, de manera que sería una ligereza apreciar la intervención por los efectos que tuvo sólo mientras duraron los bombardeos sobre el país.

Desde el presidente Einsehower hacia abajo, todos los altos funcionarios de su gobierno pensaron que habían tenido un triunfo fácil en Guatemala, lo que se explica porque Arbenz había entregado el poder a los nueve días de haber comenzado el ataque aéreo a algunas ciudades guatemaltecas. Ninguno de ellos pensó, sin embargo, que la facilidad con que Arbenz fue derrocado indicaba que su gobierno no se hallaba en manos comunistas; mucho menos pensó nadie en los Estados Unidos que esa victoria tan poco costosa iba a tener una contraparte que se basaría en el sentimiento antinorteamericano a que dio origen la intervención. Al cabo de veinte años sin intervenciones militares, los pueblos de América, y especialmente los del Caribe, iban olvidando los treinta y cinco años de agresiones que les habían precedido; pero el papel que jugaron los norteamericanos en Guatemala en 1954 abrió las viejas heridas, y éstas volvieron a sangrar abundantemente unos años después, cuando el volcán del Caribe sacó de los fondos de la Historia la más completa de sus revoluciones sociales, la revolución cubana de Fidel Castro.

El entrelazamiento que venía dándose a lo largo de la historia del Caribe entre una revolución y otra, el que encadenó las guerras de Venezuela y Colombia a las de Haití a través de las ayudas repetidas que le dio Petion a Bolívar, el mismo que vinculó la guerra restauradora de Santo Domingo a las de independencia de Cuba por medio de Máximo Gómez y de otros oficiales dominicanos que habían pasado a Cuba con el ejército español que se retiraba de Santo Domingo, iba a llevar a la revolución cubana a Ché Guevara, que había vivido en Guatemala en los días en que aquel país, y especialmente su capital, fue bombardeado repetidas veces por P-47 norteamericanos pilotados por aviadores norteamericanos; había, pues, un vínculo histórico entre el éxito fácil de la CIA en Guatemala y la jefatura de la revolución cubana, hecho que los gobernantes de Washington no podían presumir en 1954. Pero tampoco lo tomaron en cuenta en 1960, y de ahí que al comenzar el 1960 el mismo presidente Einsenhower, acudiera de nuevo a la CIA para repetir en Cuba, en una escala varias veces mayor, lo que había hecho en Guatemala seis años atrás. El procedimiento mental por el cual los dirigentes políticos de Norteamérica llegaron a concebir ese ataque a Cuba fue muy simple: si Guatemala había sido presa del comunismo y por ello había expropiado tierras de la United Fruit Company, compañía norteamericana, Cuba lo era también puesto que había expropiado tierras, plantas eléctricas, bancos y refinerías de petróleo de norteamericanos; y si la CIA había devuelto Guatemala al mundo libre, y las propiedades norteamericanas a sus dueños, la CIA haría lo mismo en Cuba.

Pero los líderes de los Estados Unidos no habían tenido en cuenta esta ligera diferencia: que en Guatemala no se había hecho una revolución y en Cuba estaba haciéndose una revolución; que Jacobo Arbenz presidía un país económica, social y políticamente atrasado mientras Fidel Castro gobernaba uno que tenía en 1960 noventa y dos años de lucha por su independencia. Al producir en Cuba la escalada de violencia contra esa larga lucha del pueblo cubano, el presidente Eisenhower y sus altos funcionarios y consejeros iban a provocar la escalada de la revolución, de manera que como venía sucediendo en el Caribe desde hacía ciento setenta años, el poder contrarrevolucionario conducía la revolución hacia salidas más radicales.

Las actividades de la CIA en Cuba habían comenzado en 1959, el mismo año de la victoria de Fidel Castro. Al principio esas actividades se limitaban a buscar información que le permitiera al gobierno de los Estados Unidos hacerse una idea de hacia dónde era llevada la revolución; después se dedicó a dirigir una campaña de prensa destinada a presentar la revolución cubana como de tendencias comunistas; luego comenzó a dar facilidades para que salieran de la isla los cubanos enemigos de la revolución; más tarde se dispuso a adiestrar cubanos exiliados para que llevaran a cabo luchas clandestinas contra el gobierno de Fidel Castro, hasta que llegó el día en que pasó a organizar ataques que iban desde pequeños sabotajes hasta bombardeos de ingenios de azúcar hechos por aviones aislados, y cañoneos de puertos y refinerías de petróleo llevados a cabo por embarcaciones rápidas.

Al comenzar el año de 1960, el gobierno de los Estados Unidos había resuelto que el gobierno de Fidel Castro debía ser derrocado siguiendo el mismo método que sirvió para derrocar al de Arbenz en Guatemala. Para el mes de marzo la CIA, que estaba dirigida todavía por Allen Dulles, había elaborado un plan de acción, que el presidente Eisenhower aprobó el día 17 de ese mes. El plan consistía en adiestrar en guerra de guerrillas a unos 400 cubanos que serían llevados a Cuba con equipos militares y de comunicaciones modernas con el propósito de que formaran un núcleo central al cual debían unirse las pequeñas guerrillas antifidelistas que estaban operando en esos días en la zona montañosa del Escambray, situada hacia el sur de la provincia de Las Villas, en el centro de la isla.

Los 400 cubanos se reclutaron rápidamente entre los que habían huido de Cuba y comenzaron a ser adiestrados en tiro, uso de explosivos y manejo de comunicaciones; las prácticas se hacían en varios lugares de los Estados Unidos, a veces hasta en habitaciones de hoteles de Miami. Pero al comenzar el mes de abril se vio que era necesario aleccionar a esos hombres en operaciones militares, para lo cual hacía falta un territorio amplio y seguro. Fue entonces cuando la CIA se movilizó para encontrar ese territorio fuera de los Estados Unidos.

El lugar ideal resultó ser Guatemala. El embajador guatemalteco en Washington era hermano de Roberto Alejos, rico propietario de fincas de café y de caña que estaban lo bastante aisladas para que pudiera establecerse en una de ellas un campamento de exiliados cubanos sin despertar sospechas; además, Roberto Alejos era el amigo más influyente de Miguel Ydígoras Fuentes, que había llegado a Presidente de la República, entre varias razones, gracias a la colaboración que le dio a Castillo Armas en junio de 1954.

Agentes de la CIA visitaron la finca Helvetia, una de las de Alejos, situada en las vecindades de Retalhuleu, al sudoeste del lago Atitlán, precisamente en la misma zona donde Alvarado había ganado en 1523 la batalla de Salamá contra los indios maya-quichés que mandaba Tecún Umán. El lugar les pareció apropiado para lo que ellos buscaban, de manera que Robert Kendall Davis, secretario de la embajada norteamericana en Guatemala, habló con Alejos, le propuso que facilitara la Helvetia para campamento de cubanos antifidelistas, Alejos aceptó y él y Davis se entrevistaron con Ydígoras Fuentes, que aprobó el plan. Inmediatamente después, la CIA comenzó a poner la finca Helvetia en condiciones de recibir a los cubanos y éstos empezaron a llegar en el mes de mayo.

Al mismo tiempo que trabajaba en Guatemala, la CIA organizaba en los Estados Unidos las estructuras políticas que debían darle al plan la apariencia de que el ataque a Cuba era un problema estrictamente cubano. La organización fue montada a base de los grupos de exiliados que vivían en los Estados Unidos, principalmente en Miami. Cinco de esos grupos fueron unidos en un llamado "frente" y en él figuraban como líderes un ex Ministro de Relaciones Exteriores y un ex presidente de un banco del Estado cubano, que habían desempeñado esas funciones antes de 1952, el jefe del pequeño movimiento demócrata cristiano cubano y un ex compañero de Fidel Castro. Todos los gastos de reclutamiento y movilización de los hombres que estaban siendo enviados a Guatemala eran pagados por ese frente con dinero que facilitaba la CIA; de ese dinero se pagaba además la suma mensual que recibía cada familia cubana que tenía miembros en el campamento de Helvetia. Poco tiempo después el llamado frente quedó convertido en el Consejo Revolucionario Cubano, presidido por el doctor José Miró Cardona, que fue primer ministro del régimen de Fidel Castro en los meses de enero y febrero de 1959.

A medida que avanzaba el tiempo las pequeñas guerrillas cubanas que operaban en el Escambray iban perdiendo terreno, a pesar de los esfuerzos que hacía la CIA para abastecerlas de armas, municiones, equipos de comunicación y medicinas, de manera que fue necesario cambiar los planes para adaptarlos a una expedición más grande, lo que requería aumentar el número de hombres que debían ser adiestrados en Guatemala. Parte de la ampliación de los planes fue el envío de un grupo a la base naval de Vieques, en Puerto Rico, a fin de prepararlo como hombres-ranas; además se construyeron más instalaciones de todo tipo en Retalhuleu y se establecieron dos campamentos más, uno al sur de Retalhuleu, en la costa del Pacífico, y otro al este, en San José, donde Alejos tenía una finca de caña. En el campamento de la costa del Pacífico se hacían prácticas de desembarco y en Retalhuleu se construyeron varios caminos y un aeropuerto a un costo superior a 1,200,000 dólares; y por último, se construyeron también un pequeño aeropuerto y varios barracones en Sayaxché, en pleno centro de la provincia de Petén, antigua tierra de los mayas-quichés, adonde eran llevados, y se mantenían incomunicados, los cubanos que se indisciplinaban en Helvetia y San José. De los hombres aislados en Sayaxché, a ninguno se le permitió salir de allí sino después que el plan terminó con el desastre de Playa Girón.

Todos los cubanos que iban a Guatemala salían de Florida por la vía aérea, y aunque se usaron varios aeropuertos para ese fin, el más usado fue el de Opa-locka, en Miami.

Fidel Castro tenía información completa y al día de todos esos movimientos, y cuando estuvo en las Naciones Unidas, en el mes de septiembre de 1960, pronunció ante la Asamblea General de la organización mundial un largo discurso en el cual menudeaban las advertencias a Norteamérica para que no llevara adelante sus planes. Es incomprensible cómo los analistas de la CIA, del Departamento de Estado y del Pentágono no alcanzaron a comprender el significado de muchos párrafos del discurso de Fidel Castro. Pero Raúl Roa, el ministro de Relaciones Exteriores de Cuba, iba a ser más explícito aún, cuando hablando ante la ONU unos días después –el 7 de octubre– dijo que a Guatemala estaban llegando constantemente "aventureros y mercenarios de toda laya contratados por agentes contra-revolucionarios cubanos y norteamericanos"; que en "la finca Helvetia, ubicada en el municipio de El Palmar, colindante con los departamentos de Retalhuleu y Quetzaltenango... están recibiendo entrenamiento especial numerosos exiliados y aventureros"; que el "aeródromo de... Retalhuleu ha sido acondicionado precipitadamente por ingenieros norteamericanos para facilitar el aterrizaje y despegue de aviones pesados y de propulsión a chorro". En la denuncia de Roa había más detalles, todos veraces, a pesar de lo cual la CIA, con la aprobación del presidente Eisenhower, siguió sus trabajos sin hacer el menor esfuerzo por encubrirlos mejor, y, hasta donde se sepa, sin que tratara de descubrir la fuente de las informaciones que tenía en su poder el gobierno de Cuba.

Durante lo que restaba del mes de octubre Roa siguió denunciando el plan militar norteamericano y también las medidas políticas que debían complementarlo. Así, además de informar ante la ONU que los Estados Unidos estaban enviando aviones a lanzar equipos, medicinas y alimentos a las guerrillas del Escambray, anunció que la solicitud de que la Organización de Estados Americanos expulsara de su seno al gobierno cubano y la intención del presidente Eisenhower de romper relaciones con Cuba eran medidas que debían "preceder al inicio de las operaciones militares" contra Cuba. Y, efectivamente, era así. El día 18 de noviembre, John F. Kennedy, que había sido elegido poco antes Presidente de los Estados Unidos, fue informado por el presidente Eisenhower de todo el plan. El 31 de diciembre, Roa envió al presidente del Consejo de Seguridad de la ONU una carta en la que afirmaba que la agresión a Cuba era inminente. Fidel Castro, que estaba esperando esa agresión, pidió al gobierno norteamericano que redujera su personal diplomático en Cuba al mismo número que el que Cuba tenía en los Estados Unidos. Esa era una medida defensiva, pues la lección de Guatemala estaba viva aún y Fidel Castro no podía ignorarla; una misión diplomática norteamericana numerosa podía hacer en la isla el mismo papel que había hecho la que se hallaba en Guatemala en 1954. La respuesta de Eisenhower fue romper las relaciones con Cuba.

Todo parecía listo, pues, para que sobre Cuba cayera el ataque organizado desde Washington. Pero al comenzar el mes de enero el gobierno cubano, que esperaba el golpe en cualquier momento, jugó una carta que desconcertó a los Estados Unidos: en una ofensiva relampagueante aniquiló los restos de guerrillas del Escambray y al finalizar el mes toda la región estaba libre de guerrilleros, con lo que el plan norteamericano quedó automáticamente convertido en anticuado y tenía que ser cambiado totalmente; pero ya John F. Kennedy había tomado posesión de la presidencia del país y los nuevos planes necesitaban su aprobación. Lo que decidieron Kennedy, la CIA, el Departamento de Estado y los jefes militares fue aumentar el número de los cubanos que debían participar en la acción y convertirla en una expedición tan poderosa como fuera posible, que tuviera capacidad para tomar y retener una parte del territorio cubano adonde sería enviado el Consejo Revolucionario; éste sería reconocido por el gobierno de Norteamérica tan pronto llegara a Cuba y comenzaría a ser abastecido inmediatamente con toda la ayuda militar, económica y política que hiciera falta.

Los nuevos planes significaban cambios importantes en la estrategia y en la táctica. Así, se invitó a colaborar en el plan al gobierno de Nicaragua, encabezado por Luis Somoza, hijo del hombre que había dado muerte a Sandino. Somoza se comprometió a dar la base aérea y marítima para la salida de la expedición y para los bombardeos que se harían sobre algunos puntos de Cuba. Kennedy consultó al Estado Mayor Conjunto acerca de los cambios en los planes y pidió que se le señalara cuál era el lugar apropiado para que la expedición desembarcara en Cuba. El Estado Mayor Conjunto decidió que el sitio para el ataque debía ser Trinidad, una ciudad de las más antiguas de la isla, situada en la costa del sur, en el centro de la provincia de Las Villas. Sobre la base del ataque por Trinidad se pasó a trabajar febrilmente para enviar a Guatemala a todos los cubanos que se ofrecieron a luchar, y los puntos de reclutamiento en Miami pasaron a ser públicos; se organizó una flota aérea de 24 bombarderos B-26 y 12 Transportes, 6 de ellos C-54 y 6 C-46 y se obtuvieron 6 barcos de una compañía cubana que operaba entre La Habana y algunos puertos norteamericanos de la costa del Este y del golfo de México.

Para mediados de marzo, y a un costo de cerca de 200 millones de dólares, la CIA disponía de seis batallones de infantería, una compañía de paracaidistas, un grupo numeroso de aviadores y otro de hombres ranas, todos cubanos, magníficamente adiestrados por norteamericanos, y contaba con una base naval y un aeropuerto en Puerto Cabezas, Nicaragua. La invasión de Cuba se hallaba lista, pues, pero antes de lanzarla se necesitaba la aprobación final del presidente Kennedy. Kennedy hizo un cambio; en vez de Trinidad, el lugar de desembarco de la expedición sería Bahía de Cochinos, porque ahí no había población civil que peligrara en caso de que hubiera que combatir, lo que indica que Kennedy no tenía la menor idea de que en Cuba estaba desarrollándose una revolución social profunda, por la cual iban a combatir miles y miles de hombres y mujeres, y según enseña la Historia, las revoluciones sociales no se detienen a tiros; al contrario, los ataques las hacen más radicales. Por su parte, la CIA había propuesto Bahía de Cochinos como el punto de desembarque de la expedición porque la única vía de comunicación de ese lugar con el interior de la isla podía ser bloqueada fácilmente con paracaidistas, lo que aseguraba que los expedicionarios serían puestos en tierra sin dificultades, dado que en los planes estaba prevista la destrucción de la fuerza aérea cubana antes de que se iniciara el ataque.

Cuando se tenía terminado el aspecto militar del plan, se procedió a terminar también los aspectos políticos. El día 22 de marzo (1961), el Consejo Revolucionario fue presentado a la prensa de New York. De esa tarea se encargó Lem Jones, agente de publicidad que había sido contratado por la CIA desde agosto de 1960 para manejar la propaganda de la operación. El día 3 de abril, el Departamento de Estado dio a la publicidad un Libro Blanco lleno de acusaciones contra el gobierno cubano. Militar, diplomática y políticamente, pues, los poderosos Estados Unidos, violando los pactos interamericanos y sus propias leyes de neutralidad, estaban preparados para atacar el territorio cubano.

El día 4 (abril), Kennedy tuvo una reunión con sus consejeros, los altos funcionarios del Departamento de Estado y el senador Fullbright, presidente del comité de Relaciones Exteriores del Senado. En esa reunión se aprobó el ataque a Cuba con la única opinión contraria de Fullbright. El día 8, desde su sede en New York, el Consejo Revolucionario hizo un llamamiento a los habitantes de la isla para que se levantaran contra el régimen de Fidel Castro.

En ese momento los 1,300 cubanos que estaban en Guatemala eran trasladados por aire a Puerto Cabezas, cuyo nombre en el código pasó a ser Valle Feliz, en inglés *Happy Valley.* Así, el presidente Kennedy, que hablaba a menudo con tanta energía contra los tiranos de América, se aliaba a los Somoza, una dinastía que asentaba su poder sobre la sangre de Sandino y de miles de nicaragüenses.

El día 11, el almirante Arleigh Burke, jefe de operaciones navales de la marina norteamericana, ordenó que buques de la flota del Atlántico salieran en dirección al extremo occidental de Cuba, donde debían estacionarse, aunque sin entrar en sus aguas. Con esas unidades iba un batallón de infantería de marina sacado de Vieques, Puerto Rico. Dos destructores saldrían desde Puerto Cabezas para escoltar los barcos de la expedición, que salió ese día 11 hacia Bahía de Cochinos. El día 12, el presidente Kennedy hizo su conocida declaración: En una conferencia de prensa, un periodista adiestrado para el caso lo interrogó de tal manera que él pudo responder: "Antes que nada, quiero decir que no habrá, bajo ninguna condición, una intervención en Cuba hecha por las fuerzas armadas de los Estados Unidos. Este gobierno hará lo que pueda, y pienso que él puede cumplir sus obligaciones, para asegurar que no haya norteamericanos envueltos en ninguna acción dentro de Cuba". Como se advierte, las palabras estaban cuidadosamente escogidas, pues era cierto que no había norteamericanos "envueltos en ninguna acción dentro de Cuba", pero los había, y numerosos, fuera de Cuba; por otra parte, pronto iba a haberlos también dentro de la isla.

Al amanecer del día 15, el piloto Mario Zúñiga salía de Puerto Cabezas en un B-26 que llevaba en la nariz el número 933 y en la cola las siglas FAR, pues como todos los aviones de guerra y de transporte de la expedición, había sido pintado para que pareciera un avión cubano. Antes de levantar vuelo en Puerto Cabezas, al FAR 933 se le hicieron unos cuantos disparos de ametralladora. ¿Para qué? Para que el piloto Mario Zúñiga pudiera hacer una historia detallada de sus aventuras cuando llegara a Miami. Pues ese avión no iba a atacar ningún punto cubano; iba a Miami, en cuyo aeropuerto aterrizó a las 8:21 de la mañana. Llevado a las oficinas de Inmigración, Zúñiga salió de allí cuatro horas después. El jefe de los inspectores de Inmigración declaró a los periodistas que se les permitiría tomar fotografías del avión y, desde luego, de los agujeros que se veían en su fuselaje, pero que no podrían hablar con el piloto, cuyo nombre no se daría a la publicidad para evitar que el gobierno de Fidel Castro tomara represalias contra su familia, que se hallaba en Cuba. La familia Zúñiga –su mujer Georgina, y sus hijos, Eduardo, Enrique, Beatriz y María Cristina– vivían a muy corta distancia del aeropuerto, en South West 20th Avenue, Miami, y él había salido de esa dirección para unirse a los cubanos que se adiestraban en Guatemala, y el jefe de los inspectores de Inmigración sabía todo eso, y sabía que Zúñiga no había declarado nada durante las cuatro horas que estuvo aparentemente sometido a interrogatorios. Por lo demás, desde el aeropuerto de Miami el piloto cubano fue llevado ese mismo día a otro aeropuerto de Florida desde el cual voló a Puerto Cabezas, adonde llegó el día 16 para sumarse el 17 a los aviones que iban a bombardear el territorio cubano en Bahía de Cochinos.

Ahora bien, el día 16, mientras él volaba hacia Puerto Cabezas, aparecieron en la prensa norteamericana las supuestas declaraciones que Zúñiga había hecho a los inspectores de Inmigración de Miami. Según esas declaraciones, él y otros pilotos de la fuerza aérea cubana habían planeado huir de Cuba, pero tuvieron sospechas de que uno de ellos había denunciado el plan, razón por la cual él –Zúñiga–, que había levantado vuelo en la base de San Antonio de los Baños para cumplir su misión regular, había resuelto ametrallar el avión del compañero traidor mientras éste se hallaba en tierra y al mismo tiempo ametralló otros aviones estacionados en la base. Para que la historia pareciera más verídica, en las supuestas declaraciones de Zúñiga aparecían el nombre del piloto traidor y el número de su avión, y aparecía también esta noticia sensacional: otros compañeros suyos habían atacado a la misma hora el aeropuerto de Santiago de Cuba y el del Campamento Libertad –antiguo Columbia– en La Habana. En cuanto a los agujeros de ametralladoras que tenía su avión, esos le habían sido hechos cuando ametrallaba la base de San Antonio de los Baños en vuelo rasante. Fue a causa de esos impactos, dijo, y de que estaba quedándose sin gasolina, que él, Mario Zúñiga, piloto de la fuerza aérea cubana, había decidido llegar a Miami.

Efectivamente, La Habana, San Antonio de los Baños y Santiago de Cuba habían sido atacados desde el aire, pero no por tres aviones del gobierno cubano, sino por tres escuadrillas de B-26 que habían salido de Puerto Cabezas. De la escuadrilla que atacó La Habana, un avión fue derribado y otro tuvo que aterrizar en Key West –Cayo Hueso–, Florida; de la que atacó San Antonio de los Baños, uno aterrizó en Cayo Caimán, posesión inglesa situada al sur de Cuba. El día 16, los pilotos del B-26 que aterrizó en Key West fueron despachados, junto con Mario Zúñiga, hacia Puerto Cabezas.

Esos ataques a las bases aéreas de La Habana, San Antonio de los Baños y Santiago de Cuba tenían la finalidad de destruir en tierra el mayor número de aviones cubanos para que los barcos de la expedición, que habían salido de Puerto Cabezas cuatro días antes, no hallaran oposición aérea en Bahía de Cochinos. Los altos jefes de la CIA y del Estado Mayor Conjunto creían que si la expedición podía desembarcar sin obstáculos podría tomar y dominar rápidamente un territorio lo suficientemente grande para poder establecer una cabeza de puente por la cual recibiría toda la ayuda que podían proporcionar los Estados Unidos. La operación estaba calculada en términos de fuerzas militares, no de fuerzas políticas, y se olvidó que la revolución de Cuba era un fenómeno político que tenía sus raíces en los cuatrocientos setenta años de historia del Caribe y en los noventa y tantos que llevaba el pueblo cubano luchando por su independencia. Los líderes cubanos, en cambio, tenían bien presente el aspecto político del problema, y tan pronto como se produjeron los bombardeos del día 15, Fidel y Raúl Castro y Ché Guevara se dirigieron por radio al país denunciando la agresión y acusando a los Estados Unidos de haberla organizado y dirigido, cosa que sabían a fondo porque tenían información correcta de cada paso que daba la CIA, pero al mismo tiempo pusieron en acción los comités de vigilancia de toda la isla, que estaban preparados para actuar a la primera orden, y al cerrar el día no había en Cuba un hombre o una mujer sospechoso de hallarse a disgusto con el régimen que no estuviera detenido. Cualquiera que fuese el poder de la fuerza atacante, ni una persona se pondría de su lado, y sin ayuda popular no hay movimiento que tenga posibilidades de triunfar. Políticamente, pues, el plan norteamericano se hallaba sin sustento desde el mismo día 15 de abril.

Ese día el ministro Roa decía ante la asamblea general de las Naciones Unidas: "Acabo de recibir instrucciones del Presidente de la República, doctor Osvaldo Dorticós, y del primer ministro del Gobierno Revolucionario, doctor Fidel Castro, de denunciar a la asamblea general de las Naciones Unidas que esta mañana, a las 6:30, la ciudad de La Habana, San Antonio de los Baños y Santiago de Cuba han sido simultáneamente bombardeadas por aviones B-26 de fabricación norteamericana y procedentes de bases enclavadas en territorio norteamericano y en países centroamericanos, satélites del gobierno de los Estados Unidos". El día 16, en respuesta a las declaraciones de Adlai Stevenson, embajador norteamericano ante las Naciones Unidas, que alegaba que los bombardeos del territorio cubano habían sido hechos por pilotos que se habían rebelado contra el gobierno revolucionario –y presentaba como prueba la fotografía del B-26 de Mario Zúñiga y las supuestas declaraciones del aviador cubano–, Fidel Castro respondía desde Cuba, al pronunciar un discurso en el entierro de las víctimas del bombardeo a La Habana: "¿Quiere el señor Presidente de los Estados Unidos que nadie tenga derecho a llamarlo mentiroso? ¡Presente ante las Naciones Unidas los pilotos y los aviones que dice...!, al gobierno imperialista de los Estados Unidos no le quedará más remedio que confesar que los aviones eran suyos, que las bombas eran suyas, que las balas eran suyas, que los mercenarios fueron organizados, entrenados y pagados por él, que las bases, estaban en Guatemala y que de allí partieron a atacar nuestro territorio, y que los que no fueron derribados fueron allí a salvarse en las costas de los Estados Unidos, donde han recibido albergue".

Todas y cada una de las palabras de Raúl Roa y de Fidel Castro eran verdad; en cambio todas y cada una de las palabras que decían los funcionarios norteamericanos, desde Adlai Stevenson hacia abajo, eran mentira, lo que demuestra que el gobierno de los Estados Unidos actuaba a conciencia de que estaba violando principios y leyes. A partir de entonces, el presidente Kennedy se referiría a Stevenson en privado llamándole "mi mentiroso oficial".

En el aspecto político de la lucha que habían desatado los Estados Unidos la situación iba a hacer crisis ese mismo día. Atacado por el poder más grande de la tierra, Fidel Castro no podía olvidar que su país era pequeño, que en esa hora trágica Cuba necesitaba situarse en un campo, de los dos en que se hallaba dividido el mundo, y que no podía escoger el campo de los que le atacaban. Así, en el discurso en que pedía que el gobierno de los Estados Unidos presentara ante las Naciones Unidas a los pilotos que habían bombardeado el territorio cubano, para probar de manera categórica que eran aviadores cubanos rebelados contra su gobierno, dijo estas palabras, que iban a iniciar una época nueva en la historia del Caribe y de las dos Américas; dijo:

"Eso es lo que no pueden perdonarnos, que estemos ahí, en sus narices, y que hayamos hecho una revolución socialista en las propias narices de los Estados Unidos! ¡Y que esa revolución socialista la defendemos con esos fusiles! ¡Y que esa revolución socialista la defendemos con el valor con que ayer nuestros artilleros aéreos acribillaron a balazos a los aviones agresores...! Compañeros obreros y campesinos, ésta es la revolución socialista y democrática de los humildes, con los humildes y para los humildes". Y para terminar, en la lista de los "¡Viva la clase obrera!" y "¡Vivan los campesinos!" apareció un "¡Viva la revolución socialista!".

La bien planeada agresión del gobierno de los Estados Unidos, ordenada por los presidentes Eisenhower y Kennedy, había lanzado a Cuba al campo socialista. El ataque aéreo a La Habana, San Antonio de los Baños y Santiago de Cuba había tenido el mismo efecto que el de ingleses y españoles a Haití en 1793. El 16 de abril de 1961, Fidel Castro había actuado como lo había hecho Sonthonax el 29 de agosto de aquel año, cuando decretó la libertad de los esclavos haitianos. La historia del Caribe tenía una coherencia; seguía una ley que se hallaba inscrita en lo más profundo de sus raíces. Región del mundo americano modelada por la violencia que la había convertido en una frontera imperial, su única manera de avanzar nacía un destino mejor era respondiendo a la escalada de la agresión con la escalada de la revolución; y para librarse de la opresión norteamericana, el camino de la revolución cubana era el del socialismo. Fidel Castro no tenía opción; o escogía el socialismo o escogía la destrucción de su obra y con ella el deshonor. Violencia tras violencia, Cuba había sido llevada a ese punto, y con Cuba iría más temprano o más tarde el Caribe.

Al llegar a New York la noticia de que La Habana, San Antonio de los Baños y Santiago de Cuba habían sido bombardeados desde el aire –si bien a New York llegó sólo la versión atribuida a Zúñiga, o lo que es decir, la de la CIA–, Miró Cardona, el presidente del Consejo Revolucionario, hizo declaraciones a la prensa en las que afirmaba que "el Consejo había estado en contacto y había estimulado a esos bravos pilotos" de la fuerza aérea de Cuba para iniciar la rebelión contra el gobierno de Fidel Castro. Esa salida de Miró Cardona al ruedo de la opinión pública no fue consultada a la CIA, cuyos jefes temieron que los miembros del Consejo Revolucionario pudieran írseles de las manos en cualquier momento. Rápidamente, la CIA tomó sus medidas, y el día 16 todos los componentes del Consejo fueron llevados a Filadelfia, de donde se les trasladó por avión a Opa-locka, en Florida; al llegar a Opa-locka fueron conducidos a una barraca en la que estuvieron varios días sin más comunicación con el exterior que un aparato de radio a través del cual oían las noticias norteamericanas sobre lo que estaba sucediendo en Cuba y los comunicados que a nombre de ellos hacía en New York el agente de publicidad Lem Jones. Por su parte, los comunicados que Lem Jones entregaba a la prensa le eran dictados por teléfono desde el cuartel general de la CIA. El primero, denominado Boletín número 1, comenzaba diciendo: "La siguiente declaración nos ha sido hecha esta mañana por el doctor José Miró Cardona, presidente del Consejo Revolucionario Cubano: Antes del amanecer, patriotas cubanos en las ciudades y en las montañas comenzaron la batalla por la libertad de nuestra patria". Estaba fechado el 17 de abril, es decir, un día después de haber sido sacado de New York el doctor Miró Cardona.

Efectivamente, al amanecer de ese día había comenzado en Cuba la lucha organizada por el gobierno de los Estados Unidos; y el propio Fidel Castro había dado a través de la radio el primer comunicado de los varios que iba a dar su gobierno; en él decía: "Tropas de desembarco, por mar y por aire, están atacando varios puntos del territorio nacional al sur de la provincia de Las Villas". Fidel Castro, y con él su gobierno, estaban siguiendo el método de decirle al pueblo la verdad, pues era verdad que había habido desembarcos por mar, desde los buques expedicionarios, y por aire, desde los aviones de transporte que lanzaron unos 200 paracaidistas, cuyo papel era tomar las vías de acceso a Bahía de Cochinos.

Pero el gobierno de los Estados Unidos seguía también el método que había adoptado desde que en marzo de 1960 el presidente Einsenhower había ordenado la organización del ataque a Cuba; era el método de la mentira. Al mismo tiempo que Fidel Castro daba en Cuba su primer comunicado de guerra, se le enviaba a la prensa de New York el boletín que supuestamente había elaborado el doctor Miró Cardona; Radio Swan, una estación que tenía la CIA en las islas Swan, situada en un islote que se halla en el Caribe, exactamente al sur del extremo occidental de Cuba, afirmaba que en la isla se había producido "un levantamiento general en larga escala" y que las milicias "en las cuales había puesto Castro su confianza parecían estar en estado de pánico"; la Associated Press enviaba a todos los periódicos del mundo que le compraban servicios los siguientes cables: "José Miró Cardona y Antonio de Varona están en ruta a Cuba y desembarcarán allí tan pronto como las tropas rebeldes establezcan una cabecera de puente"; "La isla de Pinos fue tomada por los rebeldes y 10,000 prisioneros políticos fueron puestos en libertad y se plegaron a la rebelión"; "Una fuerza invasora desembarcó en Baracoa, en la costa oriental de Cuba"; "Fuerzas invasoras han llegado a la carretera principal de Cuba, con el objeto de cortar la isla en dos"; "Mil soldados del ex presidente Carlos Prío desembarcaron en la provincia de Oriente". Por su parte, United Press International enviaba a sus clientes otras informaciones: "Se tienen informes de que se lucha en las calles de La Habana"; "Las fuerzas invasoras han ocupado la ciudad de Pinar del Río"; "Fuerzas rebeldes que operan en el interior de Cuba dieron muerte a la escolta militar del primer ministro Fidel Castro, que salió ileso del atentado".

La verdad era la que había dicho Fidel Castro, aunque el primer ministro cubano la había exagerado al afirmar que el país había sido atacado "en varios puntos del territorio nacional al sur de la provincia de Las Villas", pues el ataque estaba produciéndose en un solo punto, que era Bahía de Cochinos. Esa Bahía es como una abra amplia, de forma cónica, con el cono situado hacia el norte. En el lado occidental de la bahía está Playa Larga, comunicada a través de veredas con la Ciénaga de Zapata y a través de una corta carretera con Playa Girón que ocupa la parte central de la bahía. En Playa Girón había un pequeño aeropuerto y desde allí salía un camino carretero que unía el lugar al centro de la provincia de Matanzas a través de la zona azucarera de Jagüey Grande y Pedro Betancourt.

Hasta la hora de escribir este libro no se ha dado una descripción de la batalla de Cuba que permita al lector conocer cómo se desenvolvió, a pesar de que el propio Fidel Castro ha explicado muchas veces su proceso, pero en conversaciones que no se han hecho públicas en detalle. Sin embargo, es posible dar una idea del curso de la lucha, que duró tres días.

La acción comenzó a las dos de la mañana del día 17, cuando los barcos expedicionarios llegaron frente a Playa Girón y comenzaron a desembarcar hombres. A las seis de la mañana los aviones de transporte de los atacantes empezaron a lanzar paracaidistas detrás de Playa Girón a fin de tomar control de San Blas, situada en el camino que unía la playa con el centro de la provincia de Matanzas; a esa misma hora los B-26 iniciaban la acción aérea con cohetes bombas y fuego de ametralladoras en las cercanías de Playa Girón lo que quiere decir que la operación estaba llevándose a cabo con una apropiada cobertura aérea y prácticamente sin ninguna dificultad. Al salir el sol sobre Bahía de Cochinos ese día 17 de abril, las previsiones norteamericanas iban cumpliéndose cabalmente. Faltaba saber cuáles eran las previsiones de Fidel Castro.

Fidel Castro, cuyas fuerzas en toda la isla se hallaban en estado de alerta desde hacía tres días, comenzó a mover sus milicias hacia el lugar del desembarco tan pronto estuvo seguro de que el ataque se llevaba a cabo sólo en la costa sur de Las Villas; y mientras tanto su aviación, situada en San Antonio de los Baños, a poco más de doscientos kilómetros de Bahía de Cochinos, empezó a operar con tanta efectividad que a las nueve de la mañana había logrado hundir el barco Houston, en el que los atacantes tenían concentrados sus repuestos de municiones y de armas. A esa hora, las milicias cubanas avanzaban desde varios puntos para reconcentrarse en Jagüey Grande y en sus alrededores. El contraataque cubano iba a comenzar rápidamente.

Ese día los cables de la Associated Press llevaban a todo el mundo estas informaciones: "Fuerzas anticastristas invadieron hoy Cuba por tres puntos y la principal ciudad en el extremo oriental de Cuba, Santiago, puede estar ya en manos de los invasores. Los milicianos de Castro ya han desertado y la batalla decisiva se realizará dentro de unas horas"; "los desembarcos de Oriente parecen haber encontrado poca resistencia. En la región de Matanzas se realiza ahora un intento de juntar las varias ramas (*sic*) del asalto en un solo y potente grupo que pueda cortar la carretera que corre de oeste al este para luego lanzar una ofensiva final hacia La Habana"; "los invasores desembarcaron en cuatro de las seis provincias de Cuba, no haciéndolo únicamente en la provincia de La Habana ni en la de Camagüey"; "se tienen informaciones de que se lucha en las calles de La Habana". Por su parte, la United Press International era más entusiasta y cablegrafiaba: "El primer ministro Fidel Castro se ha dado a la fuga y su hermano Raúl fue capturado. El general Lázaro Cárdenas gestiona el asilo de Fidel".

En Cuba la situación estaba bajo control desde ese mismo día y la batalla de Playa Girón –que es el nombre que se le da en Cuba– iba desenvolviéndose de manera más normal que lo que seguramente habían esperado Fidel Castro y sus compañeros del gobierno revolucionario. En un sentido estrictamente militar, era la batalla más importante que se había dado en el Caribe desde el punto de vista de las armas que se usaban en ella, todas modernas, y en ese terreno el gobierno cubano se hallaba en condiciones de inferioridad, puesto que su fuerza aérea era más pequeña que la que tenían los atacantes; pero en el sentido político Playa Girón fue tan importante como la segunda batalla de Carabobo. Con ella se cerraba una época y comenzaba otra.

Al terminar el día 17 se hallaban bloqueadas las vías de acceso hacia el interior de Cuba; el día 18 los atacantes estaban cayendo en cercos, por grupos aislados, y cualquier observador podía darse cuenta de que tenían la batalla perdida. Sin embargo, la United Press International enviaba ese día a sus clientes los siguientes despachos: "El lujoso hotel Habana Libre, en la capital cubana, quedó totalmente destrozado después de un ataque aéreo a La Habana"; "fuerzas invasoras aislaron hoy el puerto de Bayamo en la costa sur de la provincia de Oriente". Bayamo está a más de cincuenta kilómetros de la costa del Caribe, pero los redactores del cable no se tomaron el trabajo de ver un mapa de Cuba antes de escribirlo. Por su parte, la Associated Press informaba: "Agricultores, obreros y milicias se unen a los invasores y acuden a la zona ya liberada que se expande rápidamente"; "la fuerza invasora en la costa sur de Las Villas ha avanzado hasta la región de Colón, una ciudad de la provincia de Matanzas".

Al anochecer de ese día los invasores de Playa Girón eran impotentes para romper el cerco de las milicias cubanas. Esa misma noche el presidente Kennedy abandonó por algún tiempo una fiesta que daba en la Casa Blanca y se reunió con los altos jefes de la CIA, los de la Aviación y la Marina y el del Estado Mayor Conjunto. La situación en Playa Girón era desesperada y esos altos jefes habían resuelto pedirle al Presidente medidas que pudieran transformarla. De las proposiciones que se le hicieron, Kennedy adoptó una: que 6 aviones a chorro de la Marina norteamericana protegieran a los bombarderos B-26 que debían volar de Puerto Cabezas para estar sobre Playa Girón a las seis de la mañana del día 19. Lo que había asegurado siete días antes –"Este gobierno hará todo lo que pueda... para que no haya norteamericanos envueltos en ninguna acción dentro de Cuba" –quedaba, pues, sin efecto, dado que al proteger a los B-26 que atacarían territorio cubano, esos aviones a chorro de la Marina de Guerra de los Estados Unidos tendrían que actuar necesariamente dentro de Cuba. Se ha dicho a menudo –y los partidarios norteamericanos de la intervención en Cuba se lo han achacado como si fuera un delito– que Kennedy se opuso a que se usara fuerza militar norteamericana en esa ocasión. Pero se trata de una verdad a medias, puesto que los jets de la marina eran parte de la fuerza militar del país. Es cierto que las instrucciones de Kennedy fueron que los pilotos de esos jets hicieran fuego a los aviones cubanos sólo en el caso de que éstos los atacaran, pero nadie puede poner en duda que si un avión norteamericano hubiera sido derribado ese día, los Estados Unidos habrían lanzado sobre la isla todo su poderío armado.

Lo que evitó que eso sucediera no fue una decisión del presidente Kennedy; fue un error, de esos inexplicables que se dan en las horas críticas de la Historia. La orden de que los jets de la Marina volaran sobre Playa Girón para proteger a los B-26 que llegarían a ese punto a las seis de la mañana del día 19 fue transmitida desde el Pentágono por el almirante Burke en persona al portaaviones Essex, que se hallaba a corta distancia de las costas de Cuba. Esas órdenes limitaban el vuelo de los jets de las seis a las siete de la mañana. Ahora bien, ni el almirante Burke, ni los mandos de operaciones del Essex tomaron en cuenta que entre Nicaragua y Cuba había una hora de diferencia, y que, por tanto, a las seis de la mañana en Bahía de Cochinos serían las cinco de la mañana en Puerto Cabezas. Ese olvido se tradujo en el fracaso del esfuerzo final, pues cuando llegaron a la altura de Playa Girón, los aviadores de los B-26, todos norteamericanos debido a que los pilotos cubanos estaban exhaustos tras varios días de vuelos, ya eran allí un poco más de las siete de la mañana y los jets de la marina de guerra de los Estados Unidos estaban recogiéndose en las pistas del Essex.

Ese día caían en manos de las fuerzas cubanas los últimos grupos de expedicionarios. La batalla de Cuba había terminado, y con su final comenzaba en el Caribe una nueva época histórica. La vieja frontera imperial, que había quedado rota para los imperios europeos en el siglo XIX y había sido reconstruida por los Estados Unidos en el siglo XX, quedaba deshecha definitivamente en Cuba el 19 de abril de 1961.

Con la nueva época se iniciaba una etapa de luchas más duras, más desenfrenadas. Pero la Historia enseñaba que todo lo que había sucedido en un país del Caribe tendería a suceder más tarde o más temprano en los demás, y que cada acontecimiento importante estaba encadenado a uno anterior. Pues aunque en esa hermosa, rica y apasionante región del mundo hubiera pueblos que hablaban español, inglés, francés, holandés; aunque en unos predominaban los negros y los mestizos de blancos y negros y en otros los blancos y los mestizos de blancos y de indios, lo cierto y verdadero era –y seguirá siendo por largo tiempo– que el Caribe es una unidad histórica desde que llegó a sus aguas Cristóbal Colón hasta que Fidel Castro dijo, el día 19 de abril de 1961, en su cuarto comunicado de guerra:

"Fuerzas del ejército rebelde y de las milicias nacionales revolucionarias tomaron por asalto las últimas posiciones que las fuerzas... invasoras habían ocupado en el territorio nacional. Playa Girón, que fue el último punto de los mercenarios, cayó a las 5:30 de la tarde."

DE DICTADOR A PROPIETARIO DEL PAÍS

Como se advierte, una serie de males históricos dominicanos produjo a Rafael Leónidas Trujillo como dictador militar y político de su país. Eso no era ninguna novedad en América y ni aún en Santo Domingo. Como dictador, Trujillo pudo haber sido más duro que Heureaux, Melgarejo, Porfirio Díaz o Gerardo Machado; pudo haber sido tan corrompido como cualquiera de ellos y haber acumulado unos cuantos millones de dólares cobrando comisiones o haciéndose donar fincas nacionales. Pero al fin y al cabo, igual que los nombrados, un día hubiera sido muerto o echado del poder, porque igual que esos dictadores su poderío hubiera sido parcial, no total; militar y político nada más.

En el caso de Trujillo hubo una serie de razones nacionales que lo conformaron y lo condujeron a la dictadura militar y política. Pero una vez en el poder, otra serie de razones le permitió mantenerse en él e hizo posible que sometiera toda la vida nacional a su voluntad y estableciera un régimen de tal manera duro e implacable, que su tiranía no tiene ejemplo en la historia americana, tan pródiga en tiranos. Es claro que todas esas razones, las que le dieron el poder y las que le permitieron usarlo sin tasa, aparecen entrelazadas

---

Trujillo: causas de una tiranía sin ejemplo, 1a. ed. en 1959, Caracas, Venezuela. Tomado de 6a. ed. (Santo Domingo, R. D.: Alfa & Omega, 1994).

y ligadas entre sí en sus causas y sus efectos, desde los orígenes mismos del pueblo dominicano. Pero cuando el historiador las separa y estudia puede determinar claramente el momento y la circunstancia en que cada una comenzó a ser decisiva. Para el mantenimiento de la tiranía trujillista, la decisiva fue el papel del dictador como empresario único del desarrollo capitalista de Santo Domingo tras disponer del dominio militar y político del país.

Antes de poder usar el gobierno como instrumento de sus fines económicos, Trujillo tenía que doblegar el poder político a su voluntad. Tenía una fuerza con que hacerlo: era la guardia nacional. En los años de su jefatura militar había seleccionado cuidadosamente un grupo de soldados y oficiales que acabaron acatando sus órdenes sin un titubeo, y con ellos organizó una máquina de terror. No debemos olvidar que la guardia nacional está compuesta –y lo estaba sobre todo en esos años– por campesinos sin tierra, que sirven en la fuerza armada por un sueldo, y que por tanto no sólo están obligados por la disciplina militar, sino que son también económicamente dependientes, de manera que Trujillo los usó como subordinados y los explotó como esclavos. Una vez jefe del gobierno, Trujillo lanzó esa máquina de terror sobre el país con la violencia de un ejército enemigo de ocupación. El gobierno, en aquellas esferas que estaban legalmente fuera de la órbita del poder ejecutivo –poder judicial, congreso, ayuntamientos– tuvo que someterse a la voluntad del gobernante; y llegó el momento en que Trujillo tuvo a su disposición todo el régimen de gobierno, sin que una sola voz osara oponerse a sus órdenes.

Al mismo tiempo que sometía al gobierno, el dictador se dedicaba a someter al pueblo. Para esta tarea dirigió su acción hacia los partidos políticos, pues su sentido de la realidad le indicaba que el pueblo por sí solo, como masa sin organización, no era peligroso; lo era en la medida en que tuviera líderes políticos que lo dirigieran. Siguiendo ese criterio, liquidó a los dirigentes políticos y creó un partido, al cual llamó "dominicano", y lo estableció como único partido de gobierno; sólo sus miembros podían tener cargos públicos y aspirar a funciones de elección popular; con esto último forzó a los líderes de poca categoría –los que tenían más contacto con las masas– a ingresar en el nuevo partido. Simultáneamente comenzó la acción contra la prensa, la radio y toda manifestación escrita o hablada que no estuviera sometida a su voluntad, de manera que ningún núcleo político que no fuera el suyo podía tener expresión pública. En poco tiempo, el partido "dominicano" no tuvo rivales, y a seguidas Trujillo estatuyó que sólo él, Rafael

Leónidas Trujillo, y no las asambleas del partido, podría designar candidatos del partido a cargos electivos; con lo que resultó que los jueces –que en Santo Domingo son elegidos por el pueblo–, el congreso y los ayuntamientos del país pasaron a ser, de hecho, designados por Trujillo. A seguidas, desplegando una actividad impresionante, atacó todo tipo de organización susceptible de tener acción pública: sindicatos –entonces elementales, llamados gremios–, logias masónicas, clubes "de primera", cámaras de comercio, colegios profesionales–. Donde había un grupo social organizado, allí llegó el poder avasallador de Trujillo, y dominó; colocó en los cargos directivos hombres suyos, y como él era capaz de trabajar veinte horas diarias, vigiló a cada uno de esos hombres, de manera que en cierto sentido el país se vio lleno de *alter egos* de Trujillo, que dirigían toda la actividad nacional.

Si alguien pregunta cómo se explica que el pueblo dominicano aceptara esa situación sin luchar, le diremos que luchó, pero sin organización y sin buena fortuna; y además le recordaremos que esos años, los que siguieron a la gran crisis económica de 1929, fueron de confusión en países tan poderosos como Estados Unidos, Inglaterra, Francia; que otros pueblos más cultos, más ricos, más organizados que el dominicano sufrieron situaciones parecidas; que Alemania se sometió a Hitler, Brasil a Getulio Vargas, Argentina a Uriburu, Perú a Sánchez Cerro, Guatemala a Ubico, Honduras a Carías, El Salvador a Hernández Martínez, y que sólo en Cuba había luchas del pueblo contra su dictador, el general Machado. En todo el ámbito americano el espectáculo era el de los pueblos dominados por dictadores. La crisis económica se prolongaba; los obreros no hallaban trabajo, la clase media vivía de milagro. Sólo los gobiernos ofrecían cargos, y con ellos cierta seguridad. Los dominicanos no podían ser la excepción en un mundo agobiado por la decepción.

En medio de la pobreza general, Rafael Leónidas Trujillo comenzó a convertir el país en una empresa capitalista de su exclusiva propiedad. Como no disponía de capitales de inversión, se valió de leyes votadas expresamente para que él pudiera monopolizar ciertos negocios; así, la producción y venta de la sal, la producción y venta de la carne, la producción y venta de madera, el negocio de los seguros públicos, los contratos de obras públicas, pasaron a ser monopolios del dictador.

Esos privilegios, por sí solos, hubieran convertido a Rafael Leónidas Trujillo en un rico dominicano, tal vez en el más rico de los dominicanos; pero no hubieran puesto el desarrollo capitalista del país en sus manos. Lo que en verdad lo puso fue un acontecimiento internacional, en cuyos orígenes nada tenían que ver ni Santo Domingo ni la voluntad de Trujillo. Fue la guerra mundial de 1939-1945, que de hecho había comenzado en Etiopía en 1935.

La Segunda Guerra Mundial fue decisiva en la formación del cartel capitalista llamado erróneamente República Dominicana; y la mayor responsabilidad histórica de que así sucediera no está en el pueblo dominicano, sino en la política exterior de Estados Unidos, que pedía aliados incondicionales sin tomar en cuenta su catadura moral, y pedía mercancías para su ejército y su población civil, sin parar mientes en si esas mercancías estaban siendo producidas por trabajo esclavo o con sangre de otros pueblos.

Un año después de haber terminado la Guerra Mundial, los negocios de Trujillo contaban hoteles, plantas de cemento, de grasas, fábricas de tejidos, de zapatos, de materiales de construcción, de alimento para ganado, de cacao elaborado; de cigarrillos, bancos, líneas de navegación marítima y aérea, monopolio de la sal, de los fósforos, de la carne, ingenios de azúcar, fábrica de armas y además se había convertido en el latifundista más grande del país.

De república que era antes, Santo Domingo quedó transformado en una empresa económica. Como país, sus debilidades, de origen exterior e interior, produjeron la dictadura de Rafael Leónidas Trujillo; y la dictadura fue el instrumento usado por Trujillo para monopolizar la vida económica nacional.

La clave de esa edificación militar, política y económica que esclaviza a Santo Domingo está en la falta de conciencia moral en el autor y beneficiario de la obra. Al carecer de conciencia moral, Trujillo mide la conveniencia de un acto suyo por el beneficio económico que le rinde, no por el daño o el bien, por la humillación o la honra, por la muerte o la salud que pueda originar. Todas sus condiciones de carácter resultan, pues, antisociales, porque no están guiadas por la conciencia moral. A tal extremo esto es cierto, que lo que podríamos calificar virtudes privadas del dictador se convierten en perjudiciales para la sociedad, en sus reflejos colectivos.

Su energía le ha servido para esclavizar y envilecer al pueblo; su sentido de la autoridad con el consecuente don de mando, para organizar un sistema de terror; su don de organizador, para crear un régimen despótico; su actividad mental y física y su dedicación al trabajo, para establecer un sistema de explotación económica y sumisión política como pocas veces ha visto el mundo.

La creación de la conciencia moral es el fin último de la evolución social. Lo que persigue el hombre es lo bueno. Lo bello, lo útil, lo justo, y lo verdadero están dirigidos al establecimiento de una sociedad en que la conciencia moral esté tan educada y evolucionada, que la bondad sea un principio naturalmente ejercido por todos los asociados. En la naturaleza social, lo que dañe o perjudique a un miembro de la sociedad es repudiado y el autor de la acción que causa el daño o perjuicio resulta aislado, porque su capacidad para dañar o perjudicar a otros lo define como ser antisocial. El hombre incapaz de sustentar una conciencia moral se iguala al tigre. Esta fiera, dotada de músculos potentes, garras poderosas y ojo rápido, no tiene conciencia moral; si siente hambre, mata; satisface sus instintos y sus necesidades; el grado de inteligencia y de habilidad que tenga le sirve únicamente para sí; ningún otro animal de la selva tiene derecho a la vida, a la integridad física, al sueño, a la paz, si hay por allí un tigre con hambre.

Para Trujillo, sólo cuenta él; la satisfacción de sus deseos, el aumento constante de sus caudales, de su poderío político y de su figuración. Todo cuanto le sea útil a esos fines, es bueno; todo cuanto se oponga a ellos, es malo. Su conciencia moral ha sido suplantada por la conciencia utilitaria, y en consecuencia sólo es bello aquello que le sirve, sólo es justo lo que le beneficia, sólo es verdadero lo que le conviene.

Con esa naturaleza moral, y una energía tremenda para imponerla por encima de todos los principios sociales, Rafael Leónidas Trujillo convirtió a la República Dominicana en su empresa económica. Hay que repetir esto porque infinito número de gente se equivoca creyendo que Santo Domingo es la víctima de una tiranía política. No hay tal. La tiranía política es allí un instrumento de la empresa económica. El gobierno es sólo el servidor legal de la empresa; el ejército es la policía de la empresa; el territorio de la nación es el ámbito de la empresa; el pueblo es el trabajador, el productor y el consumidor forzoso de la empresa. Un dominicano que tenga coraje para luchar por su independencia tendrá que desafiar el hambre, la suya y la de sus familiares; y si la desafía y se niega a someterse al amo de la empresa nacional, tendrá que enfrentar las leyes del gobierno, instrumento legal de la empresa, y esas leyes son hechas y rehechas cada día, a medida de las necesidades de la empresa, para que nadie pueda rebelarse contra el amo; y en última instancia, el rebelde tiene sobre sí las pistolas de la policía privada del empresario, y esa policía privada, que es implacable, lo mismo que el gobierno, que es servil, está pagada por la nación. En Santo Domingo no hay ninguna fuerza, mínima o grande, individual o nacional, que pueda ofrecer amparo al rebelde.

América no concibe la incapacidad del pueblo dominicano para liberarse de su esclavitud porque América no tiene experiencia de una situación tan extrema. Cada dominicano está sujeto a tres poderes, el militar, el político y el económico. El rico –y los únicos ricos son los socios o los favoritos del dictador– que se oponga a Trujillo es arruinado en el acto mediante el uso de los poderes político y militar; el empleado público o privado que se muestre indiferente al régimen pierde su medio de vida; el pobre... el pobre es el sometido en todas partes, y no sólo en la República Dominicana. En último grado, el rico, el empleado y el pobre son asesinados sin piedad, si persisten en no someterse.

No debemos confundir la situación de la República Dominicana con la de países de América que han sido víctimas de tiranías tradicionales. En una tiranía típica de la América Latina el tirano hace negocios al margen de las actividades del Estado, pero no llega a dominar en forma absoluta la vida económica de la nación. El manejo de la economía por sectores independientes permite cierto grado de libertad de movimientos y de acción, que el pueblo aprovecha para luchar contra el tirano. La situación en Santo Domingo es distinta; el país está militarmente ocupado, políticamente sometido y económicamente acogotado por Rafael Leónidas Trujillo, y ningún sector del pueblo disfruta del mínimo de libertad de acción imprescindible para poder organizar la lucha contra la tiranía.

Imagine el lector cómo sería la vida en una ciudad cualquiera si un sólo hombre fuera al mismo tiempo el dueño de todos los negocios, y por tanto el que da empleos en comercios e industrias; el jefe policial, y por tanto el que da trabajo de policía a los que desean servir en ese cuerpo; el único jefe político de la ciudad, y por tanto el que distribuye los cargos públicos, y atribuya a ese hombre la naturaleza agresiva, violenta y anormal de Rafael Leónidas Trujillo. En poco tiempo, serán ministros de las iglesias de la ciudad sólo quiénes diga el amo; podrán entrar a la ciudad y salir de ella únicamente aquellos a quienes él señale; teniendo a su servicio a los jueces y a los que hacen las leyes, su voluntad será la ley. He ahí una imagen aproximada de lo que sucede en la República Dominicana.

Nuestro hemisferio conoció algo parecido en el norte de Haití, bajo el reinado de Christophe, a principios del siglo XIX, y una situación de rasgos similares en la Venezuela de Juan Vicente Gómez, a principios del siglo

XX. En ninguno de los dos casos, sin embargo, el triple poder en manos del gobernante fue tan intenso y despiadado como en la República Dominicana de Trujillo. Tanto en Haití como en Venezuela los tiranos nombrados fueron los más ricos de sus países, no los dueños absolutos de la economía nacional. Esto lo ha logrado Trujillo en Santo Domingo, y nadie más en América.

EL GOBIERNO AL SERVICIO DE LA EMPRESA

Habiendo seguido la política latifundista de Heureaux, Trujillo le dio otro sentido; en vez de favorecer la creación de un grupo terrateniente se convirtió a sí mismo en el mayor latifundista dominicano y asoció a los antiguos latifundistas a la explotación comercial o industrial de sus propios latifundios. Así, por ejemplo, Trujillo fundó una central lechera para monopolizar la venta de leche en todo el país; los latifundistas ganaderos de cada región tuvieron que asociarse en esa central lechera, y para que lo hicieran a gusto Trujillo prohibió que los conuqueros –pequeños propietarios– mantuvieran vacas en sus fundos y a la vez obligó al pueblo a pagar diez centavos por litro de leche, que antes valía dos, tres, cinco centavos, según la zona del país donde se produjera; con todas esas medidas simultáneas garantizó el monopolio regional de producción lechera a sus asociados latifundistas a la vez que él se beneficiaba con la actividad comercial e industrial producida por la leche. El campesino pobre, que producía la leche para su consumo, pasó a ser tributario de Trujillo y sus asociados los latifundistas. Docenas y docenas de miles de campesinos pobres resultaron afectados por la creación de la central lechera.

Trujillo: causas de una tiranía sin ejemplo. 6a. ed. (Santo Domingo, R. D.: Alfa & Omega, 1994).

Con la creación de su latifundio personal, el dictador aumentó en alto grado la superficie total de los latifundios del país, y aumentó por tanto el número de campesinos sin tierra cuyo único destino ahora es ir a trabajar a las tierras de Trujillo o ingresar a su ejército.

Pero como a la vez él es el dueño de las instalaciones industriales –con la excepción de algunos ingenios de azúcar, que pertenecen a compañías norteamericanas, de las cuales él es socio o accionista–, y muchas de esas instalaciones industriales requieren materia prima que en numerosos casos resulta antieconómica si se produce en grandes extensiones, Trujillo incrementó el minifundio en ciertas regiones del país para que el campesinado de esas zonas cultivara a sus expensas algunos productos necesarios para las empresas del dictador. Este es el caso por ejemplo, de las zonas destinadas al cultivo del maní, que Trujillo requiere para su planta de aceite, o las señaladas para la producción de cerdos, que necesita para su planta de manteca. Los campesinos minifundistas tienen que sembrar maní y criar cerdos, y tienen que venderlos al precio que Trujillo les fija. Al campesino criador de cerdos le está rigurosamente prohibido beneficiar uno sólo de sus animales; está obligado a venderlos todos a la planta de manteca y a comprar a esa planta la manteca, la carne y los derivados que pueda necesitar.

El campesinado minifundista dominicano es, pues, trabajador libre en cuanto tiene alguna tierra, un bohío, y cobra lo que produce; pero en realidad es esclavo de una maquinaria económica implacable. El que no puede resistir la presión de esa máquina, abandona la tierra e ingresa en el ejército, cuya función es defender a Trujillo y a su empresa; o se dedica a trabajar como obrero en las industrias de Trujillo.

Campesinado y clase obrera son, pues, forzosamente, parte de la organización económica de Trujillo, y al mismo tiempo son sus tributarios, en cuanto a la clase media, su única posibilidad de subsistir es aceptando el estrecho margen que le permiten las empresas de Trujillo, ya en el pequeño comercio, ya en la producción agrícola de menor consumo o en la artesanía, ya en el ejercicio de profesiones liberales; en todos los casos, el miembro de la clase media que no se muestra sumiso al dictador es implacablemente aniquilado.

En cualquier país capitalista el gobierno tiene una esfera de acción y los empresarios otra, y hay fuerzas sociales –partidos, sindicatos, asociaciones religiosas y culturales– que entran en conflicto con los empresarios o con el gobierno. En Santo Domingo no hay posibilidad de conflictos porque empresas, gobierno y asociaciones de todo tipo son engranajes de una sola maquinaria, y esa maquinaria aplastante es Rafael Leónidas Trujillo.

Un sistema monolítico de tal naturaleza no puede ser combatido sólo por su aspecto político. Este es el visible para la generalidad de las gentes, pero es el menos importante. El gobierno dominicano es el dependiente de una empresa. Los medios económicos del país están a disposición de la empresa; la economía pública viene determinada por la conveniencia o inconveniencia de la empresa; se hace la carretera que la empresa necesita, se construye el muelle que la empresa requiere; a menudo el Estado paga la instalación de una industria que luego vende a la empresa por una mínima parte de su valor real; se alzan o se bajan los impuestos según el tipo de artículo que la empresa decida vender, adquirir o producir. Todo órgano de expresión es propiedad de la empresa; los periódicos, las radios y las televisoras dicen lo que la empresa determina que conviene a sus fines, y las organizaciones públicas sólo actúan en el sentido en que la empresa entiende que deben actuar.

Ahora bien, Trujillo es reconocido por los gobiernos del mundo –y por los organismos internacionales– como jefe político de un país; y lo cierto es que en Santo Domingo no hay gobierno en el sentido político; lo que hay es un órgano público de una empresa capitalista. Una empresa, por lo demás, que no procede según las normas morales aceptadas y practicadas en el mundo sino con un desprecio absoluto por ellas. El reconocimiento internacional ofrece a la empresa trujillista todos los beneficios que se acuerdan a gobiernos legítimos y honorables, y esto, desde luego, contribuye en gran medida al sostenimiento de la empresa.

El poder ilimitado que le ha conferido la posesión total de su país ha hecho de Trujillo una fuerza que nada puede controlar. Su voluntad carece de resortes para detenerse en consideraciones de tipo moral, y su tipo de inteligencia –que no es creadora, sino aprovechadora– no le permite buscar salidas normales a situaciones conflictivas; y como tiene a la mano ese poder sin límites, lo usa en forma despiadada para eliminar los obstáculos que se le presentan. Todo lo que se le oponga debe ser aniquilado sin compasión. Aquél en quien él ve un enemigo no está seguro en ninguna parte, y lo mismo tratará de destruirlo físicamente que moralmente, mediante toda suerte de intrigas y calumnias. La posesión del gobierno le permite usar canales diplomáticos, resoluciones judiciales y legislativas, documentación falsa, y cuenta con hombres que conspiran, secuestran, matan; puede usar sin tasa el dinero que le produce una empresa que rige cincuenta mil kilómetros cuadrados de tierras, bosques, minas, ríos, mares, y que tiene dos y medio millones de esclavos y mercados mundiales para su producción; una empresa que cuenta con marina de guerra, aviación de guerra –caso único en el mundo–, un mercado interior sin competidores y un mercado mundial para colocar su producción; tiene a la orden órganos de expresión pública –periódicos, televisoras, radio, agencias de noticias– para que propaguen en el país y en el exterior aquello que él desea, y en el ámbito mundial –especialmente en el americano del norte y del sur– abundan los hombres de gobierno, los banqueros, los escritores y los publicistas, los empresarios y los promotores que sólo buscan en la vida beneficios, y que reciben el dinero de Trujillo con la actitud con que Vespasiano recibía las monedas del tributo a los urinarios públicos.

Ese poderío internacional de Trujillo procede, desde luego, de su poderío interno en Santo Domingo; pero he aquí que todo acto de poder realizado por Trujillo afuera se refleja en el país, aumentando su prepotencia interior. Cuando el pueblo dominicano oye a la radio de Trujillo insultar a un jefe de Estado americano –con el lenguaje soez que usa– y advierte que nada le sucede al dictador por eso, o cuando sabe que un profesor de una universidad norteamericana ha sido secuestrado en New York por haber escrito un libro sobre Trujillo, que un líder obrero dominicano ha desaparecido en La Habana o un senador de Estados Unidos ha puesto su cargo en el Congreso de la Unión al servicio de Trujillo, ese pueblo piensa que la fuerza del tirano es demasiado grande y que no hay posibilidad de luchar contra ella, puesto que se impone a gobiernos e instituciones de países más poderosos que la República Dominicana.

Los aspectos ridículos del trujillismo no son parte esencial de la empresa; obedecen a la personalidad psicopática del propio Trujillo.

Los títulos, los uniformes, las condecoraciones resultan innecesarias en esa organización monolítica. Trujillo los demanda porque a pesar de todo su poder, la inseguridad profunda que le proviene de haber nacido "de segunda" y de no haber sido "importante" en sus años mozos, mantiene su alma en zozobra y no le ha permitido crear todavía conciencia de seguridad. Este es un aspecto del drama dominicano que deberían estudiar los psiquiatras, no los sociólogos ni los políticos. Esa sensación de inseguridad no ha podido ser aniquilada por el dictador; es una fuente perenne de angustias para él; se siente tan inseguro hoy como hace cuarenta años, y debido a tal sensación sigue siendo el implacable buscador de poderío que fue en su juventud. La angustia, además, le impide comprender que su sistema de explotación está llamado a hacer crisis, porque se halla en pugna con el progreso de la humanidad, que reclama justicia social, participación en el producto del trabajo y libertad para vivir con dignidad. Así como el pueblo dominicano está pagando ahora con sangre el pecado de haberse mantenido al margen de las corrientes mundiales, así pagará Trujillo con creces el crimen de mantener su empresa de explotación aislada del desarrollo social y político del mundo.

Los defensores del sistema trujillista fundamentan su defensa en el orden físico de Santo Domingo, el progreso estadístico y la limpieza de los centros urbanos. Sin duda, en treinta años de dictadura la población ha crecido; han crecido su producción y su consumo. Ahora son más grandes las ciudades, más numerosas las calles, más abundantes las escuelas; es más alto el presupuesto nacional, más alto el número de toneladas de mercancías que el país vende y compra; es mayor la cantidad de dinero circulante y de médicos y abogados y de ingenieros. Pero sucede que en los demás países de América ha ocurrido lo mismo. Los últimos treinta años han sido los de mayor progreso en nuestro hemisferio. Lo que informan las estadísticas dominicanas lo informan sobre otras regiones americanas, y no ha habido que pagarlo al precio de vidas, dignidad, libertad, atraso cultural, social y político que ha tenido que pagar el pueblo dominicano.

Sí, Santo Domingo ha progresado, pero no como pueblo sino como empresa económica, no ha aumentado el número de hombres sino el de esclavos; no se ha extendido la cultura general sino el conocimiento indispensable para servir con eficiencia en la organización capitalista de Trujillo. El país se ve limpio, pero como propiedad privada, no como colectividad humana. El hombre es allí un bien *semoviente* del dueño de la nación, como lo es una vaca; la vaca es enviada al matadero cuando el amo desea recibir beneficios, puesto que ha sido adquirida para aumentar el poder de ese amo; y el hombre es enviado al matadero cuando pone en peligro ese poder.

Probablemente en ciertos momentos Rafael Leónidas Trujillo ha llegado a pensar que el poder sin límites que maneja a su antojo puede imponerse a la historia; que, dada la tremenda violencia con que está deformando al pueblo dominicano y obligando a todo ciudadano a ser su cómplice, él podrá enturbiar el juicio de las generaciones venideras. Tal vez haya pensado que los servidores de su régimen, y sus hijos, defenderán a Trujillo y a su sistema para defenderse a sí mismos.

En verdad, algo de eso podrá suceder, pero no en la medida en que quizá lo haya creído el dictador. Algún que otro servidor de Trujillo tratará de justificar su caso personal, pero no podrá hacerlo con la existencia misma del sistema trujillista. Hay un punto para el cual nunca aparecerán atenuantes: en todas las actividades del dictador, y en cada uno de los hechos que ha producido, el primer beneficiado ha sido él mismo, y no precisamente desde el ángulo moral, histórico o político, sino en moneda contante y sonante. El inventario del trujillismo, como el de toda empresa capitalista, sólo arroja cantidades en dinero.

El propio Trujillo debe conocer de antemano cuál será el juicio de la historia. Pues aunque carece de conciencia moral tiene inteligencia suficiente para saber que la conciencia moral está viva en toda sociedad humana. Él no puede ignorar que cuando el pueblo dominicano pueda hacerlo, juzgará su régimen y lo condenará.

En el fondo de su ser, el dictador teme a ese juicio. Una cosa lo denuncia: Rafael Leónidas Trujillo, dueño de un poder que pocos gobernantes han tenido en la historia, no se atreve a permitir que su obra sea entregada a la opinión de los hombres libres.

PSICOLOGÍA DE LOS DOMINICANOS

La ascensión de Rafael Leónidas Trujillo al poder fue impulsada por razones históricas, ya explicadas; ahora bien, ¿en qué medida contribuyó el carácter nacional dominicano a facilitar esa ascensión? Aislada de las causas de otro tipo, hubo sin duda una disposición de carácter de su pueblo que Trujillo aprovechó en su beneficio. ¿Cuál fue?

Es difícil responder a esta pregunta, porque el pueblo dominicano no tiene eso que podríamos llamar vocación nacional. El cubano, por ejemplo, es hedonista, y en consecuencia la vocación nacional cubana es la de la libertad; y el pueblo cubano pone en acción todos sus recursos sentimentales e intelectuales para satisfacer su vocación de libertad. El venezolano tiene la vocación de la igualdad, lo que explica las tremendas guerras sociales de 1813 y 1859 y la propensión de las masas venezolanas a producirse en verdaderas insurgencias de carácter igualador en lo económico, en lo racial y en lo social.

Hay un rasgo psicológico común a casi todos los dominicanos: la susceptibilidad. La mayoría de los dominicanos, no importa de qué grupo social procedan, es susceptible en grado enfermizo. Su susceptibilidad resulta

---

Trujillo: causas de una tiranía sin ejemplo. 6a. ed. (Santo Domingo, R. D.: Alfa & Omega, 1994).

estimulada por el incidente más nimio, y casi siempre provoca en quien la sufre accesos de agresividad que destruyen en un momento nexos familiares, amistades estrechas, sentimientos de gratitud, y que suelen ir desde el ataque a machete en el campesino ignorante, hasta la propagación de las calumnias más venenosas en el graduado universitario. En muchos casos, la inclinación a la susceptibilidad está suplantada por un sentimiento parecido, e igualmente disociador: la envidia.

Esto denuncia un perpetuo estado de insatisfacción del alma, una incomodidad psicológica que vive envenenando el ánimo de cada persona y que estalla en crisis incontrolables a la menor provocación, sea ésta voluntaria o involuntaria. Ahora bien, para tal enfermedad del ser psíquico dominicano, hay que buscar una explicación en cada grupo social.

La gran masa del pueblo tiene razones para ser así. Nadie se preocupó jamás por ella. Los caudillos la llevaron a morir, arma en mano, y ya en el poder gobernaron para el estrecho círculo que dirigía la economía y la política del país. Ni siquiera se conoce en la historia dominicana el caso de un caudillo demagogo que le haya hablado al pueblo de un derecho a una vida mejor. Todavía hoy la mayoría del campesinado de Santo Domingo nace, vive y muere sin usar zapatos, a pesar de que en su empeño de ampliar la producción de su fábrica –la Fa-Doc, C. por A.–, Trujillo castiga con prisión a los que transitan descalzos por las calles de pueblos y ciudades.

Como el instinto les dice a las masas que merecen mejor vida, la dominicana vive resentida, lo que explica su propensión a la susceptibilidad. En cuanto a la gente "de primera", su resentimiento tiene otro origen: se considera la más importante del país, por virtud de nacimiento, y sabe que no tiene capacidad económica, cultural o de otra índole que le permita vivir conforme con lo que siente que es.

De no vivir en un medio enfermo, los grupos con mejor salud psicológica deberían ser el de los "dones", debido a su posición económica, y el de la gente "de segunda" que no aspira a ser "de primera"; pero los "dones" no abundan, y los "de segunda" carecen de homogeneidad como casta –o subcasta– y por tanto se integran en la sociedad según la posición económica de cada individuo.

La propensión a desahogar la inconformidad por vías personales, y no colectivas, mediante la susceptibilidad individual y no mediante insurgencias masivas, indica que el pueblo dominicano padece de un complejo de inferioridad que lo inhibe, en tanto pueblo, y le impide realizarse en un destino nacional. Esa inhibición se traduce en una apariencia de respeto a las jerarquías fundadas en el poder económico, social o político. Y como el respeto a ese tipo de jerarquía es aparente, mantenido por la inercia que produce la inhibición, no puede decirse que los dominicanos tengan vocación de jerarquías, si bien su inhibición les lleva a aceptar como bueno y legítimo el orden social que les han impuesto los círculos que tradicionalmente han figurado al frente del país.

Esto explica que jamás haya habido el menor asomo de guerra social en la República Dominicana, a pesar de las numerosas guerras civiles que se libraron allí y a pesar de la voluntad de mejoramiento económico individual de muchos de los que participaron en ellas. Eso explica también que en Santo Domingo nadie se haya preguntado por qué hay gentes "de primera", gentes "de segunda" y masa no tomada en cuenta, al extremo de que esa división insensata jamás ha sido observada por sociólogos ni políticos. La división existe desde tiempo inmemorial, y sin embargo el problema se expone por primera vez en este libro, lo que se debe al hecho de que quienes estudian y escriben en Santo Domingo son gente "de primera", a quienes no les preocupa esa división, o gente "de segunda" que aspira a ser "de primera".

Las únicas manifestaciones de inconformidad con las condiciones de vida –no con el orden social– que ha dado el pueblo dominicano, han sido producidas por grupos obreros: en 1928, huelgas de conductores de automóviles debido a aumento en el precio de la gasolina; en 1944, huelgas –importantes, por cierto– de trabajadores azucareros. Todos los demás movimientos más o menos masivos han tenido orígenes y caracteres políticos.

Si la gran masa se inclina, por inhibición, a respetar las jerarquías establecidas sobre la base del poder económico, social o político –pues las jerarquías intelectuales o morales nunca han contado para el pueblo dominicano, por lo menos en función política–, resulta lógico pensar que el pueblo hubiera combatido a Trujillo en el caso de que hubiera visto esa lucha iniciada por los núcleos adinerados o por el grupo de prestigio social. Pero los "dones", como hemos dicho repetidas veces, no acostumbraban actuar en el campo político como núcleo, de manera que de su sector no podía salir la rebelión inicial, y la gente "de primera", a pesar de su cohesión como casta para defender privilegios huecos, no tiene coherencia como fuerza política.

En un orden económico y social más definido, las antiguas luchas entre sectores comerciales y terratenientes resultaron superadas bajo el régimen de Trujillo, porque Trujillo encarnaba la aparición de la burguesía industrial

–si bien él mismo iba a ser toda la burguesía, en tanto fuerza económica–; de manera que los factores en pugna pasarían a ser burguesía y proletariado. Pero el proletariado era en 1930 y los años siguientes una clase en formación, demasiado débil, y el terrorismo político le ha impedido desarrollarse. Por otra parte, Trujillo no tardó en organizar los sindicatos patronales y en eliminar físicamente a todo posible líder obrero independiente: sus últimas víctimas serían Mauricio Báez, un verdadero jefe de su clase, secuestrado en La Habana y probablemente asesinado allí mismo en diciembre de 1951, y Hernando Hernández, muerto en un pequeño pueblo cubano en mayo de 1952.

Para dirigir la lucha contra Trujillo, los grupos de prestigio social carecían de fuerza política. Por otra parte su papel en la colectividad no se correspondía con su situación económica, de donde provenía una contradicción que producía una sustancia humana incoherente y por tanto sin solidez. Esta incoherencia, muy generalizada en Santo Domingo bajo el régimen trujillista, recuerda el caso de las fotografías que los entendidos llaman "fantasma" o "movida", que se dan cuando un objetivo, en un solo tiro, resulta impresionado dos o más veces. En una foto "fantasma" no se reconocen los rasgos del retratado; junto a su nariz hay otra, al lado de los ojos, dos más, la boca tiene cuatro labios; la imagen es confusa porque no hay coherencia en las impresiones que recibió el negativo.

Algo parecido sucede en la República Dominicana con la psicología de infinito número de gentes que han combatido a Trujillo: creen que lo hacen por razones políticas y en realidad luchan porque necesitan una posición que los libre del hambre; conseguido el cargo, abandonan la imagen del opositor y adoptan la del trujillista.

Por otra parte esa incoherencia parece ser habitual en las sociedades que están en el tránsito de un tipo de economía a otro más avanzado, como lo está la dominicana, cuyas bases económico-sociales han sido enérgicamente removidas por la aparición de un capitalismo rampante, dueño a la vez del poder público y del poder militar y animado de una voracidad despiadada. Cuando las antiguas bases económico-sociales son removidas de manera tan rápida, dejan en retraso la evolución psicológica, que no puede producirse al mismo ritmo, y el resultado es una incoherencia extendida en la población; en virtud de esa incoherencia, la gente desea una cosa y hace otra, reconoce intelectualmente lo que es bueno y lo que es malo, pero no actúa para imponer lo primero como norma de vida; ofrece y no cumple, quiere algo y no lucha por lo que quiere.

En etapas de incoherencia como la descrita, sólo agentes externos fuerzan la cohesión de las imágenes desenfocadas. El agente externo que ha usado Trujillo ha sido el terror. Mediante la aplicación de un terror que no reconoce límites, obliga a los dominicanos a ser coherentes en un punto: sus manifestaciones de trujillismo, tanto más intensas cuanto menos espontáneas son.

Pero precisamente debido a que esa coherencia en un solo punto es forzada, la insatisfacción psicológica del dominicano –que le lleva a desahogarse en reacciones personales de susceptibilidad– se agrava y tiene expresiones cada vez más violentas, cada vez menos equivalentes al hecho que las produjo; de donde resulta que bajo el régimen de la tiranía ha aumentado en forma alarmante la propensión a la calumnia maligna, a la destrucción de todo prestigio, de los nexos familiares, amistosos y de grupo, a la negación de ese altísimo valor humano y social llamado sentimiento de gratitud, que tanto vincula a los hombres.

Con habilidad diabólica, Trujillo ha hecho todo lo posible para promover el mayor desarrollo de esa tendencia enfermiza de la psique dominicana, y ha elevado a función de Estado la propensión colectiva a la calumnia, al extremo de que en Santo Domingo hay una columna periodística, escrita en el despacho de Trujillo –y se dice que a menudo dictada por él mismo–, llamada "Foro Público", que es la apoteosis de ese mal. Lo primero que lee un dominicano medio, al abrir un periódico, es el "Foro Público", verdadero pozo de inmundicias.

A los ojos de cualquier observador inteligente, la explotación de esa enfermedad nacional conlleva una exaltación del estado de ánimo que la provoca. Esto quiere decir que la inconformidad de las masas será más honda cuanto más se desvíe por la salida falsa de la reacción personal. Y como sucede que la transformación del país en una vasta empresa económica opresora de todo el pueblo ha ido fijando la insatisfacción antes difusa, la mayoría de los dominicanos saben ahora que padecen necesidad porque Trujillo los explota y cuanto más profunda sea su insatisfacción más irán personalizando en Trujillo y en sus bienes la causa de sus males. Dentro de la lógica de los acontecimientos es de esperar, pues, que a la desaparición de Trujillo la masa se lance contra los bienes que el tirano ha acumulado para sí y para sus familiares.

En psicología del individuo como en psicología de las masas –igual que en todos los fenómenos sociales– los extremos se tocan a menudo. El hecho de que Trujillo haya acaparado para sí solo el poder económico y el predominio social, implica que a su desaparición las masas no tendrán punto de referencia en su antigua propensión aparente a respetar las jerarquías.

Durante treinta años, Trujillo ha impedido sistemáticamente que sobreviva en Santo Domingo ningún prestigio social, económico, político moral o intelectual; y como ha humillado hasta el escarnio a todo el que ha podido tener autoridad sobre las masas, las masas sólo obedecerán a sus instintos cuando ya él no les imponga respeto por el terror.

De manera que si bien la psicología nacional favoreció los propósitos de Trujillo para alcanzar el poder y consolidar su régimen, los métodos que él ha impuesto en el país determinan un giro de ciento ochenta grados en esa psicología nacional, a producirse en el momento mismo en que su régimen sea abatido. Esto quiere decir que los dominicanos debemos esperar en corto plazo la primera guerra social de nuestra historia.

Sea bienvenida. Para el porvenir de nuestra nación, es preferible tener un pueblo capaz de una insurgencia igualitaria, por terrible que ésta sea, a tener uno incapaz de evitar la aparición y la perdurabilidad de una tiranía tan voraz, tan sanguinaria y tan depravada como la de Rafael Leónidas Trujillo.

EL PAPEL DE LA CORRUPCIÓN EN EL GOLPE

En los países de la América Latina, con muy pocas excepciones, gobernantes y gobernados ejercen la corrupción en la forma más natural, y la corrupción no se limita al robo de los fondos públicos sino que alcanza a otras manifestaciones de la vida en sociedad. Al tomar el poder en la República Dominicana, el régimen democrático tenía que esforzarse en moralizar el país o se exponía a que la inmoralidad acabara con la democracia.

A la semana de haber tomado posesión de sus cargos, los Ministros de Finanzas y de Obras Públicas sabían, más o menos, cómo estaba organizado el robo en sus departamentos; se pusieron de acuerdo con el Ministro de las Fuerzas Armadas y éste seleccionó unos cuantos estudiantes de la escuela militar que debían reunir ciertas condiciones, y con ese grupo, los dos Ministros planearon la primera batida importante contra el robo de dinero del pueblo.

En el país funcionaba un llamado plan de emergencia; éste consistía en emplear algunos miles de hombres para que hicieran trabajo de limpieza en las cunetas de las carreteras. La erogación alcanzaba a un millón doscientos

---

Crisis de la democracia de América en la República Dominicana, 1a. ed. (Santo Domingo, R. D.: Alfa & Omega, 1990).

cincuenta mil pesos cada mes, esto es, quince millones al año, y por cierto, esa suma no figuraba en el presupuesto, de manera que había que sacarla de donde apareciera. (Este dato puede dar idea de la forma en que se elaboraba y funcionaba el presupuesto nacional. El de 1963 había sido aprobado tres meses antes por el Gobierno del Consejo de Estado). El plan de emergencia se pagaba quincenalmente, o debía pagarse quincenalmente, porque cuando el Gobierno democrático tomó el poder había un atraso de cuarenticinco días y además se debían dos meses del año anterior; el sistema de pagos era a base de tarjetas: a cada trabajador se le daba una tarjeta en que constaba cuántos días había trabajado, y desde la capital se enviaba el dinero para rescatar las tarjetas. Como el país estaba dividido en varios distritos de obras públicas, los pagos se hacían en las sedes de los distritos.

Si el sistema se seguía correctamente, no había ocasión para el robo, pues debía pagársele a cada trabajador y ninguno de ellos se dejaría robar tranquilamente; pero alguien halló la manera de organizar el saqueo: que no se pagara con puntualidad. Si el pago se retardaba una semana, diez días o quince días, los trabajadores cambiarían las tarjetas por comida en los comercios del lugar, o las venderían con un descuento, y podía lograrse –lo que se obtuvo– que un solo comerciante, dos a lo sumo, centralizara las operaciones en cada una de las sedes de los distritos; después de eso, el comerciante recibía una cantidad adicional de las tarjetas y repartía la suma con la persona que se las daba.

En el primer pago del plan de emergencia hecho bajo el nuevo gobierno, el dinero fue llevado por jóvenes desconocidos que habían cambiado por uno o dos días su ropa militar por ropa civil, y esos jóvenes exigieron que cada trabajador presentara su tarjeta para recibir el dinero que le correspondía. Cuando se les explicó a los jóvenes que eso no era posible, que los trabajadores cambiaban las tarjetas en casas de comercio, se presentaron en esas casas de comercio con las listas de los trabajadores y comprobaron fácilmente el fraude. Al volver a la capital, sobraban más de ciento cincuenta mil pesos, lo que indicaba que en ese solo renglón, el robo se acercaba a los cuatro millones de pesos al año, es decir, más del dos por ciento del presupuesto total de la nación.

La batida contra el robo fue de tal naturaleza, en todos los frentes donde podía haber fraude, que al terminar el primer mes de gobierno podíamos estimar que al cerrarse el año fiscal, nueve meses después, tendríamos una economía de diez millones de pesos. Pero eso no significaba que hubiéramos acabado con el mal. Según nuestros cálculos, los robos en el campo fiscal solamente sobrepasaban los veinticinco millones y podían acercarse a treinta millones, es decir, casi el veinte por ciento del presupuesto total, y los que tenían lugar en dependencias autónomas, en fincas y propiedades y en empresas del Estado, eran incalculables, tampoco podían calcularse las sumas que dejaban de entrar en el fisco por contrabando, cobros amañados de diferentes impuestos y exenciones contributivas caprichosas.

Pero no era posible hacerlo todo a la vez. Al Ministerio de Propiedades Públicas fue un comerciante del mediano comercio importador, que en siete meses recuperó para el estado automóviles, muebles, solares, reses, reajustó los alquileres de las casas nacionales, cobró las acreencias atrasadas; a la Corporación de Fomento, que administraba la mayor cantidad de las empresas del estado, fue un director de mentalidad parecida y se nombraron nuevos administradores en todas las empresas; de manera que cuando el gobierno fue derrocado el 25 de septiembre de 1963, sólo nos faltaba reorganizar la industria azucarera estatal y eliminar el fraude en las compras que hacía el Estado.

Este fraude era el más generalizado. Cuando Trujillo alcanzó el poder, en 1930, el país tenía una Dirección General de Suministros del Estado y las compras se hacían por subasta pública; cuando murió el dictador, cada ministerio compraba lo que le hacía falta, cada departamento pedía al comercio lo que necesitaba, y como se hizo común y corriente que los comerciantes del país y sus agentes del exterior dieran el diez y el quince por ciento, en efectivo, del total de la compra al encargado de hacerla, el gobierno democrático se encontró con un hábito de comisiones que había llegado a extremos escandalosos; a menudo, un departamento compraba cosas que no necesitaba sólo para que hubiera comisión, otro se hacía subir expresamente el precio de los artículos para que la comisión subiera, otro se las ingeniaba para echar a perder equipo nuevo a fin de justificar una compra que a su vez permitiera cobrar comisión.

Es difícil imaginarse a qué suma alcanzaba el fraude de las comisiones, porque éstas se estilaban en todo: los contratistas de obras públicas tenían que dar comisión a un intermediario, el cual a su vez pagaba comisión a un jefe, y los subcontratistas la pagaban a los contratistas, y la cadena llegaba ya a los más modestos funcionarios públicos, que tenían que dar dinero para conseguir empleo, y hasta a los escribientes de oficinas donde se expedían cheques, que cobraban por entregarlos.

Ese ambiente de corrupción era el caldo en que prosperaba una parte de la clase media dominicana, la porción de clase media que no se había preparado para obtener beneficios mediante la capacidad, en competencia honesta y abierta, y se las arreglaba para obtenerlos mediante el fraude, el negocio en la sombra, el favor del gobernante. Ahí estaba la clave de que la clase media dominicana –como ha sucedido con tantas otras en toda la América Latina en diferentes ocasiones– fuera tan indiferente en la defensa del régimen democrático, pues en el régimen democrático siempre se está expuesto a que alguien, en un mitin, en la radio, en un periódico, denuncie cualquiera de esos negocios turbios; y aunque a menudo el ambiente de corrupción es usado por los políticos sin escrúpulos para acusar a todo el mundo de todas las infamias, lo cierto y verdadero es que la amenaza de que una de esas denuncias sea legítima asusta a los que viven del fraude, y su miedo acaba convirtiéndose en deseo de que desaparezca el sistema de gobierno que permite las denuncias públicas.

Por otro lado, la corrupción tiene consecuencias malas en un campo distinto: mata la fe de los que desearían tener fe en la democracia, especialmente entre los jóvenes; y esto es mucho más cierto en la América Latina, donde tal vez por esa misma tradición de fraude o por la necesidad de compensación para establecer el equilibrio que demanda la vida, la juventud tiene una necesidad vehemente de que la moralidad pública gobierne los actos de los que están en el poder.

Yo sabía, por denuncias privadas, que en los institutos armados –ejército, aviación, marina y policía– el cobro de comisión era un hábito; sabía también que los jefes acostumbraban nombrar intendentes que debían compartir con ellos las comisiones, y que cada cierto tiempo, cuando se consideraba que ya el intendente había percibido una cantidad de dinero suficiente, se nombraba uno nuevo para que se "acomodara". Esa especie de institucionalización del robo llegó a tal punto, que en la madrugada del 25 de septiembre, antes aún de firmar la proclama del golpe de estado, los militares golpistas discutieron la materia de las comisiones y resolvieron nombrar intendentes nuevos cada seis meses; y ahí mismo se acordó en qué orden de tiempo iban algunos de los firmantes de la proclama a ser nombrados intendentes. Con la autorización para cobrar comisiones se pagaba el asesinato de la democracia.

Un día llamé a los jefes militares y les dije que el cobro de comisiones debía terminar. Les expliqué que la democracia dominicana era observada atentamente en toda América, y que no podíamos permitir que se deshonrara; que la falta de honestidad deshonraba la democracia no sólo porque el fraude es un delito en sí mismo, sino también porque sacaban fondos del pueblo, que debían estar destinados a obras y servicios públicos, para llevarlos a bolsillos privados; les expliqué que según mis informes, la mayor cantidad de ese dinero sustraído al pueblo era cambiado en dólares y enviado al extranjero, donde se colocaba en cuentas personales pero iba a dar, aunque figurara en el papel como dinero reservado a Fulano de Tal, a empresas, comercios e industrias extranjeras, porque los bancos usaban el dinero que recibían en depósitos para financiar negocios, de donde resultaba que el dinero dominicano que se le quitaba al Estado dominicano daba en fin de cuentas beneficios a otros países y no al nuestro; les dije que la República Dominicana era un país rico y que si nosotros nos sosteníamos dos años –nada más que dos años– con un régimen de austeridad, y si establecíamos como hábito la honestidad en la administración de los fondos públicos, el desarrollo del país iba a ser de tal naturaleza que la riqueza alcanzaría para todos.

Yo sabía que entre los jefes militares había uno que no estaba recibiendo beneficios del robo organizado, pero sabía también que los intendentes de su departamento hacían lo mismo que todos los intendentes de los institutos armados. De todos ellos, el que me oyó con más atención fue el jefe de la policía, y éste, al día siguiente, pidió verme para hablarme del asunto. "Presidente –me dijo–, he dado órdenes de que las comisiones se rebajen al cinco por ciento, porque rebajarlas de golpe a nada es casi imposible. El mes que viene ordenaré que no se cobren más. Pero quiero preguntarle algo: ¿qué hacemos si los comerciantes insisten en dar comisión?" "Pedirles que la rebajen en el precio, porque los comerciantes no dan esa comisión de sus beneficios; lo que hacen es que la suman al precio", dije. Y cuento este detalle para que se aprecie con qué naturalidad el encargado de perseguir los robos tomaba como cosa normal el hábito de las comisiones.

Una semana después llamé de nuevo a los jefes militares para saber si se estaba cumpliendo lo ordenado. Según ellos, no había cobro de comisiones en las fuerzas armadas; ese hábito se había eliminado. Entonces saqué de mi escritorio un recibo de un oficial extendido a una fábrica de baterías del Estado en el cual constaba la cantidad de dinero que había recibido, y explicaba el concepto: quince por ciento de comisión por compra de baterías para automóviles y camiones de la aviación. El Ministro de las Fuerzas Armadas se fue con el recibo y nunca más, a partir de ese día, volvió ninguna dependencia de su Ministerio, ni aun de la policía, a comprar una batería en esa fábrica; en lo sucesivo, las compras se hacían a comerciantes que pagaban las comisiones en efectivo y no dejaban pruebas de la operación.

La batalla por la decencia pública tenía que ser permanente y dura. La corrupción tomaba muchas formas, y el nepotismo era una de ellas. El país había heredado de la tiranía la costumbre de que familias enteras, incluyendo miembros colaterales, ocuparan los puestos públicos en los departamentos donde uno de ellos alcanzaba a ser jefe. El dispendio era escandaloso. Al tomar el poder encontramos un almacén de whisky, vinos y otros licores en el Palacio Nacional. Los autos con placas oficiales pululaban por dondequiera. Yo no usé auto del Estado ni placa oficial mientras fui Presidente, porque debía dar ejemplo de sencillez y austeridad, y en el Palacio Nacional sólo se brindaba café y agua de coco. La República Dominicana era un país pobre y debía sobrellevar su pobreza con dignidad, sin avergonzarse de ella y sin aumentarla por exhibir lujos que no podía darse. Cuando mi mujer hizo un viaje a los Estados Unidos para atender a nuestro hijo, que había sido sometido a una operación, ordené en el aeropuerto que los inspectores de aduanas revisaran su equipaje y que se le aplicaran los impuestos de importación a todo lo nuevo que llevara; y así como actuaba yo, actuaban todos los Ministros y todos los altos funcionarios.

Para eliminar la venta de permisos de importación, con lo que se encarecían los artículos importados, se eliminó el control y se estableció libertad de importaciones; se eliminaron, por ley, los agentes de la Lotería, que recibían los billetes del Estado y los vendían con sobreprecio a los detallistas; se estaban haciendo los estudios para mecanizar toda la contabilidad del Estado, a fin de impedir los fraudes en los cálculos de impuestos, y en el momento del golpe estaba en vías de organización una comisión de compras que hubiera hecho imposible el cobro de comisiones.

Con sólo evitar los robos de los fondos ya recaudados y evitar la fuga de impuestos antes del cobro, el país hubiera podido hacer frente a sus gastos sin necesidad de aumentar impuestos, y hubiera podido destinar una parte importante de esos gastos a inversiones reproductivas y a obras de infraestructura. Y era problema de vida o muerte hacer lo último, pues la República Dominicana no tenía invertido en infraestructura ni la quinta parte de lo que debía tener Puerto Rico, con un millón menos de habitantes y con la sexta parte de nuestro territorio, tenía en caminos, acueductos, escuelas, hospitales, puertos, aeropuertos, plantas eléctricas, puentes y otras obras no menos de dos mil millones de dólares; la inversión total dominicana en esas obras quizá no llegaba a los quinientos millones.

Durante años y años, la corrupción había sido rampante, descarada y organizada desde lo más alto del poder público: no iba a ser fácil, pues, acabar con ella. Pero por lo menos se sabía ya que en las alturas del poder público no se apoyaba la corrupción, sino que se perseguía, y poco a poco podría crearse el hábito de respetar los bienes del pueblo. Pero la tarea era dura porque los beneficiados con la inmoralidad defendían su derecho a ejecutarla con más vehemencia que la que podían haber usado en defender derechos legítimos. Para esa gente, el que cometía delito era el gobierno; cometía el imperdonable delito de ejercer y reclamar honestidad.

En la medida en que el gobierno avanzaba en ese camino, la oposición se llenaba de santa cólera. Un comentarista de radio –hay que llamarlo así, aunque no es comentarista el que se dedica a vociferar por la radio insultos, mentiras y vulgaridades– que había sido director del periódico del gobierno bajo el Consejo de Estado, había hecho mal uso de fondos de la empresa y se le acusó ante los tribunales; pero cuando se le fue a detener con una orden judicial, líderes de la oposición –entre ellos el que había sido candidato presidencial de la UCN, el doctor Fiallo– rodearon al acusado, en un estudio de televisión que estaba transmitiendo –de manera que todos los televidentes que tenían puesta esa estación vieron el triste espectáculo–, y gritaron que allí estaba asesinándose la libertad de expresión, que ellos iban a dar sus vidas para salvarla; algunos reclamaron a voces que los militares derrocaran el gobierno y hasta hubo quien solicitara que los matadores de Trujillo repitieran su acto heroico del 30 de mayo de 1961.

La intensidad de la corrupción puede medirse por ese episodio. Los más altos líderes de la oposición se negaban a que la justicia actuara en un caso vulgar y corriente de abuso de confianza con dinero público. El caso era, en verdad, deprimente, pues en pocos países del mundo dos ex candidatos presidenciales podían reunirse para dar un espectáculo parecido. Como debía suceder, esos dos ex candidatos presidenciales firmaron el acta notarial que formó el gobierno golpista, y en una memorable fotografía tomada el 25 de septiembre aparecen esos líderes junto con los oficiales que unas horas antes habían acordado "organizar" la secuencia de las intendencias militares.

Y he dicho "como debía suceder", porque la conspiración golpista fue también un producto natural de la corrupción en que una parte de la clase media cultivaba sus derechos a los privilegios ilegítimos. La conspiración contra un Gobierno constitucional elegido por mayorías abrumadoras, en elecciones que todo el mundo reputó impecables, era una forma de robo pues se le robó al pueblo lo que el pueblo hizo, y se le robó la esperanza, y el robo se cometió con nocturnidad, alevosía, asechanza y uso de armas. El golpe del 25 de septiembre de 1963 fue un asalto, con todos los agravantes, y los que lo indujeron y los que lo realizaron cometieron un delito mucho más serio que el que había cometido aquel desdichado comentarista que había mal dispuesto de unos cuantos pesos, si bien en los dos casos había un mismo origen: corrupción. En ambos casos se perseguía un fin: disponer de lo ajeno; y sucedía que en ambos hechos lo ajeno era del pueblo dominicano.

Unos días después del golpe de Estado que llevó a Batista al poder en Cuba en el año 1952, oí a un negro de Jamaica, chofer de auto público en La Habana, decir algo que me impresionó. "Batista ha hecho esto porque es un hombre que no sabe perder, y el que no sabe perder no puede ser un buen ciudadano". Yo me quedé pensando que el que no sabe perder no sabe tampoco ganar, y pretende ganar a la mala, arrebatándoles a otros lo que tienen. En pueblos de escaso desarrollo, donde los conceptos no se forman sobre bases seguras, se enseña el deporte para producir el puro desarrollo muscular y no se les da a los jóvenes deportistas de las escuelas la filosofía del deporte y su intención humana, que no es hacer hombres musculosos para que exhiban los bíceps en la playa o en fotos de concurso; es, también y sobre todo, formar mentalidad de equipo, carácter sobrio, enseñar a ganar un trofeo sin que produzca soberbia y perder un desafío sin que produzca humillación.

La corrupción tiene mil formas en nuestros países, y resulta que la corrupción corrompe, pues el ejemplo de actos ilícitos que no son penados y la exhibición de las ventajas que se compran con el producto del robo, van extendiendo la corrupción en diversos niveles. En el origen de las tiranías latinoamericanas está siempre el robo; robo ya hecho que se quiere defender o robo que va a hacerse, mantenimiento de privilegios obtenidos de mala manera por grupos sociales determinados y también avidez de robo por parte del que desea ser dictador. Y detrás de los robos llega el crimen, porque se hace necesario ocultar el robo y por tanto hay que suprimir las libertades públicas, y para suprimir las libertades públicas es forzoso establecer el terror, y el terror se establece matando.

Aunque hubo numerosas causas, todas coincidentes, para el golpe militar dominicano de 1963, la que lo determinó fue la corrupción. En mi viaje a México, adonde iba como invitado del Presidente López Mateos a la celebración del aniversario de la independencia mexicana, me acompañaron el Ministro de las Fuerzas Armadas y el jefe de la aviación militar. Este último me presentó en el viaje un proyecto suyo para comprar aviones de guerra ingleses por seis millones de dólares. Yo tenía informes acerca de la negociación. El jefe de la aviación militar había mantenido en el hotel

Embajador varias entrevistas con agentes extranjeros y en esas entrevistas se bebía y se hablaba más de la cuenta. Sólo a un inconsciente se le podía ocurrir que un país en quiebra, con el pueblo muriéndose de hambre, estaba en condiciones de gastar seis millones de dólares en aviones de guerra. Ese general sabía, como todos sus compañeros de las fuerzas armadas, cuál era la situación económica del gobierno, pues a menudo yo mismo le hablaba de ella; sin embargo su inconsciencia era tan notable que sin haber hablado conmigo había seleccionado el grupo de pilotos que iban a llevar esos aviones desde Inglaterra, y los había puesto a recibir lecciones de inglés.

La comisión habitual de los compradores en las fuerzas armadas era de diez por ciento, aunque hubo casos, como el de la compra de baterías, en que se llegó al quince por ciento. En las conversaciones del hotel Embajador el tanto por ciento se había fijado en veinte, es decir, en un millón doscientos mil dólares. La tajada era demasiado grande, y valía la pena derrocar un gobierno cuyo Presidente no estaba dispuesto a permitir que un millón doscientos mil dólares del pueblo dominicano fueran a parar a una cuenta de ahorro de un banco de Miami o de Puerto Rico.

Yo retorné de México el día 19 de septiembre; el 23 se decidió el golpe; en la madrugada del 25 el golpe se había consumado.

DOCTRINA Y MORAL DEL PENTAGONISMO

El pentagonismo no es el producto de una doctrina política o de una ideología; no es tampoco una forma o estilo de vida o de organización del Estado. No hay que buscarle, pues, parecidos con el nazismo, el comunismo u otros sistemas políticos. El pentagonismo es simplemente el sustituto del imperialismo, y así como el imperialismo no cambió las apariencias de la democracia inglesa ni transformó su organización política, así el pentagonismo no ha cambiado –ni pretende cambiar, al menos por ahora– las apariencias de la democracia norteamericana.

Lo mismo que sucedió con el imperialismo, el pentagonismo fue producto de necesidades, no de ideas. El imperialismo se originó en la necesidad de invertir en territorios bajo control los capitales sobrantes de la metrópoli, y para satisfacer esa necesidad se crearon los ejércitos coloniales. En el caso del pentagonismo el fenómeno se produjo a la inversa. Por razones de política mundial, los Estados Unidos establecieron un gran ejército permanente y ese ejército se convirtió en un consumidor privilegiado, sobre todo de equipos producidos por la industria pesada, y al mismo tiempo se convirtió

El pentagonismo: sustituto del imperialismo. 2a. ed. (Santo Domingo, R. D.: Alfa & Omega, 1990).

en una fuente de capitales de inversión y de ganancias rápidas; una fuente de riquezas tan fabulosa que la Humanidad no había visto nada igual en toda su historia.

Ahora bien, como el imperialismo invertía capitales en los territorios coloniales para sacar materias primas que eran transformadas en la metrópoli, la colonia y la metrópoli quedaban vinculadas económica y políticamente en forma tan estrecha que formaban una unidad. El imperialismo no llegó a descubrir que podía obtener beneficios mediante la implantación de un sistema de salarios altos en la metrópoli –y si alguno de sus teóricos alcanzó a verlo debió callárselo por temor de que los pueblos coloniales reclamaran también salarios altos–, el imperialismo seguía aferrado al viejo concepto de que cuanto menos ganara el obrero más ganaba el capital, y para mantener ese estado de cosas el imperialismo tenía en sus manos el poder político tanto en la metrópoli como en las colonias. Pero el pentagonismo se dio cuenta de que los altos salarios contribuían a ampliar el mercado consumidor interno y se dio cuenta de que no necesitaba explotar territorios coloniales; le bastaba tener al pueblo de la metrópoli como fuente de capitales de inversión y como suministrador de soldados, pero reclamó tener el control de la política exterior de la metrópoli porque a él le tocaba determinar en qué lugar y en qué momento usaría los soldados, qué iban a consumir esos soldados, en qué país del mundo debía crearse un ejército indígena y qué productos se le entregarían.

Mucho tiempo después de estar operando, el imperialismo creó una doctrina que lo justificaba ante su pueblo y ante su propia conciencia; fue la de la supremacía del hombre blanco, que tenía la "obligación" de derramar los bienes de su "civilización" sobre los pueblos "salvajes". En los Estados Unidos esa doctrina tomó un aspecto particular y se convirtió en la del "destino manifiesto"; esto es, la voluntad divina había puesto sobre las espaldas de los norteamericanos la obligación de imponerles a los pueblos vecinos su tipo especial de civilización, eso que ahora se llama el *american way of life*.

Pero sucedió que Hitler atacó a los países imperialistas en nombre de la superioridad de la raza germana, y esos países tuvieron que defenderse bajo la consigna de que no había raza superior ni razas inferiores. La batalla fue tan dura que hubo que contar con la ayuda de las colonias y de los ejércitos indígenas; de manera que la llamada doctrina de la supremacía del hombre blanco quedó destruida; fue una víctima de la guerra.

Ahora bien, al formarse, y al pasar a ocupar el sitio que había ocupado el imperialismo, el pentagonismo se dio cuenta de que tenía que seguir los métodos del imperialismo en un punto: en el uso del poder militar. El pentagonismo, como el imperialismo, no puede funcionar sin ejercer el terrorismo armado. En ambos casos el eje del sistema está en el terrorismo militar. Luego, el pentagonismo, como el imperialismo, tenía que llevar hombres a la guerra y a la muerte, y nadie puede hacer eso sin una justificación pública. Ninguna nación puede mantener una política de guerra sin justificarla a través de una doctrina o una ideología política. Esa doctrina o esa ideología puede ser delirante, como en el caso del nazismo; pero hay que formarla y propagarla. En algunas ocasiones la doctrina o ideología fue predicada antes de que se formara la fuerza que iba a ponerla en ejecución, pero el pentagonismo no estaba en ese caso; el pentagonismo se organizó sin doctrina previa, como una excrecencia de la gran sociedad de masas y del capital sobredesarrollado.

Una vez creado el nuevo poder, ¿cómo usarlo sin una justificación?

Los Estados Unidos son una sociedad civilizada, con conocimiento y práctica de valores y hábitos morales. Al hallarse de buenas a primeras con un poder tan asombrosamente grande instalado en el centro mismo de su organización social y económica –y sin embargo fuera de su organización legal y de sus tradiciones políticas–, los jefes del país tuvieron que hacer un esfuerzo para justificar su uso. Ya se sabía, por la experiencia de las dos guerras mundiales de este siglo, que cuando el país ponía en acción grandes ejércitos la economía se expandía y el dinero se ganaba a mares. El gran ejército había sido establecido y había que ponerlo en acción. Era necesario nada más que elaborar una doctrina, un cuerpo de ideas falsas o legítimas, que justificara ante el pueblo norteamericano y ante el mundo la existencia y la actividad extranacional de ese gran ejército.

Ya no era posible hablarle a la Humanidad de fuerzas ofensivas o agresivas. Desde el asiático más pobre y el africano más ignorante hasta el californiano más rico, todo el mundo sabía –después de la guerra de 1939-1945– que cualquiera agresión militar, sobre todo si partía de un país poderoso y se dirigía contra uno más débil, era un crimen imperdonable; todo el mundo sabía que los jerarcas nazis habían terminado en la horca de Nuremberg debido a que la guerra de agresión quedó catalogada entre los delitos que se castigan con la última pena, y que esta innovación jurídica había sido incorporada al derecho internacional. Había que inventar algo completamente opuesto a las guerras de agresión u ofensivas.

Y como lo contrario de ofender es defenderse, la doctrina del pentagonismo tenía que elaborarse alrededor de este último concepto. Si los Estados Unidos iban a una guerra en cualquiera parte del mundo, especialmente contra un país débil; si usaban sus ejércitos como un instrumento de terror internacional, sería para defender a los Estados Unidos, no para agredir al otro país. Se requería, pues, establecer la doctrina de la guerra defensiva realizada en el exterior.

Pero había un conflicto intelectual y de conciencia que debía ser resuelto de alguna manera. Una nación hace una guerra defensiva para defenderse de un enemigo que ataca su territorio, y jamás se conoció otro tipo de guerra defensiva. ¿Cómo convertir en guerra defensiva la acción opuesta? ¿Cómo era posible trastrocar totalmente los conceptos y hacerle creer al pueblo americano y a los demás pueblos del mundo que defensa quería decir agresión y agresión quería decir defensa? Al parecer el conflicto no tenía salida, y sin embargo el pentagonismo halló la salida. La doctrina que justificaría el uso de los ejércitos pentagonistas en cualquier parte de la Tierra, por alejada que estuviera de los Estados Unidos, iba a llamarse la de *las guerras subversivas.* Esta vino a ser la doctrina del pentagonismo.

¿Cuál es la sustancia de esa doctrina y cómo opera el método para aplicarla?

La sustancia es bien simple: toda pretensión de cambios revolucionarios en cualquier lugar del mundo es contraria a los intereses de los Estados Unidos; equivale a una guerra de subversión contra el orden norteamericano y en consecuencia es una guerra de agresión contra los Estados Unidos que debe ser respondida con el poderío militar del país igual que si se tratara de una invasión armada extranjera al territorio nacional.

Hasta hace pocos años esa doctrina se llamaba simplemente el derecho del más fuerte a aplastar al más débil; era la vieja ley de la selva, la misma que aplica en la jungla del Asia el tigre sanguinario al tímido ciervo; había estado en ejercicio desde los días más remotos del género humano en todos aquellos sitios donde el hombre se conservaba en estado salvaje y parecía increíble que alguien tratara de resucitarla en una era civilizada. Pero a los pentagonistas les gustó tanto –debido a que era imposible inventar otra– que quisieron honrarla dándole el nombre de uno de sus bienhechores, y la llamaron doctrina Johnson.

El método para aplicar la nueva ley de la selva o doctrina de las guerras subversivas o doctrina Johnson es tan simple como su sustancia, y también tan primitivo. Consiste en que el gobierno de los Estados Unidos tiene el derecho de calificar todo conflicto armado, lo mismo si es entre dos países que si es dentro de los límites de un país, y a él le toca determinar si se trata o no se trata de una guerra subversiva. La calificación se hace sin oír a las partes, por decisión unilateral y solitaria de los Estados Unidos. Como ya hay precedentes establecidos, sabemos que una guerra subversiva –equivalente a una agresión armada al territorio norteamericano– puede ser una revolución que se hace en la República Dominicana para reestablecer el régimen democrático y liquidar treinta y cinco años de hábitos criminales o puede ser la guerra del Vietcong que se hace para establecer en Vietnam del Sur un gobierno comunista. Guerra subversiva es, en fin, todo lo que el pentagonismo halle bueno para justificar el uso de los ejércitos en otro país.

Cuando Fidel Castro declaró que Cuba había pasado a ser un país socialista el pentagonismo era ya una fuerza respetable, pero no era todavía un poder con la coherencia necesaria para imponerse a su propio gobierno. Aun después de haber alcanzado la coherencia que le faltaba, necesitaba una doctrina que le proporcionara el impulso moral para actuar. El presidente Kennedy titubeó en el caso de Bahía de Cochinos porque no tenía una doctrina en qué apoyarse, y tal vez se descubra algún día que ese titubeo colocó al gobierno de Kennedy –es decir al poder civil del país– en una situación de inferioridad frente al poder pentagonista que fue decisiva para los destinos norteamericanos. No se conocen pruebas documentales de lo que vamos a decir, pero cuando se dedica atención al proceso de integración del pentagonismo se intuye que su hora determinante, la de su fortalecimiento, está entre Bahía de Cochinos y el golpe militar que le costó el poder y la vida a Ngo Dinh Diem.

Es fácil darse cuenta de que al elaborar la llamada doctrina de las guerras subversivas estaba pensándose en Vietnam, pero tal vez más en Cuba y en Bahía de Cochinos. La idea de que Fidel Castro se dedicaba a organizar guerrillas en la América Latina y que algún día habría que invadir Cuba para eliminar a Fidel Castro palpita en el fondo de ese engendro denominado doctrina de las guerras subversivas. La verdad es que Cuba comunista hizo perder el juicio a los Estados Unidos; llevó a todo el país a un estado de pánico inexplicable en una nación con tanto poder, y ese pánico resultó un factor importante a la hora de crear la justificación doctrinal del pentagonismo.

Los actos de los pueblos, como los actos de los hombres, son reflejos de sus actitudes. Pero sucede que la naturaleza social es dinámica, no estática, de donde resulta que todo acto provoca una respuesta o provoca otros actos que lo refuercen. Ningún acto, pues, puede mantenerse aislado. Así, la cadena de actos que van derivándose del acto principal acaba modificando la actitud del que ejerció el primero y del que ejecuta los actos-respuestas. Esa modificación puede llevar a muchos puntos, según sea el carácter –personal, social o nacional– del que actúa y según sean sus circunstancias íntimas o externas en el momento de actuar.

El pánico al comunismo cubano provocó en los Estados Unidos cambios serios en su actitud mental. En el primer momento decidieron intervenir en Cuba secretamente, a fin de no violar en forma abierta su política de no intervención, y para eso se valieron de la CIA. Pero un régimen de libertades públicas no puede actuar en secreto, y además Castro respondió a esas actividades secretas con fusilamientos públicos de los agentes enviados a Cuba, de manera que las actividades ocultas acabaron siendo conocidas en el mundo entero. Cogidos en el delito e incapacitados para enfrentarse con su miedo irracional al comunismo cubano, los Estados Unidos se convirtieron en un país de suspicaces, y acabaron creyendo que todo cambio político, en cualquier parte del mundo, era en fin de cuentas un cambio hacia el comunismo. Puesto que así había sucedido en Cuba, así sucedería en otros lugares.

Del miedo al comunismo y de su fracaso en Bahía de Cochinos, los norteamericanos pasaron a temer a cualquier cambio en cualquier sitio, y de este temor pasaron a vigilar el mundo. En suma, el final de la madeja de nuevas actitudes y de actos derivados de esas nuevas actitudes tenía que ser –y fue– que los Estados Unidos terminaran pensando que debían convertirse en la policía del mundo.

¿Pero qué clase de policía? ¿La que pone orden, por mandato de la ley, donde los ciudadanos desordenan, o la que persigue ideas y actividades políticas que se consideran peligrosas para la sociedad; es decir, lo que en todas partes se llama policía política?

Los Estados Unidos se dedicaron a ser la policía política del mundo; y esa tenía que ser la derivación natural de la llamada doctrina de las guerras subversivas, puesto que la palabra subversiva tiene una clara implicación política; describe el esfuerzo que se hace para cambiar un orden político, una forma de Estado o un gobierno.

En un país capitalista las ideas y las actividades políticas peligrosas para la sociedad son, lógicamente, las comunistas, ya que ellas están dirigidas a cambiar el orden económico, social y político, la forma del Estado y el sistema de gobierno. Pero en un país comunista las ideas y las actividades políticas peligrosas son las capitalistas, porque se dirigen a restablecer el orden económico, social y político que fue derribado y sustituido por el comunismo. De manera que a la hora de actuar como policía política del mundo el país pentagonista tiene por delante una tarea difícil, porque no puede ser al mismo tiempo policía política para impedir cambios en el mundo capitalista y para impedirlos en el mundo comunista; debe conformarse, pues, con ser policía política en el mundo capitalista. Y efectivamente, los Estados Unidos son la policía política del mundo capitalista.

Ahora bien, ¿qué cuerpo ejerce esa labor de policía política mundial?

Algunos pensarán que es la CIA; pero no es la CIA. Esa agencia husmea las novedades, se entera de dónde hay posibilidades de que estalle un movimiento revolucionario, y nada más. La labor policial propiamente está a cargo de las fuerzas armadas norteamericanas.

Esta no es una afirmación caprichosa. Lo dice el Pentágono en el libro *Guerrilla Warfare and Special Forces Operations* (FM 31-21).[1]

Desde las primeras páginas, ese candoroso documento pone en evidencia el poder pentagonista como fuerza que actúa siguiendo un plan propio. Así declara en la introducción que "la guerra de guerrillas es una responsabilidad del ejército de los Estados Unidos" y que "dentro de ciertas áreas geográficas señaladas –llamadas áreas de operaciones guerrilleras– el ejército de los Estados Unidos tiene la responsabilidad de dirigir todos los tres campos de actividad que se relacionan entre sí en la medida en que afecten las operaciones de guerra de guerrillas".[2]

Ahora bien, ¿por qué esa es una responsabilidad del ejército de los Estados Unidos?

---

[1] Publicado por Headquarters, Department of Army, Washington 25, D.C., September 29, 1961. Tiene una nota al pie que lee: "This manual supersedes FM 31-21, May 8 1958", esto es, que el de 1961 reemplaza al de 1958. El volumen que he consultado indica que es "A reprint of the original" (p. 1), y en la última página (260) trae la siguiente nota: "Reprinted 1966, by permission Department of the Army; additional publications on arms and military science of interest to the shooter and soldier available from Mormount Armament C, Box 211, Forest Gove. Ore."

[2] *Íbíd.* p.3. Part One. Introduction. Chapter 1. Fundamentals, 3. Delineation of Responsibilities of Unconventional Warfare, *a* y *b*.

No se sabe. El libro *Guerrilla Warfare* dice sólo que "la responsabilidad para algunas de esas actividades ha sido delegada", y da a entender que la delegación ha sido hecha por algún poder superior y que tal delegación significa que los Estados Unidos son los encargados del asunto. ¿Dónde, en qué parte del mundo? Tampoco se dice, y desde luego se entiende que en cualquier parte de la Tierra.

Las páginas que tienen valor político en ese libro elusivo y a la vez peligroso aparecen en su lengua original y traducidas al español en el Apéndice 1. Recomendamos que se lean cuidadosamente. Al leerlas, el lector quedará confundido y creerá que en esas páginas hay bastante oscuridad o que faltan párrafos, y pensará que con esa falta se pierde el sentido de lo que se quiso decir.

Efectivamente, hay bastante oscuridad. Pero se trata de una oscuridad elaborada cuidadosamente. Por momentos *Guerrilla Warfare* parece una navaja de dos filos, y al lector le resulta difícil darse cuenta de si el libro fue escrito para enseñar a combatir actividades guerrilleras anti-americanas o para enseñar a dirigir guerrillas proamericanas. Esto se debe a que el manual fue escrito para servir los dos propósitos y el último no podía ser expresado abiertamente. Es posible que cuando se escribió se estuviera pensando en organizar guerrillas proamericanas en algún país; quizá en la América Latina; tal vez en la Cuba de Fidel Castro.

En todo caso, la conclusión que va a sacar el lector es que *Guerrilla Warfare* es un libro altamente subversivo. En apariencia fue redactado para enfrentarse a guerras que los Estados Unidos consideraban –o podían considerar– dentro de lo que ellos califican como subversivas, esto es, peligrosas para sus intereses. Pero la verdad es que ese libro se escribió para organizar la subversión en otros países. En este sentido, *Guerrilla Warfare* es un documento de valor inapreciable. Un país que mantiene en sus fuerzas armadas una organización destinada a subvertir el orden político en otras naciones debería ser considerado como una amenaza para la paz del mundo.

Como los que elaboraron el manual sabían que se corría el riesgo de que hubiera acusaciones internacionales sostenidas por otros gobiernos, basadas en *Guerrilla Warfare* –que es un documento oficial– procedieron a redactarlo con esa oscuridad que resulta al fin tan luminosa para conocer la intimidad del pentagonismo.

Como manual para instruir oficiales y seguramente miembros de todos los niveles de las llamadas fuerzas especiales, el libro parte de un principio básico: los Estados Unidos tienen derecho a intervenir en cualquier país del mundo, o para combatir guerrillas o para organizar guerrillas. En ningún párrafo de *Guerrilla Warfare* se pone en duda la legitimidad del derecho de intervención. Los oficiales, las clases y los soldados educados con él creerán siempre, ciegamente, que están actuando dentro de la más rigurosa ley internacional y que van a salvar a otros pueblos amenazados por un enemigo feroz.

Cuando el libro fue redactado no se soñaba con una revolución en la República Dominicana ni con el incidente del Golfo de Tonkín. El presidente Kennedy había tomado el poder ese año y probablemente ni siquiera llegó a sospechar nunca que bajo su gobierno se había compuesto y editado un libro como *Guerrilla Warfare.*

Guerrilla Warfare es, evidentemente, parte importante de un programa que se adoptó para organizar un cuerpo de policía política mundial. Mediante el uso de esa policía el pentagonismo pretende impedir cambios en la porción capitalista de la Tierra.

Pero sucede que esa porción capitalista de la Tierra está compuesta por pueblos ricos y pueblos pobres, por pueblos sobredesarrollados, desarrollados y sin desarrollo alguno; por pueblos que viven al nivel de la gran sociedad de masas, como los propios Estados Unidos, y al nivel de la tribu, como varios de África. La pretensión de mantener inmóvil a ese conglomerado de contradicciones sólo puede caber en una cabeza delirante. Y efectivamente, el pentagonismo y su doctrina de las guerras subversivas son productos delirantes de gentes que han perdido al mismo tiempo el sentido de las proporciones y la conciencia moral. A los nazis les sucedió eso y su final fue catastrófico.

Desde luego, en el campo político hay una relación estrecha entre el sentido de las proporciones y la conciencia moral, y si se pierde el primero la segunda queda afectada. Casi siempre ocurre lo opuesto, que el sentido de las proporciones se pierde porque antes se había perdido la conciencia moral. Por otra parte, el afán de lucro en cantidades tan fabulosas como las que se ganan en los negocios pentagonistas conduce necesariamente a la pérdida del sentido de las proporciones. Parece natural, pues, que el pentagonismo haya producido esos efectos, y sin duda hubiera sido contrario al orden de la naturaleza que no los hubiera producido. Todo poder se convierte en origen de transformaciones, o lo que es lo mismo, todo poder tiene efectos en el medio en que actúa, y el pentagonismo no podía ser una excepción.

Ahora bien, lo que no parece lógico es que esos efectos lleguen a cierto
límites. Hay apariencias que todo gran país debe mantener. Poner a
presidente de los Estados Unidos a decir mentiras es degradar el país ant
el mundo y eso ha hecho el pentagonismo; poner a los más altos funcionario
de la nación a decir hoy lo contrario de lo que dijeron ayer es colocar a
gobierno en una posición ridicula y de mal gusto, y eso lo hace constan
temente el pentagonismo.

Durante la intervención pentagonista en la República Dominicana s
puso al presidente Johnson en la situación más penosa que ha tenido ningún
Jefe de Estado en muchos años. Se le hizo decir, primero, que estab
desembarcando el 28 de abril (1965) un número limitado de tropas par
proteger la vida de los ciudadanos norteamericanos, y tres días despué
entraban en la ciudad de Santo Domingo miles de hombres de la infanterí
de marina de los Estados Unidos con equipo tan pesado como el que s
llevó al desembarco de Normandía; se le hizo decir que disparos d
francotiradores estaban entrando en el despacho del embajador nortea
mericano en Santo Domingo y que las balas cruzaban por encima de l
cabeza del embajador en el momento mismo en que hablaba con el seño
Johnson, y resultaba que dada la situación del despacho del embajador es
era físicamente imposible aun en el caso de que alguien estuviera disparand
sobre la embajada, cosa que no ocurrió en ningún momento; se le hizo deci
que en las calles de la capital dominicana había miles de cuerpos decapitado
y que las cabezas de esos cuerpos eran paseadas en puntas de lanzas, y nadi
pudo presentar siquiera la fotografía de una cabeza cortada; se le hizo deci
que la revolución era comunista y luego se presentó una lista de 5
comunistas dominicanos, lo que provocó una risotada en todo el mundo.

Pero de todos modos, y a pesar de lo lamentable que resultaba e
espectáculo de oír al presidente del país más poderoso de la Tierra diciend
cosas que los periodistas de ese mismo país que se hallaban en el teatro d
los acontecimientos tenían que desmentir en el acto, había algo más seri
que lamentar, y era la violación abierta y sin pudor de compromisos que lo
Estados Unidos habían contraído, en la mayor parte de las veces po
inspiración suya y después de haber luchado largamente para convencer a
las demás partes; se trataba de pactos que el gobierno norteamericano habí
propuesto a los demás gobiernos de la América Latina, que él habí
elaborado, discutido, aprobado y que por último estaban incorporados a la
leyes norteamericanas porque habían sido aprobados por el Congreso federal

Todo eso lo hizo el pentagonismo sin denunciar previamente esos pactos, con lo que estableció un nuevo precedente. Es más, todavía los Estados Unidos siguen manteniendo esos pactos, como si no hubiera pasado nada, y la Organización de Estados Americanos –la OEA–, que fue el órgano producido por tales pactos, sigue funcionando, también como si no hubiera pasado nada.

Esto sólo podía hacerse –y se hizo– después de haberse perdido la conciencia moral, y como la conciencia moral está vinculada al sentido de las proporciones, éste faltó también cuando se lanzó sobre la pequeña, inerme República Dominicana un poderío militar más grande que el que en ese mismo momento –finales de abril de 1965–tenía el pentagonismo en Vietnam del Sur.

Se ha querido presentar la historia de la intervención norteamericana en la República Dominicana como un modelo de acción internacional bienhechora; pero la historia es muy diferente; es una dolorosa historia de abusos, de asesinatos y de terror que se ha mantenido silenciada mediante el control mundial de las noticias. Bastarán unos pocos datos para que se entrevea la verdad desde las 9 de la mañana del 15 de junio de 1965 hasta las 10 de la mañana del día siguiente, sin una hora de descanso ni de día ni de noche, la ciudad de Santo Domingo fue bombardeada por las fuerzas de ocupación de los Estados Unidos. En esas 25 horas de bombardeo los hospitales no daban abasto para atender a los cuerpos desgarrados por los morteros pentagonistas.

Hasta ahora no se ha dicho la verdad sobre el caso dominicano, pero se dirá a su tiempo. El pentagonismo ha hecho circular su verdad y cree que eso basta. Pero lo cierto es que la intervención en la República Dominicana es un episodio que todavía no se ha liquidado. Ese abuso de poder tendrá consecuencias en la América Latina y en la propia República Dominicana, y esas consecuencias obligarán a los Estados Unidos a actuar en forma más descabellada que en abril de 1965.

Sin embargo, como cada hecho produce un efecto relacionado a su magnitud, es en la intervención de los Estados Unidos en Vietnam, mucho más amplia y cruda que en la República Dominicana, donde podemos hallar la medida de lo que ha sucedido en el país pentagonista en términos de conciencia moral. En Vietnam se ha recurrido a todas las formas de matanza y destrucción en masa para aterrorizar a los combatientes del Vietcong y a los gobernantes del Vietnam del Norte. *¿Y* por qué se les quiere aterrorizar?

Los personajes políticos, los periodistas y los comentaristas norteamericanos lo han dicho varias veces: para obligar a Ho Chi Minh a sentarse ante una mesa de conferencias, es decir, para forzarle a negociar. La frase se ha repetido tanto que se ha hecho usual en los Estados Unidos.

¿Puede concebirse una expresión que denuncie más claramente la falta de conciencia moral? ¿Es que los personajes, los funcionarios, los comentaristas de los Estados Unidos no alcanzan a darse cuenta de lo que están diciendo? ¿Es que para ellos se ha vuelto moral el uso del terror para alcanzar fines políticos? ¿Qué diría uno de los señores que se expresan tan a la ligera si en su propio hogar se presentara un hombre armado de ametralladora y matara a uno de sus hijos para infundir miedo en el resto de la familia y lo obligara a hacer lo que se propone el asaltante?

Pues bien, en principio no hay diferencia entre lo que hacen y dicen los funcionarios pentagonistas para justificar el bombardeo de Vietnam del Norte y lo que haría el bandido que asaltara una casa y diera muerte a un niño para obtener lo que busca.

Supongamos que los Estados Unidos tienen razón cuando se atribuyen el papel de policía del mundo; supongamos que dicen la verdad cuando aseguran que ellos están combatiendo en Vietnam sólo para evitar que el Sur de ese país sea agredido por el Norte; supongamos, pues, que hay coherencia entre el papel de policía del mundo que desempeñan los norteamericanos y los bombardeos de Vietnam del Norte, es decir, que ellos persiguen en Vietnam del Norte a varios criminales que han cometido crímenes en Vietnam del Sur. Pues bien, aun si aceptamos todas esas falsedades nos quedan por hacer algunas preguntas.

¿Tiene la policía derecho a penetrar en una casa donde se ha refugiado un criminal y dar muerte a los niños de esa casa para obligar al criminal a rendirse? ¿Puede hacer eso la policía aun en el caso de que los niños muertos sean los hijos del criminal perseguido? ¿Qué diría el ciudadano promedio de New York si la policía de esa ciudad actuara en esa forma? ¿Lo encontraría justo, razonable, lógico; le parecería moral? Debe hallarlo moral, puesto que eso es lo que su gobierno está haciendo en Vietnam.

De la falta de conciencia moral a la corrupción intelectual no hay distancias. El catálogo de las falsedades que se dicen en los documentos oficiales norteamericanos parajustificar la intervención en Vietnam y los bombardeos a ciudades abiertas de Vietnam del Norte es ya grande. Hoy se afirma algo que mañana se desmiente, y los funcionarios ni siquiera tratan de justificar esas contradicciones.

Al mismo tiempo que se ha hecho un hábito mentir oficialmente, se ha establecido todo un aparato para desacreditar a las instituciones y a los hombres que no se someten al pentagonismo[3] y para enaltecer a los que le sirven. En esta tarea se sigue un método ya probado: se dice una mentira que será luego repetida por "liberales" conocidos, de manera que a poco la mentira queda convertida en verdad propagada por los supuestos abanderados de la verdad. En esto, los difamadores del pentagonismo han mejorado las enseñanzas del maestro Goebbels.

La doctrina del pentagonismo es deleznable, pero la moral pentagonista no tiene nada que envidiarle.

---

[3] El ex embajador de los Estados Unidos ante mi gobierno, John Bartlow Martin, elaboró uno de esos documentos de encargo para justificar la intervención de su país en la República Dominicana sobre la base de que yo era un loco que vivía lleno de miedo. (J.B.)

ENSAYOS BIOGRÁFICOS

LA TRISTE COSECHA

Media julio de 1898. Veintidós años atrás hacía el mismo camino el hombre que ahora entrecierra los ojos, buscando, en la atmósfera gris que emerge del mar, un signo de la cercana tierra. En aquellos días angustiosos llegaba a Nueva York por tercera vez. ¿Habrá cambiado mucho la ciudad? ¿Será el mismo pueblo laborioso, respetuoso de la libertad ajena, de los principios que establecieron sus fundadores, el que ahora hormiguea en la urbe gigantesca? Sus acorazados bloquean los puertos cubanos y puertorriqueños; pero han de estar allí en son de hermanos liberadores. No puede ser de otra manera. Si esta nación poderosa burlara el espíritu de la democracia que ella misma estableció por vez primera, el rudo golpe acabaría por hundirla.

El viajero repasa sus conclusiones: En cuanto pise tierra, ponerse al habla con la Delegación Cubana, para concertar los medios de llevar a cabo lo previsto en el artículo inicial de los Estatutos del Partido Revolucionario; conseguir, mediante convenio, que el gobierno americano ponga en manos del pueblo puertorriqueño los recursos militares que le hacen falta para derrocar el poder español; facilitar, por la cooperación de los habitantes de la isla, la acción militar libertadora de las fuerzas americanas; crear un organismo político que represente a Puerto Rico y que pueda asegurar los derechos del pueblo al respeto y reconocimiento de su soberanía.

Hostos, el sembrador. 7a. ed. (Santo Domingo, R. D.: Alfa & Omega, 1994).

No se llama a engaño el viajero: sabe que Puerto Rico no tiene la menor idea de lo que hará con su libertad y que la intervención americana deberá durar allí todo el tiempo necesario para enseñar a los isleños el uso de las instituciones que aseguren la libre vida del pueblo; pero como teme que la secular pasividad puertorriqueña autorice a pensar que sus compatriotas no desean ser libres, quiere atajar el mal haciendo que se reconozcan desde antes de empezar la obra de las fuerzas armadas americanas, el derecho de su pueblo a disponer de su destino.

Lejos andan ya los días de impetuoso optimismo. A Luperón le escribió desde Santiago de Chile, hace tres años, diciéndole en dos palabras lo que pensaba: Si la independencia de Cuba sobrevenía sin que Santo Domingo estuviera libre de la dictadura que todavía padece, Puerto Rico seguiría esclava y la soñada confederación se tornaba un sueño imposible.

Eso teme. Luperón no está ya en este mundo. El aguerrido caudillo que encarnaba tantos grandes ideales reposa para siempre en la tierra que libertó a machete y defendió celosamente de nacionales y extranjeros; Lilís amenaza eternizarse en el poder, y las noticias de Santo Domingo que le han llegado indican que la tiranía hunde cada vez más sus raíces en las propias entrañas del pueblo, corrompiéndole y gangrenando su conciencia: Cuba está segura del porvenir, porque miles de hombres en armas garantizan el respeto de las fuerzas americanas... Pero, ¿podrá Cuba sola realizar, siquiera en parte, el destino que la Historia guarda a las Antillas unidas?

Decididamente, el viajero no se siente entusiasmado. Recela, y dispone su plan de trabajo. En último caso, convencerá a los cubanos del peligro que significará para Cuba un Puerto Rico anexionado a la Unión Americana, y pedirá a Máximo Gómez que interceda, con su aplastante autoridad moral, para que a la hora de los convenios los cubanos interpongan alguna cláusula que favorezca a Puerto Rico. El viejo libertador conoce, mejor que nadie, sus propósitos: muchas veces los debatieron en aquellos lejanos días de la emigración, cuando platicaban en las tardes de Santo Domingo y repasaban los problemas de Cuba, los puertorriqueños, los dominicanos, y se encendían de entusiasmo soñando la Confederación. El anciano guerrero sabe también qué derechos tiene él para pedir ayuda a los cubanos. Lleno de fe en el destino de la isla mártir, ha rendido por su libertad todo el esfuerzo que ha podido. No se hable ahora de aquellos años intensos del Decenio: ¿para qué? ¿Es que acaso algún patriota los ignora? Los nuevos, los de esta guerra que ya toca a su fin, han sido más duros, porque ha tenido que sufrirlos lejos del campo de batalla, allá donde le consumía el dolor de no estar en su puesto.

La verdad es que la guerra le sorprendió. Metido en Chile, a millares de leguas; se halló de pronto aislado. No le llamaron a cerrar filas, como hubiera sido justo; pero al primer estampido de fusil respondió con su pluma vibrante; y lo mismo que en los años de mocedad, calentó el alma de Chile y la puso a hervir por Cuba.

Aquel acontecimiento fue, verdaderamente, de gran virtud renovadora. Él se había hecho a la vida ordenada, más o menos plácida, ocupada en escribir y en adoctrinar a Chile sobre lo que mayor bien pudiera traerle; en regentear su Liceo y perseguir un método de enseñanza cada vez más simple y más capaz. Los años hubieran pasado insensiblemente, y allí le hubiera ido a buscar un día la muerte. Echaba de menos a las Antillas, porque eran su ambiente natural y porque sus hijos enfermaban con frecuencia; pero hasta esos hijos se encaminaban fácilmente, y el mayor, heredero de su frustrada vocación militar, había ingresado ya en la Escuela de Cadetes. Bien montado, su hogar parecía fijo para siempre. Amigos cordiales le rodeaban; tenía el respeto de todos; en las islas le quedaban tan sólo Rosa y su padre, ya anciano, y él los atendía enviándoles con qué subsistir decorosamente. ¿A qué nuevas aventuras?

Pero con la nueva sacudida en Cuba, se remozó, se sintió lleno de energía, de fe; y otra vez empezó, como si no hubieran pasado más de veinte años desde sus días de lucha, como si no hubiera envejecido. Rápido en la percepción, comprendió que la revolución era ya definitiva: la del 68 la hicieron grandes hombres, grandes corazones, grandes propietarios; la del 95 era la obra del pueblo, de la masa, y nada había de lograr detenerla.

Lo primero que hizo fue concitar a los viejos amigos que le ayudaron en su campaña de la Guerra Grande, estuvieran o no en Chile; después, formar un pequeño Club que diera personalidad a las gestiones que se hicieran. La Delegación del Partido Revolucionario Cubano en Nueva York le nombró representante en Chile mientras llegaba el Agente, y Hostos se puso de inmediato a trabajar. Conseguir armas, organizar la propaganda, caldear el ambiente: he ahí su plan. Pero las armas no pudieron lograrse, porque la situación internacional –la amenaza de guerra con la Argentina, que le tenía amargado y que, sobre el dolor que le causó la pasada revolución, le iba haciendo desear cada día con más vehemencia el retorno a sus islas, a pesar del dictador dominicano– echaba al suelo los ministerios con pasmosa facilidad, y los amigos se veían suplantados de la noche a la mañana por

otros que no lo eran, o el país se quedaba sin más gobierno que el President
y el Congreso. La propaganda sí pudo hacerse a toda vela: la prensa chilen
se puso al servicio de Cuba.

Con aquella ingenuidad de la que nunca había de avergonzarse, Hosto
quiso que Cuba fuera la intermediaria entre Argentina y Chile; que dejara
su algarada por metros más o menos de tierra y dieran a la isla el esfuerz
que malgastaban inútilmente. No se rieron de su propósito, porque tod
Chile le respetaba; pero no tardó en notar que sus palabras caían en u
triste vacío. Se sacudió la especie de pena que le daba ver a los hombres ta
reñidos con los pensamientos altos, y volvió a la carga, en la calle, en mítines
en artículos, en cartas a la Delegación. Escribía para periódicos chilenos
dominicanos, venezolanos; para el que editaban los cubanos en París. Co
el escaso dinero que se recogió prepararon los miembros del Círculo un
corta expedición; lo hicieron a espaldas de Hostos, cuyo disgusto fue grande
puesto que Cuba, a su juicio, no necesitaba hombres, sino armas y dinero
Disolvió el Círculo, que ya para nada servía, y siguió solo su campaña. Er
muy difícil conseguir que el gobierno prestara alguna ayuda. ¡Ah, si n
hubiera muerto el gran corazón americano que se llamó Manuel Antoni
Matta! Quedaba su hermano Guillermo; pero Guillermo no podía sustitui
como político, al jefe del Partido Radical. Lo utilizó, desde luego; mas poc
cosa pudo hacer. Por esos días trató el Gobierno de impedirle su labor: e
ministro español se quejó de que él, empleado público, asistiera, organizara
dispusiera actos contra España, país amigo de Chile. Hostos preparab
entonces una manifestación para recibir a Arístides Agüero, enviado com
Agente de Cuba en Chile.

–Diga Ud. a su jefe que yo asistiré mañana a un acto que se prepara e
honor del Agente de Cuba, y que pongo desde ahora el empleo a disposició
del gobierno, pero no como acto de voluntaria delación, sino obedeciendo
la presión que se me hace –contestó al oficial del Ministerio que le pidi
renunciar a su campaña.

Fue, y sirvió al Agente en cuanto pudo: le dirigió y encaminó, y sigui
escribiendo, hablando, abogando por Cuba.

Siguieron la guerra en la lejana isla y la vida triste de Chile. A distanci
del sitio donde en realidad latía su corazón, temía por el porvenir de la
Antillas: se inquietaba por no estar cerca, para hacer por ellas lo necesari
en el momento oportuno; creía ver más amenaza de parte de la Unión Americana, y presentía que los amagos anexionistas del Decenio no iban a tene
su mejor defensa en los hombres del Congreso de la Unión, como entonces.

Su familia no andaba bien: enfermaban los hijos, y él mismo, cuando el decaído invierno sucedía a los meses de sol, se hallaba compungido, triste, amargado.

¿Por qué no irse? Su obsesión permanente era volver, acercarse a la llama, luchar. Estaba seguro de que esa guerra era la última que podía sostener España en América. Su sueño iba a quedar manco por andar tanta distancia. En Chile se disgustaba, porque la enseñanza –su medio para llegar a la verdadera libertad de estos pueblos– daba cambiazos sin cesar. Entre amarguras se pasaban los meses; en mayo del 97 le llegó una noticia dura, que le hizo el efecto de quien pierde un brazo: Salomé Ureña de Henríquez, la gran mujer que fue su Cirineo en Santo Domingo, había muerto. La noticia revivió en su corazón todo el pasado; los ruegos de la poetisa y maestra para que no abandonara la obra empezada, el ambiente de admiración que le rodeaba allá; el entusiasmo que sentía viendo a sus discípulos enderezarse en la vida...

Pero las malas nuevas no acababan ahí: antes de dos meses después llegó otra: en Mayagüez se había rendido a la muerte don Eugenio de Hostos.

A partir de ese instante, su pensamiento se encaminó todo a un propósito: volver. Y no veía la hora de partir. Iría a Santo Domingo, a Venezuela, a cualquier lugar desde el cual pudiera vigilar a sus islas y tener en salud a su familia. Pero mientras llegaba el momento de partir, trabajaba.

En septiembre 16 empezó a publicar sus *Cartas públicas acerca de Cuba*, y desde entonces hasta el 17 de noviembre estuvo, día tras día, probando a toda luz que Cuba tenía derecho a ser independiente y que sus hijos eran de los hombres más notables que tierra alguna daba; que su poder económico garantizaba su vida futura; que la opresión española no tenía ejemplo en la historia colonial de América; que sólo gracias a la indiferencia de los Gobiernos del Continente se desangraba tan crudamente un pueblo hermano. Durante dos meses Chile vio claramente la justicia de la guerra, la noble justicia que asistía a Cuba.

Bien sospechaban todos que lo de Cuba no tardaría en tener una solución. El año 1898 se inauguró en la isla con el gobierno autonómico que "concedía" España, y con los desórdenes que siguieron a su instauración. McKinley propuso, por medio del Papa, un armisticio que España rechazó. En febrero, el día 15, estalló el *Maine* en la bahía de La Habana. Cuando eso sucedía, ya había empezado Hostos a despedirse de sus amigos de Chile. Decidido el viaje, Inda, que veía su hogar floreciente, quiso evitar el derrumbe de tantas ilusiones domésticas: argumentó que sus hijos estaban encaminados, el primero avanzado en sus estudios militares, los demás en la escuela; argumentó que perderían el seguro de muebles por veinticinco mil pesos. Rogó, lloró, suplicó. Pero Hostos no se dejó ganar: las Antillas estaban abocadas a cruzar el más grave momento de su historia; él no podía desampararlas en tal momento, no importaba lo que costara ni lo que representara para la familia el sacrificio: tener patria era lo primero. Vencida al fin por tan arrogante persistencia, Belinda se rindió.

–Hazlo, Hostos; Dios no ha de faltarnos –dijo.

A toda prisa empezaron los preparativos. Como no tenía con qué enfrentarse a los gastos del viaje, debía conseguir apoyo del Gobierno. Chile respondió bien: le nombró Delegado para el estudio de los Institutos de Psicología experimental en los Estados Unidos.

Mientras tanto, los acontecimientos se sucedían: el 28 de marzo, la Comisión Técnica Investigadora, como llamaron los yanquis a los encargados de averiguar qué había producido el desastre del *Maine*, entregó al Congreso un mensaje con el resultado de sus pesquisas: el crucero había sido volado con una mina submarina. El 11 de abril, el Presidente McKinley pide al Congreso autoridad para dar fin a la guerra. Ya nadie duda: los americanos intervienen sin reservas: los días de España en Cuba están contados. El 16 de abril sale Hostos de Santiago hacia Valparaíso, donde ha de tomar el vapor para el Istmo. El 19 dio el Congreso su *Joint Resolution;* el 22 se puso la escuadra americana a la vista de La Habana. El 27, a bordo del *Imperial*, salía Hostos de Valparaíso.

A fines de mayo llegó a La Guayra, procedente de Colón. Pensó dejar a su familia en Caracas, para seguir él a Nueva York; pero Caracas estaba bajo el azote de una epidemia de viruelas. La llevó entonces al Valle, en las cercanías de la capital venezolana. Los cubanos asociados que allí había le recibieron con todo calor. Prestados tuvo Hostos que tomar quinientos pesos para rendir el que creía su último servicio a Puerto Rico.

Y lo está rindiendo. Abrumado por la falta de Inda y de sus hijos, se acerca ahora a Nueva York. Ya se ve la estatua de la Libertad, que él no conoce. ¿Será efectivamente el símbolo del sentimiento de todo un pueblo? ¿Habrá cambiado el corazón americano desde el 76, cuando lo sintió latir la última vez?

El viajero teme, recela, medita. A su paso por Curazao volvió a soñar, como en el 77 y el 78, en un colegio. Quizá ése sea su destino.

Entre la bruma de este 16 de julio de 1898 se columbran las casas pintorescas de Sandy Hook. Un poco abstraído, el viajero las mira.

Desde los días finales de la guerra con los esclavistas los industriales norteamericanos comenzaron a utilizar la política como medio para expandir sus empresas, para afincarlas o para crear otras. El florecimiento industrial empezó insensiblemente, satisfaciendo los anhelos de progreso y de civilización del pueblo; pero sin que se pudiera señalar cuándo, se fue creando una aristocracia económica que concebía a toda la nación como garantía de sus propósitos, y que luego miró en su torno, más allá del mar, y vio zonas de expansión para sus negocios en las tierras vecinas. Tal manera de pensar no era nueva, desde luego, en los dirigentes americanos, que siempre consideraron a los países del continente como apéndices naturales del poderío político de la Unión; pero ese concepto pasó de político a económico cuando, con el aumento de la producción, la industria necesitó de mercados exteriores. Dentro del campo político, ciertos principios, básicos para el norteamericano, delimitaban la capacidad de hacer, y así se explica que, en distintas ocasiones, el Congreso rechazara solicitudes de anexión, porque contrariaban las reglas de conducta americana y violaban el espíritu mismo en que descansaba la Federación. Cuando los grandes capitalistas tuvieron a su merced el poder político no se detuvieron ante esas reglas, porque la falta de mercados amenazaba la vida de sus industrias, y, con ella, alegaban, el orden económico y la fuerza del país.

En 1876, durante su último viaje, Hostos había empezado a notar el cambio que se iniciaba; y ya en la guerra del 95 vivió temiendo que el poder de la aristocracia de la producción hubiera rebasado al político. José Martí, el hombre que había creado tras sobrehumanos esfuerzos el Partido Revolucionario Cubano, vio también el mal; pero Martí pudo pulsarlo en el corazón mismo del pueblo americano, porque estuvo allí en los días de la mayor intensidad expansionista, cuando el nuevo sentido de la fuerza pugnaba por acogotar al viejo espíritu del derecho. El gran cubano pudo decir: "He vivido en el vientre del monstruo y conozco sus entrañas". Hostos no; Hostos había vivido los nobles días de la lucha por el derecho, y su fe en los principios no cedía al temor de que cayeran derruidos por los huracanes que el florecimiento industrial había desatado. No cedía; pero no dejaba de temer.

Por recelar está ahora aquí, en Nueva York. Mira con ojos suspicaces las transformaciones que la ciudad ha sufrido en veintidós años; los groseros edificios de veinte pisos que atolondran al forastero; los rápidos tranvías, los *subways*, las dimensiones colosales de cuanto le rodea. Sí, teme; y, sin embargo, espera lo mejor. Hace veintitrés años le dijo a Betances, desde aquí mismo: "La independencia de Puerto Rico no podrá ser un día después que la de Cuba". Y recuerda haber agregado: "Y que nos la hagan los extranjeros, es una vergüenza". ¡Y ojalá fuera sólo vergüenza! Sospecha que algo peor que eso será; y por tratar de evitarlo ha venido, viejo ya, sin trabajo abandonando el que tenía, sin dinero, sin comodidades. Vive en un cuartucho estrecho, apenas amueblado. Se halla un poco desorientado, y trata de buscar trabajo para atender a su familia. Cuando salía de Venezuela esperaba conseguir aquí una plaza de traductor que le permitiera vivir en uno de sus países y vigilar el porvenir de Puerto Rico y de sus hijos.

Pero el trabajo no aparece. Del grupo de veintidós años atrás sólo algunos amigos emigrados quedan. Todo ha cambiado, todo. Antonio Molina tiene hijos; Bonocio Tió, amigo de los atormentados días de sus amores con Inda, se le presenta más grueso y encanecido. Los cubanos y los puertorriqueños han perdido el entusiasmo, y creen que nada se conseguirá en bien de Puerto Rico. Hay un Directorio, llamado de Puerto Rico, que dirige el Dr. Henna, cuyas actuaciones le han parecido bien a Hostos. Ese Directorio tiene el propósito de conseguir que McKinley le reconozca autoridad para acompañar a las fuerzas que vayan a la isla, a fin de mediar entre puertorriqueños y americanos, y de conseguir que el ejército de la Unión no entre en Puerto Rico como en tierra conquistada, sino como auxiliar del pueblo para librarlo de España.

De todas maneras, hay que coordinar un plan, y Hostos se pone a crearlo. Se dice que el 17 por la mañana tomaron las fuerzas americanas a Santiago de Cuba, y que de allí saldrá una expedición hacia San Juan. Por de pronto, si nada consigue y si no logra trabajo, ya tiene ese rincón donde guarecerse mientras vigila los acontecimientos: acaso puedan él y su familia vivir en Santiago. Son confusos los pensamientos; él está un poco agobiado, por los desencantos, por los años, por el temor de ver su sueño destrozado. Pero no se entregará sin luchar.

El plan que elabora incluye la entrega, por parte del gobierno de la Unión, de diez mil rifles para que los puertorriqueños combatan a los españoles. Méndez Capote, el vicepresidente de Cuba, le desconsuela un tanto: nada se podrá hacer en favor de su isla; pero los que intervinieron cerca del gobierno americano para que éste extendiera la guerra a Puerto Rico, lo cual no parecía estar en el plan originario de Roosevelt, le aseguran que fue condición expresa en las negociaciones que las tropas no se apoderarían de la isla.

Un periódico le entera que de Newport News –el mismo lugar donde él alcanzara tierra en 1875, cuando el fracaso de la expedición del *Charles Miller*– está lista a zarpar una expedición que completará a la que de Santiago de Cuba ha salido para Puerto Rico al mando de Miles. Se precipitan los acontecimientos. Entonces decide ir con Henna y con Todd, secretario del Directorio, hacia Washington. No alberga esperanza, pero debe dar la batalla. Para ir a la isla con las tropas expedicionarias, a mediar y a impedir que éstas procedan como conquistadoras, es tarde ya. Quizá haya alguna manera de evitar el mal todavía.

Pero no salen. El día lo emplea en dejarse ver de viejos amigos, de discípulos dominicanos que han encaminado su vida por aquí; en visitar periódicos. Ha conocido a Manuel Sanguily, que le recuerda a Ambrosio Montt, y concede una entrevista a un reportero de *The New York Commercial Advertiser.*

La entrevista se publica el día 21 de julio, uno de los más dolorosos que recuerda, porque desde temprano le telefonea Henna para decirle que la expedición destinada a Puerto Rico está saliendo, y los rumores afirman que el gobierno americano tiene el propósito de anexarse la isla. Hondamente entristecido, escribe en su diario: "La independencia, a la cual he sacrificado cuanto es posible sacrificar, se va desvaneciendo como un celaje: mi dolor ha sido vivo". La entrevista publicada trae sus conceptos: "Si Puerto Rico eligiera ser anexado a los Estados Unidos –dijo–, y su elección se hiciera por medio de un plebiscito, entonces nosotros, abogados de la independencia, nos inclinaríamos ante la voluntad de la mayoría, legalmente expresada...". Pero "si mi país se somete al yugo americano, le diré adiós para siempre. La libertad de Puerto Rico y de otros países de habla española ha sido el ideal de mi vida, y si mis compatriotas cambiaran un yugo por otro, dedicaré mis energías a la misma causa republicana, pero me quedaré siendo el expatriado que he sido durante treinta años".

Presintiendo que así ha de suceder, se entrega a su murria. Resuelven él, Henna y Todd, que vaya Todd a Washington, a conseguir una entrevista con el Presidente y con el Secretario de Estado.

Mientras esperan noticias de Todd llueven los periodistas pidiendo entrevistas. Un poco más cauto, Hostos dice sustancialmente lo mismo que en la primera; pero ahora trata de ganarse el sentimiento del pueblo americano en su favor. Ese pueblo será su mejor aliado, contra los políticos y contra los magnates de la banca. En él tiene fe Hostos; en él y en los principios que hicieron posible la creación de la gran patria del Norte.

Todd no da señales de vida. Hostos visita casas amigas, la de Molina, gentil como si los años no le hubieran pasado por encima, donde evoca a sus hijos y piensa con dolor en "la noticia semioficial de que el propósito del gobierno americano es apoderarse *for ever* de la isla amada, que ya nunca volveré a ver, a menos que deberes, necesidades y reflexión me obliguen a olvidar que yo contaba con una patria libertada por mi esfuerzo, no con una tierra conquistada". El día 22 de julio, dice en su diario: "Voy a escribir al pobre Betances, que va a ser mi lejano compañero de dolor y de tristeza".

Ante el inminente fracaso de sus más caras ilusiones, el antiguo rival político surge en sus recuerdos y se olvida de que una vez fueron hostiles el uno al otro, de que ambos se hicieron daño con sus recelos. Aquella lucha sorda era por ganar la prioridad en la gran obra. Ahora, derrumbada ésta, el dolor torna a hermanarlos, y le acerca al viejo luchador la conciencia de que sólo ellos dos sabrán medir la profundidad de sus desencantos.

Va a cumplir pronto sesenta años, y hace veintidós que no ve a Betances. La última vez estuvieron juntos en Santo Domingo. Luperón, el mutuo amigo, ha descendido a la tumba; acaso Betances no tarde en seguirlo; tal vez sea él. Hombres que han vivido para realizar un ideal, sobran en la tierra cuando el ideal se desvanece. En esta hora de dolor, buscando en su torno, Hostos sólo atina a pensar en el veterano paladín. "Va a ser mi lejano compañero de dolor y de tristeza" –afirma.

Y no se equivoca. A ambos les espera igual doliente destino. Roberto H. Todd ha telegrafiado el día 22 diciendo que sería recibido por Day, el Secretario de Estado. Hostos sale el 25 para Washington. El camino le sugiere comparaciones con los campos de sus pueblos del sur, y va por él recordando sus tierras, "con sus desiertos, con sus mares de yerba, de caña, de trigo, de maíz, y alguno que otro caserío, y alguna aldea, algún villorrio, algún burgo oscuro". Ahora que está al perder para siempre su isla, la compara con este escenario de civilización, donde "la ciudad acecha al campo", y la prefiere. En Washington, de llegada, sale en pos de Francisco Amy, su compatriota, y de Alejandro Woss y Gil, ex presidente dominicano, y se pierde en el laberinto de calles y de plazas que es la ciudad del Potomac. Ya perdido, pasea arriba y abajo, ve, estudia. Los cocuyos que encienden la noche norteña le hacen evocar con tristeza sus noches tropicales y su despedida de Inda y de los niños.

En Washington nada puede hacer. Ir con la expedición americana sólo podía aceptarlo si se le admitía como asesor del General en Jefe, previo entendido que los americanos reconocerían la independencia de la isla, para aconsejar a los puertorriqueños que ayudaran en la obra de libertad; hubiera ido "como un patriota, no como agente o guía del gobierno y del jefe americano". En esa condición se han prestado otros a ir; él no puede. Él esperará que se reúna el Congreso, para ver qué logra hacer en bien de Puerto Rico.

Su dolor es ya mucho. Una vez más se ha equivocado. Esperando lo mejor, le ha salido al paso la realidad; y agobiado por la tristeza se entrega a pensar en su situación: sin dinero, sin trabajo, sin patria: ¿de dónde saca fuerzas para resistir? Woss y Gil le ha dicho:

–No se puede dar situación más trágica que la de un patriota que todo lo ha sacrificado por su patria, y que, en el momento de contar con ella, viene un extraño y se la arrebata.

Pero Woss y Gil sólo conoce ese aspecto de su tragedia; no sabe, ni sospecha, que está arrinconado por la vida, sin armas para luchar, abrumado de males. Appleton no le da trabajo: el encargado de las traducciones es ahora un español, y los españoles consideran un insulto el sólo nombre de Hostos.

Se pone a escribir a Inda. "Es necesario que tú, más previsora, como madre, prepares un nuevo plan de vida" –le dice. Piensa en sus hijos, y les describe los museos y los sitios de solaz de la capital. Anda triste; acaso demasiado.

Durante siete días vaga por las calles de Washington, viendo, estudiando; y le sorprende convencerse de que la política es aquí como en todas partes. Decididamente, ha cambiado mucho el corazón americano desde los días lejanos de 1876.

Pero de vuelta en Nueva York, como una llama que al apagarse recibe de pronto aceite y aire y se alza impetuosa otra vez, retorna su optimismo: los puertorriqueños se han agrupado y deciden actuar rápidamente para buscar una solución al problema de la patria. ¡Qué gran día! En contacto con hombres que reclaman la lucha, Hostos recobra toda su fe, todo su entusiasmo, todos sus bríos.

El 2 de agosto, la Sección de Puerto Rico del Partido Revolucionario Cubano celebra una asamblea en Chimney Corner Hall, y Hostos, respetado y atendido por todos, es quien decide los nuevos rumbos: ha de hacerse todo lo siguiente: Nombrar una Comisión de Puerto Rico residente en Estados Unidos, para que trabaje cerca del Congreso y de la prensa en cuanto ataña a la isla; otra delegación que trabaje con el nuevo gobierno de la isla para ayudar al país a salir del estado de penuria en que se hallan todas sus instituciones; enviar a Betances, "el patriarca del patriotismo de Puerto Ric –según dice– el dinero necesario para que vuelva al país; utilizar el vap que había regalado Cisneros para una revolución en Puerto Rico, a fin repatriar a los emigrados puertorriqueños... Pide que se disuelva la Jun Revolucionaria que actuó hasta entonces, y que se cree La Liga de Patriot cuyo propósito será unir a todo el pueblo de Puerto Rico en dos fines: u político: garantizar a la isla la reserva del derecho de plebiscito; otro soci extender, o crear, mejor, la educación en Puerto Rico, y llevar allí las ins tuciones y costumbres americanas de libertad y democracia.

Entre las aclamaciones de todos, Hostos recibe autoridad para impon el nuevo plan. Es un inicio, la tentativa de un camino para servir a su puebl Si se crea La Liga, de lo que no duda, y se levantan escuelas en Puerto Ric él podrá tener con qué hacer frente a sus necesidades, porque conseguirá casas que fabriquen útiles escolares la representación de sus productos. I Puerto Rico está todo por hacer en ese sentido.

Otra vez en ánimo de lucha, se acalora y escribe cartas alegres a s hijos. Después se prepara a someterse a una operación. Ha sufrido des hace muchos años malestar en el vientre; le dicen que se trata de un descen del recto, que necesita intervención quirúrgica. Aunque se siente fuer –Estrada Palma le ha dicho que es muy joven– le alegra saber que estará completa salud. Le precisa, ahora que ha entrevisto la posibilidad de renc servicios, él, que creía cerrados todos los caminos para llegar al corazón Puerto Rico y a su libertad. Tendrá patria, tendrá trabajo y tendrá a familia.

La operación, rápida, le deja contento. Se prepara a salir, mientras c cierta jovialidad convalece y ve pasar los días. Quisiera ir a Puerto Rico. I Liga de Patriotas, fundada ya, le da poderes para que, como su Delegado, funde en la isla; pero decide antes llegar a Venezuela a recoger su familia

Al salir dice, en una entrevista para *The Evening Post:* "La pren americana habla mucho de los brazos abiertos con que los puertorriqueñ han recibido al ejército del general Miles. Todas esas manifestaciones gozo fueron incuestionablemente honradas y sinceras. Todavía más –y y lo afirmo con absoluta convicción–, ellos se fundaron para todo eso en u seria equivocación. Los puertorriqueños se imaginaron que el propósito los Estados Unidos era, primero, asestar a España un golpe militar: segundo, aprovechar la oportunidad de poner fin para siempre al desgobier de España en las Antillas, erigiendo en la isla un gobierno libre independiente". Pero no aprieta más, porque ya se sabe universalmente q los americanos pretenden quedarse con Puerto Rico, y no es hora de dar la batalla. Más tarde, alegando frente al pueblo, al Congreso, y en última instancia ante la Corte Suprema, expondrá el derecho de Puerto Rico a ser libre, y luchará hasta el fin por conseguirlo, a menos que sus compatriotas deseen otra cosa. Lo dice en el manifiesto que dirige a su país antes de abandonar Nueva York: "Los recursos que el derecho escrito nos da para salir del gobierno militar y entrar en el civil; para pedir al Congreso de los Estados Unidos que reconozca nuestra capacidad de ser un estado de la Unión o que nos ponga en aptitud de servir gloriosamente al porvenir de América, sin necesidad de someternos servilmente a las consecuencias brutales de una guerra que nosotros no hemos hecho ni se hizo contra nosotros, son recursos tan poderosos cuanto en la urdimbre de la federación son poderosas la iniciativa de cada cual para su propio bien, y la de todos para el bien común... Ejerciendo nuestro derecho natural de hombres que no podemos ser tratados como cosas; ejerciendo nuestros derechos de ciudadanos accidentales de la Unión Americana, que no pueden ser compelidos contra su voluntad a ser o no ser lo que no quieren ser o lo que aspiran a ser, iremos al plebiscito. En los Estados Unidos no hay autoridad, ni fuerza, ni poder, ni voluntad que sea capaz de imponer a un pueblo la vergüenza de una anexión llevada a cabo por la violencia de las armas, ni que urda contra la civilización más completa que hay actualmente entre los hombres, la ignominia de emplear la conquista para dominar las almas".

Pero sus compatriotas no habían oído hablar en ese tono. Acostumbrados a cuatro siglos de sometimiento, tal vez les parece demasiado audaz. Él, que ha dicho siempre lo que ha sentido y como le ha parecido justo y digno, ignora que el miedo es mal consejero.

Se va a la lucha. Antes se despide de Estrada Palma, con dolor grande, porque sabe que esa es "la despedida de Cuba y Puerto Rico, que, si el poder del derecho no lo remedia, irán por caminos muy divergentes".

A bordo del *Philadelphia* embarca, el día 8 de septiembre, entre los abrazos de sus viejos discípulos y amigos. Los compatriotas que van con él hallan muy natural que Puerto Rico esté en manos americanas. Torna él a temer que sea su pueblo quien le resulte el peor enemigo. Van muchos americanos, en pos de negocios que esperan encontrar en la nueva posesión. Hostos teme a su emoción, cuando vea las costas de la patria, casi olvidadas ya.

Y las ve. Con un anteojo recorre toda la tierra que le muestra el mar. El dolor de no verla libre por su esfuerzo le amarga la dicha. Cuando hace puerto el vapor, y le dejan casi solo, y empieza otra vez a alejarse de la isla, camino de Curazao y de La Guayra, se halla a sí mismo triste, con esa tristez agria que deja una alegría pasajera sobre un dolor inconmovible.

De paso por Curazao vuelve a pensar en la posibilidad de quedarse, d vivir en paz con su familia, enseñando. Recorre la pintoresca ciudad, con e discípulo dominicano que encontró en su viaje hacia Nueva York. Pero s va, arrastrado por su destino de luchador sin fortuna, de sembrador si cosecha.

En El Valle recoge a la familia, y el día 27 de septiembre pisa con ell tierra puertorriqueña. Es de mañana, muy temprano todavía. El puerto d Ponce, amplio, azul, de vibrante atmósfera, recibe el barco en que torna e emigrado, tras casi veinte años de ausencia. Vuelve encanecido, cargado d dolores y de renombre.

Al cabo del tiempo, firme en sus propósitos, retorna a labrar la patria Cuando la fruta maduraba, el sembrador vio el aciclonado viento del trópic arrancarla del tronco y lanzarla lejos. Pero el sembrador no se rinde, porqu adivina el germen de otra fruta que pagará su esfuerzo.

SIMÓN BOLÍVAR

La desmembración de Colombia se inició ese año de 1826, cuando Páez, acusado ante el senado de la república, se rebeló contra la orden de presentarse en Bogotá y dejar su puesto militar de Venezuela a la persona que lo había acusado. El 30 de abril, la municipalidad de Valencia respaldó a Páez, quien reasumió ilegalmente el mando de las fuerzas. Para mediados del mes de mayo, Venezuela estaba de hecho separada de Colombia, aunque todavía las municipalidades reconocían a Bolívar como árbitro supremo de la nación y le invitaban a trasladarse a Caracas para que resolviera los conflictos pendientes.

Justamente por ese mes de mayo, el Libertador daba fin al proyecto de Constitución de Bolivia, creación legal en la que había puesto mucha fe. En junio envió desde Lima a Venezuela a un ayudante suyo, creyendo que con cartas y recados podía mejorar la situación creada por las pugnas entre Santander y Páez. Al mismo tiempo preparaba viaje a Venezuela y daba órdenes para que las tropas colombianas acuarteladas en Bolivia y el Perú fueran evacuadas, pues temía a lo que pudiera suceder cuando él saliera. El 26 de ese mes de junio se reunió el Congreso de Panamá, reunión de la que tanto esperaba Bolívar; sus resultados prácticos fueron nulos. Al cabo de

---

Simón Bolívar: biografía para escolares. Capítulo XVII, 2a. ed. (Santo Domingo, R.D.: Alfa & Omega, 1994).

tantos años de guerras, destrucción y miseria, América no tenía fuerzas para seguir creando.

Con su organismo minado por la enfermedad, el Libertador no era ya el hombre que tomaba decisiones rápidas. Quería irse a Venezuela, porque temía que allí se produjera una guerra civil que según sus cálculos estaba llamada a degenerar en guerra social semejante a la de 1812-1814. Pero no actuaba. Fue sólo a principios de septiembre cuando dejó Lima. Poco después de llegar a Guayaquil se produjo en Quito un motín militar. A fines de septiembre entró en Quito, a mediados de octubre estaba en Pasto y en Bogotá el 5 de noviembre.

Desde Bogotá escribió a Páez tratando de calmarlo. Todas las cartas de esos días indican que su gran preocupación era evitar la guerra civil en Venezuela. Pero el mal prosperaba en muchas partes. El 14 de noviembre hubo una insurrección militar en Bolivia, y ya estaban preparándose otras en el Perú.

A pesar de su poca salud, Bolívar seguía viajando. Causa asombro su voluntad de lucha en esos días. De Bogotá pasó a Cúcuta; a mediados de diciembre estaba en Maracaibo y una semana después en Coro. Desde allí escribió a Páez: "Crea usted, general, que a la sombra del misterio no trabaja sino el crimen". El 31 de diciembre, último día de ese año de 1826, le decía desde Puerto Cabello: "Entendámonos, general. Nadie será infeliz, ningún espíritu de partido me guía. Jamás la venganza ha entrado en mi pecho". Lo cual era verdad.

Bolívar y Páez se entendieron y se abrazaron en Valencia; sin embargo, nadie podía evitar la separación de Venezuela de la gran república colombiana, porque Colombia estaba en disolución y porque todavía era muy temprano para que la gran empresa de unir a América pudiera dar frutos sanos. La unión se mantendría aparentemente algunos años más, hasta 1830; pero sin verdadera fuerza. Lo mismo sucedería con Ecuador. Antes de morir, el Libertador vería los gérmenes de la división destruyendo su obra.

El 10 de enero del nuevo año de 1827, Simón Bolívar entraba por última vez en Caracas, en medio de una verdadera apoteosis. A fines de ese mismo mes se produjo un levantamiento antibolivariano en Lima, y a seguidas una expedición de los insurrectos de Lima sobre Guayaquil, la sublevación de esta plaza y la designación de jefe civil y militar de la ciudad en favor del general José La Mar, peruano y conocido enemigo del Libertador.

Bolívar se mantuvo en Caracas casi seis meses, atendiendo sobre todo a la organización económica de Venezuela; a principios de julio salió, vía Cartagena, hacia Bogotá, donde sus enemigos estaban produciendo agitación y conspiraciones. Llegó a la capital a principios de septiembre y prestó juramento como Presidente en un nuevo período, para el cual había sido electo. La rebelión de Guayaquil había sido aplastada gracias sobre todo a la decisión del general Juan José Flores, venezolano, que iba a ser, tres años después, el primer presidente de la república del Ecuador.

Al comenzar el año de 1828, Colombia se preparaba para los trabajos de la convención de Ocaña, que debía hacer reformas a la Constitución, y el Libertador vio llegar ese nuevo año sin saber que tres batallones colombianos se habían sublevado en La Paz el 25 de diciembre, tal como él lo había previsto antes de salir de Lima.

En ese momento su gran preocupación era la suerte de Venezuela. Preparó viaje a Caracas, y salió hacia allá, pero yendo de camino supo que el primero de marzo se había producido una insurrección en Cartagena, y detuvo su viaje. A esa altura de su vida, la voluntad del gran luchador estaba arruinada. Cualquier pretexto le servía para justificar ante sí mismo su incapacidad para actuar. Lo mismo que su pueblo, él había entrado en una etapa de disolución interior, de la que sólo se salvaba su inteligencia, que se conservaba tan lúcida como en sus mejores años.

Para el que ha estudiado la historia americana, nada es tan conmovedor como imaginarse a Bolívar, aquel padre de naciones que tenía la fuerza y la rapidez del rayo, vencido por la falta de voluntad cuando apenas tenía cuarenticinco años; y conmueve sobre todo saber que esa falta de voluntad se debía a los quebrantos de salud que contrajo luchando por la libertad de los hombres.

En abril de ese año de 1828 se produjo otra sublevación en La Paz, y Sucre resultó herido en un brazo. El período presidencial del Gran Mariscal de Ayacucho terminaba en agosto, y el vencedor de Pichincha se preparaba ya para abandonar el poder e irse a vivir a Quito, donde iba a establecer su hogar.

El 9 de abril se instaló la Convención de Ocaña. Bolívar envió un mensaje renunciando a la presidencia de la república, pero sabía que la Convención lo confirmaría en ese cargo. Al Libertador no le cabía duda de que sólo él podía salvar a Colombia de los males que la amenazaban. Había ejercido el poder tanto tiempo, que sin darse cuenta se negaba a admitir que otro pudiera servirlo con tanta capacidad y tanto desinterés como él. Ni siquiera un

hombre tan extraordinario como él pudo evitar que lo arrastrara la voz d
los que le decían que la república se perdía si él no la gobernaba.

La Convención de Ocaña se convirtió en un campo de intrigas política
contra Bolívar, sobre quien llovían acusaciones de todo tipo. Cuando resolvi
no seguir viaje a Venezuela, el Libertador estableció una especie de cuart
general en Bucaramanga, cerca de Ocaña, para seguir al día los trabajos d
la Convención, y sus enemigos políticos decían que se había situado ta
cerca de Ocaña para presionar a los diputados.

No pudiendo evitar que el Libertador resultara electo Presidente, lo
convencionales reformaron la Constitución de tal manera que ésta impedí
al Presidente ejercer verdadera autoridad. Bolívar se opuso a ello; su
partidarios en todo el país se opusieron también. En Bogotá y en otra
ciudades estallaron motines en que se pedía que el Libertador asumiera l
Dictadura.

Debemos repetir aquí lo que dijimos ya sobre el concepto de la dicta
dura en esa época. La palabra no quería decir entonces lo que significa hoy
El dictador gobernaba sin constitución y sin congreso, pero de ningun
manera podía coartar las libertades individuales; al contrario, su papel er
garantizarlas.

Bolívar oyó las peticiones en favor de la Dictadura, y el 24 de junio d
ese año de 1828, a los siete años de la victoria de Carabobo que consagró l
existencia de la república, entró en Bogotá y asumió la Dictadura. El 27 d
agosto desechó el título de Dictador y tomó el de Libertador President
pues quería dejar bien sentado que su papel era libertar, no oprimir.

El mismo espíritu que llevó a Bolívar a creer, equivocadamente, qu
Miranda había sido el autor de los males producidos por la guerra social d
1812, llevaba a los jóvenes de Bogotá a pensar que sólo Bolívar era el auto
de los males de Colombia en 1828. Con la proclamación de la Dictadura, l
juventud bogotana se desesperó. El odio se adueñaba de las almas. Bolíva
había dedicado su vida a crear patrias, pero los jóvenes no pueden aprecia
lo que se ha hecho porque tienen presente sólo lo que habrá de hacerse
miran hacia el porvenir, no hacia el pasado. Por eso los jóvenes de Bogotá n
tomaban en cuenta el glorioso pasado del Libertador.

El Libertador no era ya el hombre capaz de dirigir batallas, porque estab
enfermo; no tenía la capacidad de vigilar a sus amigos y partidarios, com
había hecho siempre, porque la enfermedad le sustraía fuerzas del alma
Muchos de sus amigos abusaban de su debilidad y atropellaban las leyes, y
esos atropellos producían en algunos círculos la impresión de que Bolíva

estaba convirtiéndose en un tirano. Gran error, el Libertador repudiaba la tiranía con todo su ser.

En la noche del 25 de septiembre –y recordemos el año: 1828–, un grupo de militares y estudiantes asaltó el hogar del padre de la república; hirió a los centinelas, mató a dos ayudantes y a dos perros. Bolívar, que se hallaba con fiebre, salvó la vida porque su amiga Manuela Sáenz le hizo saltar por una ventana antes de que los conjurados echaran abajo la puerta de la alcoba. Un alto oficial inglés, ayudante del Libertador, fue muerto por Pedro Carujo, el mismo Carujo que años después haría preso al presidente venezolano José María Vargas.

Es triste recordar que esa noche, con la única compañía de un criado, el Libertador huyó por las oscuras calles de Bogotá. Enfermo, envejecido prematuramente, el caudillo de la libertad, vencedor en tantas batallas gloriosas, tenía que salvar su vida huyendo como un prófugo. Al fin logró ocultarse bajo un pequeño puente, donde esperó espada en mano que fueran a darle muerte. Amaneció al cabo de largas horas, y Bolívar pudo dirigirse a un cuartel, donde fue aclamado por la tropa.

La reacción inmediata del Libertador fue renunciar a la jefatura del país, perdonar a todos los complicados en el atentado y retirarse a Europa. Pero algunos de sus antiguos compañeros de armas se opusieron a ese propósito, y como ya el brillante general de otros días era una sombra de lo que había sido, le convencieron de hacer lo contrario; y al fin procedió a declarar la ley marcial en todo el país, suspender las libertades personales, procesar a los conjurados y ordenar el fusilamiento de los que fueron hallados culpables.

Mientras tanto, la situación económica del país era lamentable. A menudo ni el propio gobierno tenía con qué atender a las necesidades del Estado. La miseria contribuía a complicar los asuntos políticos. La ley marcial no impedía que el descontento se extendiera por todas partes. En octubre se levantó en Patía el coronel Obando, y en noviembre tomó Popayán, la ciudad más importante del Sur antes de llegar a Quito. Al mismo tiempo se sublevó la tripulación de uno de los pocos buques de guerra que tenía Colombia.

Bolívar despachó sobre Popayán al general Córdoba con mil ochocientos hombres, pero Obando resistió, y cuando tuvo que abandonar Popayán se hizo fuerte en Pasto, y después en Patía. Otros jefecillos de la misma región se levantaron y hubo asonadas también en el extremo oriental de Venezuela.

La descomposición de Colombia estimulaba el odio de los enemigos de Bolívar. Aquel mismo general peruano llamado José La Mar que había estado sublevado en Guayaquil hacia principios de 1827, era Presidente del Perú desde hacía año y medio. Por los días del levantamiento de Obando, La Mar comenzó a amenazar con lanzar un ataque sobre Colombia con el pretexto de que el Perú debía recuperar Guayaquil. El Libertador veía llegar ese ataque y comenzó a prepararse para hacerle frente. Pero Colombia apenas tenía recursos y Bolívar no era el mismo de otros tiempos, cuando se lanzaba a combatir sin saber de dónde podría sacar hombres y armas. Previendo que La Mar atacaría, salió de Bogotá hacia el Sur a principios de diciembre de 1828.

Los peruanos atacaron al comenzar el año 1829, mientras Bolívar estaba en Popayán. Inmediatamente, el Libertador encomendó a Sucre, que vivía en Quito, la jefatura del ejército del Sur. Sucre batió a los peruanos el 12 de febrero en Saraguro y el 26 del mismo mes en Tarqui; y como aquella era una guerra entre hermanos, ofreció a los vencidos una capitulación de hermanos.

Bolívar, entretanto, avanzaba lentamente. A mediados de marzo estaba en Quito; a fines de junio, en vista de que los peruanos no querían evacuar Guayaquil, estableció su cuartel general frente a esa ciudad. Estuvo preparándose para reanudar hostilidades, pero su buena fortuna le impidió tener que guerrear contra soldados de un pueblo por cuya libertad tanto había hecho, pues en el Perú se produjo una revolución, La Mar fue depuesto y el nuevo gobierno reconoció los derechos de Colombia sobre Guayaquil.

En el mes de agosto, el Libertador cayó en cama. La enfermedad avanzaba de prisa y destruía su organismo. Estuvo grave. Allí, frente a la muerte que rondaba su lecho, el padre de tres repúblicas meditó largamente. Su fino oído político oyó los rumores de disolución que corrían por Colombia: Venezuela quería separarse; Ecuador quería separarse. Sus tres repúblicas se convertirían en cinco, y ochenta años después, al separarse Panamá de Colombia, serían seis. Lo mejor sería que se dividieran mientras él viviera. El 31 de agosto de 1829 convocó a un Congreso que él mismo iba a bautizar con el nombre de admirable, como aquella su primera campaña militar. Ese Congreso se encargaría de disolver la república, si era del caso, y ante él resignaría el mando. Después... después él se iría de América, pobre, enfermo, envejecido.

Pero Colombia no le daba paz. Por los mismos días en que él se debatía con la muerte, algunos generales colombianos conspiraban. Como dijo

Córdoba, el que había tomado Popayán ocho meses antes: "El Libertador está viejo; ya pocos serán sus días, y sin faltarle al respeto debemos separarlo del mando". Bolívar lo supo. Reaccionó con tristeza. "¿Qué haremos con estos generales conspiradores?", preguntaba en una carta. Córdoba se levantó contra el gobierno a principios de septiembre de ese año de 1829, y murió en lucha contra fuerzas leales.

El Libertador se movía buscando lugares de reposo. El cuerpo le pedía salud y el alma le pedía soledad. Entre Guayaquil y Quito estuvo hasta fines de octubre; después emprendió el retorno a Bogotá, adonde debía llegar a tiempo para abrir el Congreso, que iniciaría sus trabajos el 20 de enero de 1830.

El Congreso comenzó sus reuniones el día 20 bajo la presidencia de Sucre y recibió el mensaje en que el Libertador hacía renuncia de su cargo de jefe del estado. Vencido por la enfermedad, Bolívar era capaz de luchar todavía por conservar su gloria de Libertador. "Salvad mi gloria, que es de Colombia", decía a los diputados. "Libradme, os ruego, del baldón que me espera, si continúo ocupando un destino que nunca podrá alejar de sí el vituperio de la ambición."

En ese momento, el Libertador luchaba por librarse él mismo de la presión de sus partidarios, que preferían sacrificar su nombre ilustre antes que verse desamparados ante nuevos caudillos. A causa de su enfermedad, Bolívar había sido convertido en prisionero de intereses políticos personales, pero él se había dado cuenta y ese día 20 de enero de 1830, once meses antes de su muerte, daba batalla para romper las barras de su prisión.

En su camino de odios los enemigos del Libertador hacían correr la voz de que él pretendía hacerse coronar rey o emperador. En Venezuela se pedía la separación. El propio general Páez, que manejaba en la sombra los hilos de la agitación separatista, confiesa en su autobiografía, hablando de las actas en que se solicitaba la independencia de Venezuela: "En algunas de ellas se habla del Libertador en tono poco respetuoso, llamándosele tirano y prodigándole otros epítetos no menos injuriosos".

El Congreso le había pedido a Bolívar mantenerse en la presidencia de la república mientras no terminaran los trabajos de los diputados. Una vez que éstos redactaran la nueva Constitución, elegirían un presidente y él podría retirarse a la vida privada. Bolívar accedió, y pidió autorización para trasladarse a Venezuela, a fin de evitar la separación. No se le concedió. Se nombró una comisión presidida por Sucre, que debía viajar a Valencia y entrevistarse con Páez. Páez no dejó a la comisión entrar en territorio venezolano.

Entretanto, Bolívar no podía resistir ya las cargas del gobierno. El primero de marzo nombró al general Diego Caicedo presidente interino el Consejo de Ministros y se fue a vivir en las afueras de Bogotá. Algunos diputados hablaron de designarlo otra vez presidente de la república y la agitación de los adversarios comenzó a dejarse sentir en la capital de Colombia. Sus enemigos eran implacables, tan implacables como la enfermedad que estaba destruyendo sus pulmones.

Bolívar vio claramente que Venezuela iba a declararse independiente y que el Ecuador lo haría pronto. El 28 de abril insistió ante el Congreso en su renuncia, "porque estoy persuadido", escribía ese mismo día a un amigo, "de que es imposible que un hombre solo sea capaz de contener la inmensa anarquía que devora al Nuevo Mundo". A la vez que renunciaba, vendía su vajilla de plata y cuanto tuviera algún valor. El Libertador no tenía con qué mantenerse.

El 8 de mayo de ese año de 1830 salió de Bogotá, camino de Cartagena y de Europa. El primero de julio, estando en Cartagena, supo que el Gran Mariscal de Ayacucho había sido asesinado el 4 de junio en la montaña de Berruecos. Espantado del crimen, pasó el día recorriendo el patio de la casa donde se hospedaba, incapaz de decir una palabra.

Debió haberse ido antes, pero el buque en que quiso salir hacia Europa pasaba por La Guaira, y temía que su presencia en su tierra natal fuera vista por Páez como una provocación. Además, esperaba algún dinero. El único bien que le quedaba, las minas de cobre de Aroa –heredadas de sus padres–, era objeto de un pleito en Caracas. El tiempo transcurría. En Colombia estallaban motines, golpes de Estado; cambiaban los gobiernos.

Frente al mar Caribe –el mismo que le vio iniciar dieciocho años antes su vida de soldado en Puerto Cabello–, el Libertador sentía decaer su salud y acercarse el día final. La línea de la parábola descendía vertiginosamente. De vez en cuando tenía una expresión de buen humor. Pero sabía que se moría de prisa. En octubre escribía a Urdaneta: "No me queda esperanza de restablecerme enteramente en ninguna parte y de ningún modo". Estuvo mudándose a los pueblos cercanos a Cartagena; en noviembre fue llevado a Barranquilla; a fines del mismo mes lo trasladaron en barco a Santa Marta.

Iba ya de muerte, aunque no dejaba de escribir cartas, de hablar del porvenir. Alojado en una finca llamada San Pedro Alejandrino, cuyo dueño era el realista español don Joaquín de Mier, se entretenía mirando a través de las ventanas la vegetación tropical, tan parecida a la de su Caracas.

Se acercaba a su final el año de 1830.

El 17 de diciembre, minutos antes de la una, su médico, el doctor Reverend, que era francés, le oyó decir: "¡Vámonos, vámonos! ¡Esta gente no nos quiere en esta tierra! ¡Lleven mi equipaje a bordo de la fragata!"

Fue la última orden que dio el que tantas veces ordenó la carga de la libertad.

Para que su grandeza no fuera puesta en duda, murió en la soledad, en la pobreza, en el dolor. También el sol muere solitario en la oscuridad.

Como el sol, el nombre de Simón Bolívar sale todos los días en el horizonte de América.

(CAPÍTULO V) EN EL QUE SE EXPLICA POR QUÉ NO PUDO HABER COMBATE ENTRE EL NIÑO DAVID Y EL GIGANTE GOLIAT

El episodio en que aparece David iniciándose como hombre de guerra es el de su combate con Goliat, gigantesco soldado filisteo perteneciente a las fuerzas del señor de Gath. Figura en *I Samuel* (17:1 al 58), está escrito con lujo de detalles y millones de personas se han deleitado leyéndolo. Pero he aquí que tan pronto se le analiza sin pasión, el episodio resulta hecho con detalles de varios otros, ocurridos sin duda en lugares y en tiempos distintos, y condimentado con salsa de imaginación oriental. Después del análisis se halla en él una miaja de verdad, tan poca que no se explica cómo de ella se sacó leyenda tan socorrida.

David: biografía de un rey. Capítulo V, 10a. ed. (Santo Domingo, R. D.: Alfa & Omega, 1994).

David y Goliat

El relato informa que habiendo los filisteos entrado en Israel para hacer la guerra, penetraron en Judá por Efres Domin y ocuparon un monte junto al valle del Terebinto. Saúl convocó al pueblo y marchó sobre los filisteos. Israel acampó en otro monte, junto al valle, frente a los filisteos. Estando los dos ejércitos en esa posición, salió de entre los invasores un hombre llamado Goliat de Gath, que tenía de talla seis codos y un palmo. Cubría su cabeza un casco de bronce y llevaba una coraza escamada, de bronce también, de cinco mil siclos de peso. A los pies llevaba botas de bronce y a las espaldas un escudo, también de bronce. El asta de su lanza era el enjullo de un telar, y la punta de la lanza, de hierro, pesaba seiscientos siclos.

La sola descripción de Goliat es ya obra de la imaginación. Seis codos y un palmo representaba más de tres metros; una coraza de cinco mil siclos equivale a más de setenta kilos; una punta de lanza de seiscientos, a ocho kilos y medio. Pero no es para refutarla para lo que hemos copiado la descripción de Goliat y de su armadura, sino porque sucede que en una batalla que dio David a los filisteos siendo ya rey, el belemita Elijanán dio muerte a un gigante filisteo que según *II Sam.* (21:19) se llamaba Goliat de Gath y en *I Paralipómenos* (20:6) se llamaba Lajni de Gath, hermano de Goliat, "que tenía una lanza cuya asta era como un enjullo de tejedor"; otro guerrero de las filas de David, su sobrino Abisai, hijo de Sarvia, también belemita, mató a un filisteo "que tenía una lanza que pesaba trescientos siclos de bronce"; y en una batalla que se libró en Gath, tal vez cuando esta ciudad filistea fue tomada por David, otro sobrino de David, igual que los anteriores y que su tío, nacido en Belén de Judá, mató a un gigante filisteo que insultó a Israel, tal como lo hacía aquel mítico Goliat de Gath cuya descripción hemos dado.

Goliat de Gath, el que emergió de entre los filisteos cuando éstos se hallaban acampados junto al valle del Terebinto, retó a Israel proponiendo que saliera uno de sus hombres a darle combate, y que si él perecía sus compañeros quedarían sujetos a Israel. "Al oír las palabras del filisteo, Saúl y todo Israel se asombraron y se llenaron de miedo."

Saúl no era hombre de "llenarse de miedo", ni de tomar otras actitudes que se le achacan en ese episodio, como se verá más adelante. Saúl acometía con la fiereza de un león. Combatió toda su vida de rey, que fueron treinta años, y sólo en este combate de Goliat y David se le llama cobarde. Para colmo de agravios, Saúl debió padecer el miedo a Goliat durante varios días, pues el relato afirma que los desafíos del gigante filisteo fueron diarios, sin que los hebreos se atrevieran a darle frente hasta que llegó el pequeño David, por entonces casi un niño.

Estaba la situación en esa forma, Goliat saliendo día a día de sus filas y desafiando a Israel, y los hombres de Israel, con Saúl a la cabeza, temblando de pavor, cuando llegó David al campamento. Sus hermanos Eliab, Abinadab y Samma habían partido a la guerra, y el anciano Isaí, que por esos días era "uno de los hombres más ancianos", había encargado a David que llevara a sus hermanos trigo tostado y pan, sí como un requesón para el jefe del millar en que se hallaban.

David acababa de llegar al campamento y hablaba con sus hermanos cuando Goliat "salió de las filas de los filisteos y se puso a decir lo de los otros días", esto es, a repetir su invitación a duelo singular. "En viendo a aquél todos los hombres de Israel se retiraron ante él temblando de miedo. Decíanse unos a otros: "¿Veis a ese hombre que avanza? Viene a desafiar a Israel. Al que le mate le colmará el rey de riquezas, le dará su hija por mujer y eximirá de tributos la casa de su padre."

Como sorprendiera a David inquiriendo acerca del gigante y de cuánto daría el rey a quien le matara, Eliab, su hermano mayor, montó en cólera y le increpó diciéndole: "¿Para qué has bajado y a quién has dejado tu rebañito en el desierto? Ya conozco tu orgullo y la malicia de tu corazón. Para ver la batalla has bajado tú."

Esto parece ser la miaja de verdad que hay en el episodio tan ricamente ataviado y engrandecido. La acción del Terebinto debe haberse librado cuando David tenía entre doce y catorce años, esto es, entre el 1028 y el 1026 a. de C., y David, que había dejado su rebañito en el desierto, para cumplir la misión que le encomendó su padre, recorría las filas de Israel, lo cual disgustó a su hermano mayor y le llevó a hablar como queda dicho.

Pero sigamos el relato bíblico. Se cuenta en él que David siguió dando vueltas por el campamento, comentando lo que pasaba, asombrándose del miedo de Israel.

Llegaron sus comentarios a oídos de Saúl y lo mandó llamar. He aquí lo que oyó el rey de boca de David: "Que no desfallezca el corazón de mi señor por el filisteo ése. Tu siervo irá a luchar contra él". Saúl reprobó esa decisión, explicando: "Tú no puedes ir a batirte contra ese filisteo; eres un niño y él es hombre de guerra desde su juventud." A lo que respondió David:

"Cuando tu siervo apacentaba las ovejas de su padre, y venía un león o un oso, y se llevaba una oveja del rebaño, yo le perseguía, le golpeaba y le arrancaba de la boca la oveja, y si se volvía contra mí, le agarraba por la quijada, le hería y le mataba. Tu siervo ha matado leones y osos; y ese filisteo incircunciso será como uno de ellos. ¿No seré capaz de ir, de batirle y de quitar el oprobio de Israel? Porque, ¿quién es ese incircunciso que ha insultado al ejército del Dios vivo?"

El niño David cuenta, nada menos que al rey, que les arrancaba ovejas de la boca a osos y leones; que los agarraba por la quijada, los hería y les daba muerte. Parece exagerado. Podemos admitir hazañas como ésas en Hércules, de quien sabemos que era un ente mitológico, pero se nos hace difícil aceptarlas en David, ser de carne y hueso y no precisamente un gigante forzudo. ¿Sucedieron los hechos como se relatan en el texto sagrado y habló David en esa forma, o sólo ocurrió que David, enviado por su padre, fue al campamento para llevar comida a sus hermanos, y esa visita se mezcla después, en la mente de los compiladores bíblicos, con la acción del belemita Elijanán que dio muerte a un gigante filisteo llamado Goliat de Gath cuando ya David era rey? ¿Fue David quien habló así a Saúl o fue Elijanán, que no era niño sino un soldado hecho, quien de esa manera habló al rey David? ¿Es posible que oyendo al gigante filisteo desafiar a Israel se llenara de miedo Saúl, hombre cuyo valor nunca flaqueaba? ¿Cuándo habló David por vez primera con Saúl, en el monte donde acampaban los hebreos, frente al valle del Terebinto, mientras Goliat provocaba a Israel, o en la casa del rey, en Gueba de Benjarnín, adonde fue para tañer el arpa?

O el episodio del combate singular con el gigantesco Goliat es falso en líneas generales o es falso en la mayor parte de sus detalles. Todo lo más a que se puede llegar es a admitir que David, siendo niño, estuvo de visita en el campamento de Israel poco antes, o quizá durante el combate de Terebinto; que en otra ocasión, quizá años después, cuando ya David era capitán de armas de Saúl, el hijo de Isaí, mató en combate singular a un filisteo llamado Goliat de Gath, o que le dio muerte uno de sus sobrinos o uno de los hombres de David siendo éste rey. Ahora bien, tal como se ha divulgado, el episodio no merece ser creído.

Pero resulta que por ese episodio se conoce a David más que por toda su obra. De ser falso, ha ganado en la historia una preeminencia sólo comparable a la que han conquistado creaciones del hombre como Don Quijote o Hamlet; y durante miles de años millones de lectores del texto sagrado lo han tenido por verdadero y lo han incorporado a sus ideas, al extremo de que pertenece al acervo cultural de Occidente.

Sigamos estudiando los detalles. Los textos refieren que Saúl hizo que vistieran a David con sus ropas y que él mismo le ciñó su espada antes de que el pastorcito de Belén de Judá entrara a combatir con el gigante filisteo. Sabemos que Saúl era de estatura extraordinaria, que su cabeza sobresalía por encima de todos los hombres de Israel, y que David no se distinguía por su tamaño ni aún de adulto, no digamos siendo niño. Podemos imaginarnos a David arrastrando por el valle del Terebinto las vestiduras de Saúl, y la escena se torna ridícula. Se nos dice que Saúl hizo que le ciñeran a David su propia espada, pero al caer muerto Goliat, David no tiene espada con qué cortarle la cabeza, y usa la del filisteo. Aún no habiendo esa contradicción, ¿quién puede imaginarse al suspicaz y altivo Saúl, por esos días ya víctima de su manía persecutoria, despojándose de su espada de rey para ponerla en la cintura de un niño? ¿Qué imaginación no hace falta para ver a Saúl dando ese espectáculo de cobardía en medio de su ejército?

Todo esto es inadmisible. En cambio, ya fuera acción de David en otro lugar y en otro tiempo, ya de su coterráneo Elijanán o de sus sobrinos Abisai y Jonatán, es admirable la descripción del combate en sí, según la cual David acogió su cayado, eligió en el torrente cinco chinarros bien lisos y los metió en su zurrón de pastor, y con la honda en la mano avanzó hacia el filisteo. El filisteo se le acercó poco a poco a David, precedido de su escudero. Miró, vio a David y le despreció por muy joven, de blondo y bello rostro. Díjole, pues: "¿Crees que yo soy un perro, para venir contra mí con un cayado?". "No, contestó David, eres todavía peor que un perro." Siguió a ese cambio de palabras otro más largo, al final del cual el gigante avanzó sobre David y éste se echó a correr "a lo largo del frente del ejército; metió la mano en el zurrón, sacó de él un chinarro y lo lanzó con la honda. El chinarro se clavó en la frente del filisteo, y éste cayó de bruces en tierra". Después de su hazaña, David "corrió, parándose frente al filisteo, y no teniendo espada a la mano, cogió la de él, sacándola de la vaina; le mató y le cortó la cabeza". A seguidas de esto los filisteos se dispersaron y "los hombres de Israel, levantándose y lanzando los gritos de guerra persiguieron a los filisteos hasta la entrada de Gath y hasta las puertas de Ascalón y cayeron filisteos en el camino de Seraím hasta Gath y Ascalón".

Sin duda que el combate está siempre y brillantemente descrito. Pero sucede que termina con Israel en las puertas de dos ciudades filisteas, cosa que nunca ocurrió en vida de Saúl. Aunque no hay descripciones metódicas de la guerra librada por David, siendo rey, contra los filisteos, se sabe que en su época Israel abatió a sus tradicionales enemigos y que Gath fue probablemente tomada. Durante el reinado de Saúl, Israel no pudo alcanzar tan resonantes victorias.

Pero para que se vea hasta donde resultan confundidos tiempos y lugares en esta versión de la muerte de Goliat, veamos lo que dicen los textos sagrados. Según ellos, "a la vuelta de la persecución de los filisteos, los hombres de Israel saquearon su campamento. David cogió la cabeza y las armas del filisteo y llevó a Jerusalén la cabeza, y las armas las puso en su tienda".

Saúl murió en el 1010 a. de C, tras treinta años de reinado; en esos días David tenía treinta años. Al morir Saúl, David fue ungido rey de Judá, con asiento en Hebrón. Poco más de seis años después, tal vez a los siete, hacia el 1004 o el 1003 a. de C, David conquistó la ciudad de Jebú, habitada desde tiempos remotos por los jebuseos, que no había podido ser tomada por los benjaminitas, en cuyo territorio quedó cuando Canaán fue repartida entre las doce tribus. Esa ciudad de Jebú era Jerusalén. Mal puede haber llevado a ella David la cabeza de Goliat si éste fue muerto en el combate del Terebinto en tiempos de Saúl, cuando David era todavía un niño. Entre los doce o los catorce años que tenía el hijo de Isaí en los días de la acción del Terebinto, y los treinta y seis o treinta y siete que tenía cuando entró en Jerusalén por vez primera, hay veinticuatro o veinticinco años colmados de una incansable actividad, de guerras, intrigas, fugas y victorias, alianzas y crímenes, de un torbellino de armas y acción política en que intervienen Israel y todos, o casi todos los pueblos vecinos. El redactor o los redactores del texto en que se da cuenta del episodio del Terebinto, exprime todos esos años, los hace una masa, y extrae de ella una esencia en que hechos diversos y tiempos distintos aparecen confundidos.

Por último, el relato dice que cuando David combatía con Goliat el rey Saúl preguntó a Abner, jefe de sus tropas, de quién era hijo ese joven, cosa a la que no pudo responderle Abner, y que una vez habiendo vuelto David victorioso, Abner lo llevó ante el rey y éste le preguntó:

–¿De quién eres hijo, mozo? A lo cual contestó David: Soy hijo de tu siervo Isaí, de Belén.

Esto suena a falso, ¿pues cómo se explica que eso lo preguntara Saúl después del combate, y no antes, cuando dio sus ropas para que vistieran a

David o cuando le hizo ceñir su espada? ¿Y cómo se explica que estando allí tres hermanos de David no proclamaran a gritos, al ver que el filisteo caía, que el matador era su hermano? Necesariamente, una hazaña como ésa tenía que llenar de orgullo a los hijos de Isaí, y no iban a callarse su parentesco con el afortunado vencedor.

Cuando lleguen los días en que David tendrá que huir de Saúl veremos que en el santuario de Nob el futuro rey solicita armas y le dicen que sólo hay una espada, la de "Goliat, el filisteo que tú mataste en el valle del Terebinto. Allí la tienes, envuelta en un paño, detrás del efod; si ésa quieres, cógela, pues otra no hay", según le dice Ajimelec, sacerdote, al joven capitán de Saúl (*I Sam*. 21:10). Hay, pues, mucho tiempo después de esa confusa descripción que hemos venido analizando, una referencia a Goliat y a su espada que merece atención, pues no tiene visos de ser inventada. Es cierto que poco después de haber estado en el santuario y de haberse llevado esa espada diciendo que no había ninguna mejor, David aparece en la ciudad filistea de Gath sin armas, haciéndose pasar por loco. Pero de todas maneras queda la mención de la espada de Goliat en un momento que no parece descrito por el mismo redactor o compilador que describió la acción del Terebinto.

¿Qué sucedió, pues? ¿Cómo orientarse en tanta confusión? O el combate del Terebinto no ocurrió cuando se dice, siendo David un niño, o hubo un segundo combate en el mismo lugar siendo ya David hombre de armas al servicio de Saúl. Esto último es posible, y es posible que en ese segundo encuentro del valle del Terebinto David diera muerte a un capitán filisteo llamado Goliat. Recordemos que a Goliat le precedía un escudero, lo que era señal de distinción. Quizá muchos años después, siendo David rey, uno de sus hombres, tal vez uno de sus sobrinos, diera muerte a un gigante filisteo que acertó a llamarse también Goliat. Sólo así se explica que en la mente del cronista se unieran la visita del niño David a sus hermanos en el campamento de Israel junto al valle del Terebinto; la muerte, por parte de David, años más tarde, de un capitán filisteo llamado Goliat que seguramente no era gigante ni tenía por qué serlo, y la muerte de un gigante filisteo llamado Goliat a manos de un belemita de las filas de David o de uno de los sobrinos de David en alguno de los combates librados mientras éste era rey.

David en la casa de Saúl

Todo indica que los inicios de la vida pública de David fueron otros, los de tañedor de arpa para el rey. No es posible colegir cuándo se produjo la llegada de David a la casa de Saúl. Pero debió de ser cuando el hijo de Isaí era hombre de unos veinte años y ya Saúl llevaba casi tantos a la cabeza de Israel. Es evidente que a esa época Saúl padecía de desarreglos síquicos, y aunque es fácil ver la semilla de esos desarreglos en sus primeros actos como rey, sus manifestaciones alarmantes, las que llevaron a sus amigos a aconsejarle que buscara un tañedor de arpa para que le calmara, debieron producirse al cabo de algunos años de ejercicio del poder real. Consta que Saúl guerreó sin descanso, que "hizo la guerra a todos los enemigos de en torno: a Moab, a los hijos de Ammón, a Edon Bet Rejob, al rey de Soba y a los filisteos" (*I Sam*. 14:47) "La guerra contra los filisteos fue encarnizada durante toda la vida de Saúl; y en cuanto veía Saúl un hombre robusto y valiente le ponía a su servicio" (*I Sam*. 14: 52). La guerra incesante provocó el desorden violento de su espíritu, que siempre fue, por lo demás, desordenado.

Debió de haber algunas actividades guerreras de David antes de llegar a la casa de Saúl, pues le fue recomendado como "hombre de guerra". Necesariamente tuvo que ser así, pues no se explicaría que habiendo estado Israel en lucha constante contra tantos pueblos enemigos, David se mantuviera hasta los veinte años sin participar en alguno de los muchos combates o de las muchas escaramuzas y batallas que debieron de tener lugar en esos tiempos. Ahora bien, como consta en el relato de la guerra santa contra Amalec, hubo momentos en que Saúl movilizó a muchos millares de hombres; no es posible que entre esos millares distinguiera a David, si es que participó en alguna acción de guerra comandada por Saúl, sobre todo si David no sobresalió en los combates, lo cual pudo suceder.

Es también posible que David combatiera al mando de algún capitán de Saúl, en acciones aisladas, o solamente en un grupo que iba a los combates por su cuenta, lo cual no era raro; incluso que no saliera de las orillas del desierto que tan bien debía de conocer, y que allí, con unos cuantos más, se enfrentara a incursiones de edomitas o de moabitas. Alguna participación debió de tener en las guerras de la época. Pero ya se ha dicho que los hombres de Israel combatían y retornaban a sus hogares una vez pasada la alarma. Tenían que atender a sus bienes, tenían que segar sus siembras y cuidar de sus rebaños. Eran guerreros de ocasión, no soldados profesionales. Como profesionales de la guerra, y eso en cierto sentido nada más, sólo podían ser considerados los capitanes de armas de la casa de Saúl, los que le acompañaban siempre, formando parte de su corte.

Entre esos hombres estaba llamado a figurar David ben Isaí, el bisnieto de Ruth la moabita. Las excelentes cualidades que había traído al mundo se le desarrollaron en la soledad, mientras cuidaba de su pequeño rebaño en las lindes del desierto. No eran sólo las del hombre de acción, que rápidamente advierte, casi adivina, qué debe hacer en momentos de peligro, y cómo debe hacerlo, y que además recibe de sí mismo la orden fulminante de hacerlo, y lo hace. Esas condiciones fueron ejercitadas casi desde la niñez en el desierto, pues perder una oveja era suceso grave y debía estar listo para ir a buscarla, sin que las restantes se le desbandaran, tan pronto la veía tomar un camino desusado, o debía saber dónde convenía refugiarse con el rebaño y en cuánto tiempo hacerlo, si se oía el rugido del león, e incluso cómo ahuyentar la fiera a pedradas cuando se acercaba a la majada.

No eran sólo las cualidades del hombre de acción las que ejercitaba David en el desierto, sino también las del sueño, el don del poeta, con el cual podía vencer la soledad, más dura y a la vez más hermosa cuando crece bajo el sol, entre arenas pardas y tierras rojizas. En los días en que el león no amenazaba y las ovejas, habiendo dado con una sombra de yerbajos, se mantenían unidas, ver a los blancos corderillos saltar graciosamente en torno a las madres y oír a éstas llamarlos con tiernos balidos, debía de mover lo que había en él de poeta. En tales momentos, el pequeño pastor se pondría a tañer un arpa rústica y a componer cánticos de palabras rudas; pero hermosas.

A un mismo tiempo crecían en David el hombre de acción y el poeta. La suma de esas dos personalidades daría en él un caudillo excepcional, un rey que abatía a sus enemigos en las batallas, lloraba la muerte de sus hijos con acentos desgarradores y cantaba a sus amigos muertos; un rey que expandía su reino con brazo fuerte e imaginación rica.

Pero lo que le abriría la puerta de la historia sería su don de poeta. Para tocar el arpa y recitar mientras tañía, entró David en la casa de Saúl.

JUDAS ISCARIOTE, EL CALUMNIADO

Desde hace veinte siglos la grey cristiana del mundo viene acusando a Judas Iscariote de haber vendido a Jesús. Así como el nombre de Caín es sinónimo de crimen, el de Judas se ha convertido en sinónimo de traición.

No sabemos –nadie lo sabe– cómo era Judas; si joven o viejo, si imberbe o barbado, si de tez quemada o rubia, si de ojos negros o claros, si alto o bajo, si delgado o grueso. Sin embargo en esa figura no precisada encarnamos al traidor. Y tras evocarlo con el disgusto con que venimos haciéndolo durante dos mil años, consustanciado en lo más profundo de nuestros sentimientos con la idea de la vileza, hallamos que no tiene contorno ni estatura ni rostro; que no es más que un sentimiento repulsivo designado con su nombre.

Sobre el drama de la Pasión se ha escrito tocando todos los aspectos; hay libros destinados a probar las tesis más peregrinas, desde la no existencia de Jesús hasta su locura. Pero la imagen del traidor identificada con Judas persiste en las más diversas interpretaciones del hecho que dio impulso y trascendencia a la doctrina cristiana. Algunos escritores han tratado de

---

David: biografía de un rey. Capítulo I, 10a. ed. (Santo Domingo, R. D.: Alfa & Omega, 1994).

justificar la conducta de Judas, pero sin apartarse fundamentalmente de la tremenda acusación que ha venido pesando sobre él. Se le ha llegado a considerar como instrumento de la voluntad de Dios para que se cumpliera la glorificación de su hijo. Jamás, sin embargo, se le ha librado del estigma de traidor. En pocas palabras, cuantos han tocado el tema han dado por cometida la traición.

Unos la achacan a los celos. María Magdalena amó a Jesús, se ha dicho, y Judas amó a María Magdalena; he ahí por qué vendió a su maestro. Pero sucede que nada da pie a esa leyenda; no se encuentra en los Evangelios ni en los Hechos de los Apóstoles –únicos documentos básicos en que se menciona a Judas Iscariote– una sola palabra que permita llegar a conclusión como la anotada.

Si se exceptúa la frase que Juan pone en sus labios en el episodio del ungimiento, no hay palabra o acción de Judas, antes de llegar a la aprehensión de Jesús, que nos sirva para dibujar su carácter. Hilando demasiado fino, y aceptando que el Iscariote haya dicho, él solo y nadie más que él, lo que asegura Juan, se ha pretendido hallar en los celos el origen de esa frase y por tanto la causa primitiva de la entrega de Jesús. Si fue María Magdalena quien derramó sobre los pies del maestro el ungüento de nardos, y si Judas estaba enamorado de ella, la protesta de Judas por lo que estaba haciendo María no se debe al derroche, sino a los celos, se ha pensado. Pero es el caso que se dan al olvido estos detalles: primero, Juan dice claramente que quien unge a Jesús es María la hermana de Marta y de Lázaro, no la pecadora –esto es, la de Magdala–; y segundo, explica que Judas protestó, no porque tuviera celos, sino "porque era ladrón, y, llevando él la bolsa, hurtaba de lo que en ella echaban".[1] Si se usa el testimonio de Juan, es de rigor usarlo en todas sus afirmaciones y conclusiones, no apoyarse en él para inventar la leyenda de los celos.

No; la hipótesis de los celos no es legítima. Nada ofrece asidero para pensar que Judas estuvo enamorado de María Magdalena ni de otra mujer, como nada lo ofrece para pensar que Jesús fue amado por alguna de sus seguidoras con ese tipo de amor. Jesús fue adorado por hombres y mujeres, por ancianos y niños, por judíos y gentiles, por soldados, artesanos, pescadores, por escribas y fariseos y hasta por miembros del Sanhedrín. Las esposas, madres y hermanas e hijas de aquellos que le seguían iban con ellos

---

[1] *Juan*, 12; 6.

tras el predicador de la buena nueva. Lucas nos da algunos nombres: "Yendo por ciudades y aldeas predicaba y evangelizaba el reinado de Dios. Le acompañaban los doce y algunas mujeres que habían sido curadas de espíritus malignos y de enfermedades. María, llamada Magdalena, de la cual habían salido siete demonios; Juana, mujer de Cusa, administrador de Herodes, y Susana, y otras varias que le servían de sus bienes".[2] Es conocido el amor de las hermanas de Lázaro por aquel que a sí mismo se llamaba el Hijo del Hombre. Ahora bien, de las mujeres que se acercan a Jesús, y le rodean, ninguna recibe de él amor de varón, y probablemente ninguna le vio como tal, sino como profeta, Elías redivivo, el Hijo de David, valores puramente religiosos y morales en el pueblo de Israel. Así también le veían sus discípulos. Ninguno de ellos hubiera sido capaz de atribuirle otra personalidad. Además, si Judas hubiera sentido celos de esa naturaleza, ¿se lo habrían callado sus compañeros, algunos de los cuales, como Juan, se muestran tan pertinaces en acusarle?

Usando de la libertad creadora, otros han querido hallar en la envidia la causa de la venta. Judas sintió envidia de Jesús, quiso suplantarlo y decidió entregarlo a sus enemigos. Ni siquiera vale la pena argumentar contra esa tesis. A la hora de enjuiciar seriamente a un personaje que tuvo papel tan importante en el drama más trascendente que recuerda la humanidad, esas invenciones pueden interesar como frutos artísticos, pero nada más que en tal sentido. Un estudio honesto de Judas, como de cualquiera figura histórica, tiene que basarse en los hechos comprobados que se le atribuyen, en las acciones conocidas con que él se produjo. En el caso concreto de Judas Iscariote no hay prueba de que fuera envidioso, y mucho menos de que envidiara a su maestro. Es, pues, caprichoso explicar la traición por ese camino.

Un autor que pretende estar escribiendo la biografía de Jesús (Emil Ludwig, *El hijo del hombre,* edición Claridad, Buenos Aires, 1945; págs. 201-12) trata de justificar a Judas con otro argumento. Según él, Judas llega a poner en duda el origen divino de Jesús; esa duda aumenta hasta hacer crisis cuando, de vuelta al ambiente familiar de su juventud, Judas siente en Jerusalén el peso de las viejas creencias, la omnipotencia del templo y de sus servidores, la pompa de los oficios religiosos; además, sus antiguos amigos la aumentan con las burlas que hacen de Jesús y de la fe con que él le ha

---

[2] *Lucas*, 8; 1, 2 y 3.

seguido. Torturado hasta lo insufrible, Judas resuelve precipitar los acontecimientos para salvarse a sí mismo en su fe y convencerse de que Jesús no es el hijo de Dios. Lo será si adivina que es él, Judas, quien va a traicionarle. Mas Jesús no lo adivina. Judas, entonces, decepcionado, lo entrega.

Esta nueva hipótesis tampoco tiene base documental. Desde el punto de vista de la Historia, ¿cómo puede Ludwig probar que Judas vivió durante su juventud en Jerusalén, que tenía allí amigos a quienes volvió a ver y a frecuentar?

Lo único que se sabe de Judas sin lugar a dudas, antes de que prendan a Jesús en Gethsemaní, es que a él le tocaba guardar el dinero de la comunidad formada por Jesús y sus discípulos, y que su padre se llamaba Simón de Kerioth. Estos datos se los debemos a Juan, el más implacable de sus acusadores. Por el hecho de que él se llamara Iscariote –es decir, natural de Kerioth o Cariote– y su padre también, se deduce que Judas había nacido en tal lugar. Kerioth estaba situada a una jornada al sur de Hebrón, en las lindes del desierto, esto es, bastante al sur de Jerusalén; y de ser así, es lógico que para ir a Galilea Judas tuvo que pasar por Jerusalén, puesto que Galilea queda al norte de la que entonces era capital de los judíos. Nadie puede decirnos, sin embargo, si él hizo ese viaje siendo niño, adulto o viejo. De la necesaria realización de ese viaje a afirmar que vivió durante su juventud en Jerusalén, y que tenía amigos allí, y que los encontró de nuevo al volver con Jesús a la ciudad, la distancia es mucha para admitir como opinión seria la que en tal suposición se base. Ni siquiera es posible asegurar que Judas tenía en Jesús determinado tipo de fe. No hay dato que nos permita saber qué pensaba, cómo sentía, cómo actuaba Judas. Sólo al final del drama podríamos figurarnos –y nada más que figurarnos– cómo debió sentirse en un momento dado este hombre oscuro, a quien la cristiandad ha sacado de sus tinieblas para maldecirle sin tregua.

Por varias razones que iremos conociendo a medida que nos internemos en el estudio del personaje y del ambiente en que se movió, podemos llegar a colegir cuáles eran los sentimientos de los discípulos de Jesús hacia Judas; pero jamás llegaremos a saber cuáles fueron los de Judas respecto de sus compañeros. Imaginando cómo sentía él, y tratando de ajustar el juego de sus sentimientos a la acusación que se le hace, no será posible llegar a la verdad. Es necesario proceder en este caso con la honestidad que requiere, pues se trata de un hombre aplastado para toda la eternidad por el dictado de traidor; es más, con el de arquetipo del traidor.

Las fuentes de donde surgió esa acusación están al alcance de todos nosotros. Sin prejuicios, fríamente, procedamos a revisarlas; si de la revisión resulta evidente que vendió a su maestro, ¿por qué tratar de explicar las causas de la venta? Lo hizo, y se ha ganado su despreciable lugar en la Historia. Pero si resultare que no lo hizo, entonces rectifiquemos el tremendo juicio porque en ese caso lo que se ha hecho con Judas acusándole de una infamia como la que se le atribuye sería a todas luces la mayor injusticia cometida por el género humano.

Las fuentes históricas a que se alude son los testimonios de los evangelistas, tal como los presenta la Iglesia Católica, pues para los estudiosos laicos los autores de esos documentos no serían tan sólo Mateo, Marcos, Lucas y Juan; el primero y el último, compañeros de Judas en la comunidad de los doce discípulos de Jesús. Hay, además, el Libro de los Hechos de los Apóstoles, cuya revisión se hace imprescindible ya que en él no sólo se menciona a Judas y se le acusa, sino que se da cuenta de lo que podríamos llamar el epílogo de su acción. En los evangelios y en el Libro de los Hechos de los Apóstoles están todos los datos que han condenado a Judas para la eternidad del cristianismo.

La lectura de los evangelios con fines de revisión histórica no es tarea fácil, pues que a menudo se contradicen entre sí o explican un mismo hecho de distinta manera. Además, se da el caso de que sólo dos de los evangelistas fueron testigos presenciales de lo que cuentan. Estos fueron Mateo y Juan. No es obra del otro mundo deducir que algunos de los evangelistas, especialmente Marcos y Lucas en relación con Mateo, se copian entre sí. Sólo el testimonio de Juan se advierte independiente de los restantes, lo que se explica si se sabe que Juan escribió el suyo aislado de sus compañeros, no sólo porque ya habían muerto todos los discípulos de Jesús –Juan tuvo una vida muy larga, probablemente centenaria– sino además porque cuando redactó o dictó su testimonio se hallaba en Éfeso, ciudad del Asia Menor, y en tales días las comunicaciones no eran fáciles entre los distintos y nacientes núcleos de la cristiandad.

El hecho de que ni Marcos ni Lucas hayan presenciado los acontecimientos que cuentan no invalida sus respectivos evangelios, sin embargo. Pues del de Marcos, llamado también "el segundo" por haberle antecedido el de Mateo, podría decirse que es el de Pedro. Marcos viajó con Pedro y estuvo con él en Roma, le oyó contar, sin duda, repetidas veces los episodios del drama de la Pasión, y puede asegurarse que anotó nombres, lugares, incidentes referidos por Pedro. Puede usarse del evangelio de Marcos casi como si fuera el de un testigo presencial, y no se exageraría al decir que de un testigo de excepción. Pues leyendo a Marcos se advierte que Pedro tenía excelente memoria y verdadera capacidad de evocación, sobre todo en lo que se refiere a nombres propios y ambiente. Marcos tenía también acierto natural para escribir, puesto que sabía escoger entre lo útil y lo inútil a su narración.

El evangelio de Lucas abunda en detalles que no pueden ser de su invención. Este evangelista fue discípulo y compañero de San Pablo, y si bien escribió con el propósito deliberado de hacer proselitismo más que con el fin de dejar constancia de los hechos –lo cual explica su afán por justificar las Escrituras en la vida de Jesús–, de su obra se desprende la convicción de que interrogó a mucha gente que había conocido al Mesías, y probablemente hasta a familiares del mártir. Por lo demás, se nota que usó el evangelio de Marcos, y como es evidente que este último usó también el de Mateo, en el evangelio de Lucas se hallan algunos episodios, y sobre todo algunos sermones, casi copiados a la letra del evangelio de Mateo.

Procediendo con seriedad –ya que de lo que se trata es de revisar un juicio de grandes proporciones en el mundo moral y de larga penetración en el tiempo– debemos aceptar lo dicho por Marcos y por Lucas como documentos de primera importancia, aunque ni el uno ni el otro hayan sido testigos presenciales en lo que cuentan.

En cuanto al evangelio de Juan, su valor es incalculable para los fines de este estudio. Porque es Juan el único que ha lanzado sobre Judas acusaciones tan tremendas como la de que era ladrón, el único que pone en sus labios la sola frase que, de resultar cierta, se le atribuye a Judas antes de la cena pascual; el único capaz de afirmar que Jesús le dijo a él, y a nadie más que a él, que quien habría de venderle sería el Iscariote.

Las numerosas y graves discrepancias de Juan con sus compañeros evangelistas, la confusión que siembra en los estudiosos de la vida de Jesús haciendo viajar a su maestro continuamente de Galilea a Jerusalén y de Jerusalén a Galilea, no nos interesan para nada. Para nosotros, el interés del testimonio de Juan está en cuanto dice de Judas. Si no fuera por él no sabríamos ni siquiera el nombre del padre de ése a quien persigue el denuesto de la humanidad –y sólo porque el padre se llamaba también "de Kerioth" es posible afirmar que Judas era natural de Kerioth o Cariote, lo cual tiene gran importancia para determinar que no era galileo como los restantes discípulos–; es por Juan por quien sabemos que Judas tuvo la función de guardar los dineros comunes del grupo que seguía a Jesús.

Los restantes evangelistas cuentan secamente, apenas demorándose en la exposición de hechos, que Judas entregó a su maestro; y alguno, como Mateo, dice qué hizo con el dinero de la venta y cómo murió. Juan no; Juan le hace hablar, le acusa de ladrón, dice quién fue su padre y cuál era la función de Judas entre los discípulos; además, testimonia que Jesús lo señaló como aquél que había de entregarle.

Juan, el apasionado, a quien el propio Jesús bautizó Boanerges, esto es, "hijo del trueno"; Juan, el que propuso a Cristo pedir que bajara fuego del cielo para que destruyera el caserío samaritano donde no quisieron recibir a Jesús y a los suyos; ese Juan que prohibía echar los demonios a los que no fueran de la congregación de los discípulos; ese mismo Juan vehemente que habría de escribir, anciano ya, y mientras estaba desterrado por Domiciano en Patmos, las fragorosas páginas del Apocalipsis; ese Juan parece removido por un odio ardiente cada vez que escribe el nombre de Judas. De ahí la importancia de cuanto sobre él dice, y, muy especialmente, la importancia de lo que calla.

Lo que Juan diga sobre Judas puede ser puesto en tela de juicio, sobre todo cuando no lo digan también los restantes evangelistas, cuando no lo diga Mateo, compañero de Juan y del Iscariote en los hechos que tuvieron su culminación la tarde del viernes pascual en el Cerro del Gólgota. Pero lo que Juan no diga merece especial atención. Pues resulta tan evidente la pasión de ánimo con que se enfrenta al recuerdo de Judas, que si éste hubiera promovido con su conducta algún incidente –exceptuando, desde luego, el episodio de la traición en sí– o hubiera hecho algún comentario indebido o una pregunta indiscreta, Juan habría dado fe de eso. Y habría escrito sobre ello con letras de fuego, tal como lo hace cuando lo acusa de ladrón.

Tratar de buscar fuentes de información fuera de la Iglesia Católica –la organización más afanada en propagar a través del tiempo la repulsiva imagen de un Judas traidor– viciaría la revisión de este juicio, y además a nada conduciría.

Pues ya hemos señalado que los únicos documentos válidos para juzgar correctamente a Judas son los Evangelios y el Libro de los Hechos de los Apóstoles, documentos que son la raíz misma de la Iglesia Católica occidental.

Lo honesto es, por tanto, atenerse en este estudio a las mismas fuentes de que se ha valido la Iglesia para acusar a Judas.

Otra cosa sería partir de orígenes viciados, o por lo menos teñidos de prejuicios, lo que nos conduciría derechamente a conclusiones erradas. El propósito de este trabajo requiere que procedamos así, porque no se busca en él ni aceptar como definitiva la sentencia secular que ha recaído sobre Judas Iscariote ni negarla: nuestro fin es sólo ser justos. Si el Iscariote vendió a Jesús, merece el estigma que agobia su nombre, pero si no lo vendió, devolvámosle su dignidad de ser humano y su alta categoría como discípulo de aquél que a sí mismo se llamó el Hijo del Hombre.

Todavía no se ha hecho un estudio sereno sobre la participación del Iscariote en el proceso que culminó con la crucifixión de su maestro en el Cerro de las Calaveras. Vamos a tratar de llevarlo a cabo ahora, valiéndonos de los mismos documentos que han sido usados para hacer de Judas la encarnación de la vileza y la figura más execrada de toda la cristiandad.

EPÍLOGO

MAESTRO DE MAESTROS; SOBRE JUAN BOSCH

En 1984 se presentó, en la ya desaparecida librería Bell, Book & Candle, mi novela *La noche oscura del Niño Avilés.* El presentador fue José Luis González, a quien siempre consideré más mi amigo que mi maestro. Y lo entendía así, no porque la obra de José Luis González no dejara de impresionarme, sino porque nunca me consideré digno de ser reconocido como su discípulo. Recuerdo que José Luis me llamó "joven maestro" –grandilocuencia acostumbrada en las presentaciones– y señaló que *La noche oscura del Niño Avilés* era la mayor travesía de la imaginación en la literatura puertorriqueña. Nada de eso fue dicho con ironía, por supuesto. Aunque, eso sí, con los años me he percatado de la desmesura de sus palabras –ya dije que fue más mi amigo que mi maestro– y hubiese preferido haber tenido con él la relación que siempre pensé tuvo con Juan Bosch, cuando éste estuvo exiliado en Puerto Rico durante los años cuarenta. Me imagino a Juan Bosch leyendo los cuentos juveniles de José Luis. Envidio los consejos sobre cómo usar la elipsis o el dato escondido, la sugerencia, resolver los finales, trabajar los distintos tipos de desenlaces.

Toda esa sabiduría del maestro Juan Bosch está en esta Antología Personal, donde la composición de un cuento se concibe como un oficio noble, meticuloso, casi de orfebre. En la sección *Características del cuento* tenemos una lúcida reflexión sobre ese género, el más difícil de los narrativos. Ahí se nos habla, con gran astucia, sobre el final con desenlace, el final sin desenlace, el final con desenlace sorprendente. Se nos señala que el cuento debe ser como una flecha que da en el blanco. Finalmente entiendo por qué José Luis González escribió cuentos perfectos en su adolescencia: el magisterio de Bosch, ese rigor que siempre reconocemos en su escritura, no hubiese tolerado otra cosa.

El cuento *La mujer* es un magistral ejemplo de cómo lo elíptico es la costura invisible que une el tejido de un cuento. Ese final misterioso, no concluyente aunque sí sorpresivo, nos obliga, como en los mejores cuentos de Chéjov, a la relectura. Sería, según lo señalado por Bosch, un final *casi* sin desenlace; al final ocurre una acción demasiado importante para hablar de un desenlace clásico. Así de sutil fue el arte de este maestro del cuento. Decía Bosch que en el cuento vale más el interés que puede provocar en el lector lo que se cuenta que el final propiamente. Pero es que esos finales son tan enigmáticos como los giros del *destino*, que tantas veces marcan las tramas ideadas por Bosch.

La muerte de Encarnación Mendoza es justamente uno de esos cuentos en que el desenlace y el final sorprendente han sido marcados por una voz autorial omnisciente, y que también es la del *destino*. La perplejidad final ha tenido como antecedente la certidumbre de una voz que conoce el final de la trama. Nadie como Bosch al asumir una tercera persona autor omnisciente: el discurso indirecto libre, esa voz del personaje, evidencia una particular justeza, el oficio logrado con verdadero *arte*. Es una voz que me entrega esa interioridad que identificamos con la primera persona, pero que nunca escapa hacia el monólogo interior; es justamente el equilibrio perfecto de lo *contado* por el narrador y lo *sabido* por el autor.

Resulta curiosa la filiación literaria y antillana de Juan Bosch, su admiración por la escritura de Lino Novás Calvo. Esa afinidad la sospecho más ligada al oficio cuentístico que desarrolló Novás Calvo en Cuba que a la exuberancia barroca de *El negrero,* novela de 1933. En Bosch tenemos –cosa curiosa– al escritor antibarroco por excelencia. No hay en él esa tendencia a la *amplificación*, que heredamos los antillanos del romanticismo fundacional a través del modernismo de Martí. Aunque hay gran oído en la captación de la *oralidad,* Bosch no cae en un cultivo excesivo de lo coloquial. Podríamos comparar ese oficio suyo de los años treinta a los sesenta –la época de los casi treinta años de exilio– con el de Emilio S. Belaval en *Cuentos para fomentar el turismo.* Mientras Bosch es de una parquedad ejemplar en el retrato que hace de aquellos años en que la caña crecía por todas partes –buen ejemplo es *La muerte de Encarnación Mendoza*– Emilio S. Belaval, en su *Capataz buena persona, montado en caballo blanco,* nos ofrece una visión fantasmagórica y barroca del cañaveral. Lo que es sugerencia en Bosch en Belaval se convierte en ironía. El final que Belaval le da a ese cuento posiblemente hubiese sido tachado por el severo arte mayor de Bosch. La filiación con los cuentistas puertorriqueños es paradigmática y simétrica: José Luis González abrevó en Bosch y Luis Rafael Sánchez en el neobarroco de Belaval.

Otros lugares de la Antología Personal que quisiera privilegiar: la *semblanza* como arte literario menor está en esos retratos de Lloréns Torres y Pedro Henríquez Ureña –*Lloréns Torres, el apasionado; Evocación de Pedro Henríquez Ureña*– en que el patriotismo del primero es seña de identidad y la fugaz presencia del segundo es insinuación de su enigmática personalidad. Las pocas pinceladas son las de un arte que aprendió a describir y caracterizar en el cuento. En el artículo sobre el Ché Guevara se destaca no sólo el retrato del revolucionario argentino, sino que nos enfrentamos, con verdadero drama, a ese momento en que la llamada izquierda democrática latinoamericana –Figueres, Bosch, Betancourt, Muñoz Marín– dio paso a la aventura de la Revolución Cubana. Nos encontramos en ese sitio privilegiado, donde la actualidad de la semblanza y la recuperación de la memoria le devuelven viveza a la solemne Historia.

Los ensayos socio-políticos tienen la vigencia del *testimonio*, la experiencia de un escritor que fue fugaz presidente de la República Dominicana hasta su derrocamiento por el golpe de estado de 1963. Su momento de radicalización en la política latinoamericana, después de ese nefasto año, está explicado en el ensayo *Fidel Castro o la nueva etapa histórica del Caribe,* ensayo que pertenece al libro *De Colón a Fidel Castro.* A mayor agresión del imperialismo norteamericano, mayor radicalización de la izquierda, recapitula Bosch en ese lúcido análisis de las relaciones interamericanas. El episodio de la invasión de Playa Girón contiene esa tensa y provocadora animación en que la historiografía se transforma en *thriller.* La caracterización de Rafael Leonidas Trujillo –*De dictador a propietario del país*– completa este díptico antillano en torno al autócrata más duradero y el más sanguinario. Haber convertido a Santo Domingo en finca privada es la grotesca originalidad del dictador que Bosch combatió, desde el exilio, buena parte de su vida.

En esta Antología Personal vemos el gran registro de la escritura de Bosch, sus distintas *maneras*. He aquí el cumplimiento de uno de los propósitos de esta colección.

Edgardo Rodríguez Juliá
En Guaynabo,
a 8 de mayo de 2008